Die Deutsche Bibliothek - CIP-Einheitsaufnahme

Aqualog : reference fish of the world. - Mörfelden-Walldorf : A.C.S.
Lebendgebärende der Welt / Livebearers and Halfbeaks.-1998

Lebendgebärende der Welt / Livebearers and Halfbeaks : (Guppys, Platys, Mollys) / Michael Kempkes, Frank Schäfer. - Mörfelden-Walldorf : A.C.S. (Aqualog)

ISBN 3-931702-77-4

NE: Kempkes, Michael & Schäfer, Frank

© **Copyright: Verlag A.C.S. GmbH**

Rothwiesenring 5, 64546 Mörfelden-Walldorf / Germany

Text und fachliche Bearbeitung:
Frank Schäfer, Michael Kempkes
Übersetzungen
Monika Schäfer
Index und Organisation
Wolfgang Glaser
Redaktion
Frank Schäfer
Titelgestaltung:
Gaby Geiß, Büro für Grafik, Frankfurt a.M.
Druck, Satz, Verarbeitung:
Lithos Verlag A.C.S.
Bildbearbeitung Frank Teigler
Giese Druck, Offenbach
Gedruckt auf EURO ART glänzend,
100% chlorfrei von PWA Umweltfreundlich

Printed in Germany

Vorwort

Die Lebendgebärenden Zahnkarpfen gehören zu den beliebtesten und wichtigsten Fischen in der Aquaristik. Nahezu jeder, der sich mit dem Hobby befaßt, ist schon einmal mit ihnen in Berührung gekommen und hat die eine oder andere Art in seinen Becken gepflegt. Häufig waren es die lebend geborenen Jungen dieser Fische, die den Ausschlag dafür gaben, Fische nicht nur im Aquarium zu pflegen, sondern sie auch zu züchten. Dennoch sind sich viele Liebhaber nicht bewußt, welche Artenvielfalt es an Lebendgebärenden Zahnkarpfen gibt.

So wurden in der Vergangenheit mehrfach Versuche unternommen, alle bekannten Arten darzustellen. Mit Erfolg, denn gegenüber der letzten Zusammenfassung durch MEYER, WISCHNATH und FOERSTER im Jahr 1985 können zahlreiche, bislang noch nie eingeführte Arten in diesem AQUALOG erstmals vorgestellt werden.

Viele glauben, die Lebendgebärenden seien klassische "Anfängerfische", ihre Pflege mit keinerlei Schwierigkeiten verbunden und ihre Zucht ein Kinderspiel. Es muß an dieser Stelle ganz klar gesagt werden, daß dem nicht so ist. Von einigen Arten abgesehen, finden sich unter den Lebendgebärenden auch zahlreiche Arten, die zu den ausgesprochenen Problemfischen zu zählen sind, bei denen bereits die Pflege, mehr aber noch die Zucht ein ungelöstes aquaristisches Rätsel darstellen.

Da sich unter den Lebendgebärenden viele Arten finden, deren Fortbestand in der Natur äußerst gefährdet ist (einige Arten mußten sogar schon auf die Liste der wahrscheinlich ausgerotteten Tierarten gesetzt werden), ist es ein dringendes Ziel, diese Probleme zu lösen. Man kann nur schützen, was man kennt: Dies war einer der Gründe, diesen AQUALOG zu verfassen. Noch nie zuvor wurden so viele verschiedene Varianten einander gegenübergestellt. Wir haben alle erreichbaren Fundortformen abgebildet, um zu dokumentieren, wie vielfältig (noch) die Welt durch diese wunderschönen Tiere bereichert wird.

Darüber hinaus wollten wir aber natürlich auch den vielen fleißigen Züchtern unseren Respekt zollen, die in unendlicher Kleinarbeit immer neue Zuchtformen und Varianten entwickeln. Und so wurde den Zuchtformen ebenfalls so breiter Raum eingeräumt, wie er noch nie zuvor in einem Buch zu finden war.

Wir hoffen, daß dieser AQUALOG allen, die ihn benutzen, ein hilfreiches Werkzeug ist: dem Liebhaber, Händler und Exporteur, der einen Fisch bestimmen muß, sowie dem Züchter und dem Wissenschaftler, der sich über die ganze Bandbreite informieren will, die diese Fische repräsentieren.

Preface

The livebearers belong to the most popular and important fishes in the aquarium hobby. Almost anybody who ever got interested in keeping ornamental fishes sooner or later tended a livebearing species in his tank. Most certainly, the quite easy to breed offspring of these fishes tempted many hobbyists not only to keep but also to breed ornamental fishes at home. Still, many aquarists do not know how incredibly variable these fishes are and how many different species indeed exist.

In the past, several attempts have been made to describe and photograph all known species. These attempts were quite successful so that - after the last comprehensive publication by MEYER, WISCHNATH and FOERSTER (1985) - this AQUALOG can introduce to you many species that hadn't been imported before.

Many people think that livebearers are typical "beginner" fishes whose maintenance is absolutely unproblematic and whose breeding a "piece of cake". We would like to stress that this is not the case. Apart from few species, there are livebearing fishes that belong to the most difficult to keep in the hobby and whose reproductive patterns belong to the great mysteries of fish keeping.

As many livebearing species belong to the animals that are threatened by extinction (several species even had to be included in the list of most likely extinct animals), all aquarists should combine their efforts to answer these unsolved questions as soon as possible. You can only protect the thing you know: This was one of the reasons for compiling this AQUALOG. Never before so many different varieties were included in one single volume. We show you all local varieties we could get hold of so that you can get an impression, how these wonderful fishes (still) do enrich the world we live in.

On top of that we wanted to pay tribute to all the diligent breeders who, with untiring vigour, develop new forms and varieties all the time. And this is why this AQUALOG contains more pictures of breeding forms than any other book on livebearers.

We hope, that this AQUALOG will turn out to be a handy tool for anybody who uses it: hobbyists, dealers, and exporters, who need to identify a fish, as well as breeders and scientists, who want to inform themselves about the incredible range of fishes included in this group.

Mörfelden-Walldorf, im April 1998

Michael Kempkes
Frank Schäfer

Inhalt
Contents

Einleitung*
Introduction
Seite 5
page 5

Die Gattungen*
The genera
Seite 7
page 7

Die Zuchtformen Lebendgebärender Zahnkarfen**
Ornamental forms of livebearers
Seite 31
page 31

Symbolerklärung deutsch
Explanation of the symbols, german
Seite 48
page 48

Bildteil Hochlandkärpflinge, Goodeidae
Plates Goodeidae
Seite 49
page 49

Bildteil Vieraugen- und Linienkärpflinge, Anablepidae
Plates Anabepidae
Seite 78
page 78

Bildteil Wildformen Lebendgebärende Zahnkarpfen
Plates Poeciliinae, wild forms
Seite 83
page 83

Bildteil Zuchtformen Lebendgebärende Zahnkarpfen
Plates Poeciliinae, breeding forms
Seite 216
page 216

Bildteil Halbschnabelhechte, Hemiramphidae
Plates halfbeaks, Hemiramphidae
Seite 306
page 306

*by F. Schäfer
**by M. Kempkes

Erklärungen der Abkürzungen in den wissenschaftlichen Namen
Key to the abbreviations of the scientific names

Beispiel/ *example:*	*Poecilia* Gattung *Genus*	*mexicana* Art *Species*	*limantouri* Unterart *Subspecies*	JORDAN & SNYDER, Beschreiber *Describer*	1900 Publikationsjahr *Year of publication*

sp./spec.: = species (lat.): Art / *species*
Hinter einem Gattungsnamen meint dies: Ein Artname steht (noch) nicht zur Verfügung, die Art ist bislang nicht eindeutig bestimmt bzw. noch nicht formell beschrieben./
Following the genus name, this means: A species name is not yet available, the species has not yet been determined or formally described.

ssp.: = subspecies (lat.): Unterart / *subspecies*
Einige Arten haben ein sehr großes Verbreitungsgebiet; innerhalb dieses Gebietes gibt es Populationen, die sich äußerlich zwar deutlich von anderen Populationen unterscheiden, genetisch jedoch zur gleichen Art gehören. Solche Populationen erhalten als Unterart einen wissenschaftlichen Namen. Ist die Unterart bislang unbenannt, so steht hier nur ssp./
Some species inhabit an area of a very wide range; within this area, there may be populations which differ significantly in appearance from other populations, but clearly belong to the same species. Such populations may get a third scientific name, indicating a subspecies. If a subspecies name has not yet been formally given, the abbreviation ssp. is added.

cf.: = confer (lat.): vergleiche / *compare*
Einem Artnamen vorangestellt meint dies: Das vorliegende Exemplar oder die entsprechende Population weicht in gewissen Details von der typischen Form ab, jedoch nicht so gravierend, daß es oder sie einer anderen Art zugeordnet werden könnte./
Placed in front of a species name this means: The specimen shown or the respective population to which it belongs differ in some minor details from the typical form, but these differences do not justify to place it into a species of its own .

sp. aff.: = species affinis (lat.): ... ähnliche Art / *similar to ...*
Einem Artnamen vorangestellt meint dies: Die vorliegende Art ist bisher noch nicht bestimmt, sie ähnelt jedoch der genannten und bereits beschriebenen Art./
Placed in front of a species name, this means: The species at hand is not yet determined but it is very similar to the one named in the following.

Hybride/*hybrid*: Kreuzungsprodukt, Mischling zweier Arten / *hybrid or crossbreed of two species*
leg. : = legat (lat.): Überbringer, Bote / *a person who brings or gives something*
Im AQUALOG - Kontext bedeutet dies: die exakte Fundortangabe zu dem abgebildeten Fisch stammt von der in Kapitälchen geschriebenen Person / *This means in the AQUALOG context: the information about the exact place of origin of the fish depicted is given by the person written in capitals*

Einleitung

Allgemeines

In diesem AQUALOG werden Ihnen Fische aus vier Familien vorgestellt: die Hochlandkärpflinge (Goodeidae), die Vieraugen- und Linienkärpflinge (Anablepidae), die Lebendgebärenden Zahnkarpfen (Poeciliidae, Poeciliinae) und die Halbschnabelhechte (Hemiramphidae). Die meisten, aber nicht alle Arten, die dieses Buch behandelt, bringen lebendige Junge zur Welt, weshalb sie auch im Hobby als "Lebendgebärende" bezeichnet werden. Auf die anatomischen Grundlagen dieses Lebendgebärens soll hier nicht weiter eingegangen werden. Es stellt aber in der Entwicklungsgeschichte (Evolution) der Fische eine der höchsten Entwicklungsstufen der Brutfürsorge dar.

Mancher Leser mag sich fragen, warum in diesem AQUALOG auch die eierlegenden Vertreter der oben aufgeführten Familien gezeigt werden. Nun, der Grund ist recht einfach. Da AQUALOG alle Fische der Erde katalogisieren will, wäre es schwierig geworden, die wenigen Eierleger in einem anderen Band sinnvoll zu integrieren. Lediglich die eierlegenden Vertreter der Goodeidae wurden ausgenommen, da diese Fische bereits in dem Band "Killifishes of the World: New World Killis" von Dr. Lothar SEEGERS abgehandelt werden. Außerdem sieht man einem Halbschnabelhecht äußerlich nicht an, ob er lebende Junge gebärt oder Eier legt. Die Bestimmung eines Halbschnabelhechtes hätte es also nötig gemacht, mehrere AQUALOG-Bände zu benutzen, was dem Verlagskonzept widerspricht.

Bei grundsätzlichen Fragen zur Pflege und Zucht sei auf die nachfolgenden Ausführungen von Michael KEMPKES verwiesen. Hier sollen zunächst einige prinzipielle, speziell die Lebendgebärenden betreffende Besonderheiten erläutert und dann die einzelnen Gattungen besprochen werden.

Entwicklungsgeschichte

Die hier besprochenen Fische entstammen ursprünglich dem Meer. Manche Arten, wie Vieraugenkärpflinge, zahlreiche Halbschnabelhechte, einige Gambusen oder manche Populationen der Segelkärpflinge (*Poecilia velifera*) leben auch heute noch oder wieder dort. Viele Arten bevorzugen daher in ihren Biotopen hartes, alkalisches Wasser. Andere Arten haben sich aber auch an weiches, saures Wasser angepaßt, so daß die pauschale Aussage, Lebendgebärende bräuchten hartes Wasser, nur sehr bedingt zutrifft.

Es ist einer der großen Vorteile des Lebendgebärens, daß bereits ein einziges befruchtetes Weibchen ausreicht, um eine neue Population aufzubauen. Aus der daraus resultierenden Inzucht können sich verhältnismäßig schnell neue Farbvarianten oder Arten entwickeln. So erklärt es sich, daß man unter den Lebendgebärenden viele Arten findet, die ein sehr kleines Verbreitungsgebiet haben. Dieser evolutive

Introduction

General Acknowledgements

This AQUALOG introduces fishes of four different families: the Goodeidae, the Anablepidae (Four-eyes and Jenynsias), the Poeciliidae (i.e. the subfamily Poeciliinae, the livebearers), and the Hemiramphidae (halfbeaks).

Most, but not all, of the species shown in this book bear live young - and this is the reason why they are commonly called "livebearers" in the hobby. We don't want to go into the anatomical features of livebearing fishes. Still, in evolutionary terms, this way of brood caring is definitely the most advanced.

Some readers might ask themselves why this AQUALOG also includes the egg laying species of the families listed above. Well, the reason for this is quite simple. As AQUALOG wants to catalogue all ornamental fishes of the world, it would have been very difficult indeed, to sensibly integrate the few egg laying species in any other volume of our identification book series. Only the egg laying Goodeidae are not included here, as they are already catalogued in Dr. Lothar SEEGER's "AQUALOG Killifishes of the World: New World Killis". Besides, one cannot tell from the looks of a halfbeak, whether it belongs to the livebearing or the egg laying kind. Consequently, the readers would have been forced to use several books in order to identify a fish correctly - which would be in contradiction with our acclaimed concept.

Basic instructions for tending and breeding are given in the text by Michael KEMPKES that follows the descriptions of fundamental, livebearertypical characteristics and the genera.

Evolution

The fishes dealt with in this book once lived in the sea. Some species, like the Four-eyes, numerous halfbeaks, some *Gambusia*-species and some populations of Sailfin Mollies (*Poecilia velifera*) are still partially living in saltwater or have returned to live in it. This is the reason why many species prefer biotopes with hard, alkaline water. Still, other species have adapted to soft, acidic water so that it is almost impossible to generalise and say that all livebearers need hard, alkaline water.

One of the most important advantages of livebearing is that one single, fertilised female is enough to establish a new population. The inevitable inbreeding that occurs in such a population has the effect that new colour varieties or even species may emerge within a short period of time. This explains why there are many livebearing species with a rather small natural distribution area. Unfortunately, this evolutionary advantage has now turned into a serious disadvantage. Increasing pollution of the environment, and the usage of brooks and rivers for rural purposes or drinking water have led to or near the extinction of many endemic (i.e. only locally occurring) species.

Vorteil hat sich leider heutzutage in einen Nachteil für die Fische verwandelt. Die zunehmende Umweltverschmutzung, die Nutzung von Bächen oder Quellen für die Landwirtschaft oder zur Trinkwassergewinnung haben viele endemische, also nur lokal vorkommende Arten, bereits aussterben lassen oder an den Rand der Ausrottung gebracht. Unter dem Aspekt der schnellen Artbildung kann man auch verstehen, warum die Einordnung vieler Populationen zu Arten, Unterarten oder Lokalvarianten unter Wissenschaftlern immer heftig umstritten war und auch heute noch ist. Hinzu kommt noch ein Faktor, der im Tierreich allgemein sehr selten auftritt, aber gerade bei den Lebendgebärenden Zahnkarpfen bekannt ist: Die

Hybridogenese.

Unter Hybridogenese oder Kleptonbildung versteht man, wenn sich unter besonderen genetischen Voraussetzungen stabile, sich erhaltende Bastardpopulationen ausbilden. Bei den lebendgebärenden Zahnkarpfen wurde dieses Phänomen 1932 erstmals anhand des Amazonen-Mollys *Poecilia* kl. *formosa* entdeckt. Dieser Fisch bildet eine ausschließlich aus Weibchen bestehende, sogenannte „Hybridart" oder Klepton (das Wort Klepton entstammt dem griechischen und bedeutet stehlen, weil diese „Arten" sich am genetischen Material anderer Arten bereichern). Die Stammformen dieser Hybridart bilden der Breitflossenkärpfling (*Poecilia latipinna*) und der Mexiko-Molly (*Poecilia mexicana*). Kreuzt man beide Arten im Experiment, so erhält man zwar Fische, die wie *P.* kl. *formosa* aussehen, aber beide Geschlechter entwickeln und sich auch „ganz normal" fortpflanzen. Bei den eingeschlechtlichweiblichen Kleptons hingegen wird bei der Befruchtung der komplette genetische Anteil des Vatertieres eliminiert, so daß immer wieder nur-weibliche Jungtiere entstehen. Es gelang bisher nicht, den Klepton experimentell zu erzeugen. Weitere Kleptons unter den Lebendgebärenden finden sich in der Gattung *Poeciliopsis*. Auch hier bestehen die Kleptons aus Nur-Weibchen-Populationen. Das heißt aber nicht zwanghaft, daß alle Kleptons immer nur eingeschlechtlich sein müssen. Bei den Fröschen z.B. ist der in Europa häufigste Frosch überhaupt, der Teichfrosch (*Rana* kl. *esculenta*), ein zweigeschlechtlicher Klepton.

Bei den Lebendgebärenden Zahnkarpfen ist es wie bei allen Fischen: unterschiedliche Forschungsansätze liefern unterschiedliche Ergebnisse. Manche hier verwendete Einteilungen werden von anderen Wissenschaftlern so nicht geteilt. Die Aquarianer mögen daher Verständnis haben, wenn sie dann und wann einen neuen Namen lernen müssen. Schließlich ist die Biologie keine statische, sondern eine dynamische Wissenschaft. Im Gegenteil: Gerade Aquarianer können durch die Veröffentlichung ihrer Beobachtungen, die sie bei der Pflege und Zucht machen, der Wissenschaft helfen, noch so manches offene Rätsel dieser faszinierenden Fischgruppe zu lösen. Ich habe mich bemüht, bei der nun folgenden Aufzählung der Gattungen so objektiv wie möglich zu bleiben. Wo Arten von anderen Wissenschaftlern unterschiedlich beurteilt wurden, habe ich versucht, die verschiedenen Meinungen zu berücksichtigen.

Considering the ability to develop new species and varieties in such short time, one can see why species classification was and still is quite fiercely disputed among scientists. Adding to this, there is a factor that is indeed quite rare in the animal kingdom but occurs in the livebearing toothcarps,

the hybridogenesis.

Hybridogenesis or klepton formation is the forming of stable, constant hybrid populations. This process always takes place under certain genetic circumstances. In livebearers, this phenomenon was discovered in 1932 in the Amazon molly, Poecilia kl. formosa. This fish develops a hybrid species or klepton (the word "klepton" comes from Greek and means "to steal"; it is used for these species because they enrich themselves with the genetic material of other species) consisting exclusively of females. The forms out of which this hybrid species emerges are the Sailfin molly (Poecilia latipinna) and the Atlantic molly (Poecilia mexicana). When the two species are crossed in the experiment, you do get fish that look like P. kl. fomosa but develop both sexes and also reproduce totally "normal". In the all-female kleptons, on the other hand, the complete genetic setup of the father is eliminated so that in any further reproduction exclusively female offspring is produced. Up to now, all attempts to produce this klepton in the experiment have failed. Further kleptons can be found in the genus Poeciliopsis. In this genus, too, the kleptons consist of all-female populations. But this doesn't mean that all kleptons have to be of only one sex. In frogs, for example, the most widely spread European frog, Rana kl. esculata, forms kleptons including both sexes.

In livebearers, it is like in all other fishes: different scientific approaches lead to different results. Some of the classifactions in this book are not accepted by other biologists. Therefore, hobbyists should understand that sometimes it is necessary to learn new names. Biology is not a static, but a dynamic science and the results of research and new methods are especially fruitful in livebearers. Hobbyists shouldn't be frustrated but, quite on the contrary, help science with publishing their reports about keeping and breeding these fascinating fishes, thus providing clues for answering the still open questions about livebearers.

I tried to be as objective as possible in listing the genera. Whenever species are contrarily classified by other scientists, I did my best to take these opinions into consideration.

Die Gattungen

Familie Goodeidae - Hochlandkärpflinge

Die Gattungseinteilung innerhalb der Hochlandkärpflinge ist recht kompliziert. Ein wichtiges Gattungsmerkmal sind die Nährschnüre, die Trophotaenien, die die Embryonen haben. Weitere Kriterien sind Bezahnungsmerkmale und in neuerer Zeit auch die Karyotypen, also eine Untersuchung der Chromosomenstruktur, für die allerdings lebendes Material benötigt wird. Die hier aufgezeigte Einteilung ist die Essenz aus den Arbeiten von HIERONIMUS (1995), der im Internet zu finden-denden (aus wissenschaftlicher Sicht damit nicht publizierten) „Arbeitsliste der einheimischen Süßwasserfische von Mexiko" von MILLER & HUMPHRIES, sowie von MEYER, WISCHNATH & FOERSTER, 1985.

Allodontichthys HUBBS & TURNER, 1939

Die Gattung umfaßt nach derzeitigem Wissenstand vier Arten. HIERONIMUS (1995) vermerkt, die Gattung sei bis heute schlecht definiert geblieben und weise enge verwandtschaftliche Beziehungen zu *Ilyodon* und *Xenotaenia* auf. Jedoch sehen auch andere Bearbeiter (MEYER et. al., 1985, MILLER & HUMPHRIES, unpubl.) die Gattung als valide an. Schließlich wurde erst kürzlich eine neue Art der Gattung beschrieben (RAUCHENBERGER, 1988). Die Arten bewohnen fließende Gewässer und vertragen mit Ausnahme von *A. tamazulae* auf die Dauer keine Temperaturen über 22°C. Es sind bodenorientiert lebende Fische, bei denen die Männchen streng territorial sind. Da sich die Fische unter Umständen gegenseitig umbringen können, ist eine paarweise Haltung in geräumigen Aquarien dringend geraten. Die Zucht ist aus den genannten Gründen nicht ganz einfach und auch platzaufwendig. Eine, zumindest zeitweilige, Freilandhaltung bekommt den Tiere gut, soweit das bisher ausprobiert wurde. Die Fische sind recht anspruchslos, was die Ernährung angeht.

Alloophorus HUBBS & TURNER in TURNER, 1937

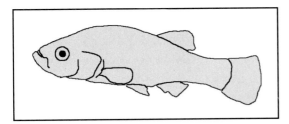

Diese Gattung enthält nur eine Art, sie ist monotypisch. Die Art *A. regalis* wurde von neueren Bearbeitern übereinstimmend als zur Gattung *Allotoca* gehörig gesehen. *Alloophorus robustus* ist ein sehr groß werdender Hochlandkärpfling, der hauptsächlich in größeren stehenden Gewässern vorkommt. Die Weibchen sollen bis zu 20 cm Länge erreichen können! Wie so viele Goodeidae mag auch diese Art nicht zu hohe Temperaturen im Bereich von 16 - 22°C. Es sind Allesfresser, wobei große Tiere eine eher räuberische Lebensweise führen und auch kleine Fische nicht verschmähen. Dennoch ist gerade dieser Hochlandkärpfling gegenüber Fischen, die nicht als Futter in Frage kommen, relativ friedlich.

The Genera

Family Goodeidae

The generic classification within the goodeids is quite complicated. One important genus feature are the trophotaeniae that are present in the embryos. Other characteristics are dentation and, lately, the so-called karyotypes, an analysis of the fish's chromosome structure, for which live material is needed. The classification listed below is the essence of the works of HIERONIMUS (1995), the only in the Internet (and thus, not scientifically published) published "Working list of the native freshwater fishes of Mexico" by MILLER & HUMPHRIES and of MEYER, WISCHNATH & FOERSTER (1985).

Allodontichthys HUBBS & TURNER, 1939

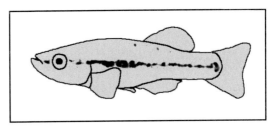

At the moment, the genus includes four species. HIERONIMUS (1995) writes that, until today, the genus is badly defined and shows close relationships with Ilyodon and Xenotaenia. Nevertheless, he and other scientists (MEYER et. al., 1985, MILLER & HUMPHRIES, not published) regard the genus as valid; after all, a new species of the genus was described only a short while ago (RAUCHENBERGER, 1988). The fishes live in running waters and - except from A. tamazulae - do not tolerate permanent temperatures above 22°C. They live bottom-oriented and males show a rigid territorial behaviour. Under certain circumstances, the fish might even kill each other, so that we recommend to keep only pairs in spacious aquaria. Owing to the mentioned behaviour, breeding is not easy and requires a lot of space. As far as it was attempted, outdoor keeping (at least periodically) proved to be beneficial. Regarding food, these fishes are absolutely unproblematic.

Alloophorus HUBBS & TURNER in TURNER, 1937

This is a monotypical genus, with only one species. All scientists who worked lately on the identification of goodeids regarded the species A. regalis as belonging to the genus Allotoca. Alloophorus robustus is a very large growing goodeid that lives mainly in lakes and other larger stagnant waters. Females are said to sometimes attain lengths around 20 cm! Like many other goodeids, they do not like temperatures above the recommended range between 16 and 22°C. They are omnivores; large specimens tend towards a predatory lifestyle, enjoying to eat small fish. Still, this goodeid is a relatively peaceful tankmate for smaller fishes that are not regarded as food.

Allotoca Hubbs & Turner, 1937 in Turner, 1937

Diese Gattung enthält (je nach Bearbeiter) 5-7 beschriebene Arten sowie eine weitere unbeschriebene Art. Insgesamt ist über die Gattungsvertreter nicht sehr viel bekannt, einige Arten stehen durch Umweltverschmutzung kurz vor dem Aussterben. In ihren Haltungsansprüchen scheinen die Tiere von Art zu Art etwas unterschiedlich zu sein. Während die gelegentlich gepflegte und gezüchtete Art *A. diazi* recht robust und aggressiv ist und daher große Becken benötigt, in denen sie allein gehalten werden sollte, ist *A. dugesii* in ausreichend großen Aquarien auch zu vergesellschaften. Über die übrigen Arten liegen keine oder kaum Informationen vor. Die Fische tolerieren zeitweilig auch Temperaturen bis 24°C, jedoch sind schwankende Temperaturen (vor allem im jahreszeitlichen Rhythmus) für eine dauerhafte Gesunderhaltung wichtig. Die Zucht über mehrere Generationen ist noch problematisch.

Ameca Miller & Fitzsimons, 1971

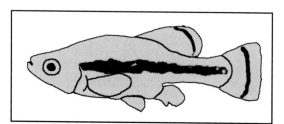

Die Gattung *Ameca* enthält nur eine Art, die zu den geeignetsten Hochlandkärpflingen für die Aquaristik gehört. Aus diesem Grunde soll hier einmal in aller Kürze auf wesentliche Pflegebedingungen eingegangen werden, die für viele Hochlandkärpflinge im Aquarium gelten. Bitte beachten Sie aber dennoch unbedingt die Symbolleiste unter den Bildern im hinteren Teil des Buches, da hier alle Besonderheiten berücksichtigt werden, die bei den einzelnen Arten auftauchen. In jedem Falle gilt, daß die Goodeidae über ein ausgeprägtes innerartliches Sozialverhalten verfügen. Von Ausnahmen abgesehen ist es günstig, sie in einer größeren Gruppe zu halten. Bei Einzel- oder Paarhaltung kommt es sonst oft zu gefangenschaftsbedingtem Fehlverhalten, das sich darin äußert, daß die Tiere aggressiv auf andere Fische reagieren. Entsprechend sollte das Pflegeaquarium nicht zu klein sein und mit reichlich Versteckmöglichkeiten in Form von Wurzeln, Steinen und Pflanzen ausgestattet werden. Nie vergessen sollte man, daß die Beobachtungen, die über das Freileben der Hochlandkärpflinge gemacht wurden, sich praktisch ausnahmslos auf die Trockenzeit beziehen. Der Lebensraum der Goodeidae liegt nicht in den Tropen! Im Habitat mancher Arten können sogar Nachtfröste auftreten, und viele Arten sind physiologisch an mehr oder weniger krasse Temperaturschwankungen sowohl im Tages-Nacht-Rhythmus wie auch im Jahreszeitenwechsel angepasst. Einer der meistgemachten Fehler bei der Haltung der Hochlandkärpflinge ist, sie jahrein-jahraus unter konstanten Bedingungen zu pflegen. Wenngleich auch Wassermessungen in der Natur meist nur in Zeiten des Niedrigwassers gemacht wurden, liegt man dennoch nie falsch, wenn man Hochlandkärpflinge in mittelhartem bis hartem, neutral bis leicht alkalisch reagierendem Wasser pflegt. Auf

Allotoca Hubbs & Turner in Turner, 1937

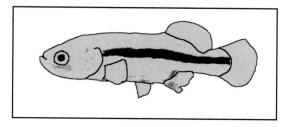

This genus includes (depending on the reviser) 5 to 7 described species, as well as one undescribed species. On the whole, we do not know a lot about the fishes of this genus, some species even face extinction due to environmental pollution. Maintenance varies a bit from species to species. Whereas the occasionally kept and bred species A. diazi *is a robust and aggressive fish that requires a spacious tank on its own*, A. dugesii *can be kept in community with other fishes in a large enough aquarium. There is no or only very little information about the other species. Sometimes, they do tolerate temperatures up to 24°C, but variating temperatures following the natural circle of the seasons are most important for long-living, healthy fish. To produce offspring through several generations is still very problematic.*

Ameca Miller & Fitzsimons, 1971

The genus Ameca *includes only one single species, which is one of the most suitable goodeids for aquarium keeping. Therefore, we would like to take the opportunity to explain shortly the most basic care instructions for these fishes that can be applied to most goodeids being kept as aquarium fish. But please remember to check the symbols in the captions in the back part of the book - these symbols provide all information for each single species, especially exceptional features.*

Generally, one can say that goodeids have a very distinct social behaviour within the species. Except some few species, they should be kept in larger groups. Being kept as solitary fish or pair, goodeids can develop captivity-specific misbehaviour and become aggressive towards other fishes. Accordingly, a goodeid tank should be spacious and furnished with many hiding places, like roots, stones and plants. One has always to keep in mind, that almost all observations of wild goodeids were made during the dry period. The natural distribution area of goodeids is not in the tropics! In their natural habitats, some species even have to face night frosts, and many goodeids are physically adapted to more or less extreme variations in temperature, day-and-night rhythm and changing seasons. One of the most common mistakes in goodeid maintenance is to keep them constantly under the same conditions for years and years. Although in nature water parameters were only taken during low water periods, you can hardly fail if you keep them in medium hard to hard and neutral to slightly alkaline water. A weekly partial water change is most important, because the fishes tend to contract fish tuberculosis, a disease that is definitely supported by deteriorating water quality. Ameca splendens tolerates a wide range of temperatures up to 28°C and is nicely coloured. Feeding this fish is unproblematic, flake, frozen and live foods are readily taken (they have to include a certain proportion of vegetable components) and the

einen regelmäßigen Teilwasserwechsel im wöchentlichen Rhythmus ist bei allen Arten zu achten, da die Fische insgesamt eine Neigung haben, an Fischtuberkulose zu erkranken, eine Krankheit, die durch sich verschlechternde Wassermilieus entscheidend gefördert wird. *Ameca splendens* verträgt ein breites Temperaturspektrum bis zu 28°C und ist sehr hübsch gefärbt. In der Ernährung ist die Art anspruchslos, d.h. Flocken-, Frost- und Lebendfutter aller Art wird angenommen (wobei ein pflanzlicher Anteil nicht fehlen darf), und auch die Zucht stellt kein großes Problem dar. Sogar eine Vergesellschaftung der recht friedfertigen Fische mit Arten anderer Familien ist möglich. Alles in allem ist *A. splendens* ein sehr empfehlenswerter Zierfisch.

Ataeniobius HUBBS & TURNER in TURNER, 1937

Auch diese Gattung ist monotypisch. DAWES (1997) führt die Art als *Goodea toweri*, eine Einteilung, die auch MILLER (in HIERONIMUS, 1995) für eine zukünftige Revision für wahrscheinlich hält. Hier wurde jedoch vorerst bei der alten Einteilung geblieben. Im Gegensatz zu vielen anderen Goodeidae benötigt diese Art hohe Wassertemperaturen zwischen 26 und 28°C. Die Tiere brauchen einen hohen Anteil an pflanzlicher Kost in ihrem Futter. Leider ist auch *A. toweri* eine bedrohte Tierart.

Chapalichthys MEEK, 1902

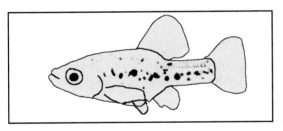

2-3 Arten werden in dieser Gattung geführt: Während der Artstatus von *Ch. encaustus* als gesichert gilt, weiß man noch nicht, ob *Ch. pardalis* und *Ch. peraticus* nicht ein und dieselbe Art sind. Da beide Arten gleichzeitig vom gleichen Autor beschrieben wurden, müßte im Falle einer Synonymisierung der erste Revisor festlegen, welcher Name zukünftig Gültigkeit hat. Die Fische sind erfreulich unproblematische Pfleglinge. Temperaturen zwischen 18 und 24°C werden toleriert, wobei auch hier tages- und jahreszeitliche Schwankungen erwünscht sind. Die Ernährung mit allen üblichen Futtersorten ist möglich. Auch die Zucht über mehrere Generationen stellt kein Problem dar, die Tiere sind aber stark kannibalisch. Allerdings muß bei einer Vergesellschaftung die hohe Aggression der *Chapalichthys* Arten gegen kleine Fische bedacht werden.

Characodon GÜNTHER, 1866

Drei beschriebene Arten und eine unbeschriebene Art zählen zu dieser geografisch deutlich von den anderen Hochlandkärpflingen isolierten Gattung. Eine davon ist allerdings bereits ausgestorben. Die drei noch existierenden Arten (*Ch. audax*, *Ch. lateralis* und *Ch.* sp.) sind ebenfalls bedroht. Es sind sehr attraktive Fische, deren Haltung allerdings durch

production of offspring is also quite easily done. They can even be kept in community tanks, together with species of other families. *A. splendens is peaceful and well suited for being kept in the aquarium.*

Ataeniobius HUBBS & TURNER in TURNER, 1937

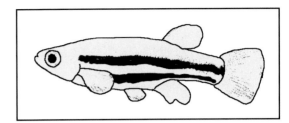

This is another monotypical genus. DAWES (1997) classifies the fish as Goodea toweri, *a classification that MILLER (in HIERONIMUS, 1995) also thinks to be likely in a future revision. For the time being, we stuck to the old classification. In contrast to many other Goodeids, this species needs high temperatures, between 26 and 28°C. They also have to be fed with foods rich in vegetable components. Unfortunately,* A. toweri *is a species facing extinction.*

Chapalichthys MEEK, 1902

2 to 3 species are included in this genus. (Whereas Ch. encaustus *is regarded as a valid species, it is not yet clear whether* Ch. pardalis *and* Ch. peraticus *are one and the same species. As they were described by the same author in the same paper, the first reviser would have to determine which of the two names is valid in the future). All species are lovely, unproblematic tank inhabitants. They tolerate temperatures between 18 and 24°C, and changes according to the seasons and day- and night-time should be simulated. They eat all common foods. Taking the production of young through the generations is no problem at all, although the fishes are cannibalistic. If you want to keep them in a community tank, choose a spacious tank -* Chapalichthys *are very aggressive towards smaller species.*

Characodon GÜNTHER, 1866

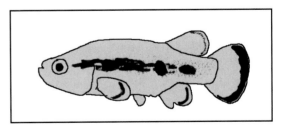

In this genus, three described and one undescribed species are included. The genus is geographically isolated from all other goodeids. Unfortunately, one species has already died out and the three remaining ones (Ch. audax *,* Ch. lateralis *and* Ch. sp.*) are also threatened by extinction. They are very attractive fishes that are somewhat problematic to keep as they display a very aggressive interspecific behaviour. Densely growing plants, rockwork and roots have to be provided, giving the fishes the possibility to hide and rest. Still, on the whole they are recommendable aquarium fish that are quite easy to breed. Water temperature should be between 22 and 24°C, the usual foods are readily taken.*

die hohe innerartliche Aggesivität etwas erschwert wird. Hier sollte durch dichte Bepflanzung, Steinaufbauten und Wurzelholz für Rückzugsmöglichkeiten gesorgt werden. Dennoch sind die Fische insgesamt als gut halt- und züchtbar zu bezeichnen. Die Temperatur darf zwischen 22 und 24°C liegen, gefressen werden alle üblichen Futtermittel.

Girardinichthys BLEEKER, 1860

Leider ist auch einer der zwei Vertreter der Gattung *Girardinichthys* bereits vom Aussterben bedroht. Die an sich hübschen und recht friedlichen kleinen Fische sind in der Haltung nicht unproblematisch, da bereits Temperaturen von dauerhaft 22°C zum Tode führen können. DAWES (1997) berichtet allerdings von einem Toleranzbereich von 20 - 27°C. Vorsicht ist jedenfalls angebracht, und im Zweifelsfall sollte man die Tiere nicht unnötig gefährden. Wer also nicht die Möglichkeit hat, kühle Wassertemperaturen zu bieten, sollte die Finger von den Fischen lassen. Ansonsten sind die Vertreter dieser Gattung leicht mit allen üblichen Futtermitteln (also Flockenfutter, Frost- und Lebendfutter) zu ernähren und auch gut zu züchten.

Goodea JORDAN, 1880

Ob es eine, zwei oder drei Arten von *Goodea* gibt, darüber streiten derzeit noch die Gelehrten. Da sich aber die Tiere zumindest äußerlich ganz gut den verschiedenen Formen zuordnen lassen, haben wir uns hier auf die Seite der Splitter geschlagen. Es handelt sich um große (in der Natur wurden schon 18 cm lange Weibchen gefangen) und einheitlich silbrige Fische, die jedoch trotzdem durch ihre friedliche, ruhige Art imposant wirken. Abgesehen davon, daß *Goodea*-Vertreter wie alle Hochländkärpflinge kein weiches und saures Wasser mögen, ist die Pflege recht problemlos. Schwierigkeiten, die in der Zucht über mehrere Generationen auftreten, lassen es jedoch geraten scheinen, auch diese Fische nicht zu warm zu halten. Temperaturschwankungen sind für fast alle Fische, die nicht aus den Tropen stammen, wesentlich: *Goodea* macht hier keine Ausnahme.

Hubbsina DEBUEN, 1941

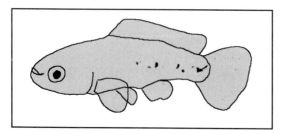

Wieder einmal eine monotypische Gattung, wieder einmal eine Art, die kurz vor der Ausrottung steht. Leider scheiterten bislang wohl alle Versuche, die attraktiven Kärpflinge dauerhaft im Aquarium zu halten. Hoffen wir, daß sich die diesbezüglichen Probleme lösen lassen, bevor nachfolgende Generationen auch diese Tierart nur noch in Büchern bewundern können.

Girardinichthys BLEEKER, 1860

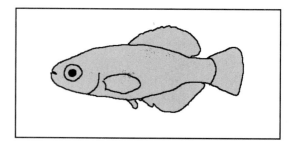

Unfortunately, one of the two species of this genus faces extinction like so many other Goodeids. The quite pretty and peaceful small fishes are not too unproblematic in the aquarium, because permanent temperatures above 22°C lead almost inevitably to death. On the other hand, DAWES (1997) reports tolerated temperatures between 20 and 27°C. Anyway, you should be very careful when you keep the fishes at temperatures around the mentioned limit - there is no need to carelessly endanger them. So, if you are not absolutely sure that you can provide the required cool temperatures, you should refrain from keeping Girardinichthys. Besides, the fishes are easily tended (they accept all common flake frozen and live foods) and bred.

Goodea JORDAN, 1880

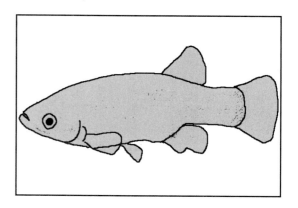

At the moment, scientists still argue whether there are one, two or three species to be included in the genus. As the different forms are, at least, quite different in their appearance, we decided to join the 'splitter' fraction. These fishes are large (wild-caught females were sometimes as large as 18 cm) and display a uniform silver coloration; still, their peaceful and quiet behaviour makes them impressive aquarium fishes. Apart from the fact that Goodea, like all goodeids, do not like soft, acidic water, they are easy to keep. In the past, difficulties to breed them through several generations arose so that we recommend to keep them at rather low temperatures. Changing water temperatures are essential for almost all fishes that do not come from the tropics and Goodea is no exception from this rule.

Hubbsina DE BUEN, 1941

Another monotypical genus, another species facing extinction. Unfortunately, all attempts to keep these attractive goodeids permanently in the aquarium have failed. We sincerely hope that this problem is solved in the near future, so that following generations of aquarists can admire live specimens and not only pictures in books.

Ilyodon Eigenmann, 1907

Zwei bis vier Arten werden dieser variablen Gattung zugeordnet. Vieles deutet darauf hin, daß in dieser Gattung sowohl Hybridogenese vorkommt als auch die Artbildung noch nicht abgeschlossen ist. Der Formenkreis *furcidens/xantusi* unterscheidet sich von dem Formenkreis *whitei/lennoni* kaum in den Haltungsansprüchen. Es handelt sich in beiden Fällen um recht friedfertige Fische, die Tempera-turen zwischen 18 und 26°C tolerieren und jede gängige Futtersorte annehmen. Auch die Zucht gelingt problemlos, so daß man von *Ilyodon* als idealen Aquarienfischen sprechen kann.

Skiffia Meek, 1902

Man ist sich erfreulich einig darüber, daß innerhalb der Gattung *Skiffia* vier Arten unterschieden werden. Hinzu kommt noch eine Form, deren Artstatus bislang ungeklärt ist. Es handelt sich um sehr attraktive, kleinbleibende und friedliche Vertreter der Familie, die, mit Ausnahme von *S. lermae* (die es kühl braucht) den Halter vor keine großen Probleme stellen. Temperaturen zwischen 18 und 26°C werden vertragen und die Zucht der Tiere gelingt planmäßig. Sogar eine Aquarienhybride ("Black Beauty") zwischen *S. multipunctata* und *S. francesae* wurde von Langhammer (1988) erzüchtet. Leider gelang es uns bislang nicht, Fotos dieser Form zu erhalten, vielleicht kann sie ja einmal als Ergänzung (Stickup) nachgereicht werden. In diesem Zusammenhang sei allerdings darauf hingewiesen, daß Kreuzungen immer auch als solche deklariert werden müssen. Über Sinn oder Unsinn solcher Artkreuzungen ohne wissenschaftliche Fragestellung in Liebhaberhand zu streiten, ist eine rein akademische Frage. Jedoch muß bedacht werden, daß angesichts des enormen Gefährdungsgrades vieler Arten die Reinzucht einen hohen Stellenwert in der Aquaristik einnehmen sollte.

Xenoophorus Hubbs & Turner in Turner, 1937

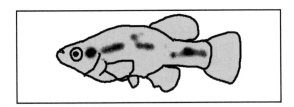

Dieser Gattung wurden zeitweilig drei Arten zugeordnet, doch werden *X. erro* und *X. exsul* heute übereinstimmend als Synonym zu der einzigen Art *X. captivus* gesehen. Im Aquarium sind diese Fische friedlich und gut halt- und züchtbar. Im Gegensatz zu der Art *Ataeniobius toweri*, die im gleichen Verbreitungsgebiet lebt, verträgt *X. captivus* auch niedrigere Temperaturen, doch kann er auch gut bei dauerhaft hohen Temperaturen von 24 - 26°C gepflegt und gezüchtet werden. Ein pflanzlicher Anteil in der Kost darf nicht fehlen, ansonsten wird an das Futter kein besonderer Anspruch gestellt.

Xenotaenia Turner, 1946

Zu *Xenotaenia* wird derzeit nur eine Art gestellt: *X. resolanae*. Der Fisch

Iyodon Eigenmann, 1907

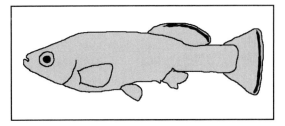

Two to four species are assigned to this variable genus. A lot hints towards the assumption that in this genus hybridogenesis is present as well, as species are still developing. When it comes to tending, maintenance of the furcidens/xantusi *forms is in no respect different from the maintenance required by the* whitei/lennoni *forms. In both cases, you have quite peaceful fishes that tolerate temperatures between 18 and 26°C and take readily any kind of food. Breeding is just as unproblematic - and all this makes* Ilyodon *a perfect aquarium fish.*

Skiffia Meek, 1902

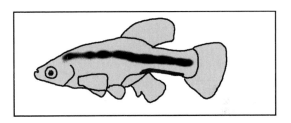

Every now and then, there is something like unity even among scientists: They agree that four species are included in Skiffia, *plus one form whose species-status is still in question. They are very attractive, peaceful, small goodeids and, except from* S. lermae *(that needs cool temperatures), absolutely unproblematic aquarium fishes. Temperatures in the range between 18 and 26°C are tolerated and breeding, too, is usually successful.* Langhammer *(1988) even succeeded in breeding an aquarium hybrid of* S. multipunctata *and* S. francescae, *"Black Beauty". Unfortunately, we didn't succeed in getting hold of pictures of this breeding form, but maybe we can publish the fish on a supplement or stickup one day. In this context, we'd like to mention that all crossbreeds, of course, have to be declared as hybrids. Whether the breeding of such hybrids by enthusiasts makes any sense or not, is a purely academic question. Still, we think it is important that aquarists keep an eye on breeding the pure forms, as they are - obviously - very often threatened to vanish forever from our planet.*

Xenoophorus Hubbs & Turner, 1937

At times, three species were assigned to this genus, but today, X. erro *and* X. exsul *are agreed to be synonyms of the only species,* X. captivus. *In the aquarium, the fish are easy to keep and breed. In contrast to* Ataeniobius toweri, *that has the same natural distribution area,* X. captivus *tolerates rather low temperatures as well as rather high ones around 24-26°C. If you want to keep and breed this fish, don't forget to add foods with vegetable components; apart from that, this fish has no special requirements.*

ist an sich gut für die Pflege und Zucht im Aquarium geeignet, doch handelt es sich um eine relativ aggressive Art, die daher recht große Aquarien fordert, sollen Artgenossen und eventuell vergesellschaftete andere Arten nicht unter den gelegentlichen Hetzjagden leiden. Die Temperatur kann zwischen 20 und 26°C liegen; wird die Temperatur über einen Regelheizer reguliert, so sollte er aber nicht unter 22°C eingestellt sein.

Xenotoca HUBBS & TURNER in TURNER, 1937

Diese Gattung, der drei Arten zugerechnet werden, liefert den einzigen, ständig im Sortiment des Zoofachhandels zu findenden Goodeidae: den Banderolenkärpfling, *X. eiseni*. Im großen und ganzen sind die Fische dieser Gattung als ideale Aquarienfische anzusehen. Es gibt nur eine einzige Einschränkung: Aus bislang ungeklärten Gründen entwickeln sich manche *X. eiseni* zu Flossenfressern, die dann zur Plage für alle Mitberwohner werden. Dieses Phänomen wurde bislang nur für den hochrückigen, alten Stamm "Jacobs", und auch hier nicht für alle Tiere, dokumentiert. Dennoch sollte man, wenn man diese Tiere pflegen möchte, seine Fische sorgfältig beobachten. Tritt das Flossenfressen auf, so müssen die Fische im Artenbecken weitergepflegt werden. Die Temperatur zur Pflege und Zucht kann zwischen 16 und 26°C liegen, gefressen wird alles übliche Futter.

Zoogoneticus MEEK, 1902

Innerhalb der Gattung *Zoogoneticus* kennt man eine beschriebene und eine unbeschriebene Art, die zu den kleinen Kostbarkeiten unter den Lebendgebärenden zu zählen sind. Werden die Fische bei zu hohen Temperaturen (über 25°C) und vor allem bei konstanten Temperaturen gepflegt, so wird der Stamm krankheitsanfällig und geht verloren. Ähnliches kennt man auch aus ganz unterschiedlichen Fischgruppen mit ähnlichen ökologischen Ansprüchen. Beachtet man aber diese Besonderheit, so wird man viel Freude an den Fischen haben, die jedes feine Lebend- und Frostfutter annehmen.

Familie Anablepidae - Vieraugen- und Linienkärpflinge

Diese Familie enthält nur drei Gattungen, wobei die eine Gattung, *Jenynsia*, in jüngster Zeit neu überarbeitet worden ist und einige Arten neu beschrieben wurden. Eine weitere Gattung, *Oxyzygonectes*, ist in ihrer systematischen Stellung umstritten. Wir folgen hier der allgemein in der Liebhaberliteratur verwendeten Einordnung in der Familie Anablepidae.

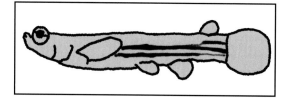

Xenotaenia TURNER, 1946

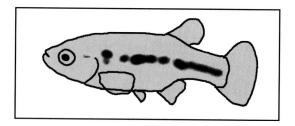

Only one species is assigned to this genus at the moment: X. resolanae. By and large, this fish can be recommended for aquarium keeping, but you have to provide a rather large tank; otherwise all other fishes living in community with this goodeid would have to suffer from its rather aggressive behaviour. Water temperatures may be between 20 and 26°C. If the temperature is controlled by an automatic heating device, the heater should not be tuned below 22°C.

Xenotoca HUBBS & TURNER in TURNER, 1937

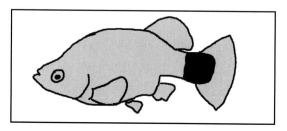

This genus that includes three species presents the only goodeid that is regularly offered at pet shops: X. eiseni, the Red-tailed Goodeid. In general, the fishes of this genus are regarded as ideal aquarium fish. There is only one reservation: Due to reasons that are still unknown, the Red-tailed Goodeid sometimes begins to gnaw at other fishes' fins and becomes a plague for all other tank inhabitants. This behaviour has been noted so far only in animals of the old, high-bodied strain "Jacobs". So, if you maintain these fish in your aquarium, keep an eye on them. As soon as they start to gnaw at fins, you have to remove them from the community tank and tend them in a species tank. For keeping and breeding, temperatures can be between 16 and 26°C, and all common foods can be given.

Zoogoneticus MEEK, 1902

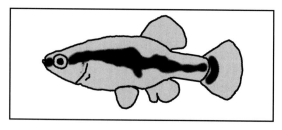

The genus Zoogoneticus has one described and one undescribed species, and these fishes are the most precious among livebearers. When being kept at too high (above 25°C) and too constant temperatures, the fishes becomes susceptible to diseases and eventually die. A similar thing is known from other, quite different groups of fishes with similar ecological requirements. But if you remember to provide natural conditions (including the all-important temperature fluctuations), you will enjoy this beautiful fish for a long time. It eats all usual fine live and frost foods.

Anableps Linné, 1758

Die Vieraugenfische gehören zu den absonderlichsten Fischen der Erde. Ihre Augen sind in der Mitte zweigeteilt, so daß die Tiere, die unmittelbar an der Wasseroberfläche leben, sowohl oberhalb wie auch unterhalb der Wasseroberfläche scharf sehen können. Drei Arten werden derzeit unterschieden, wobei zwei Arten, A. anableps und A. microlepis, leicht verwechselt werden können, zumal sie das gleiche Verbreitungsgebiet bewohnen. Das wesentlichste Unterscheidungsmerkmal soll die Anzahl der Schuppen längs des Körpers sein, doch ist dieser Unterschied selbst auf scharfen Fotos kaum nachvollziehbar. Bei der Arbeit an diesem Buch fiel jedoch auf, daß es zwei verschiedene Formen unter den Importtieren gibt, die sich durch den Unterschied im Index Augendurchmesser im Verhältnis zur Schnauzenlänge unterscheiden. Dabei wirken die Tiere mit der kurzen Schnauze kleinschuppiger, die mit der längeren Schnauze großschuppiger. Hier wurden daher die Tiere mit der kurzen Schnauze als A. microlepis, die mit der langen Schnauze als A. anableps angesprochen. Die dritte Form hingegen, A. dovii, hat ein anderes Verbreitungsgebiet und auch eine abweichende Färbung. Alle Vieraugenkärpflinge sind Brackwasser- oder Meeresbewohner, auch wenn die Tiere oft weit bis ins Süßwasser aufsteigen. Alle Vieraugenfische erreichen recht erhebliche Längen (um 30 cm), was für die Pflege große Aquarien notwendig macht. Es sind Aufwuchsfresser, die Felsen und Holz abweiden. Im Aquarium nehmen sie aber vielerlei Futtersorten an. Eine weitere Besonderheit dieser Tiere ist, daß sich nicht jedes Männchen mit jedem Weibchen paaren kann. Manche Männchen können ihr Begattungsorgan nur nach links, andere nur nach rechts ausschwenken. Dementsprechend gibt es Weibchen, die nur von links bzw. von rechts bepaart werden können. Möchte man mit Vieraugenkärpflingen züchten, so braucht man also im allgemeinen mehrere Tiere, da diese anatomische Besonderheit äußerlich nicht erkennbar ist. Vieraugenfische sind lebendgebärend. Die Zucht ist aber nicht einfach, weil die erwachsenen Tiere neugeborene Jungfische meist umbringen. Versucht man, trächtige Weibchen zu isolieren, so kommt es aufgrund des damit verbundenen Stresses häufig zu Totgeburten.

Jenynsia Günther, 1866

Die amerikanischen Wissenschaftler GHEDOTTI und WEITZMAN haben 1995 und 1996 diese Gattung überarbeitet, die nun neun Arten umfaßt. Die beiden Wissenschaftler stellten fest, daß die im Hobby verbreitete Art nicht J. lineata, sondern J. multidentata ist. Da die Jenynsia-Arten äußerlich ganz gut durch Zeichnungsmerkmale unterschieden werden können, kam ich bei der Überprüfung des eingesandten Bildmaterials für dieses Buch zu der gleichen Ansicht. Ferner stellen GHEDOTTI und WEITZMAN fest, daß der oben für Anableps beschriebene einseitige Paarungsmodus für Jenynsia nicht zutrifft und frühere Autoren in dieser Hinsicht irrten. Im Aquarium sind Jenynsia nicht problemlos: Sie neigen zu bakteriellen Infektionen und sind recht aggressiv. Es liegen aber nicht viele wirkliche Erfahrungsberichte vor, da die Linienkärpflinge keine beliebten Zierfische sind. Möglicherweise würden neuere

Family Anablepidae

This family contains only three genera, although one genus, Jenynsia, was revised recently and some new species were described. The rank of another genus, Oxyzygonectes, within the systematology is still disputed. This book follows the classification one can find in the usual specialist books and puts the genus into the family Anablepidae.

Anableps Linné, 1758

The Four-eyes belong to the most peculiar fishes on earth. Their eyes are divided in the middle, so that the fish can, while swimming beneath the water surface, observe everything that's going on below and above the surface at the same time. At present, three species are distinguished; two of them, A. anableps and A. microlepis can be easily mixed up, even more so as they live in the same natural distribution area. Supposedly, the number of scales on the sides of the body is the most significant feature that distinguishes the two, but even on very sharp photos this difference can be hardly seen. Working on this book, we noted that there are two forms occurring in imports that differ in the index eye diameter-snout length. In the two forms, it seems as if the specimens with a short snout have smaller scales, whereas specimens with long snouts have larger scales. We decided to classify the short-snouted specimens as A. microlepis, the long-snouted ones as A. anableps. The third form, A. dovii, has a different distribution area and is differently coloured. All Four-eyes live in brackish or marine waters, although the fishes often intrude far up freshwater streams. All Four-eyes attain respectable lengths (around 30 cm) which makes large aquaria necessary. They eat everything that grows on rocks and roots; in the aquarium, they take all kinds of foods. Another peculiar feature of these fishes is the fact that not every male can mate with every female: Some males can turn their sexual organ only to the left, others only to the right. Accordingly, there are females that can only be fertilised from the right or the left hand side. If you want to breed Four-eyes, you have to keep several specimens because this anatomical feature cannot be seen externally. Four-eyes are livebearers, but breeding is not easy as the parents very often kill their newly born fry. If you try to isolate highly pregnant females, they often bear dead young, owing to the stress.

Jenynsia Günther, 1866

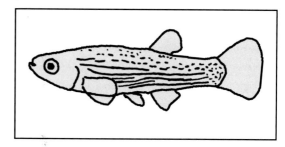

In 1995 and 1996, the American scientists GHEDOTTI and WEITZMAN revised this genus and assigned nine species to it. Both scientists found out that the (in the hobby quite common) species is not J. lineata but J. multidentata. As all Jenynsia species can be quite well distinguished by differing body markings, I came to the same conclusion after having checked the photo-

Pflegeversuche ein anderes Licht auf diese hochinteressante Gattung werfen, an der es noch viel zu erforschen gilt.

Oxyzygonectes FOWLER, 1916

Diese Gattung, die in eine eigene Unterfamilie Oxyzygonectinae gestellt wird, vermittelt zwischen den Killifischen und den Lebendgebärenden. Entsprechend ist die Stellung der einzigen Art, *O. dovii*, umstritten, und manche Autoren stellen sie auch zu den Fundulinae. Den Aquarianer braucht das aber nicht weiter zu berühren. *O. dovii* ist ein recht groß werdender (um 35 cm), eierlegender Fisch, der in der Natur in Gruppen auftritt. Er bewohnt brackige Gewässer und benötigt auch im Aquarium einen Seesalzzusatz. Aufgrund ihrer Größe und Schreckhaftigkeit sind die Tiere nur für wirklich große Aquarien ab 2 m Kantenlänge geeignet. Neben Lebend- und Frostfutter wird auch Flockenfutter gefressen. Abgelaicht wird an Pflanzen oder auch den in der Killifischzucht üblichen Laichmops.

Familie Poeciliidae, Unterfamilie Poeciliinae - Lebendgebärende Zahnkarpfen

Diese artenreiche Familie enthält neben den Killifischen im engeren Sinne alle Vertreter, die man in der Aquaristik allgemein als "Lebendgebärende" kennt: Guppys, Platies, Schwertträger und Mollies. Wie bereits in der Einleitung erwähnt ist die Systematik dieser Fische recht kompliziert. Im folgenden wird versucht, den neuesten Stand der Forschung zu referieren.

Alfaro MEEK, 1912

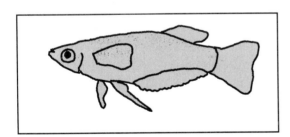

Die Messerkärpflinge, wie man diese Gattung auch nennt, sind mit zwei Arten in Mittelamerika verbreitet. Es sind schöne, mittelgroße Kärpflinge, deren Pflege und Zucht aber manchmal nicht problemlos ist. Häufig im Hobby ist nur *A. cultratus,* wogegen es bei der zweiten Art, *A. huberi,* bislang nicht gelang, einen Aquarienstamm aufzubauen. *Alfaro cultratus* sollte unbedingt im Schwarm gehalten werden, weil es sonst zu Verhaltensstörungen kommen kann, die sich darin äußern, daß die Fische aggressiv gegen Mitbewohner werden.

Alloheterandria HUBBS, 1924

Die zwei Vertreter dieser Gattung wurden bis vor kurzem noch als zur Gattung *Priapichthys* gehörig gesehen. MEYER und ETZEL (1996) überarbeiteten diese heterogene Gattung und kamen zu dem Ergebnis, daß *Alloheterandria* als monophyletische Gattung aufzufassen sei. Die zwei

graphic material for this book. GHEDOTTI *and* WEITZMAN *also observed that the one-sided way of fertilising described above does not occur in* Jenynsia *and that previous authors were wrong in this respect. In the aquarium, these fishes are not unproblematic: They tend to contract bacterial infections and are quite aggressive. Unfortunately, there are only very few actual reports on maintaining these fishes, as these livebearers are no popular aquarium fishes. New attempts to keep them in the aquarium could possibly lead to interesting insights into this still mysterious genus.*

Oxyzygonectes FOWLER, 1916

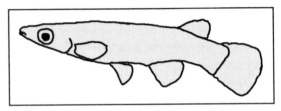

This genus is assigned to an extra subfamily, the Oxyzygonectinae, and forms a connection between livebearers and killifishes. Consequently, the place of the only species, O. dovii, is much disputed among scientists, some authors even place it in the Fundulinae. However, hobbyists do not have to concern themselves with these matters. O. dovii is a quite large growing (ca. 35 cm) egg-laying fish; in nature, it always lives in groups. It lives in brackish water and, therefore, needs sea salt additives in the aquarium. Due to their size and jumpiness, these fish should be kept only in really large aquaria with over 2 m length. O. dovii eats live and frozen foods, but also flake foods. It spawns on plants or, like in killi breeding, spawning mops.

Family Poeciliidae, Subfamily Poeciliinae

This family contains all species that are usually called "livebearers" in the hobby: guppies, platies, swordtails and mollies. As previously mentioned in the introduction, the systematology of these fishes is really complicated. The following text tries to give an insight into the latest results of livebearer research.

Alfaro MEEK, 1912

The Knife-edged Livebearers are distributed in Central America and include two species. They are beautiful, medium-sized livebearers that are somewhat problematic in keeping and breeding. The species A. cultratus is quite common in the hobby, but the second species, A. huberi, has not yet been successfully bred in captivity through several generations. Alfaro cultratus should be kept in swarms, otherwise it develops severe behavioural disturbances and becomes very aggressive towards other tank inhabitants.

Alloheterandria HUBBS, 1924

Until recently, the two species of this genus were assigned to the genus Priapichthys. *MEYER and ETZEL (1996) revised this heterogeneous genus and arrived at the conclusion that* Alloheterandria *has to be understood as a monophyletic genus. The two species assigned to* Alloheterandria

Arten gehören zu den Juwelen unter den Lebendgebärenden. Es sind Zwerge (max. 3 cm), die am besten in einem kleinen Artenaquarium zur Geltung kommen. Leider bereitet die Zucht über mehrere Generationen (Ausnahme: A. nigroventralis) noch große Probleme, so daß man sich wünscht, mehr Aquarianer würden sich dieser kleinen Kolumbianer annehmen.

Belonesox KNER, 1860

Diese Gattung, die nur eine Art enthält, präsentiert den Raubfisch unter den Lebendgebärenden. Auf die Dauer lassen sich die Tiere nur mit lebenden Futterfischen halten. Dennoch ist der Hechtkärpfling ständig im Hobby, da immer wieder Aquarianer der Faszination dieser imposanten, im weiblichen Geschlecht bis zu 20 cm langen Räuber erliegen. Pflege und Zucht sind, sieht man einmal von den Futteransprüchen ab, nicht sonderlich schwer, und so existieren stabile Aquarienpopulationen. Allerdings muß der recht starke Kannibalismus innerhalb der Art berücksichtigt werden. Nicht nur Jungfische, sondern auch kleinere Artgenossen (wie z.B. die immer kleineren Männchen) können den gefräßigen Tieren zum Opfer fallen. Freilich scheint es so, daß zumindest im Freileben eine dunkle Körperlängsbinde, wie sie die Tiere zeigen können, einem Kannibalismus vorbeugt. Neugeborene Tiere zeigen sie nämlich ebenso, wie das in der sozialen Rangordnung tieferstehende Exemplare tun. Weitergehende Beobachtungen seitens der Aquarianer in dieser Beziehung sind sehr erwünscht.

Brachyrhaphis REGAN, 1913

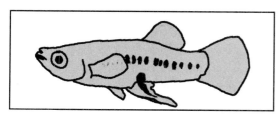

Neun Arten sind derzeit aus dieser Gattung beschrieben. Es sind wunderschöne Fische, deren zänkisches Temperament aber einer weiten Verbreitung in den Aquarien entgegensteht. Auch diese Gattung kommt aus Mittelamerika. Pflege und Zucht ist bei den meisten Arten als schwer zu bezeichnen, was mit dem ausgeprägten Kannibalismus der Fische gegenüber Neugeborenen zusammenhängt, weshalb sich nur versierte Aquarianer diesen Tieren zuwenden sollten.

Carlhubbsia WHITLEY, 1951

Mexiko und Guatemala sind die Heimat der zwei bislang bekannten Vertreter der Gattung Carlhubbsia. Die kleinen, hochrückigen Fische erinnern etwas an die Vertreter der Gattungen Phallichthys und Quintana. Es sind friedfertige, allerdings nicht sehr farbenfrohe Arten, die sich auch mit kleineren Behältern zufriedengeben. Pflege und Zucht sind einfach, wenngleich berichtet wurde, daß bei C. kidderi die Bestände in der dritten Generation plötzlich zusammenbrachen (MEYER et.al., 1985). Doch passiert dergleichen leider immer wieder bei „seltenen" Fischen: anfangs will sie jeder haben, die Pflege und Zucht

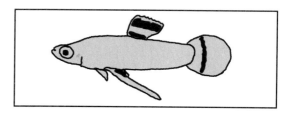

belong to the most precious among livebearing aquarium fishes. They are dwarfs (max. 3 cm long) and display their beauty best in small species tanks. Unfortunately, the production of young through several generations has not been successful (exception: A. nigroventralis), so that one hopes for more aquarists to indulge themselves in breeding the "little diamonds" at home.

Belonesox KNER, 1860

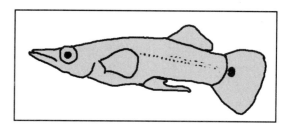

This genus contains only one species and represents "the predator" among livebearers. In the long term, this fish can only be kept when fed live fish. Nevertheless, the Pike Topminnow can be found in many aquarists' tanks because enthusiasts succumb again and again to the fascination of the impressive predator. Maintenance and breeding of this, in females up to 20 cm long, fish is not difficult, apart from the specialised feeding habits, and consequently, there are many healthy aquarium strains. Please note that in this fish, there is a strong interspecific cannibalism. Not only young, also smaller adult specimens (like the smaller males) fall prey to their gluttonous relatives. Still, it seems as though, at least in the wild, the display of a dark horizontal band protects from being eaten. Newly born fry show this band as well as adult, socially lower ranking specimens. Further observations of this phenomenon by aquarists are very much welcomed!

Brachyrhaphis REGAN, 1913

Of this genus, nine species are described at the moment. They are beautiful fishes, but not too popular because they are rather quarrelsome. The genus is endemic to Central America. Maintenance and breeding are indeed difficult because these fishes regard their offspring as readily available food, so that we recommend only experienced aquarists to keep them.

Carlhubbsia WHITLEY, 1951

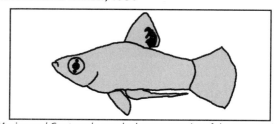

Mexico and Guatemala are the home countries of the two species assigned to this genus. The small, high bodied fishes resemble specimens of

erweist sich als problemlos, dann verläßt sich ein Züchter auf den anderen, vernachlässigt seinen Zuchtstamm und plötzlich ist die Art wieder verschwunden. Es sei deshalb an dieser Stelle einmal darauf hingewiesen, daß möglichst jeder Pfleger von Wildformen gleich welcher Art, so tun sollte, als wären seine Tiere die einzigen Fische im Hobby. Nur so kann verhindert werden, daß unter großen Mühen eingeführte Arten wieder für Jahrzehnte im Hobby aussterben.

Cnesterodon GARMAN, 1895

Die Vertreter dieser Gattung bewohnen das südöstliche Südamerika. Die meist unauffällig gefärbten Fische gehören zu den kleinsten Lebendgebärenden. 1993 wurden von den Wissenschaftlern ROSA und COSTA zwei neue Arten beschrieben, so daß die Gattung nun vier nominelle Arten umfasst. Die Artunterscheidung ist nicht einfach, weswegen bezüglich der Bestimmung noch etliche Fragen offen sind. In der Pflege und Zucht haben sich diese Zwergfische als gut haltbar erwiesen. Wie bei vielen kleinen Fischarten hat es sich bewährt, die Tiere in kleinen Artenaquarien unterzubringen.

Diphyacantha HENN, 1916

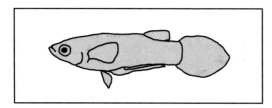

Auch die zwei Arten dieser Gattung wurden bis vor kurzem in der Gattung Priapichthys geführt. Zur Pflege und Zucht der in Panama und Kolumbien verbreiteten Fische gilt das Gleiche wie bei Alloheterandria, also Pflege im Artaquarium, feines Lebendfutter zur Ernährung und nicht zu hartes, leicht saures Wasser.

Flexipenis TURNER, 1940

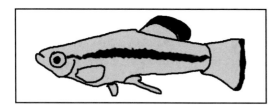

Diese monotypische Gattung (sie enthält nur eine Art) wird von vielen Autoren (so. z.B. RAUCHENBERGER in der letzten Revision von Gambusia) auch zur Gattung Gambusia gerechnet. Tatsächlich gibt es bei Gambusia auch einige recht ähnliche Formen, doch besteht z.B. mit der sehr ähnlichen Gambusia atrora eine Kreuzungsbarriere. Im Gegensatz zu vielen Gambusen ist Flexipenis ein recht problemloser Pflegling, der auch Einsteigern in die Aquaristik empfohlen werden kann.

Gambusia POEY, 1854

Diese große Gattung umfasst über 30 Arten, und es werden noch

---

the genera Phallichthys and Quintana. They are peaceful, but not too colourful species that do fine in rather small tanks. Tending and breeding them is easy, although there are reports that in C. kidderi the third generation suddenly broke down (MEYER et.al., 1985). Unfortunately, things like that happen repeatedly in "rare" fishes: When they are freshly imported, every-body wants to have them. After a while, they become 'commonplace' and the interest ceases; breeders begin to rely on other breeders, and suddenly the once so exciting fishes vanish as promptly as they appeared in the hobby. We would like to take the chance and point out to you that each breeder of wild forms should treat his animals as if they were the only   existing ones. Otherwise, many fishes that were once imported under sometimes very difficult circumstances will disappear from the hobbyists' tanks for a long, long time.

Cnesterodon GARMAN, 1895

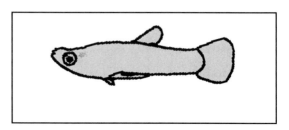

The species of this genus live in the south-eastern parts of South America. The mostly unobtrusively coloured fishes belong to the smallest among livebearers. In 1993, the scientists ROSA and COSTA described two new species, so that now the genus includes four species. To distinguish them from each other is not easy, so that there are many open questions concerning species identification. Maintenance and breeding them in aquaria has never posed any problems; like all small fish species, they do best in small species tanks.

Diphyacantha HENN, 1916

Like in Alloheterandria, two species of this genus were, until recently, classified as Priapichthys. Maintenance and breeding is the same as in Alloheterandria - keep it in a species tank with not too hard, slightly acidic water feed fine live foods.

Flexipenis TURNER, 1940

This monotypical genus is assigned to the genus Gambusia by many authors (see, for example, RAUCHENBERGER in the last revision of Gambusia). In fact, there are several similar forms in Gambusia, but, for example, it is impossible to interbreed the very similar looking Gambusia atrora with Flexipenis. In contrast to many mosquitofish, Flexipenis is a really unproblematic aquarium fish that can also be recommended to beginners.

Gambusia POEY, 1854

This large genus contains more than 30 species and still new species are discovered and described. At the same time, some mosquitofish belong to the most threatened species on earth and it seems as if some have already

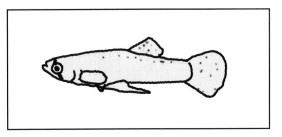

immer neue Arten entdeckt und beschrieben. Gleichzeitig gehören einige Gambusen zu den bedrohtesten Tierarten der Erde, und manche scheinen auch schon ausgestorben zu sein. Gerade bei den Gambusen scheint eine zeitweilige geografische Isolation sehr rasch zur Artenbil-dung zu führen (siehe z.B. die Arbeit von GREENFIELD et. al., 1982), so daß viele Arten von den Wissenschaftlern unterschiedlich bewertet werden. Umgekehrt gehören einige Arten (immer wieder genannt werden Gambusia affinis und G. holbrooki) durch künstliche Einbürgerung als „Moskitofisch" zu echten Weltbürgern und zu den häufigsten Fischarten überhaupt. Diese Tiere sind äußerst anpassungsfähig, vertragen ein Temperaturspektrum von etwa 5°C bis etwa 30°C und stellen an die organische Belastung ihres Wohngewässers praktisch keinen Anspruch. Auch wenn heute häufig bedauert wird, daß die konkurrenzstarken Gambusen so manchen endemischen Kleinfisch stark zurückgedrängt oder gar an den Rand der Ausrottung gebracht haben, sollte man nicht vergessen, daß diesen Fischen viele Millionen von Menschen ihr Leben verdanken. Der Verzehr von Larven der krankheitsübertragenden Stechmücken durch die Gambusen ist der Grund hierfür. Es gibt auch heute noch keine wirkliche Alternative in der Seuchenbekämpfung zu diesen Fischen. Aquaristisch haben die Gambusen leider keinen guten Ruf: Sie gelten als "Graue Mäuse", die zudem ausgesprochen zänkisch und unverträglich sein sollen. Natürlich trifft ein derartiges Pauschalurteil nur sehr beschränkt zu. Es gibt unter den Gambusen sowohl sehr bunte als auch sehr friedliche Fische. Es würde den Rahmen dieser Einleitung sprengen, sollte hier auf das vielfältige Verhaltens- und Fortpflanzungsrepertoire innerhalb dieser Gattung genau eingegangen werden. Doch ist es zu wünschen, daß sich mehr Aquarianer mit dieser Gattung beschäftigten, um noch offene Fragen zu klären. Außerdem besteht für etliche Arten die dringende Notwendigkeit, ein Erhaltungszuchtprogramm zu starten, wie es für G. geiseri bereits existiert.

Girardinus POEY, 1854

Alle Arten dieser Gattung, derzeit werden ihr acht nominelle Arten zugeordnet, kommen auf Kuba vor. Vor allem der Metallkärpfling, G. metallicus, ist weit in den Aquarien verbreitet. Es sind lebhafte, friedliche Fische, deren Pflege und Zucht keine großen Probleme bereitet. So sind sie wärmstens allen Liebhabern zu empfehlen, die mit der Haltung von Wildformen der Lebendgebärenden beginnen wollen.

Heterandria AGASSIZ, 1853

Heterandria wird hier monotypisch aufgefasst, deren Vertreter H. formosa im wesentlichen die Florida-Halbinsel und angrenzende Gebiete bewohnt. Der Zwergkärpfling ist ein beliebter Aquarienfisch, der mit seiner lebhaften Art und netten Zeichnung immer wieder begeistert. Es versteht sich von selbst, daß man solch kleine Fische am besten im Artenaquarium pflegt. Ferner muß natürlich der geringen Größe der Fische entsprechend feines Futter gereicht werden. Auf keinen Fall darf man die Fische mit aggressiven oder hektischen Mitbewohnern pflegen. Für die an sich problemlose Haltung und Zucht ist zu beach-

become extinct. Especially in mosquitofish, periodical geographical isolation leads to extremely fast development of new species (for example, see GREENFIELD et. al., 1982). As a consequence, many species are classified differently by scientists. On the other hand, there are some species (like Gambusia holbrooki and G. affinis) that have become real "cosmopolitans", being distributed the world over under the name "mosquitofish", due to artificial naturalisation. These fishes can adapt extremely well to all kinds of environments, tolerate temperatures between 5 and 40°C and have practically no requirements regarding water chemistry. Although some people claim that the competitive mosquitofish have repressed many small endemic fishes or even brought them on the verge of extinction, one should never forget that millions of humans owe their lives to these fishes. The reason for this is the mosquitofish's habit to eat larvae of the mosquitoes that transmit deadly diseases. And until today, there is no alternative to this method of epidemic control. In the hobby, the mosquitofish's reputation is not as favourable: they are said to be "mousy" and quarrelsome. Of course, such a sweeping statement is only partially correct - there just as many colourful and peaceful mosquitofish as there are dull and aggressive ones. It is beyond the scope of this introduction to describe the many different behavioural patterns of Gambusia during the mating and breeding period. Still, it is to be hoped that, in the future, more aquarists occupy themselves with this genus, to answer the open questions about this genus. And last but not least, in this, like in so many other livebearing genera, healthy aquarium strains (like the - luckily - already established one of G. geiseri) have to be bred in order to make sure that as many species are preserved as possible.

Girardinus POEY, 1854

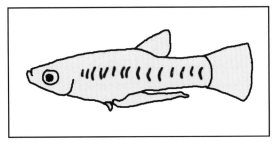

All species of this genus (at the moment, eight species are assigned to it) are endemic to Cuba. Especially the Metallic Topminnow (G. metallicus) can be found in aquaria the world over. Girardinus are lively, peaceful fishes, easy to keep and to breed. We recommend them warmly to enthusiasts who want to start breeding wild forms of livebearers at home.

Heterandria AGASSIZ, 1853

Heterandria is regarded herein as a monotypical genus; its only species, H. formosa, inhabits mainly Florida and surrounding regions. This dwarf fish

ten, daß die Embryonen im Mutterleib zu einem hohen Grad von der Mutter mitversorgt werden, so daß eine abwechslungsreiche Ernährung der Zuchttiere den Schlüssel zum Erfolg darstellt. Die Eier entwickeln sich, als Ausnahme unter den Poeciliidae, nacheinander, so daß die Fische während der Fortpflanzungsperiode alle 1-4 Tage nur 1-6 Jungfische zur Welt bringen. Entsprechend der Herkunft der Zwergkärpflinge sollten sie nicht zu warm gehalten werden (bis 24°C) und vor allem eine Winterpause von 2-3 Monaten erhalten, bei denen sie deutlich kühler (16-18°C) gepflegt werden.

Heterophallus REGAN, 1914

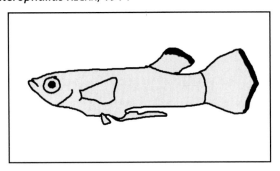

Diese Gattung wird von verschiedenen Wissenschaftlern ziemlich unterschiedlich bewertet. So wird z.B. *H. echeagarayi* oft zur Gattung *Gambusia* gezählt (z.B. RAUCHENBERGER). Hier wird der im deutschsprachigen Schriftum verbreitetsten Auffassung gefolgt, wonach die Gattung drei Arten umfasst: *H. echeagarayi*, *H. milleri* und *H. rachowi* (die beiden letzteren nach RAUCHENBERGER *Gambusia*, aber im Subtribus *Heterophallina*). Es handelt sich um zarte, hübsche Fische, bei denen vor allem die pastellfarben leuchtenden Flossensäume auffallen. Aufgrund der wenig robusten Wesensart der Tiere sollten sie am besten im Artenaquarium gepflegt werden. In der Pflege und Zucht haben sich die drei aus Mexiko stammenden Arten als recht ausdauernd erwiesen, wobei auf abwechslungsreiche Fütterung mit feinem Lebendfutter geachtet werden sollte.

Limia POEY, 1854

Die Verteter dieser etwa 20 Arten umfassenden Gattung werden auch oft in die Gattung *Poecilia* gestellt. Sie kommen auf den Karibikinseln Hispaniola, Jamaika, Kuba und den Kaiman-Inseln vor. Hier wird *Limia* als eigenständige Gattung geführt, zumal es wenig sinnvoll erscheint, an dieser Stelle einer dringend nötigen Gesamtrevision des *Poecilia*-Komplexes vorzugreifen. Innerhalb der Gattung *Limia*, die viele beliebte Aquarienfische stellt, ist die Bewertung zahlreicher Arten recht umstritten. Wenn man bedenkt, daß allein sieben Arten aus dem Miragoane-See auf Haiti beschrieben sind, darunter so ähnliche Formen wie *L. grossidens*, *L. miragoaensis* und *L. nigrofasciata*, so wird man verstehen, warum. Im Aquarium fällt auf, daß viele *Limia*-Arten hohe Wassertemperaturen bevorzugen. Ferner brauchen die Tiere einen gewissen Anteil pflanzlicher Kost in ihrem Futter. Insgesamt können aber die *Limia*-Vertreter als gut halt- und züchtbare Fische angesehen werden, die durch ihre Farbenpracht und ihre imposanten Balzspiele immer wieder neue Freunde finden.

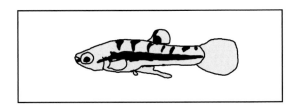

is a very popular aquarium fish that delights its owners with its lively behaviour and pretty looks. Of course, one should keep such a small fish in a species tank. Also, according to their size, they have to be fed very fine food. If you want to keep it in a community tank, you must never choose tank comrades that are aggressive or hectic in any way. When it comes to breeding you have to remember that the embryos of this basically unproblematic fish are supplied by their mother in the womb, so that healthy, varied food is a key to healthy offspring. *Heterandria* is one of the poeciliid fish in which the eggs develop successively so that the mother bears only 1-6 young every 1-4 days during the reproduction period. Keeping their place of origin in mind, one shouldn't keep them in too warm water (up to 24°C) and give them a "winter break" of 2-3 months, i.e. keep them in clearly cooler water around 16-18°C.

Heterophallus *REGAN, 1914*

This is another genus that is classified diversely by scientists. For example, *H. echeagarayi* is very often assigned to the genus *Gambusia* (see *Rauchenberger*). In this book, the in Germany widely agreed view that the genus includes three species, is followed. These species are: *H. echeagarayi*, *H. milleri* and *H. rachowi*, with the two latter ones being assigned by *Rauchenberger* to the subtribus *Heterophallina* within the genus *Gambusia*. *Heterophallus* are pretty fishes in which the pastel coloured fin margins are especially attractive. Owing to their delicate nature, they should only be kept in species aquaria. In maintenance and breeding the fishes from Mexico have proven to be rather hardy when fed fine live foods.

Limia *POEY, 1854*

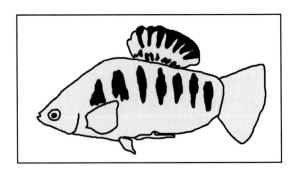

The about 20 species of this genus are often placed in the genus *Poecilia*. They occur on the Caribbean islands Hispaniola, Cuba and the Cayman Islands. Herein, we decided to list *Limia* as an independent genus because we didn't think it to be the time and the place to revise the complete *Poecilia* complex. Within the genus *Limia* many of the most popular aquarium fishes can be found, but the scientific classification of many species is very much discussed. Considering that as much as seven species are described from the Haitian lake Miragoane, including such similar looking ones like

Micropoecilia Hubbs, 1926

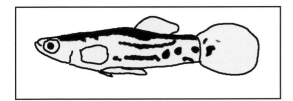

Herrliche Fischchen finden sich in dieser Gattung, die lange in der Synonymie von *Poecilia* stand (Costa und Sarraf (1997) sehen sie auch heute noch dort). Auf den ersten Blick ähneln die sechs Arten Guppys, dem sie verwandtschaftlich aber nicht sehr nahe stehen. Leider konnte sich Meyer (1993), der die Gattung *Micropoecilia* revalidisierte, nicht dazu durchringen, dem Guppy und den *Pamphorichthys*-Vertretern ebenfalls Gattungsrang einzuräumen. Obwohl demnach in der Sammelgattung *Poecilia* jetzt also nach wie vor mehrere offensichtlich polyphyletische Gruppen künstlich vereinigt bleiben und eine Gesamtrevision dringend erforderlich ist, scheint *Micropoecilia* aber so gut abgegrenzt, daß sie auch nach einer solchen Revision bestehen bleiben wird, weshalb sie hier als separate Gattung geführt wird. So schön alle Vertreter dieser Gattung auch sind, so bleibt doch ein Problem bestehen. Ihre Pflege, mehr noch aber ihre Zucht ist ein teilweise ungelöstes Problem. Lediglich von zwei Arten, *M. picta* und *M. parae*, ließen sich bis vor wenigen Jahren Aquarienstämme aufbauen. Es steht zu vermuten, daß weniger die Wasserwerte als eine richtige Ernährung des Muttertieres für diese Probleme verantwortlich zu machen sind. So konnte mittlerweile *M. branneri* bei regelmäßiger Vitaminzufütterung relativ problemlos nachgezüchtet werden (Hieronimus, pers. Mitt.). Bork (pers. Mitt.) dagegen vermutet, daß eine Überfütterung der trächtigen Weibchen die Hauptursache der Schwierigkeiten darstellt. In der Natur sind diese Fische Weidegänger, die ununterbrochen an feinen Algenrasen etc. herumknabbern. Dabei nehmen sie natürlich nicht nur Algen, sondern auch allerlei Kleinstlebewesen zu sich. Wichtig ist aber, daß in der Natur nie die Möglichkeit für die Fische besteht, sich richtig sattzufressen. Wer also dieser Fische habhaft werden kann, der sollte ihre Pflege in einem alteingerichteten, möglichst veralteten Aquarium probieren und wenig füttern. Möglicherweise läßt sich auf diese Art und Weise das Rätsel um *Micropoecilia* (die in der Natur übrigens sehr häufig sind, lösen.

Neoheterandria Henn, 1916

Eine der zwei bis drei Arten dieser Gattung macht derzeit aquaristisch Karriere: *N. elegans* hat die Herzen der Liebhaber kleiner Fische im Sturm erobert. Die Zwerge (sie werden 2 - 2,5 cm lang) kommen aus Kolumbien, und erfreulicherweise ist ihre Pflege und Zucht recht problemlos. Die zweite, sichere Art (*N. tridentiger*) ist dagegen eher in den Becken der Spezialisten zu finden. Ob *N. cana* eine gute Art oder ein Synonym zu *N. tridentiger* darstelt, kann hier nicht entschieden werden. Bei der Fütterung dieser Fische sollte feines Lebend- und Frostfutter ganz oben auf dem Speisezettel stehen.

L. grossidens, L. miragoaensis *and* L. nigrofasciata, *you can probably understand, why. The problem of hybridogenesis or hybridisation in general has not yet been examined in* Limia *so that one can expect some surprising results in this respect. Having* Limia *in the aquarium, one soon notices that many species apparently like high temperatures. Also, they need certain amounts of vegetable components in their food. All things considered one can recommend* Limia *species as unproblematic aquarium inhabitants, that are quite easily kept and bred and delight their owners with intense colours and impressive courtship displays.*

Micropoecilia *Hubbs, 1926*

Many wonderful small fishes that were formerly included in Poecilia *are assigned to this genus (*Costa *and* Sarraf *(1997) still place them in* Poecilia*). At first glance, they look very much like the well-known guppy but interestingly,* Micropoecilia *species are not very closely related to them. In his 1993 work,* Meyer *re-validated the genus* Micropoecilia, *but unfortunately, he couldn't bring himself to raise the guppy and the* Pamphorichthys *species to independent genus level as well. Thus,* Poecilia *remains a collective genus that artificially unites several, obviously polyphyletic fish groups; a thorough revision of* Poecilia *is long overdue. Still, we feel that* Micropoecilia *is a genus that is well defined so that it will probably keep its independent status in the future and may be listed separately in this book. All fishes of this genus are absolutely beautiful, but they pose one major problem for their owner: Maintenance, or, more precisely, breeding is still an unsolved mystery. Only two species,* M. picta *and* M. parae, *have been successfully bred over generations in the aquarium so far. It is very likely that not the water chemistry but the correct feeding of the mother is the vital key to success.* M. branneri *has been successfully bred, with the help of regular vitamin supplementation (*Hieronimus, *personal communication).* Bork *(personal communication) suspects that one of the main reasons for failure is a permanent overfeeding of the pregnant female. In nature, these fishes spend their time grazing permanently fine algae etc. This way, they do not only eat algae but also tiny living organisms. The main point is that in the wild the animals never have the opportunity to eat until they are absolutely full. So, if you buy* Micropoecilia *specimens, keep them in a well established, algae overgrown aquarium and feed them as little as possible. Maybe this way the mystery of how to breed* Micropoecilia *in the tank (which are, by the way, very common in nature) can be solved.*

Neoheterandria *Henn, 1916*

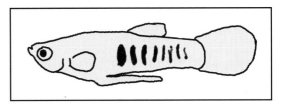

One of the two or three species of this genus makes quite an aquatic career right now: N. elegans *has taken the hearts of friends of small fish by storm. The dwarfs (they grow to a maximum of 2 to 2.5 cm length) come from Colombia and are quite easy to keep and to breed. The second valid*

Phallichthys HUBBS, 1924

Zumindest zwei Arten dieser fünf Arten umfassenden Gattung sind mehr oder weniger regelmäßig in den Aquarien anzutreffen: *P. amates* und *P. pittieri*. Möglicherweise liegt das an ihrer dunklen Augenbinde, die beim Betrachter als „Kindchenschema" empfunden wird. Jedenfalls wirken die Tiere trotz ihrer recht schlichten Färbung ausgesprochen attraktiv. Diese Fische bereiten in Pflege und Zucht kaum Probleme, während die drei anderen Arten eher für erfahrene Liebhaber zu empfehlen sind, da sie eine gewisse Anfälligkeit für Krankheiten haben. Speziell der sehr hübsche *P. quadripunctatus* macht in dieser Hinsicht des öfteren Schwierigkeiten.

Phalloceros EIGENMANN, 1907

Diese Gattung ist nach gegenwärtiger Auffassung monotypisch, sie umfaßt demnach nur eine Art. *P. caudimaculatus*. Der Kaudi war einer der ersten Lebendgebärenden, der die Aquarien der Liebhaber um die Jahrhundertwende erreichte und damals einen wahren Begeisterungssturm auslöste. Bei dem Kaudi entstanden im Zuge der Domestikation (der Haustierwerdung) mehrere, sehr hübsche Zuchtformen. Die Pflege und Zucht des Kaudi ist im allgemeinen problemlos. Man muß allerdings beachten, daß dieser Fisch empfindlich wird, wenn er unter konstanten Temperaturbedingungen gepflegt wird. Im südöstlichen Brasilien, Paraguay und Uruguay, dem Hauptverbreitungsgebiet dieser Fische, treten jahreszeitlich bedingt nicht unerhebliche Temperaturschwankungen auf, die der Kaudi für die dauerhafte Gesunderhaltung im Aquarium braucht. Ferner besiedelt die Art bevorzugt kühlere Gewässer in den Gebirgsregionen ihres Verbreitungsgebietes.

Phalloptychus EIGENMANN, 1907

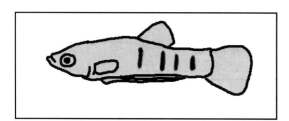

In diese Gattung werden derzeit zwei, einander sehr ähnliche Arten gestellt. Es sind kleine, unauffällige Fische. Die eine Art, *P. januarius*, hat sich als gut für die Aquaristik geeignet herausgestellt, während der bislang einzige (?) Import von *P. eigenmanni* nicht genügte, um einen Aquarienstamm aufzubauen. MEYER et. al. (1985) erwähnen eine besondere Empfindlichkeit gegen die Pünktchenkrankheit (Ichthyo).

Phallotorynus HENN, 1916

Zu dieser Gattung, die innerhalb der Poeciliinae als recht ursprünglich gilt, werden derzeit drei Arten gerechnet. Es handelt sich um kleine, recht unauffällig gefärbte Arten, die darum nur von sehr spezialisierten Liebhabern gehalten werden. Offenbar vertragen die Fische keine konstant hohen Temperaturen und werden daher am besten ohne Heizung bei Zimmertemperatur gepflegt.

---

species however, N. tridentiger, *is a fish suited for experienced specialists. Whether* N. cana *is a valid species or synonymous to* N. tridentiger *cannot be decided by us.* Neoheterandria *should be fed with very fine live and frozen food.*

Phallichthys HUBBS, 1924

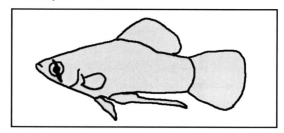

At least two of the five species included in this genus can be found more or less regularly in hobbyists' tanks: P. amates *and* P. pittieri. *This interest might be due to the dark band around the eyes that somehow reminds one of the famous "kindchenschema" (which translates "baby scheme") present in many animals. Anyway, the fishes are very attractive despite their quite dull coloration. Maintenance of* Phallichthys amates *and* P. pittieri *is simple, but the other three species are to be recommended to experienced hobbyists as they tend to contract diseases - especially the pretty* P. quadripunctatus *is notorious for this.*

Phalloceros EIGENMANN, 1907

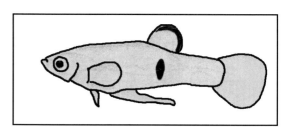

At present, this genus is regarded to be monotypical, with the only species P. caudimaculatus. *The Caudo was one of the first livebearers in the hobby that became known around the turn of the century and it filled everybody with enthusiasm. In the course of the Caudo's domestication, several, very pretty breeding forms developed. Usually, keeping and breeding is unproblematic in this species, but, like many other fishes we list here, the Caudo, too, reacts negatively to constant water temperatures. In its natural distribution area, south-east Brazil, Paraguay, and Uruguay, the fish lives with the seasons and the natural temperature changes - in captivity, it needs the simulation of these changes to prosper. In its natural distribution area, the Caudo prefers the cool waters of mountain brooks.*

Phalloptychus EIGENMANN, 1907

Right now, two very similar looking species are assigned to this genus. They are small, unspectacular fishes. One species, P. januarius, *has turned out to be a good aquarium fish, whereas the only known import of the second genus,* P. eigenmanni, *didn't even result in successfully breeding an aquarium strain.* MEYER *et. al. (1985) mention a certain susceptibility to Ichthyophthirius.*

Poecilia BLOCH & SCHNEIDER, 1801

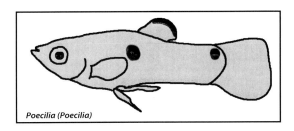

Poecilia (Poecilia)

Poecilia ist eine Sammelgattung, in der derzeit etliche Arten zusammengefaßt sind, die mit Sicherheit unterschiedliche phylogenetische Entwicklungslinien repräsentieren. Auch wenn diese Ausgliederungen umstritten sind, werden Micropoecilia und Limia in diesem Buch nicht mehr als Poecilia geführt. Eine weitere, gut abgegrenzte Gattung stellt Lebistes dar; da jedoch keiner der aktuell "hauptamtlich" mit Poeciliiden-Systematik beschäftigten Wissenschaftler sich bisher durchringen konnte, den Guppy aus Poecilia zu entfernen und als eigenständige Gattung zu führen, steht es mir hier auch nicht zu. Ähnliches gilt für Pamphorichthys, so daß beide Gattungen hier als Poecilia geführt werden. Daneben existieren noch Formenkreise, die sich nicht so scharf

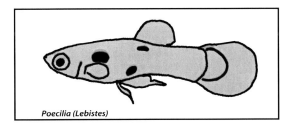

Poecilia (Lebistes)

abgrenzen lassen, wie z.B. Mollienesia. Allerdings scheint es so, als ob Mollienesia ebenfalls eine eigene phylogenetische Linie darstellt, die sich in Mittelamerika gebildet hat, während die Poecilia s. str. heute ihr Verbreitungszentrum im südamerikanischen Raum haben.

Wahrscheinlich haben diese Unstimmigkeiten in der Grobsystematik ihren Ursprung darin, daß die Feinsystematik der in der Gattung Poecilia zusammengefaßten Arten noch weitgehend unverstanden ist. Wir finden innerhalb dieser Gattung zahlreiche, für Wirbeltiere ganz untypische Erscheinungen: da wäre zum einen die Hybridogenese, die bei Poecilia zu einem gynogetischen Vertreter führte, also einer „Art", die sich ohne echte Befruchtung fortpflanzt. Es existieren hiervon nur Weibchen, da das artfremde Sperma zwar die Eientwicklung anregt, aber kein Austausch zwischen den Genen des „befruchtenden" Männchens und des Weibchen stattfindet. Dieser Fortpflanzungsmechanismus ist bei den Wirbeltieren sonst aber nur von einigen Eidechsen und Amphibien bekannt. Ferner sind die Vertreter gerade dieser Gattung ungeheuer variabel. Das betrifft einerseits die Färbung, aber auch die Körperform. So findet man z.B. hier das Phänomen der Früh- und Spätmännchen, zumindest im Aquarium. Während bei den allermeisten Tierarten die sexuelle Reife einheitlich mit dem Erreichen eines bestimmten Alters gekoppelt ist, treten bei einigen Poecilia (aus der Aquaristik kennt man das, um konkret zu werden, vor allem beim Segelkärpfling, Poecilia velifera, aus dem Freiland gibt es Hinweise auf deses Phänomen bei P. sphenops, P. mexicana und P. vivipara, jedenfalls lassen sich die höchst unterschiedlichen Phänotypen innerhalb

Phallotorynus HENN, 1916

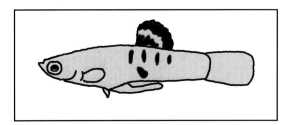

This genus (which is regarded to be one of the most ancestral in the family Poeciliinae) includes three species at the moment. Like Phalloptychus, they are small, plain fishes that are only kept by enthusiasts interested in the genus. Obviously, the fishes do not tolerate constant high temperatures and should be kept at room temperature in tanks without heating system.

Poecilia BLOCH & SCHNEIDER, 1801

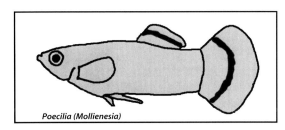

Poecilia (Mollienesia)

Poecilia is a collective genus to which species are assigned that certainly do represent different phylogenetic evolutionary lines. Although this separation is not generally accepted, we decided to list the genera Micropoecilia and Limia as independent genera and not, as it is usually done included in Poecilia. Another, well defined genus is Lebistes. Unfortunately, until today no "major" reviser of Poecilia could bring himself to separate the guppy from the genus Poecilia and place it in an independent, valid genus of its own; accordingly, we will not dare to do so. The same thing is true for Pamphorichthys; in this book, these two genera are seen as subgenera of Poecilia. Apart from that, there are several forms that cannot be defined as clearly, like, for example, in Mollienesia. On the other hand, it seems as though Mollienesia, too, forms its own, phylogenetic line that developed in Central America, whereas today Poecilia s. str. has its main distribution area in South America.

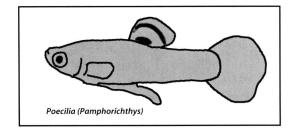

Poecilia (Pamphorichthys)

Probably these irritations in the coarse taxonomy origin in the fact that the fine taxonomy of Poecilia and assigned species is largely not understood. In this genus, we find several, in vertebrates completely untypical characteristics: Firstly, there is the phenomenon of hybridogenesis, secondly, there is at least one parthenogenetic species, i.e. a fish that reproduces without fertilisation. In this species, only females occur, because although the "foreign" sperms induce the development of eggs,

einer Population kaum anders erklären) Männchen auf, die bereits sehr frühzeitig geschlechtsreif werden und von dem Zeitpunkt der Reife an auch nicht mehr wesentlich wachsen, während andere Individuen erst sehr spät geschlechtsreif werden, dann aber wahre Prachtexemplare darstellen. In den meisten Aquarienzuchten werden die Frühmännchen als "Kümmerlinge" eliminiert, sie treten aber dennoch immer wieder einmal auf, was beweist, daß diese Anlage genetisch fixiert ist. Bei den Schwerträgern wurde das auch genetisch untersucht, s. daher für weiter Informationen zum Thema „Früh- und Spätmännchen" dort.

Populationen aus bestimmten geografischen Herkunftsgebieten zeigen auch Verhaltensunterschiede, unabhängig davon, aus welchem Gewässertyp sie stammen. Z.B. sind Guppy-Männchen von Trinidad (auch dort gibt es verschiedene Guppystämme) immer wesentlich balzaktiver als solche, die vom venezolanischen Festland stammen (KEMPKES, pers. Mitt.).

Es dürfte einleuchten, daß Tiere, die innerhalb einer Population derart verschiedene Phänotypen hervorzubringen imstande sind, sich klassischen Methoden der Artabgrenzung weitgehend entziehen. So ist es auch derzeit kaum möglich, eine exakte Artenzahl innerhalb *Poecilia* zu nennen, da jeder Wissenschaftler, je nach persönlicher Einstellung, mehr oder weniger Arten anerkennt. Besonders der *Poecilia-sphenops*-Komplex, der die Formenkreise um *P. sphenops* und *P. mexicana* umfasst, ist derzeit kaum überschaubar. Wir haben in diesem Buch für solche Fälle die Bezeichnungen beibehalten, die die einzelnen Bildautoren gewählt haben. In aller Regel haben unsere Bildautoren ihre Tiere selbst gefangen und kamen aufgrund ihrer Recherchen dann zu dieser oder jener Artbezeichnung.

In der Haltung sind die *Poecilia*-Vertreter, wie sollte man das bei einer solch heterogenen Gattung auch anders erwarten, recht unterschiedlich. Man kann jedoch dahingehend verallgemeinern, daß die vor allem mittelamerikanischen Mollies relativ spezialisierte Algenfresser sind, höhere Wassertemperaturen bevorzugen und an hartes, oft salzhaltiges Wasser angepasst sind (der Segelkärpfling dringt sogar bis in reines Seewasser vor). Die *Pamphorichthys*-Vertreter hingegen sind Kleintier- und Aufwuchsfresser. Sie vertragen auch weiches, saures Wasser. Ihre Zucht über mehrere Generationen ist ein bislang ungelöstes Problem (s. hierzu auch das bei *Micropoecilia* gesagte). Der Guppy ist ein spezialisierter Fleischfresser, der vor allem Moskitolarven bevorzugt, aber auch andere Mückenlarven nimmt. Einer der beiden Autoren (KEMPKES) teilt allerdings letztere Auffassung nicht. Er ist der Meinung, daß der relativ lange Darm und die von ihm in der Natur beobachtete Art der Nahrungsaufnahme den Guppy eher als Aufwuchsfresser charakterisieren. Wahrscheinlich liegt die Wahrheit irgendwo in der Mitte. SCHÄFERS Ansicht beruht auf der Beobachtung von Guppys in Sekundärhabitaten (Asien). Er meint außerdem, daß ein langer Darm nicht zwanghaft auf primäre Pflanzenfresser hindeutet, sondern eher darauf, daß bestimmte essentielle Stoffe pflanzlichen Ursprungs benötigt werden, wie sie sekundär dem Darm der Moskitolarven entnommen werden könnten. In jedem Fall sei der Leser auf KEMPKES Ausführungen über die Ernährung von Hochzuchtguppys im Aquarium verwiesen, die für die Praxis von weit höherer Bedeutung sind, als die hier ausgeführten, eher theoretischen Überlegungen.

there is no exchange of genes between the "fertilising" males and the females. This reproductive mechanism is known from vertebrates only in some lizards and amphibians. Thirdly, specimens of especially this species are extremely variable, in coloration as well as in body shape. For example, one often finds (at least in the aquarium) the phenomenon of the "early" and "late" (in terms of sexual maturity) males in this species: Whereas in the vast majority of animals sexual maturity is inseparably connected to a certain age, in Poecilia, there are males (for example in the Sailfin Molly, Poecilia velifera) which become sexually mature at a very early stage, but stop growing at the same time, and other males that reach sexual maturity very late but grow to impressive, strong animals. Most breeders eliminate the early mature, weak males from their strains but nevertheless, the weaklings occur regularly which proves that this characteristic is genetically fixed.

Populations from certain geographic distribution areas also show behavioural differences, regardless of the waters they come from. For example, guppy males from Trinidad are always much more active during courtship display than males that come from the Venezuelan mainland (KEMPKES, personal communication).

It seems plausible that animals that develop so many different phenotypes within one population easily slip the usual ways of species classification. Consequently, it is impossible to provide an exact figure how many species are included in Poecilia at the moment because each scientist acknowledges more or less species, depending on his personal view. Especially the Poecilia sphenops-complex that contains all forms of P. sphenops and P. mexicana is absolutely confused. In this book, we stuck in all such cases to the identification, the photographers themselves provided. Most of the photographers who contributed to this book personally caught the fish they took the pictures of and identified them according to their own enquiries.

Maintenance of Poecilia species is as diverse as the whole genus. Still, one can make certain generalisations, like, for example, in the Central American mollies: these fishes are rather specialised algae-eaters, like higher water temperatures and are adapted to hard, often slightly brackish water (the Sailfin molly can even live in marine water). Pamphorichthys specimens, on the other hand, belong to the grazing fish that also eat microorganisms and tolerate soft, acidic water. Breeding them in the aquarium is still an unsolved mystery, just like in Micropoecilia. The guppy is a specialised carnivore that prefers mosquito larvae of all species. One of the two authors of this book (KEMPKES) does not approve of this latter opinion: His personal observations of guppies in their natural environment and the relatively long intestines of the fish prove, in his eyes, that guppies belong to the grazing fishes as well. The truth is probably somewhere in the middle. SCHÄFER's view is based on observations made in secondary habitats (Asia). In his opinion, long intestines are no general proof for a primarily herbivorous fish but hint toward the fish's need for certain essential vegetable nutrients that are contained in the intestines of the mosquito larvae. Anyway, readers should take a close look at KEMPKES' article on feeding high-quality aquarium guppies, because in practice, his tips are definitely of more value than any theoretical reflections.

Poecilia vivipara seems to be ecologically very adaptable and is regarded to be an omnivore. While working on this book, a dwarf variety (species?)

Poecilia vivipara scheint ökologisch sehr anpassungsfähig zu sein und gilt als Allesfresser. Von dieser Art wurde während der Arbeit an diesem Buch als Beifang eine zwergige Variante (eigene Art?) eingeführt. Es scheint so, daß sich hinter dem Namen *Poecilia vivipara* auch noch mehrere Arten verbergen. Bisher geht man jedoch von einer einzigen, hochvariablen und sehr anpassungsfähigen Art aus.

Poeciliopsis REGAN, 1913

Eine weitere, große (über 20 Arten) umfassende Gruppe stellen die *Poeciliopsis*-Vertreter dar. An diesen Fischen wurde in den 60er Jahren erstmals das Phänomen der Hybridogenese entdeckt (SCHULTZ, 1969). Da viele Vertreter dieser Gattung aber erst auf den zweiten Blick dem Betrachter ihre Schönheit enthüllen (und auch dann noch häufig genug als "Graue Mäuse" abgestempelt werden), ist über sie seitens der Liebhaber nicht viel publiziert worden. Die weniger attraktiven Arten sind relativ unproblematisch in Pflege und Zucht, doch sind leider ausgerechnet die sehr attraktiven Vertreter der Gattung nur schwer im Aquarium zu halten. Es wäre wünschenswert, wenn diese lebhaften Fische im Hobby mehr Beachtung finden würden.

Priapella REGAN, 1913

Zur Gattung *Priapella* werden derzeit vier Arten gerechnet, von denen eine, *P. bonita*, zu den aquaristischen und wissenschaftlichen Phantomen gehört. Nachweise aus der Natur gibt es für diese Art seit dem Erstfund offenbar nicht mehr. Es handelt sich aber mit Sicherheit um eine gültige Art (HIERONIMUS, pers. Mitt.). Eine weitere Art, *P. intermedia*, gehört zu den wenigen Wildformen unter den Lebendgebärenden, die sich dauerhaft in der Aquaristik etablieren konnte. Der Blauaugenkärpfling findet durch seine lebhafte Art und seine leuchtend blauen Augen immer wieder neue Anhänger. Die *Priapella*-Vertreter sind mehr oder weniger an stark strömendes Wasser angepasst. Die Tiere leben wahrscheinlich von Insekten, nach denen sie auch aus dem Wasser springen. In der Natur ist das Wasser meist weich, aber nicht sauer. Im Aquarium werden dagegen keine hohen Ansprüche gestellt. Es versteht sich von selbst, daß diese Tiere reines Wasser brauchen und das das Aquarium absolut dicht abgedeckt sein muß.

Priapichthys REGAN, 1913

Diese Gattung enthält nach der letzten Revision durch MEYER & ETZEL (1996) nur noch zwei Arten: *P. annectens* und *P. puetzi*. Die übrigen Arten finden sich nun in den Gattungen *Alloheterandria*, *Diphyacantha* und *Pseudopoecilia* (im Bildteil dieses AQUALOG haben wir sie aber dennoch zusammengefasst dargestellt, um Verwirrung zu vermeiden). Auf den ersten Blick erinnern *Priapichthys* an die *Brachyrhaphis*-Vertreter; sie haben aber nicht deren ruppiges Temperament. Während *P. annectens* offenbar im allgemeinen weiches Wasser bevorzugt, sagen MEYER et. al. (1985), daß die Form, die als *P. annectens hesperis* beschrieben wurde, auf hartes Wasser angewiesen ist. Möglicherweise ist es auf diese unterschiedlichen Präferenzen der einzelnen Populationen

of this fish was imported as an accidental catch - it seems as if *Poecilia vivipara* also includes more species than science thought. But at present only one very variable and highly adaptable species is accepted as valid.

Poeciliopsis REGAN, 1913

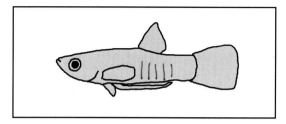

A second, large (over 20 species) group of livebearers are the *Poeciliopsis* species. In these fishes, in the sixties SCHULTZ (1969) observed for the first time the phenomenon of hybridogenesis. As the fishes of this genus are rather unspectacular and reveal their real beauty only at second glance (at least, for some hobbyists), there have been few publications by hobbyists about *Poeciliopsis* species. The less attractive species kept in aquaria have so far turned out to be unproblematic tank inhabitants, whereas, unfortunately, the more colourful ones are difficult to keep. It would be nice if these lively fishes became more frequently seen in hobbyists' tanks.

Priapella REGAN, 1913

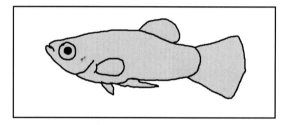

To this genus, four species are assigned, of which one, *P. bonita*, belongs to the notorious scientific and aquatic phantoms: Since it was first described, no live specimen has been caught in the wild. Still, it is most certainly a valid species (HIERONYMUS, personal communication). Another species, *P. intermedia*, belongs to the few wild forms of livebearers that could permanently establish themselves in the aquarium hobby. The Oaxacan Blue-Eye is a lively fish and its wonderful blue eyes attract more and more hobbyists. *Priapella* species are adapted to more or less fast running waters. They probably live on insects for which they jump out of the water sometimes. In their natural habitats, the water is mostly soft but not acidic. In the aquarium, they are absolutely undemanding, but you have to provide clean water and keep the tank tightly covered.

Priapichthys REGAN, 1913

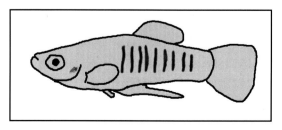

After the last revision by MEYER & ETZEL (1996), this genus contains only two

zurückzuführen, daß die *Priapichthys*-Vertreter im Aquarium als krankheitanfällig und schwierig gelten. Liebhaber, die sich mit der Pflege und Zucht dieser Formen befassen, müssen also unter Umständen etwas experimentieren, um herauszufinden, welche Wasserwerte ihren Pfleglingen am besten bekommen.

Pseudopoecilia Regan, 1913

Die zwei Vertreter dieser Gattung wurden bis vor kurzem meist zu *Priapichthys* gestellt (s.o.). Es handelt sich um kleine, sehr hübsche Lebendgebärende, die hartes Wasser brauchen. Die Pflege und Zucht scheint, sieht man einmal von einer gewissen Krankheitsanfälligkeit der Jungtiere ab, keine allzugroßen Schwierigkeiten zu bereiten.

Quintana Hubbs, 1934

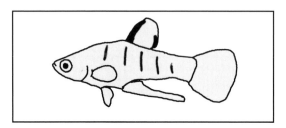

Die monotypische Gattung *Quintana* ist auf Kuba endemisch. Die kleinen und zierlichen Fische sind gut für die Pflege und Zucht im Aquarium geeignet. Leider scheint einer weiten Verbreitung in den Liebhaberbecken aber eine relativ langsame Vermehrung entgegenzustehen.

Scolichthys Rosen, 1967

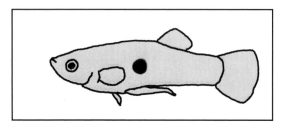

Zu dieser Gattung werden derzeit zwei Arten aus Guatemala gezählt, von denen die Art *S. iota* bisher nicht lebend bekannt geworden ist. Das ist schade, denn die Zwergart (Männchen werden etwa 2,5, Weibchen etwa 3,5 cm lang) wäre bestimmt eine Bereicherung für die Aquaristik. Die etwas größere Art *S. greenwayi* hat sich als problemloser Pflegling erwiesen, der am besten bei Zimmertemperatur gehalten und gezüchtet wird.

Tomeurus Eigenmann, 1909

Dieser urtümliche Kärpfling (es gibt nur die eine Art: *T. gracilis*) legt noch Eier. Allerdings haben die Männchen bereits ein Gonopodium entwickelt und es erfolgt eine innere Befruchtung. Die Weibchen legen die bereits in Entwicklung befindlichen Eier an Wasserpflanzen und dergleichen ab. *T. gracilis* ist bestimmt kein sehr schöner, aber ein hochinteressanter Fisch, dem man eine weitere Verbreitung in den Aquarien wünschen würde.

species: P. annectens *and* P. puetzi. *All other, formerly assigned species are now included in the genera* Alloheterandria, Diphyacantha *and* Pseudopoecilia.*(To avoid confusion, we nevertheless decided to include them in the photo section of this AQUALOG.) At first glance,* Priapichthys *species look like fishes of the genus* Brachyrhaphis *but they are much more peaceful than the latter.* P. annectens *obviously prefers soft water, but* Meyer *et. al. (1985) report that the form described as* P. annectens *hesperis needs hard water. It might be due to such population-specific preferences that* Priapichthys *species have a reputation as difficult, disease-contracting fishes. Hobbyists who want to keep them should have some patience in finding out at which water parameters their* Priapichthys *do really well.*

Pseudopoecilia *Regan, 1913*

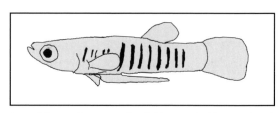

Until a short while ago, the two species of this genus had been assigned to the genus Priapichthys *(see above).* Pseudopoecilia *are pretty small livebearers that need hard water. Apart from a certain susceptibility to diseases in young specimens, these fishes are quite easy to keep and breed.*

Quintana *Hubbs, 1934*

The monotypical genus Quintana *is endemic to Cuba. The small delicate fish is well suited for aquarium purposes, and kept and bred without any problems. Still, their rather slow pace in reproduction seems to keep more aquarists from having* Quintana *in their tanks.*

Scolichthys *Rosen, 1967*

At the moment, two species from Guatemala are assigned to this genus; one of them, S. iota, *is not known from any live specimens. This is a pity, because this dwarf species (males grow to about 2.5 cm, females ca 3.5 cm) would certainly be an enrichment for our tanks. The larger* S. greenwayi *has turned out to be an unproblematic aquarium fish that does best at room temperature.*

Tomeurus *Eigenmann, 1909*

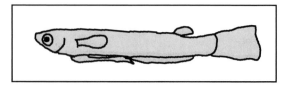

This primeval "livebearer" (there is only one species: T. gracilis*) still lays eggs. The male, though, has a fully developed gonopodium and fertilises the eggs internally. Then, the female lays the already developing eggs on water plants and suchlike.* T. gracilis *is certainly not a beautiful, but highly interesting fish that deserves more attention by hobbyists than it gets at the moment.*

Xenodexia HUBBS, 1950

Eine weitere monotypische Gattung, deren Vertreter, *X. ctenolepis* als sehr ursprünglich innerhalb der Poeciliinae gilt. Über die Pflege und Zucht der Art liegt noch kein ausreichendes Datenmaterial vor, doch scheint es in den bisher beobachteten Fällen keine besonderen Schwierigkeiten gegeben zu haben.

Xenophallus HUBBS, 1924

Auch diese Gattung enthält nur eine Art. Der Schattenkärpfling, wie *X. umbratilis* populär genannt wird, ist ein hübscher, lebhafter Fisch, der jedem Liebhaber wärmstens empfohlen werden kann. Weder die Pflege noch die Zucht bereiten Schwierigkeiten. Gegenüber anderen Beckenbewohnern gilt *X. umbratilis* als ausgesprochen friedfertig. Sollen die schönen Farben der Tiere richtig zur Geltung kommen, darf man das Aquarium nicht zu stark beleuchten.

Xiphophorus HECKEL, 1848

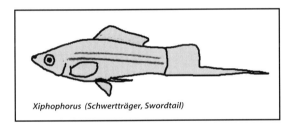

Xiphophorus (Schwertträger, Swordtail)

Die bunten Zuchtformen der Schwertträger und Platys sind aus der Aquaristik nicht wegzudenken, doch auch unter den über 30 wildlebenden Arten gibt es zahlreiche wunderschöne Fische. Man kann sich nur wundern, warum man sie so gut wie nie im Handel bekommt. Systematisch gesehen gilt für diese Gattung vieles, was schon bei *Poecilia* gesagt wurde: auch hier finden wir Spät- und Frühmännchen (zumindest im Aquarium). Beim in der Aquaristik am weitesten verbreiteten Schwertträger, *X. helleri*, glaubte man früher, daß es zu einer Geschlechtsumwandlung vom Weibchen zum Männchen kommen würde. In Wirklichkeit wurden in diesen Fällen aber „Spätmännchen" beobachtet. Für weitere, detaillierte Untersuchungen zu diesem Thema s. KALLMAN in MEFFE & SNELSON, 1989.

Des weiteren neigen auch viele Vertreter der Gattung *Xiphophorus* zu „Luxusbildungen" im männlichen Geschlecht, weil diese vergrößerten Flossen ihre Anziehungskraft auf die Weibchen erhöhen. Die Systematiker bemühen sich seit längerem, Ordung in diese Gattung zu bringen. So wurden denn auch in den letzten zehn Jahren einige Arten neu beschrieben. Allerdings sind immer noch viele Fragen in dieser Gattung offen und gerade die Aquarianer könnten durch Veröffentlichung ihrer Beobachtungen bei der Pflege und Zucht helfen, diese Fragen zu klären. Einige *Xiphophorus*-Arten sind in der Natur sehr selten oder auch schon ausgestorben. Schon allein aus diesem Grund sollten Wildpopulationen bekannter Herkunft nicht untereinander gekreuzt werden. Der Erhaltungszucht im Aquarium kommt möglicherweise in der Zukunft große Bedeutung zu.

Die Pflege und Zucht der Wildformen ist nicht immer einfach und setzt

Xenodexia HUBBS, 1950

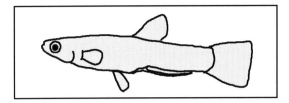

Another monotypical genus whose only species, X. ctenolepis, is regarded as one of the very ancestral fish in the subfamily Poeciliinae. Unfortunately, there is not enough data on care and breeding available, but as far as we are informed, maintenance is problem-free.

Xenophallus HUBBS, 1924

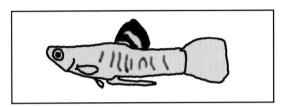

This genus, too, has only one species. X. umbratilis *is a pretty, temperamental fish that can be recommended without hesitation to all hobbyists. Neither care nor breeding poses any problems on the keeper and towards other tank inhabitants, this fish behaves absolutely peaceful. If you want to enjoy the fish's beautiful colours in all their splendour, you shouldn't light the tank too brightly.*

Xiphophorus HECKEL, 1848

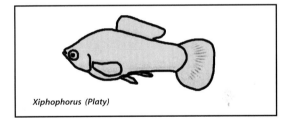

Xiphophorus (Platy)

The colourful breeding forms of the platy and the swordtail certainly belong to the all-time favourites of aquarium keepers. But among the over 30 existing wild forms, also beautiful fish can be found. It is quite amazing that they are (nearly) never offered at pet shops. From the systematic point of view, several things that were said about the genus Poecilia *are also true in this genus, like, for example, the occurrence of "late" and "early" males (at least in the aquarium). In the most commonly kept swordtail,* Xiphophorus helleri, *aquarists once thought that a sex-change from female to male can occur. But actually, these caseswere observations of "late" developing males. For a more detailed description of this phenomenon, please read* KALLMANN in MEFFE & SNELSON, *1989. Also, in many species of the genus* Xiphophorus *the males tend to grow "luxury finnage" because these enlarged fins attract the females' interest. Taxonomists have tried for quite a while to put the genus in order and several new species have been described in the last ten years. Still, many question are left unanswered and especially in this genus aquarists could help a great deal with the publication of their experiences with these fishes. Some* Xiphophorus *species are very rare in nature or even extinct in nature. For*

in vielen Fällen großes Einfühlungsvermögen voraus. Vor allem ist zu bedenken, daß zahlreiche *Xiphophorus*-Arten nicht zu warm gehalten werden dürfen. Auch hier gibt es Ausnahmen, wie etwa *X. gordoni*, der in der Natur in warmen Quellteichen von etwa 34°C Wassertemperatur gefunden wird. Bei der Ernährung der *Xiphophorus*-Arten ist zu beachten, daß wohl die Mehrzahl unter ihnen Fleischfresser sind und daher entsprechend gehaltvolles Futter benötigen.

Familie Hemiramphidae - Halbschnabelhechte

Unter den Halbschnabelhechten gibt es sowohl eierlegende, wie auch lebendgebärende Formen. Zahlreiche Vertreter der etwa 110 Arten, die sich auf 14 Gattungen verteilen, leben im Meer. Andere wiederum, wie etwa die *Nomorhamphus*-Arten leben ausschließlich im Süßwasser. Ein weiteres Extrem stellen die Vertreter der Gattung *Hemirhamphodon* dar, die sich sogar an weiches und saures Wasser angepasst haben. Auch im Brackwasser findet man verschiedene Vertreter dieser weltweit in warmen Gewässern vertretenen Familie. Leider sind nur die allerwenigsten Halbschnabelhechte eingeführt geworden, so daß über Pflege und Zucht oft nichts bekannt ist. Aus diesem Grunde werden wir hier auch nur detailliert auf die im Hobby vertetenen Gattungen eingehen. Wir haben die anderen Arten in der Checkliste aufgeführt und von so vielen Arten wie möglich Abbildungen zusammengetragen.

Dermogenys VAN HASSELT, 1823

Nach BREMBACH (1991) umfasst diese Gattung 10 Arten, die, soweit bekannt, alle lebendgebärend sind. Am weitesten im Hobby verbreitet ist *D. pusilla*, wobei die Tiere wohl größtenteils der Unterart *D. p. borealis* zuzuordnen sind. Jedenfalls rechnet BREMBACH die oft im Zoofachhandel zu habende, silberweiße Form ausdrücklich dieser Unterart zu. In der älteren Fachliteratur wird häufig berichtet, daß die Halbschnäbler in Brackwasser vorkämen. Das mag zutreffen, doch leben die Fische in der Natur mit Sicherheit auch oft in reinem Süßwasser. Zu den Besonderheiten der Halbschnäbler gehört, daß man, um gesunde Tiere zu züchten, der Vitaminversorgung besondere Aufmerksamkeit schenken muß. Ähnlich wie Reptilien brauchen diese Oberflächenfische einen hohen Anteil Vitamin D3 in Kombination mit Calcium im Futter oder eine sanfte UV-Licht-Bestrahlung. Am einfachsten ernährt man die Tiere mit Fruchtfliegen (*Drosophila*), die man leicht selbst heranzüchten kann. Dem Futterbrei der *Drosophila* gibt man dann entsprechende Kalk/Vitaminpräparate bei und beugt so Mangelerscheinungen sehr gut vor. Ein kleiner Tip am Rande: Es hat sich bewährt, die *Drosphila* nicht nur lebend zu verfüttern, sondern sie auch tiefzufrieren. Dabei gehen keinerlei wichtige Nährstoffe verloren und man hat immer einen guten Futtervorrat, auch wenn die *Drosophila*-Zucht einmal zusammenbricht. Doch soll hier nicht der Eindruck erweckt werden, *Dermogenys* fräßen ausschließlich Insekten. Im Gegenteil: Ebenso wie alle bisher im Aquarium gehaltenen Hemiramphidae gehen selbst Wildfänge ohne zu zögern auch an Flockenfutter und alle handelsüblichen tiefgekühlten Futtersorten. Nur vom Boden fressen sie nicht. Die

this reason alone, wild populations should never be interbred - the breeding and preservation of "pure" wild strains might become an important issue in the future. Maintenance and breeding of wild forms is not always easy and is only successful when it is done carefully and patiently. The most important point is to remember that many Xiphophorus species must not be kept in aquaria with too warm water. But, there is always an exception to the rule, like X. gordoni that lives in nature in spring water at about 34°C. When it comes to feeding, one has to consider that most Xiphophorus species are carnivores and need nutrient-rich foods.

Family Hemiramphidae - Halfbeaks

Among the halfbeaks, there are egg-laying as well as livebearing genera. Many of the about 110 species that are included in the 14 acknowledged genera are marine fishes. Others, like the Nomorhamphus species, live exclusively in freshwater. One of the extreme examples from this widespread spectrum are the species of the genus Hemirhamphodon that have adapted to soft, acidic water. Other specimens from this family that is spread all over the world's warm waters live in brackish water. Unfortunately, only few halfbeaks have been imported so far and consequently, only little information is available about tending and breeding. Owing to this, we introduce in detail only the genera that are known in the hobby. All other species are listed in the checklist and we did our best to show photos of as many species as possible.

Dermogenys VAN HASSELT, 1823

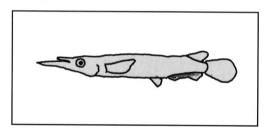

According to BREMBACH (1991), this genus includes 9 species that are, as far as one knows, all livebearing fishes. The species most common in the hobby is D. pusilla, in which the majority of specimens kept is assigned to the subspecies D. p. borealis. At least BREMBACH classifies the silvery white fish that is available at most pet shops expressly as the mentioned subspecies. In the older specialist literature, one can often read that halfbeaks live in brackish waters. This can be true but there are definitely species that live in pure freshwater habitats. If you want to breed healthy offspring, you have to keep a close eye especially on the vitamin supply of the fish. Like reptiles, these surface fishes need high doses of vitamin D3 combined with calcium-containing food or soft ultraviolet lighting. The easiest way to feed these halfbeaks is with fruit flies, Drosophila melanogaster, that can be easily cultured at home. If you add the required vitamin/calcium doses to the flies' food paste, you can easily prevent any deficiency symptoms. Here's an insider tip: Drosophila can not only be fed alive but also frozen; in deep-freezing, all nutrients are preserved and you have always a good food supply even if your Drosophila culture breaks down for some reason. But we do not want to give the impression that Dermogenys lives exclusively on insects. Quite on the contrary: Just like all Hemiramphidae kept in

Insektenzufütterung ist aber für die Zucht wesentlich.

Die Gattung *Dermogenys* ist auf Sulawesi, den Sundainseln, den Phillipinen und über weite Teile des Festlandes Südostasiens verbreitet. Untereinander sind vor allem die Männchen recht unverträglich (sie weden in Asien sogar, ähnlich wie die Kampffische, zu Wettkämpfen eingesetzt), so daß man den Tieren entweder große Aquarien zur Verfügung stellt oder nur ein Männchen pro Aquarium pflegt. Gegenüber artfremden Fischen sind die Halbschnäbler vollkommen friedlich. Die Wassertemperatur sollte 26-28°C betragen. Ein Salzzusatz (immer Seesalz, wie für Korallenfischaquarien, verwenden) ist nur bei weichem Wasser (unter 10°KH) angebracht.

Hemirhamphodon BLEEKER, 1851

Diese Gattung ist mit 6 Arten in den Süßgewässern des indo-malaiischen Raumes vertreten. Es sind reine Süßwasserbewohner, die sich extrem weichen und sauren Gewässern angepasst haben. Wie alle solchen Schwarzwasserfische (Neon, Diskus etc.) sind sie in der Eingewöhnung gelegentlich problematisch, doch einmal eingwöhnt sehr gut haltbar. Die Zucht gelingt ohne Lebendfuttergaben nicht sehr gut. Eine Art, *H. tengah*, hat sich als eierlegend entpuppt, wohingegen von den übrigen 5 angenommen wird, daß sie lebendgebärend sind. Mit Sicherheit weiß man das aber nur von *H. pogognathus* und *H. kapuasensis*. *H. chrysopunctatus*, *H. kükenthali* und *H. phaiosoma* sind noch nicht dauerhaft im Aquarium gehalten worden. Für die Pflege empfiehlt sich ein großes Aquarium mit gedämpftem Licht, weichem, leicht sauren Wasser und ruhigen, friedlichen Mitbewohnern. Die Temperatur kann zwischen 24 und 28°C liegen, doch sollte gerade in der etwas heiklen Eingewöhnungsphase eine höhere Temperatur gewählt werden.

Nomorhamphus WEBER & DE BEAUFORT, 1922

Diese auf Sulawesi (Celebes) endemische Gattung, sie kommt also nur dort vor, umfaßt 7 Arten, wozu nochmals 2 beschriebene Unterarten kommen. Systematisch stellt sich die Gattung ziemlich verworren dar, obwohl in jüngster Zeit (BREMBACH, 1991) daran gearbeitet wurde. Das kommt vor allem daher, daß einige Arten bisher nur „vorläufig" beschrieben wurden und die richtige, exakte Beschreibung bislang nicht erschienen ist. Der Grund dafür ist, daß die ältesten, beschriebenen Arten (*N. celebensis* und *N. hageni*) in einem solch bedauernswerten Zustand sind, daß wesentliche, zur Artabgrenzung wichtige, Merkmale nicht mehr zu erkennen sind.

Ich hatte hier nun die unerfreuliche Aufgabe, die verschiedenen bekannt gewordenen Phänotypen diesen ungenau definierten Arten zuzuordnen. Damit für den Leser nachvollziehbar wird, nach welchen Kriterien ich an dieser Stelle die Arten untschied, sollen sie kurz aufgelistet werden:

Flossen rot, Rücken- und Afterflosse mit schwarzen Zeichnungselementen, Bauchflossen beim Männchen rot ohne jegliche Schwarzanteile, beim Weibchen alle Flossen insgesamt blasser; Mandibularzipfel schwarz .... *N. brembachi*

aquaria, even the wild caughts take flake food without hesitation as well as all common frozen foods. They only refuse to take food from the ground. For good breeding results, the feeding of insects is really important. The genus Dermogenys *is distributed in Sulawesi, the Sunda Islands, the Philippines and large areas of the Southeast Asian mainland. Among each other, the males are quite quarrelsome, (in Asia, they are - like the Siamese Fighters - used for fighting competitions) so that you have to keep them either in very large aquaria or only one single male per tank. Towards other species, halfbeaks are very peaceful. The water temperature should be between 26 and 28°C. A sea salt additive (like used in marine tanks for coral fish) is only necessary in soft (below 10°KH) water.*

Hemirhamphodon BLEEKER, 1851

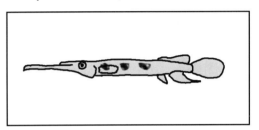

This genus is endemic to the freshwater habitats of the Indo-Malayan area and includes six species. These fishes are pure freshwater inhabitants that have adapted to extremely soft and acidic water. Like all fishes from black water regions (like, for example, Neon tetras and discus), these fishes can be a little bit problematic during the settling-in period; once they have established in their new home, they are easy-going tank inhabitants. Without giving live foods, breeding is complicated. One species, H. tengah, *has turned out to be an egg-layer, whereas the other five are supposed livebearers. But this is only proven in the species* H. pogognathus *and* H. kapuasensis. H. chrysopunctatus, H. kükenthali *and* H. phaiosoma *have not been kept in aquaria over a longer period. In maintenance, we recommend a large aquarium with subdued lighting, soft, slightly acidic water and quiet, peaceful tank mates. The water temperature can be between 24 and 28°C, but during the somewhat difficult settling-in period, it should be near the upper limit.*

Nomorhamphus WEBER & DE BEAUFORT, 1922

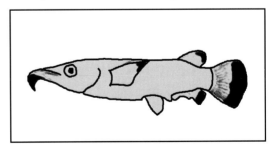

This in Sulawesi (Celebes) endemic genus includes seven species, in which two further subspecies are described. Systematically, the genus is quite a mess, although a short while ago (BREMBACH, 1991) it was worked on it. The confusion derives from the fact that some species were only "provisionally" described and an exact, detailed desription has not been published yet. The reason for this is the bad shape of the conserved specimens of the two "oldest" species, N. celebensis *and* N. hageni. *Today, major characteristics*

Flossen farblos oder blaßrot; keinerlei schwarze Zeichnungselemente in den Flossen; Mandibularzipfel farblos .... *N. celebensis*

Flossen kräftig orangefarben, ohne jegliche schwarzen Zeichnungselemente; Fischgrätartiges Muster auf der unteren Körperhälfte; relativ hochrückig; Seitenlinie verläuft in einem nach dem Rücken gewölbten Bogen .... *N. cf. hageni*

Alle Flossen mit kräftigem Schwarzanteil bei beiden Geschlechtern; Bauch- und Brustflossen beim Männchen tiefschwarz .... *N. liemi liemi*

Alle Flossen mit erkennbarem Schwarzanteil zumindest beim Männchen; der erste Bauchflossenstrahl beim Männchen tiefschwarz, die Brustflosse nur im vordersten Drittel schwarz .... *N. liemi snijdersi*

Rücken- und Afterflosse im hinteren Drittel mit deutlicher Schwarzmarkierung; Mandibularzipfel beim Männchen weit nach untern gebogen und schwarz; Bauchflosse beim Männchen nur im im unteren Teil schwarz .... *N. ravnaki australe*

Flossen kräftig orange; Rücken- und Afterflosse dunkel gesäumt; kein deutlicher Mandibularzipfel beim Männchen .... *N. ravnaki ravnaki*

Rücken-, After- und Schwanzflosse kräftig rot mit schwarzen Zeichnungselementen; Mandibularzipfel beim Männchen schwarz; Bauchflossen zitronengelb ohne jegliche schwarzen Zeichnungselemente .... *N. sanussi*

Wie *N. cf. hageni*, doch Seitenlinie gerade .... *N. sp. I (Handelsbezeichnung „sentani")*

Wie *N. cf. hageni*, doch mit schwarzer Zeichnung in den Flossenrändern .... *N. sp. II*

Die zwei zuletzt genannten Formen und *N. cf. hageni* sind wahrscheinlich miteinander identisch.

In der Aquarienpflege sind die *Nomorhamphus*-Arten recht unproblematisch. Sie wollen nicht zu kleine Aquarien und mittelhartes Wasser ohne Salzzusatz. Die Temperatur kann bei 23-26°C liegen. Gefressen wird alles Futter tierischen Ursprungs, solange es nicht auf dem Boden liegt. Auch hier sind kleine Fliegen eine hochwillkommene Zusatznahrung. Alle Arten sind lebendgebärend. Um dem Kannibalismus der großen Tiere vorzubeugen, sollten sichtbar trächtige Weibchen in ein sehr dicht bepflanztes Ablaichbecken überführt werden. Untereinander können die Männchen relativ friedlich sein, es sind aber auch Fälle bekannt, in denen sie sich heftig bekämpft haben.

Tondanichthys COLLETTE, 1995

Diese Gattung enthält nur eine Art, *T. kottelati*, die auf Sulawesi im Tondano-See vorkommt. Über eine Aquarienhaltung kann bisher nichts gesagt werden, obwohl die der Art- und Gattungsbeschreibung zugrunde liegenden Exemplare von einem Zierfischgroßhändler stammten. COLLETTE vergleicht die neue Gattung sehr intensiv mit *Dermogenys*, *Hemirhamphodon* und *Nomorhamphus*, doch leider gar nicht mit *Zenarchopterus*, mit der sie dem Augenschein nach sehr viel näher verwandt zu sein scheint. Vermutlich sind die Fische gut für die Pflege im Aquarium geeignet. Es wäre sehr interessant herauszufinden, ob sie lebendgebärend oder eierlegend sind.

that are indispensable for species identification cannot be seen any more. So, I had the unpleasant task to assign the different known phenotypes to these inaccurately defined species. I felt it to be a good idea to list the criteria after which I worked, to make the identification comprehensible for our readers:

Fins red, dorsal and anal fin with black markings, pelvic fins in males red without any black components; in females all fins less colourful; processus of the beak black
N. brembachi

Fins without colour or pale red; no black markings on fins; processus of the beak colourless
N. celebensis

Fins richly orange, without any black markings; herringbone pattern on lower body half; relatively high-bodied; lateral band follows the back's curve
N. cf. hageni

All fins with rich black components in both sexes; pelvic and pectoral fins pitch black in males
N. liemi liemi

All fins with recognizable black components at least in males; first pectoral fin ray pitch black in males, only anterior third of pelvic fin black
N. liemi snijdersi

Dorsal and anal fin with clear black markings in posterior third; processus of the beak in males strongly bent and black; pectoral fins in males only black in posterior third
N. ravnaki australe

Fins richly orange; dorsal and anal fin with dark seams; no prominent processus of the beak in males
N. ravnaki ravnaki

Dorsal, anal and caudal fin richly red with black markings; processus of the beak in males black; pectoral fins lemon yellow without any black markings
N. sanussi

Like in N. cf. hageni, but straight lateral band
N. sp. I (trade name "sentani")

Like in N. cf. hageni, but with black markings on fin margins   N. sp. II

The two latter forms and N. cf. hageni are probably identical.

Keeping Nomorhamphus species in the aquarium is unproblematic. They do not like too small aquaria and need medium hard water without any salt additives. The water temperature can be at 23 to 26°C. These fishes eat all animal foods, as long as the food does not lie on the ground. Nomorhamphus, too, enjoy being fed flies additionally. All species are livebearers. In order to prevent the parents from eating their fry, one should separate highly pregnant females and put them into a densely planted breeding tank. Among each other, the males can be relatively peaceful, but we also know of ferocious fights.

Tondanichthys COLETTE, 1995

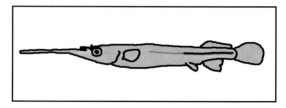

This genus has only one species, T. kottelati, that is endemic to the Lake

Zenarchopterus Gill, 1863

Diese artenreiche Gattung (22 Arten werden als einigemaßen gesichert angesehen) ist weit in den Gewässern des Indopazifik verbreitet. Die Fische können recht problemlos zwischen Süß- und Seewasser pendeln, was einer weiten Verbreitung sicherlich dienlich ist. Die Männchen dieser Gattung haben sehr eigentümlich umgewandelte Afterflossen. Es ist noch unklar, ob es lebendgebärende *Zenarchopterus* gibt oder nicht. Kurz vor Drucklegung dieses Buches erreichte ein Import von Sri Lanka Aquarium Glaser, der u.a. etwa 150 herrliche, ca. 15 cm lange *Zenarchopterus* enthielt. Beim genauen Studium dieses Imports fiel mir auf, daß zwei verschiedene Arten im Import vertreten waren, die sich allerdings auf den ersten Blick kaum unterschieden. MUNRO (1955) gibt für SriLanka nur eine Art, nämlich *Z. dispar* an. Diese, populär „Viviparous Half-Beak" (also „Lebendgebärender Halbschnabel") genannte Art war auch mit Sicherheit vertreten, daneben aber noch eine zweite, großschuppigere Art mit beim Männchen gänzlich anders geformter Afterflosse, die sehr stark an die Flossenform von *Tondanichthys* erinnert. Möglicherweise gibt es also innerhalb dieser Gattung durchaus sowohl lebendgebärende als auch eierlegende Formen. Durch die (begreifliche) Verwechslung verschiedener Arten kam es dann zu widersprüchlichen Aussagen über das Fortpflanzungsverhalten.

Während *Z. dispar* vollkommen problemlos einzugewöhnen war, zeigte sich die in nur wenigen Exemplaren vertretene zweite Art (wahrscheinlich handelt es sich um *Z. beauforti*) als wesentlich empfindlicher. Leider habe ich aus Platzgründen nur *Z. dispar* bei mir unterbringen können und hoffe nun auf Klärung der die Fortpflanzung betreffenden Fragen. Meine Fische pflege ich übrigens im Seewasser, da ich kein passendes Süßwasserbecken frei hatte. Das Umsetzen ins Seewasser wurde problemlos vertragen.

Die Tiere sind äußerst friedlich gegenüber allen Mitbewohnern und auch untereinander. Es sind sehr stark oberflächenorientierte Fische, die vom ersten Tage an jegliches Futter (inkl. Flockenfutter) annehmen.

Hyporhamphus Gill, 1859

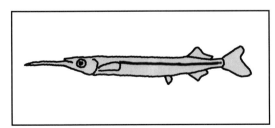

Diese Zeilen sollen stellvertretend für die übrigen ca. 75 Arten der Halbschnäbler stehen, die noch nie lebend in unsere Aquarien kamen. Auch über *Hyporhamphus*, eine 32 Formen umfassende, also recht große Gattung, hätte hier wenig mehr als einige Allgemeinplätze stehen können, wäre da nicht der bereits oben erwähnte SriLanka-Import gewesen, der etwa 20 *Hyporhamphus* als Beifang zwischen den *Zenarchopterus* enthielt. Keine Frage, daß ich einige Tiere in Pflege nahm. Die etwa 10 cm langen Tiere bezogen ein 60 cm langes Quarantänea-

Tondano in Sulawesi. There is no information about keeping this fish in the aquarium, although the specimens that were used for species and genus identification were imported by an ornamental fish wholesaler. COLLETTE compares the new genus expressively to *Dermogenys, Hemirhamphodon* and *Nomorhamphus,* but, unfortunately, not to *Zenarchopterus* which is obviously much closer related. The fish are probably well suited for aquarium keeping. It will be interesting to find out whether they are egg-layers or livebearers.

Zenarchopterus Gill, 1863

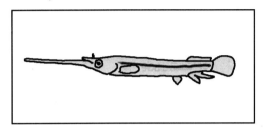

This genus is rich in species (22 species are considered quite certain at the moment) and spread widely in the waters of the Indo-Pacific. The fishes are able to easily fluctuate from fresh to marine water which is certainly favourable for inhabiting large distrubtion areas. The males of this genus have strangely transformed anal fins. It is still not quite clear if there are livebearing *Zenarchopterus* or not. Just before this book went to press, an import from Sri Lanka arrived at Aquarium Glaser that contained about 150, beautiful, ca. 15 cm long *Zenarchopterus*. Observing the specimens, I recognised that there were two different species which could be hardly distinguished at first glance. MUNRO (1955) states only one species, *Z. dispar*, for Sri Lanka. This, commonly "Viviparous Halfbeak" called species was there indeed, but there was also a second species with larger scales in which the males have a completely differently shaped anal fin that resembled strongly the fin shape of *Tondanichthys*. This might lead to the assumption that in the genus *Zenarchopterus*, there are egg-laying as well as livebearing species. And this might have led to confusing the species, resulting in contradicting reports about the reproductive pattern of this genus.

Whereas *Z. dispar* settled in without any problems, the few specimens of the second species (probably *Z. beauforti*) turned out to be much more sensitive. Owing to a lack of space in my home aquaria, I can only keep *Z. dispar* at the moment; I hope to be able to clarify the unsolved reproduction question. By the way, I keep my specimens in marine water, because I didn't have a freshwater tank at my disposal. The fish accepted the change from freshwater (at the importer's) to marine water without any signs of distress.

The fish are absolutely peaceful towards other tank inhabitants, and also among each other. They are strongly surface-oriented and take any food (incl. flake food) they are offered.

Hyporhamphus Gill, 1859

This paragraph is intended to be in place for all other, about 75 species of halfbeaks that never made their way into our tanks. The same is true for *Hyporhamphus, a quite extensive genus with about 32 forms: If it hadn't*

quarium mit reinem Seewasser. Die Umstellung wurde problemlos vertragen. Am Morgen nach dem Einsetzen entdeckte ich am Boden deutlich grün gefärben Kot und bot als erste Nahrung Flockenfutter auf pflanzlicher Basis an, was auch sofort begierig gefressen wurde. In der Folge nahmen die Tiere alles übliche Frost-, Flocken- und Lebendfutter an. In der Natur werden vor allem Pflanzenteile gefressen. Im Gegensatz zu den *Zenarchopterus* halten sich die *Hyporhamphus* nicht so sehr dicht an der Wasseroberfläche auf, sondern schwimmen auch gerne mal in den mittleren Wasserschichten. Die Fische sind wohl der Art *Hyporhamphus quoyi* zuzuordnen, von der DAY (1889) (unter dem Synonym *Hemiramphus limbatus*) berichtet, daß sie auch oft ins Süßwasser vordringt. Insgesamt läßt sich aus den bisherigen, wenn auch noch recht kurzfristigen Lebendbeobachtungen schließen, daß *Hyporhamphus*-Arten sich scheinbar recht gut für das Aquarium eignen.

Neben *Hyporhamphus* gibt es noch die äußerlich sehr ähnlichen Gattungen *Arrhamphus, Chriodorus, Hemiramphus, Oxyporhamphus* und *Rhynchorhamphus*. Sie alle könnten wohl im Aquarium gehalten werden, wenn sie denn angeboten würden. Sollten einmal unbestimmbare Halbschnäbler im Zoofachhandel auftauchen, so tut man im allgemeinen gut daran, sie auf starkes Brackwasser oder reines Seewasser zu setzen. Diese Prozedur vertragen auch Süßwasserarten ganz gut, während umgekehrt marine Arten im Süßwasser nur kurze Zeit ausdauern können. Speziell für Seewasseraquarianer könnten diese Tiere eine echte Alternative zu den üblicherweise im Meeresaqarium gepflegten Fischen sein. Als einzige Ausnahme ist *Hyporhamphus breederi*, eine reine Süßwasserart, anzusehen. Die Art *H. breederi* wurde von FERNANDEZ-YEPEZ aus Venezuela beschrieben. Diese Fische müßten genau wie *Hemiramphodon* gepflegt werden, also in sehr weichem, sauren Wasser.

been for an accidental catch of ca 20 Hyporhamphus specimens that were imported together with Zenarchopterus, we would not have been able to write anything valuable about this genus. But - sometimes, even the author of an identification book has a bit of luck! I took some specimens home with me. The ca 10 cm long fish were put into a 60 cm long quarantine tank with pure marine water. The change from fresh to marine water was tolerated without any signs of distress. The next morning, I saw clearly green-coloured excrement on the aquarium ground; accordingly, I offered vegetable flake food as a first meal which was eaten greedily. Later, the fish took all common frozen, flake and live foods. In contrast to Zenarchopterus, my Hyporhamphus specimens did not stay in the surface regions but preferred to swim more in the middle of the tank. The fish probably belong to H. quoyi, a species of which DAY (1889) (then under the synonym Hemiramphus limbatus) reported that it sometimes intrudes into freshwater habitats. Having studied them rather briefly, I dare say that these fish are well-suited for aquarium keeping.

Besides the Hyporhamphus species, there are the quite similar looking Arrhamphus, Chriodorus, Hemiramphus, Oxyporhamphus and Rhynchorhamphus. All of them could be kept in the aquarium - if they were marketed. If you ever come across unidentified halfbeaks, put them into strongly brackish or marine water. This procedure is tolerated by freshwater species as well, whereas the other way round, the marine species endure freshwater only for a very limited time. Especially for friends of marine tanks, these fishes can be a real alternative to the 'usual' inhabitants of seawater aquaria.

Hyporhamphus breederi (a freshwater fish from South America) is the only exception to this rule. The species H. breederi was described by FERNANDEZ-YEPES from Venezuela. They should be tended like Hemiramphodon, i.e. in very soft, acidic water.

Die Zuchtformen Lebendgebärender Zahnkarpfen

Die bekannten Zuchtformen der Lebendgebärenden Zahnkarpfen waren und sind die Pioniere der Aquaristik. Mit ihren bunten Farben und bizarren Formen haben sie viele Aquarianer erst zu ihrer Liebhaberei geführt. Insbesondere die Zuchtformen der Lebendgebärenden gelten in der Regel als unkompliziert zu halten und leicht zu vermehren. Die meisten Einsteiger beginnen ihre aquaristische Tätigkeit mit Guppys, Platys, Schwertträgern und Mollys, da die genannten Arten in der gängigen Literatur als empfehlenswerte Aquarienfische gehandelt werden. Allgemein werden die bekannten Zuchtformen der Lebendgebärenden Zahnkarpfen gar als Anfängerfische bezeichnet. Zwar passen sich diese Fische in der Regel relativ leicht auch ungewohnten Lebensbedingungen an, jedoch finde ich den Begriff „Anfängerfische" eher unpassend. Auch Guppys, Platys, Schwertträger und Mollys haben ihre Ansprüche an die Haltungsbedingungen, und diese wollen erfüllt sein. Berichte, denen zufolge diese Arten auch unter den schlechtesten Lebensbedingungen überleben und sich sogar noch vermehren, mögen zwar zutreffen, dennoch werden sich diese Fische unter widrigen, lebensfeindlichen Voraussetzungen ebenso wenig wohlfühlen wie sogenannte „Problemfische". Versucht man als Pfleger und Züchter hingegen, diesen Arten optimale Bedingungen zu bieten und gibt sich Mühe, seine Pfleglinge „zu verwöhnen", so vermögen diese Tiere den Halter immer wieder aufs neue zu überraschen und zu erfreuen. Dann sind es wirklich problemlose Pfleglinge, die auch guten Gewissens dem Anfänger unter den Aquarianern empfohlen werden können. Unter sehr guten Haltungsbedingungen gepflegte Lebendgebärende werden dann dem Liebhaber ihre ganze Farbenpracht offenbaren, mit deren Hilfe die stets sexuell aktiven Männchen die Weibchen zu umbalzen versuchen.

Die Entstehung der verschiedenen Zuchtformen

Bereits von Natur aus neigen viele Arten der Familie Poeciliidae zu Variationen in der Färbung und manchmal auch in der Flossenausbildung. Der bekannteste Vertreter der Lebendgebärenden Zahnkarpfen, der Guppy (Poecilia reticulata), ist das beste Beispiel für die große Farbpalette, die innerhalb einer Art auftreten kann. Selbst innerhalb einer lange isoliert gehaltenen Wildguppy-Population gleicht kein Männchen exakt dem anderen. Sogar Brüder sind anhand einiger, weniger Farbmerkmale meistens noch recht gut zu unterscheiden.

Unter anderem sind drei wesentliche Faktoren für das Auftreten der vielen Zuchtformen entscheidend: Die Mutationsfreudigkeit der Arten, die günstigen Lebensbedingungen und schließlich die Zuchtauswahl des Pflegers. Mutationen treten bei vielen Fischarten sehr häufig auf und erweisen sich für das betroffene Tier fast immer als negativ, da es zum Beispiel durch eine zu helle Färbung eher Freßfeinden auffällt als andere Artgenossen. Die Mutation ist eine Veränderung vorhandener Gene, wobei die mutierten Gene Allele der Ausgangsgene darstellen. Wenngleich im folgenden ausschließlich von Mutationen die Rede sein

Ornamental forms of livebearers

The well-known ornamental forms of livebearers were and still are the true 'pioneers' of the aquarium hobby. For many hobbyists, the radiating colours and bizarre body shapes of these fishes were indeed the reason for sparking off interest in aquarium keeping in the first place. Ornamental forms of livebearers have a reputation for being especially easy to keep and to breed, so that most beginners start their first aquarium with guppies, platies, swordtails and mollies because all these fishes are recommended as hardy, easy-going or even the ideal "beginner's" fishes in the available hobby literature. It is true that these fishes adapt quite easily even to unusual living conditions, but I think it is dangerous to call any fish a "beginner's" fish. Guppies, platies, mollies and swordtails have the same need for correct, "natural" aquarium conditions as any other fish that is kept in captivity. Reports about livebearers that survived the worst possible living conditions and even produced offspring might be true but one shouldn't forget that these fishes feel as bad as any other "problematic" fish when kept in low-standard waters. On the other hand, livebearers will certainly reward their owners with beautiful colours, lively behaviour and often surprising breeding results when kept with due attention and care. When aquarists stick to this basic rule of fish keeping, livebearers are indeed fishes that can be warmly recommended to any beginner. Under very good living conditions, livebearers will soon display the whole array of beautiful colours with which the always sexual active males try to courtship the females.

The emergence of ornamental forms

Many species of the family Poeciliidae have a natural tendency to form variations in colouration and finnage. The probably best known of all livebearers, the guppy (Poecilia reticulata), is the best example for an enormous natural colour variability within one species. Even within wild guppy populations that were isolated for a very long time, no male looks exactly like another; even brothers can mostly be distinguished by few characteristic differences in colouration. Among others, there are three major factors basically deciding for the emergence of so many ornamental forms: the easiness with which the species mutate, favourable living conditions, and, when kept in aquaria, the selection by the breeder. (In the following, I will almost exclusively talk about mutations that find a visual expression, but one must never forget that the overwhelming majority of mutations cannot be seen but are responsible,

wird, die sich auch äußerlich erkennen lassen, sollte man jedoch nie vergessen, daß die überwältigende Mehrzahl der auftretenden Mutationen optisch nicht in Erscheinung tritt und z.B. verantwortlich für bestimmte Krankheitsresistenzen etc. ist.

In der Natur überleben diese Individuen mit äußerlich sichtbaren Mutationen nur äußerst selten. Im Aquarium hingegen muß sich der mutierte Fisch vor keinen Freßfeinden tarnen. Wenn der Züchter will, so bringt er diesen Fisch zur Vermehrung und schafft es mit Geschick, Züchterfleiß und unter Beachtung der Regeln der Vererbungslehre, einen reinerbigen Stamm aus einer Mutation herauszuzüchten. Nicht immer muß der Züchter aber auf eine Veränderung des Erbmaterials zurückgreifen, um eine Veränderung im Aussehen der Fische zu erzielen. Dazu genügt es bei den in diesem Abschnitt beschriebenden Arten oft schon, die Lebensbedingungen zu optimieren. Nach den Beobachtungen anderer Autoren und meinen eigenen Feststellungen passen sich die Fische ihren Lebensräumen optimal an. So konnte ich in Venezuela bei der Untersuchung verschiedener Guppyschwärme in den unterschiedlichsten Biotopen erkennen, daß sich die Fische auf die gegebenen Lebensbedingungen eingestellt hatten. In Lebensräumen mit vielen Freßfeinden wirkten die Männchen eher unauffällig und blaß gefärbt, während hingegen die Männchen in Gewässern ohne größeren Feinddruck recht auffällige Farben trugen. Sie wiesen zudem ein wesentlich auffälligeres Balzverhalten auf. Der Balztanz dauerte länger als bei den gefährdeten Populationen. Die Männchen konnten es sich also „leisten", ein auffälliges Farbkleid zu tragen. Auch bei den Schwertträgern findet man rote Populationen in der freien Natur (siehe im Bildteil dieses Buches Xiphophorus helleri, Populationen Rio Atoyac, Rio Playa Vicente), ohne daß es sich dabei um ausgesetzte Aquarienstämme handelt. Zudem sind andere Umweltfaktoren wie die chemisch-physikalischen Parameter eines Gewässers und das quantitative und qualitative Futterangebot für die Entwicklung eines Stammes oder Schwarmes ausschlaggebend. So zeigte mir der Besuch in Venezuela weiter auf, daß Guppys in einem schnellfließenden und somit meistens relativ sauerstoffhaltigen Gewässer kräftiger und größer sind als andere Artgenossen in stehenden Biotopen. Die Guppys suchten aktiv die Strömung auf und schwammen gegen sie an. Das hat eine stärkere Ausbildung der Muskulatur und eine verstärkte Sauerstoffaufnahme zur Folge. In den Aquarien der Züchter fanden und finden die Fische diese Lebensbedingungen vor. Die Züchter der Zuchtformen sorgen für ein sauberes, sauerstoffhaltiges Wasser sowie eine hochwertige Ernährung, und auch der Feinddruck ist im Aquarium nicht existent. Die Tiere können Anlagen entfalten, die bislang in ihnen „schlummerten" und in den ursprünglichen Lebensräumen hinderlich oder gar lebensbedrohlich gewesen wären. Die Färbung der Männchen wird intensiver und farbenreicher, das Balzspiel wird ausgiebiger, und schließlich steigt auch die Fruchtbarkeit der Population. Die Weibchen reagieren auf die bunten, stimulierenden Farben der Männchen mit einer erhöhten Paarungsbereitschaft. Aber nicht nur auf die Färbung der Tiere haben die guten Lebensbedingungen Einfluß. Speziell bei Guppys entwickeln sich auch die Flossen, d.h. Caudale und Dorsale werden größer, da größere Flossen mehr Erfolg bei der

for example, for disease resistence etc.) A mutation is a change in the hereditary material in which the mutated genes form an allele of the original genes.

Mutations occur in many fish species (especially in "pets" resulting from generations of inbreeding) very often and have negative consequences for the fish in almost all cases: Light colours, for example, make the fish easy prey for enemies because they are, of course, much more obvious than 'natural' colours. In the wild, these individuals have hardly any chance to survive, and it is definitely better this way. In the aquarium, though, there is no need for the fish to camouflage itself from predators. If it is the breeder's intention to do so, he can breed such a 'freak' and, with patience, diligence and knowledge of the rules of genetics, fix the desirable features of such a specimen into a stable aquarium strain. But the breeder is not necessarily forced to use fish with mutated genetic material in order to achieve differently looking offspring. In the species described in this section, this can also be done with optimising the fish's living conditions. According to other breeders' reports and my own observations, the fishes adapt perfectly to their environment. When I examined schools of guppies in different biotopes in Venezuela I recognised that each group had adapted to the biotope it was actually living in. In surroundings with many predators, the males were inconspicuously coloured, whereas the males living in waters with only little pressure by enemies displayed bright colourations. They also showed a different courtship behaviour: The actual courtshipping lasted much longer than in the strains living in dangerous waters. All this leads to the conclusion that the "safe" males could "afford" to wear bright colours and behave accordingly. In swordtails, too, one can find wild, red populations (please see photos of Xiphophorus helleri, population Rio Atoyac, Rio Playa Vicente) that are no releases of commercial breeds! Other important factors for the development of a swarm or population are environmental influences like water chemistry and the amount and quality of the available food. During my research in Venezuela I found that guppies that lived in fast-flowing, thus oxygen-rich waters are larger and stronger than specimens living in still waters. The guppies swam actively into the current and moved against it. This activity of course results in better developed muscles and increased oxygen absorption. In the aquaria of commercial breeders the fishes found and find similar living conditions. Breeders usually provide clean, oxygen-rich water, high-quality foods and enemy-free surroundings. Under these conditions, the animals can develop "sleeping" hereditary factors whose display would have been restricting or even dangerous in the wild. Under favourable conditions, the males' colouration becomes more bright and colourful, the courtship is intensified and, consequently, the fertility of the

Umwerbung eines Weibchens versprechen. Dies läßt sich auch leicht am Balztanz der Männchen erkennen, da diese mit bis zum Zerreißen angespannten Flossen versuchen, das Weibchen in Paarungsbereitschaft zu bringen.

Die Zuchtauswahl des Züchters schließlich bestimmt die weitere Entwicklung eines Stammes. An seinen Vorstellungen, vor allem aber an seinem Einfühlungsvermögen liegt es, wie sich die Aquarienpopulation entwickelt. Jeder Züchter muß trotz allen Ehrgeizes die natürlichen Grenzen akzeptieren und den Fischen nicht zu große Flossen anzüchten. Die natürliche Schwimmfähigkeit muß vorhanden bleiben, so daß die Fische nicht durch ihre ausgeprägte Beflossung behindert werden. Dies gilt sowohl für die Zuchtformen des Guppy als auch für die der Schwertträger, Platys und Mollys.

Zu den Haltungsbedingungen gehört neben der optimalen Wasserpflege selbstverständlich auch eine hochwertige Ernährung. Nach meiner Ansicht hat sich die Domestikation der hier behandelten Zuchtformen der Lebendgebärenden Zahnkarpfen nur deshalb so schnell vollzogen, da die Tiere in den Aquarien der Liebhaber eine ungewohnt vitamin- und proteinhaltige Nahrung angeboten bekamen, die ihnen aus ihren natürlichen Biotopen überhaupt nicht oder nur teilweise bekannt war. Nach meinen Beobachtungen ernähren sich die Wildformen in der Natur überwiegend von pflanzlicher Nahrung, da das Nahrungsangebot in der Regel nur wenig potentielle Futtertiere hergibt. Sobald die Tiere die Möglichkeit haben, kleine Wasserinsekten (Mückenlarven, Kleinkrebse etc.) zu erbeuten, nehmen sie dies auch wahr. Oftmals aber geben die Biotope nicht soviel tierische Nahrung her. In der Obhut des Pflegers mußten sich die Vorfahren unserer heutigen Zuchtstämme an ein anderes Nahrungsangebot gewöhnen. Sie erhielten viel mehr hochwertige, teilweise auch fettige Nahrung als sie es bislang gewohnt waren. Vor allem die Ernährung mit viel Lebend- und Frostfutter und wenig oder gar keiner vegetarischen Kost führte zwangsläufig zur Zunahme des Körperumfanges und auch der Fruchtbarkeit. Auch das Trockenfutter trug seinen Teil dazu bei. Nach vielen Generationen in Züchterhand haben sich die Stämme der verschiedenen Arten daran gewöhnt, und es würde zu Rückbildungen führen, würde man das Nahrungsangebot radikal umstellen. Dies zeigen auch viele Auswilderungen hochgezüchteter Stämme, die sich innerhalb weniger Generationen zunehmend dem Ursprungstyp phänotypisch näherten. Auch das ist übrigens ein Beweis dafür, daß die Hochzuchtstämme noch nicht soweit von ihren wilden Vorfahren weggezüchtet sind, wie man aufgrund ihres Äußeren meinen könnte.

Umstrittene Zuchtformen

Wenn man sich mit den Zuchtformen der Lebendgebärenden Zahnkarpfen befaßt, wird man sich zwangsläufig auch mit den umstrittenen Zuchtformen auseinandersetzen müssen, da sie in jeder der hochgezüchteten Arten vorkommen können. Prinzipiell sei darauf verwiesen, daß in den Liebhabervereinigungen Europas derartige Auswüchse züchterischen Ehrgeizes (oder Perversion) äußerst unerwünscht sind

whole population increases. The females react to the rich, stimulating colours of the males with an increased interest and willingness to mate. Still, good living conditions are not only favourable for the colouration of these fishes but also for the development of large fins. In guppies, the dorsal and the caudal fin grow and are thus another factor for successful courtship. This can be clearly seen in the courtship display where the males spread their fins as wide as possible to impress the females and raise their interest in the potential mating partner.

The further elaboration of the strain is then directed by the breeder. His ideals, but especially his capacity for understanding the 'rules' of genetics are the basis for the successful development of an aquarium population. Despite all ambitions, the breeder must be aware of natural limits and has to take care that the fish he breeds are not over-finned. The natural swimming ability of the animals must be preserved, the extended fins should not turn out to be a handicap for their natural mobility. This is not only true for ornamental forms of the guppy but also for swordtails, mollies and platies. When it comes to maintenance, perfect water conditions and high-quality foods are basic requirements for healthy fish. In my opinion, the domestication of livebearers has been so successful in so little time because in home aquaria of hobbyists the fishes found foods rich in proteins and vitamins - foods that are rarely or never available in the fishes' natural biotopes. According to my personal observations, in nature the wild forms live mainly on a vegetable diet because usually there are only few sources of potential live foods. As soon as the fishes have the chance to catch small insects (mosquito larvae, small crustaceans etc.) they do take it. But very often, the biotopes do not provide a lot of animal food. Having ended up in aquarists tanks, the ancestors of our recent commercially developed strains had to adapt to a completely different diet. They were fed a highly nutritious, sometimes much fatter diet than the one they were used to. Especially feeding with lots of live and frozen foods and little or no vegetable components lead automatically to heavier and more fertile fishes. The also completely unknown flake foods contributed to this development. After many generations in captivity, the strains of the different species have got used to this high quality diet and it would lead to degeneration if this diet was radically changed. The same observation can be made in released ornamental forms: through the generations, the highbred aquarium fishes we know today turn slowly but surely into the original phenotype. And this is also proof for the fact that these 'mutants' are not as far from their wild ancestors as their appearance suggests.

und entschieden abgelehnt werden. Die Standards, nach denen die organisierten Leistungszüchter züchten, sind heutzutage so strukturiert, daß das natürliche Schwimmverhalten der Fische maßgeblich in die Bewertung miteinfließt und Züchter von Tieren mit deutlich zu großen Flossen deutliche Punktabzüge erfahren oder gar von der Wertung ausgeschlossen werden. Nach meinem ethischen Verständnis sollte aber jeder Züchter von Zuchtformen im Interesse seiner Schützlinge darauf achten, daß seine Fische ein tiergerechtes Dasein ohne Einschränkungen führen können. Welchen Wert haben die schönsten Farben und Formen, wenn das Tier sich dadurch nicht mehr artgerecht bewegen und somit auch seiner Art entsprechend verhalten kann?

In den Liebhabervereinigungen hat sich seit Jahren ein Umdenkungsprozeß etabliert, der eindeutig das Tier und seine natürlichen Bedürfnisse im Vordergrund sieht. Dennoch soll an diesem Abschnitt auf einige Zuchtformen hingewiesen werden, die trotz aller Bedenken gelegentlich im Handel angeboten werden und leider dort auch ihre (meistens unwissenden) Käufer finden. Bei den im Handel angebotenen Guppys finden sich gelegentlich auch welche, die der „Gießener" Zuchtform zugehörig sind. Bei dieser Zuchtform sind fast alle Flossen schleierartig ausgezogen. Die Afterflosse ist bei beiden Geschlechtern derartig lang ausgezogen, daß die beim Männchen zum Gonopodium umgebildete Anale nicht mehr in der Lage ist, ein Weibchen zu kopulieren. Solche Zuchtformen können sich nicht mehr auf natürlichem Wege fortpflanzen, sondern sie können nur durch das Verpaaren eines normalflossigen Männchens mit einem Weibchen der Schleierform (mischerbig) weitergezüchtet werden. In meinem Buch über Guppys habe ich die Zucht der langflossigen Guppys aus Gründen des Tierschutzes bereits deutlich abgelehnt. Die Zuchtform des „Gießener Guppy" ist auch nicht im europäischen Guppy-Standard aufgenommen und wird somit auf keiner Ausstellung bewertet.

Andererseits möchte ich aber darauf hinweisen, daß ich in einem gut entwickelten Triangelguppy mit auf die Größe des Tieres abgestimmter Caudale keine bedenkliche Züchtung erkenne. Im Gegenteil: Die meisten Zuchtstämme des Guppy sind den Wildformen in vielerlei Hinsicht überlegen. Sie sind langlebiger, krankheitsresistenter, gegenüber ungewohnten Lebensverhältnissen anpassungsfähiger, fruchtbarer und haben als Sexualpartner mehr Erfolg. Dies alles ist - wie im vorherigen Abschnitt bereist beschrieben - eine Folgeerscheinung der ungewohnt guten Lebensverhältnisse in den Aquarien und der Zuchtauswahl der Liebhaber zu verdanken. Durch die Zunahme des Körperumfanges sind bei allen Arten der Poeciliiden keinerlei Organveränderungen oder gar Schädigungen aufgetreten.

Eine weitere Zuchtform, die der Kategorie „Umstrittene Zuchtformen" zuzuordnen ist, ist der sogenannte Ballonmolly. Diese Molly-Zuchtform, die laut KÜHNE (DGLZ-Rundschau 2/97) der Art *Poecilia velifera* zuzuordnen ist, weist eine S-förmige Wirbelsäule auf. Das charakteristische Merkmal dieser Zuchtform ist also der Defekt im Verlauf der Wirbelsäule. Zwar beschreiben verschiedene Autoren in ihren Erfahrungsberichten den Ballonmolly als ausgesprochen lebhafte und balzaktive

Questionable ornamental forms

When dealing with ornamental forms of livebearers, one almost inevitably comes across the topic of questionable ornamental forms as they are present in any highbred species. Principally, I'd like to mention that such excesses (or perversions) of breeders' ambitions are not tolerated by aquarium associations in Europe. The standards set for organised commercial breeders who enter competitions include the judgement of natural swimming ability so that breeders of over-finned specimens either lose points or are excluded from the competition. My personal ethical understanding of breeders' responsibility calls for breeds of fish that can have a life according to their needs as natural beings, without any reservations. Of what use are the most wonderful colours and fins if they keep the animal from moving naturally? If they make the fish's typical behaviour impossible?

In the last years, ornamental fish associations have changed their ideas about breeding standards and placed the well-being of the creature in the foreground.

I want to take the opportunity and discuss some ornamental forms that are offered at pet shops - despite all reservations against these 'cripples' - and that are bought usually by inexperienced hobbyists. Among the marketed forms of the guppy, one can sometimes find the ornamental form "Giessen". In this fish, almost all fins are extended "veil"-like. In both sexes, the anal fin is extended so far that the gonopodium of the male cannot any longer perform a proper copulation. Such an ornamental form is unable to reproduce naturally - one has to take a male with 'normal' fins in order to fertilise a veiltail female. In my book on guppies I strongly disapproved of breeding these long-finned forms for - obvious - animal-protection reasons. The "Giessen" guppy is not included in the accepted European breeding standards and cannot compete in official exhibitions. On the other hand, I'd like to stress that I don't think that a well developed Triangle guppy with a caudal that is in proportion with the fish's size is a questionable ornamental form. Quite on the contrary: Most ornamental forms of the guppy are superior to their wild relatives in many respects. They live longer, are more resistant to diseases, can better adapt to unusual environments, are more fertile and more successful as sexual partners. All these advantages are - like already mentioned - the result of the good living conditions in aquaria and careful selection by the breeders. The increased weight and size of many 'aquarium' poeciliids did not bring about any deformations of internal organs or any other kind of damage.

The second ornamental form I would classify as a questionable ornamental form is the so-called Balloon Molly.

Variante, jedoch stellt sich mir die Frage, ob es wirklich Sinn macht, Zuchtformen mit Defekten weiterzuentwickln. Nach meiner Ansicht dürfen Zuchtformen nur das zeigen, was auch ursprünglich in der Art „schlummerte" oder die Weiterentwicklung von Mutationen, solange sie sich nicht als für das einzelne Tier als schädlich erweisen. Beim Ballonmolly liegt das Hauptaugenmerk aber neben der Entwicklung von Farbvarianten auf der deformierten Wirbelsäule, und deshalb sollte diese Zuchtform meines Erachtens gemieden werden.

Eine weitere Zuchtfomen „verdient" die Aufnahme in diesen Abschnitt. Die Kreuzung zwischen den Arten *Xiphophorus helleri* und *Xiphophorus maculatus* führt in einigen Fällen zu Nachkommen, die zur Entwicklung bösartiger Geschwülste, sogenannter Melanome, neigen. Insbesondere die beiden Schwertträgerzuchtformen „Wiesbadener Kreuzung" und „Berliner Kreuzung" fallen oft durch die Ausbildung der Melanome im hinteren Körperabschnitt auf. Dies führt in späteren Stadien zum Ausfall des Schwertes bzw. zum Tod des Tieres. Mitarbeiter des Genetischen Institutes der Universität in Gießen fanden eine Erklärung für das Auftreten der Melanome. Der derzeitige Stand der Wissenschaft besagt, daß es sowohl Auslösefaktoren für die Ausbildung der bösartigen Geschwülste gibt als auch Gene, die das Ausbrechen verhindern können (vgl. GÄRTNER, 1981). Ich halte derart heikle Stämme in der Hand von Liebhabern für ungeeignet. Sie sollten ihren Platz in den Laboratorien der wissenschaftlich arbeitenden Institute haben. Zumindest aber sollten Liebhaber, wenn in ihren Stämmen Melanome auftreten, mit diesen Stämmen nicht weiterzüchten.

Hin und wieder liest man selbst in der Fachliteratur von chirugischen Eingriffen der Züchter. Dabei geht es vor allem um das Kupieren überlanger Rücken,- Schwanz- und Afterflossen. Des öfteren erfährt der zu Recht geschockte Leser, daß viele Züchter das zu lang gewachsene und damit nicht mehr funktionsfähige Gonopodium der Männchen abschneiden, damit es wieder in der Lage ist, Weibchen zu kopulieren. Dies ist schlichtweg Unsinn, da ausschließlich die vorderste Spitze des Gonopodiums als Überträger von Spermatozeugmen brauchbar ist. Wird diese wegschnitten, wird dieses Männchen keine Nachkommen zeugen können. Auch das Beschneiden überlanger Schwanz- oder Rückenflossen wird meines Wissens bei den organisierten Züchtern nicht praktiziert und würde im Wettbewerb zum Ausschluß führen.

Abschließend meine ich feststellen zu können, daß die Zuchtformen der verschiedenen Lebengebärenden Zahnkarpfen durchaus ihre Daseinsberechtigung haben, solange die Züchter die von der Natur gesteckten Grenzen akzeptieren. Die Gesellschaften und Vereine sind weiterhin gefordert, durch die Standardisierung der Zuchtformen Auswüchse von vornherein zu verhindern und eine gute, auf wissenschaftliche Kenntnisse aufbauende Zuchtarbeit ihrer Mitglieder zu unterstützen, da insbesondere auch die Amateurzoologen vielfach neue Erkenntnisse erlangen und veröffentlichen.

This ornamental form of the molly , that has (after KÜHNE, DGLZ-Rundschau, 2/97) to be assigned to the species Poecilia velifera, *has an S-shaped spinal column. So, the typical characteristic of this form is a defect of the spinal column. It is true that some authors report about the Balloon Molly as an extremely lively and actively courtshipping variety but I ask myself if it makes any sense to breed an obviously deformed fish. In my opinion, ornamental forms should only show features that were either 'already there', i.e. hidden in the genetic material or mutations that are not harmful for the animal. In the Balloon Molly, the breeders' main interest is focused - besides colour varieties - on the mentioned deformation of the spine, and therefore I feel this ornamental form should be avoided.*

A third ornamental form that 'deserves' to be mentioned in this chapter is the result of interbreeding Xiphophorus helleri *and* Xiphophorus maculatus. *In some cases, the offspring of this 'mixture' showed a tendency to develop melanomas, i.e. malignant tumours. Especially in the two swordtail breeds "Wiesbadener Kreuzung" and "Berliner Kreuzung" the repeated appearance of melanomas in the posterior body half is suspicious. At an advanced stage, this cancer leads to the loss of the sword and, consequently, the death of the fish. Scientists of the institute for genetic research of the University Giessen found an explanation for the melanomas. The latest developments of research state that there are factors that trigger off the malignant growth of the cells as well as genes that can prevent the growth of such tumours (compare: GÄRTNER, 1981). Anyway, I think that such tricky strains shouldn't be bred by hobbyists but stay in the laboratories of the genetic researchers. At least, if you have a strain in which melanoma occur, you should not continue to breed it.*

Every now and then, one can read even in specialist literature about surgeries performed by breeders. Such surgeries are used for shortening too long dorsal, caudal and anal fins. Quite often, the shocked reader learns that breeders cut off the unnaturally long extended gonopodium of the male so that it regains the ability to copulate the female. Such surgery is sheer nonsense because only the very tip of the gonopodium can transfer sperm. When this tip is cut off, the male cannot produce offspring any more. As far as I am informed, no serious breeder shortens his fishes' dorsal or caudal fins because such ill-treatment of the animals would automatically lead to the exclusion from any competition.
Finally, I'd like to state that ornamental forms of livebearers do have their right to exist, as long as breeders accept the limits nature sets. Aquarium associations and organisations have the responsibility to establish standards for

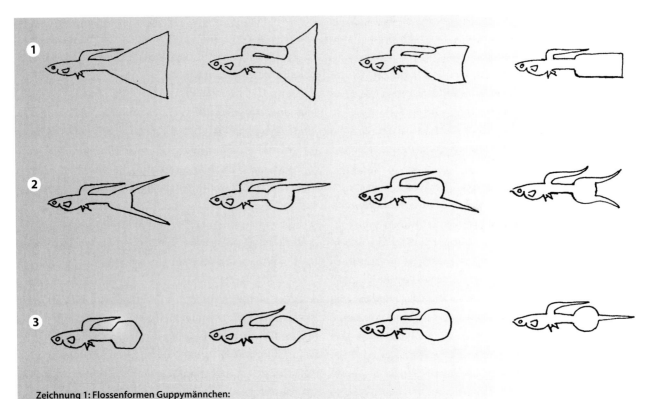

Zeichnung 1: Flossenformen Guppymännchen:

1 von links nach rechts /from left to right: Fächerschwanz/Fantail, Triangelschwanz/Triangletail, Schleierschwanz/Veiltail, Fahnenschwanz/Scarftail

2 von links nach rechts /from left to right: Doppelschwert/Doublesword, Obenschwert/Topsword, Untenschwert/Bottomsword, Leierschwanz/Lyretail

3 von links nach rechts /from left to right: Spatenschwanz/Spadetail, Speerschwanz/Speartail, Rundschwanz/Roundtail, Nadelschwanz/Pintail

Die Zuchtformen des Guppy

Der Guppy ist nach dem Goldfisch wohl die variantenreichste Fischart, die der Aquaristik bekannt ist. Vor allem die farbenfrohen und bizarr befloßten Männchen gelten als erstrebenswerte Zuchtobjekte. Seit der Ersteinführung in Deutschland im Jahre 1908 hat eine rasante Entwicklung eingesetzt, die durchaus als Domestikation zu bezeichnen ist. Das Auftreten neuer Farben zeigt, daß ein Ende der züchterischen Weiterentwicklung noch lange nicht erreicht ist. Mit jeder neuen Farbe ergeben sich allerdings auch neue Fragen bezüglich des Erbgangs, und somit ist und bleibt der Guppy speziell für den genetisch interessierten Aquarianer ein lohnenswerter Fisch. Aber auch für den Leistungszüchter stellt der Guppy eine echte Herausforderung dar, denn es ist eine schwierige Aufgabe, einen eigenen, reinerbigen Stamm herauszuzüchten, und noch viel schwieriger, ihn langfristig zu erhalten. Im Gegensatz zu den *Xiphophorus*- und Molly-Zuchtformen wurden bei der Herauszüchtung neuer Guppy-Varianten niemals Artkreuzungen vorgenommen. Sämtliche Zuchtformen sind ausschließlich durch die Weiterentwicklung aufgetretener Mutationen direkt oder indirekt (das bedeutet, durch die Kombination von Mutationen) entstanden.

Bedingt durch die Vielzahl der Guppyliebhaber in der Welt wurden bereits am Anfang des 20. Jahrhunderts die ersten Guppyausstellungen organisiert. Um einen Maßstab zur Bewertung der züchterischen Leistung und des züchterischen Wertes der ausgestellten Tiere zu haben, wurden eigens Bewertungsrichtlinien für die Beflossung und die Färbung der Guppys erarbeitet. Selbst die heutigen Standards

ornamental forms, thus preventing any excesses. Also, they should support their members' breeding attempts, giving advice based on scientific knowledge - very often, it's the hobbyists who find the answers to questions scientists are trying to solve.

Ornamental forms of the Guppy

Apart from the goldfish, the guppy is probably the most variable fish species known in the hobby. Especially colourful males with bizarre tails are the desired outcome of many breeding attempts. Since the first import in 1908, a rapid development has taken place that I feel deserves the term "domestication". The appearance of new colour varieties proves that this development driven on by guppy breeders has not yet come to an end. But with every new colour, new questions concerning genetics arise and thus, the guppy remains the most 'useful' fish for hobbyists who are interested in genetic processes. Still, the guppy is just as interesting for experienced commercial breeders because it is really difficult to breed a unique, stable aquarium strain. In contrast to Xiphophorus and Molly ornamental forms, the breeders of guppy strains never crossed different species to get a new variety. All existing ornamental forms resulted either directly or indirectly (i.e. through a combination of different mutations) from mutations and their further development.

basieren zum Teil noch auf den damals erstellten Richtlinien, wobei allerdings neue, wichtige Kriterien, wie die Schwimmfähigkeit und die Vitalität der Tiere, hinzugekommen sind. Wurde früher größtenteils Wert auf große Flossen gelegt, so sind die aktuellen Standardregeln eher auf die korrekte Form und die den Tieren entsprechende Flossengröße ausgelegt, um Qualzuchten vorzubeugen. Überlängen bei den Schwanz- und Rückenflossen werden mit Punktabzügen bestraft. In Europa existieren derzeit zwei Standardwerke, die allerdings inhaltlich identisch sind. Der Eurostandard und der Internationale Hochzuchtstandard (siehe Zeichnung) kennen jeweils zwölf verschiedene Flossentypen der männlichen Guppys, von denen jeweils vier auf die Rassen „Großflosser", „Schwertflosser" und „Kurzflosser" entfallen. Zu den Großflossern gehören die vier Standardformen „Fächerschwanz", „Triangelschwanz", „Schleierschwanz" und „Fahnenschwanz". In die Kategorie der Schwertflosser fallen die vier Flossenformen „Doppelschwert", „Obenschwert", „Untenschwert" und „Leierschwanz", und der Rasse der Kurzflosser zugehörig sind die Standards „Spatenschwanz", „Speerschwanz", „Rundschwanz" und „Nadelschwanz". Auf die einzelnen Merkmale der jeweiligen Flosentypen einzugehen, würde den Rahmen sprengen. Deshalb sei an dieser Stelle auf die am Ende aufgeführte Literaturliste verwiesen, und auch die Kontaktaufnahme zu einem der Guppy-Vereine kann bei Interesse weiterhelfen.

Die männlichen Guppys zeichnen sich bekanntermaßen allerdings nicht nur durch eine Vielzahl an Formen, sondern auch an Farben aus. Deshalb seien nun die wichtigsten Farben näher vorgestellt. In der Guppyzucht wird zwischen zwei Farbtypen unterschieden. Die Grundfarbe wird geschlechtsunabhängig vererbt und zumindest bei den Männchen von Deckfarbe(n) überlagert. Der Begriff „Deckfarbe" ist zwar biologisch nicht korrekt, soll hier jedoch weiter Verwendung finden, da er auch in der organsierten Zucht üblich ist. Die Deckfarbe überlagert die Grundfarbe des Tieres und ist infolgedessen auch die auffälligere. Manche Männchen sind derartig mit Deckfarben überlagert, daß es schwerfällt, die Grundfarbe des Tieres zu bestimmen. Die ursprüngliche Grundfarbe des Guppy ist Grau. Fast alle Wildguppys und auch die meisten Zuchstämme weisen die Grundfarbe Grau auf. Durch Mutationen und Kreuzungen (hier: genetisch bedingte Veränderungen der Farbzellen) traten andere, zumeist hellere Grundfarben auf, die in den Aquarien der Liebhaber Beachtung fanden und weitergezüchtet wurden. Die Grundfarbe Grau setzt sich in der Vererbung gegenüber allen anderen Grundfarben dominant durch. Die einfach rezessiv-vererbenden Grundfarben sind Blond, Blau, Gold, Pink und Albino. Bei einer Verpaarung zwischen einem grauen und einem blonden Guppy werden in der ersten Generation (F$_1$) in der Regel ausschließlich graue Tiere auftreten, die Grundfarbe grau ist also beherrschend (= dominant). Die Anlagen des blonden Tieres sind aber durchaus noch vorhanden, wenn auch verdeckt (= rezessiv). Werden die Guppys der F$_1$-Generation untereinander verpaart, so sind in der F$_2$-Generation theoretisch 25% der Nachkommen reinerbig blond. Das heißt, sie sind sowohl phänotypisch (äußeres Erscheinungsbild) als auch genotypisch (sämtliche Erbanlagen beinhaltend) blond. Die restlichen 75% des Wurfes sind dagegen grauer Grundfarbe, wobei aller-

Owing to the many friends of the guppy the world over, the first guppy competitions were organised as early as the beginning of the century. In order to have standards of how to judge the breeders' efforts and results, special guidelines for the evaluation of finnage and colouration were introduced. Today's guidelines are still based on these first ones, although 'modern' criteria like agility and vitality have been added. In the past, the main focus was on as large as possible fins, but today's standards evaluate the correct shape and the fin's proportion to the body in order to avoid questionable ornamental forms. Caudal and dorsal fins that are too long are penalised by loss of points. In Europe, there are two standard books which contain basically the same guidelines: the European Standard and the International Standard accept twelve different types of fins in male guppies; four types each are assigned to the three basic varieties "swordtail", "wide tail" and "short tail". To the "wide tail" guppies, the four standard forms "fantail", "delta or triangletail", "veiltail" and "scarftail" are assigned. Under the category "swordtail", the four fin forms "double swordtail", "top swordtail", "bottom swordtail" and "lyretail" are listed. The race "short tail", finally, includes the four forms "spadetail", "speartail", "roundtail" and "pintail". It would be beyond the scope of this introduction to detailedly describe all these fin types, so please consult the literature and guppy associations listed in the back of this book for more information. As you probably know, male guppies are not only notorious for their finnage but also for their spectacular colours. Here, I'd like to mention only the most important colourations. In guppy breeding, two basic colourations are distinguished: the basic colouration that is inherited sex-independently and the cover colouration that in males, most of the time, overlaps the basic colour. The term "cover colouration" is not exact seen strictly from a biological point of view, but I will use it nevertheless because it is used in commercial breeding. Like the term already suggests, this cover colouration is the more obvious and conspicuous one. In some male guppies this cover colouration is so prominent that it is almost impossible to recognise the basic colour. The original colour of all guppies is grey. Almost all wild guppies as well as most commercially bred strains still have this grey basic colouration. Mutations (genetically caused changes in the colour cells) brought about other, mostly lighter basic colours that were immediately noticed by aquarists and further developed. Still, the basic colouration 'grey' is passed on dominantly; the simple recessively inherited colourations are blond, blue, gold, pink and albino. The pairing of a blond and a grey guppy will have exclusively grey offspring in the F 1 generation. The genes of the blond fish are still there, but hidden. Producing offspring by pairing specimens of the F1 with each other will, theoretically, result in

dings nur 25% reinerbig grau und bei den anderen 50% der grauen Tiere auch die blonden Erbanlagen verdeckt (rezessiv) vorhanden sind. Durch das Verpaaren der einfach-rezessiv vererbenden Grundfarben untereinander entstanden neue, zweifach-rezessive Grundfarben. Aus der Verbindung zwischen Blond und Blau entstand Weiß, die Kombination von Blond und Gold ergab Creme und aus Blau und Gold ging Silber hervor. Auch hier sei wieder auf die Fachliteratur verwiesen, da die Darstellung dieser Erbgänge in diesem einleitenden Text zu weit ginge.

Abschließend möchte ich noch auf die bekanntesten Deckfarben und Muster eingehen. Im Gegensatz zu den Grundfarben werden die Muster und Deckfarben geschlechtsgebunden vererbt. So liegt das bekannte Snakeskinmuster (mäanderförmige Körper- und Flossenzeichnung) auf dem Y-Chromosom und wird somit immer vom Vater auf die Söhne übertragen. Andere Farben, die ebenfalls über das Y-Chromosom vererbt werden, sind zum Beispiel grüne Deckfarbe, das dem Snakeskinmuster ähnelnde Filigranmuster (mehr gepunktete Körper- und Flossenzeichnung), verschiedene rote und schwarze Flecken, große Augenflecken, metallisch wirkender Glanz auf dem Körper und schließlich auch die Ausbildung des Unten- und des Doppelschwertes bei den Männchen. Auf dem X-Chromosom liegen auch verschiedene Farbgene, die oftmals aber bei weitem nicht ausschließlich über die Weibchen weitervererbt werden. So liegt der Faktor für einen schwarz oder dunkel gefärbten hinteren Körperabschnitt auf diesem Chromosom. Auch die Kombination mehrerer Gene ist durchaus möglich. So kann die Kombination des Faktors DS (Doppelschwert) mit einer Deckfarbe, die auf dem X-Chromosom lokalisiert ist (beispielsweise gelb oder gesprenkelt gefärbte Caudale), dazu führen, daß sich die Fläche zwischen den Schwertern beim Männchen schließt und in den folgenden Generationen ein Fächerschwanz entsteht. Unbeabsichtigt sind so auch die ersten Großflosser entstanden, die in den fünfziger Jahren den Guppy zu dem Modefisch werden ließen. Das Hauptaugenmerk der Züchter liegt immer bei den Männchen, da die Weibchen, bedingt durch den kompakteren Körper, nicht so grazil wirken und auch nicht die Farben- und Flossenpracht der Männchen aufweisen. Deshalb werden im Gegensatz zu den anderen Zuchtformen Lebendgebärender Zahnkarpfen auf den Ausstellungen fast ausschließlich Männchen ausgestellt und prämiert. Dabei müssen die Züchter drei in Farbe und Form übereinstimmende Männchen präsentieren, um zu zeigen, wie weit der Stamm durchgezüchtet ist und sich alle Männchen gleichen.

Die Molly-Zuchtformen

25% pure blond specimens. This means, they are phenotypically (i.e. visibly) and genotypically (i.e. the setup of the genetic material) blond. The other 75% of the offspring show a grey basic colouration, but only 25% have a pure grey genotype whereas 50% carry the recessive blond genes as well. The pairing of simple recessive inherited basic colourations with each other produced new, double recessive basic colourations. Interbreeding blond and blue produced white, the combination of blond and gold resulted in cream, and crossing blue and gold yielded silver. If you want to know more about these hereditary processes, please read the available literature - it would take us too far to explain Mendel's laws in detail. Finally, I'd like to mention the most popular cover colourations and patterns. In contrast to the basic colouration, the cover colourations and patterns are inherited sex-dependently. For example, the well-known "snakeskin" pattern is carried by the Y chromosome and is always passed on from father to son. Colours that are inherited the same way (via the Y chromosome) are, for example, green cover colouration, the filigran colour that resembles very much the snakeskin pattern but appears more spotted in body and fins, different red and black spots, large eye spots, metallic shimmer of the scales and the single and double sword in males. The X chromosome carries several colour genes, but many of them are not exclusively passed on by the female: for example, the factor that produces a black or dark coloured posterior body half is carried by the X chromosome. Another possibility is the combination of several genes: The combination of the factor DS (double sword) with a cover colouration that is located on the X chromosome (like, for example, a yellow or spotted caudal fin) can lead to the closing of the area between the male's double sword so that the caudal fin of the next generation appears as a fantail. The first "large tails" emerged - accidentally! - from this combination and triggered off a real "guppy boom" in the Fifties. The breeders' main focus is always on the males; the females have more compact bodies thus appearing less elegant, and they do not display the rich colours and impressive finnage of the males. This is also the reason why, unlike in other livebearers, you find almost exclusively male specimens in competitions. In these guppy competitions, the breeder has to present three males that display the same

Mollys/Mollies: links/left: Sphenops-Molly   mitte/middle: Latipinna-Molly   rechts/right: Velifera-Molly

Heute gehören auch die verschiedenen Molly-Zuchtformen zum Standardangebot jedes Zoogeschäftes. Die einzelnen Varianten unterscheiden sich in der Färbung und in der Beflossun g. Verschiedene Farb- und Flossenvarianten sind also möglich. Bei der Entwicklung der unterschiedlichen Zuchtformen spielten auch das Kreuzen der eng verwandten Arten sowie Verpaarungen verschiedener Rassen eine wesentliche Rolle. Zu den wichtigsten, domestizierten Molly-Arten gehören *Poecilia velifera, P. latipinna* sowie *P. sphenops*. Für sie sind mittlerweile auch Standardregeln aufgestellt worden.

Im wesentlichen unterscheiden die Liebhaber die Mollyzuchtformen in drei Arten sowie diverse Flossenformen in verschiedenen Farbvarianten. *Poecilia sphenops* zeichnet sich durch einen lang gestreckten Körperbau aus. Der Kopf ist spitz geformt, Rücken- und Schwanzflosse rundlich bis oval geformt. *Poecilia latipinna* zeichnet sich ebenfalls durch einen lang gestreckten Körperbau aus, wobei bei diesem Typ die große Dorsale auffällt. Sie steigt steil an und verläuft nach hinten rundlich endend. Insgesamt etwas kompakter wirkt *Poecilia velifera*, dessen Dorsale noch größer als die von *P.latipinna* ist. Diese Art ist die größte von allen drei Mollytypen.

Die Normalflosser aller Mollys zeigen keinerlei Veränderung zur Basisart. Beim Doppelschwert sind die oberen und unteren, äußeren Flossenstrahlen der Caudale verlängert. Beim Lyraflosser sind zusätzlich auch die äußeren Flossenstrahlen der Dorsale verlängert. Auch andere Flossen dürfen verlängert sein. Im Standardbuch für Molly-Zuchtformen wird zwischen farbigen und schwarzen Zeichnungsmustern unterschieden. Zu den schwarzen Zeichnungsmustern gehören die Merkmale schwarz, gepunktet, gefleckt, gescheckt und schwarzer Fleck. Bei „schwarz" soll der Körper möglichst völlig schwarz gefärbt sein. Es dürfen rote Flossensäume vorhanden sein. Beim Merkmal „gepunktet" handelt es sich um kleinere, den Körper überdeckende Punkte, während hingegen „gefleckt" bedeutet, daß der Körper und die Flossen von größeren, runden Flecken überdeckt sind. Das Merkmal „gescheckt" bezieht sich auf große, schwarze, unregelmäßige Flecken. Das Zeichnungsmuster „schwarzer Fleck" weist auf einen Flecken auf der Rücken- und/oder Schwanzflosse hin. Die farbigen Zeichnungsmuster „dorsalrot" und „caudalrot" bezieht sich auf eine Rotfärbung der betreffenden Flosse. Dies gilt ebenso für die Merkmale „caudalgelb" und „dorsalgelb" in gelber Färbung. Beim Zeichnungsmuster „braun" handelt es sich um eine auf der Grundfarbe gezeigte Braunfärbung. Das Merkmal „ rot gepunktet" bezieht sich auf auf dem Körper und den Flossen gezeigte rote Punkte. Ähnlich verhält es sich mit dem Zeichnungsmuster „gelb gepunktet". Zusätzlich können Körper und Flossen mit weißen Pigmenten versehen sein. Auch ein roter oder gelber Saum auf der Caudale und der Dorsale gelten laut Standard als ein farbiges Zeichnungsmuster. Das letzte Merkmal dieser Kategorie ist eine blauschillernde Beschuppung, wobei die Dorsale schwarz, weiß und rot von von ventral nach dorsal verläuft und die Caudale rot gefärbt ist. Durchgehende Körperfarben können wildfarben, rot, gelb, orange, fleischfarben und gleichmäßig weiß sein. Im Standard finden auch die unterschiedlichen Augenfarben Berücksichti-

colours and finnage to prove whether the strain has been "fixed".

Ornamental forms of Mollies

The different ornamental forms of the Molly belong to the standards offered at pet shops today. The varieties differ in finnage and colouration, so that there is quite a wide range of both colour and fin varieties to choose from. In the development of the available ornamental forms the interbreeding of closely related species as well as the pairing of different races played an important role. The most important domesticated Molly species are Poecilia velifera, P. latipinna *and* P. sphenops. *For these three, standardisation rules have been developed.*

Basically, Molly enthusiasts distinguish the ornamental forms of the three named species with different finnage combined with certain colour varieties. Poecilia sphenops *displays an elongated body, a rather pointed head and round to oval shaped dorsal and caudal fin.* Poecilia latipinna *also has an elongated body, but in this species the huge dorsal fin is prominent. Like a sail, it rises steeply and then runs towards the back, ending in a rounded curve.* Poecilia velifera *appears a bit more compact but the dorsal fin is even larger than in* P. latipinna. P. velifera, *the Yucatan Sailfin Molly, is the largest of the three. The common forms show no change in the finnage, compared to the original species. The double sword form has extensions of the two furthest upper and lower spines of the caudal fin. In the lyretail, the furthest spines of the dorsal fin are also extended, and other fins might be extended as well. The guidelines for Molly varieties distinguish between black and coloured patterns. In the black patterns, the varieties "black", "dotted", "spotted", "marbled" and "black spot" are accepted. In the "black" variety, the whole fish should be completely black, but red fin margins are allowed. The variety "dotted" displays small dots all over the fish's body, whereas the "spotted" variety has quite large round spots in body and fins. The "marbled" Molly shows irregular, large black blotches; the variety "black spot" displays only one large black spot in the dorsal and/or the caudal fin. In the colour varieties, the names "dorsal red" and "caudal red" do, of course, relate to the red colour in the respective fin. The same goes for "caudal yellow" and "dorsal yellow". The variety "brown" displays a brown colour pattern overlapping the basic colouration. The terms "red spotted" and "yellow spotted" describe red or yellow spots in the fish's body and fins. Additionally, there can be white pigments in fins and body. A yellow or red fin margin also does belong to the accepted colour patterns. The last variety in this category has blue, shimmering scales and the colours black,*

gung. Unterschieden wird hier in den drei Kategorien „normales, schwarzes Auge", „andersfarbig" und „pigmentloses, rot erscheinendes Auge". Schließlich sei an dieser Stelle auch die Bewertung der unterschiedlichen Schuppen erwähnt. Hier differenzieren die Züchter zwischen „normal", „metallisch" und „samtig".

Durch Kreuzungen finden sich zahlreiche andere Varianten, die jedoch oftmals nicht erbfest sind. Um an gute Zuchttiere zu gelangen, sei die Kontaktaufnahme zu einem erfahrenen Züchter angeraten.

white and red in the dorsal fin, running ventrally to dorsally, and a red caudal fin. Basic body colourations can be "wild coloured", "red", "yellow", "orange", "flesh-coloured" and "white". The standard also includes different colours of the eyes. Three categories are distinguished: "normal, black eye", "differently coloured", "without pigment". Finally, I want to mention the different kinds of scales that are judged in competitions. The breeders distinguish the forms "normal", "metallic", and "velvet". Interbreeding these forms results in numerous other varieties which are, however, often not stable. If you are interested in high-quality specimens for breeding, contact an experienced breeder.

Die Zuchtformen von Platy und Schwertträger

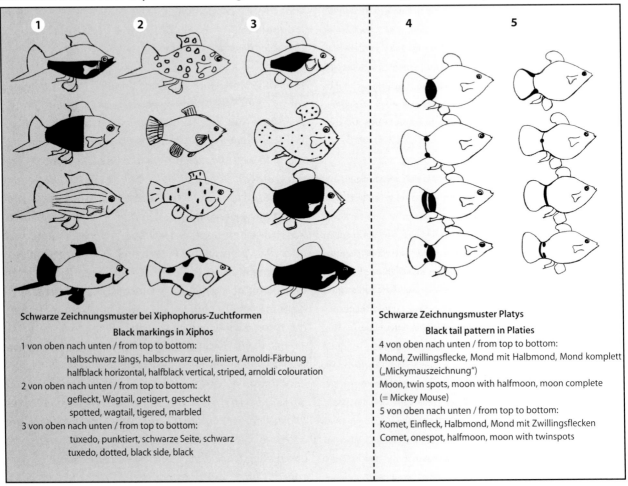

Schwarze Zeichnungsmuster bei Xiphophorus-Zuchtformen

Black markings in Xiphos

1 von oben nach unten / from top to bottom:
halbschwarz längs, halbschwarz quer, liniert, Arnoldi-Färbung
halfblack horizontal, halfblack vertical, striped, arnoldi colouration
2 von oben nach unten / from top to bottom:
gefleckt, Wagtail, getigert, gescheckt
spotted, wagtail, tigered, marbled
3 von oben nach unten / from top to bottom:
tuxedo, punktiert, schwarze Seite, schwarz
tuxedo, dotted, black side, black

Schwarze Zeichnungsmuster Platys

Black tail pattern in Platies

4 von oben nach unten / from top to bottom:
Mond, Zwillingsflecke, Mond mit Halbmond, Mond komplett („Mickymauszeichnung")
Moon, twin spots, moon with halfmoon, moon complete (= Mickey Mouse)
5 von oben nach unten / from top to bottom:
Komet, Einfleck, Halbmond, Mond mit Zwillingsflecken
Comet, onespot, halfmoon, moon with twinspots

Die Zuchtformen der Platys und Schwertträger stammen hauptsächlich von den drei Arten *Xiphophorus helleri, X. maculatus* und *X. variatus* ab. Die beiden letztgenannten gehören zu den Platys. Dabei finden sich die meisten Zuchtformen in der Gruppe der Maculatus-Art. Der bekannteste unter ihnen dürfte der „Korallenplaty" sein. Diese hübsche, intensiv rot gefärbte Zuchtform gehört zum Standardsortiment jedes Zoogeschäftes, jedoch sind sie nicht immer in guter Qualität erhältlich. Der Korallenplaty zeichnet sich zudem durch einen roten Ring im Auge sowie durch die Rotfärbung der Flossen aus.
Die Maculatus-Platys sollten trotz der Entwicklung der Zuchtformen in ihrem Erscheinungsbild an die Wildform erinnern. Insgesamt wirkt diese Art etwas gedrungener als die Variatus-Platys. Die Länge sollte bei den Weibchen circa vier bis fünf, bei den Männchen drei bis vier Zenti-

Ornamental forms of Platies and Swordtails

All ornamental forms of platies and swordtails are descended from three species: Xiphophorus helleri, X. maculatus and X. variatus, of which the latter two belong to the platies. Most ornamental forms can be found in the species X. maculatus; probably the best known ornamental form is the Coral Platy. This pretty, bright red fish can be found in every pet shop, but, unfortunately, sometimes it lacks in quality. The Coral Platy can be recognised by a red ring in the eye and red fins. Maculatus-platies should - despite any fancy variations that may have been developed - resemble the original wild form. Compared to X. variatus, it has a

meter betragen. Eine weitere, bekannte Zuchtform der Maculatus-Platys ist der „Wagtail-Platy", der überwiegend mit roter Grundfarbe angeboten wird. Er zeichnet sich durch eine Schwarzfärbung der Flossen bei roter oder gelber Körperfarbe aus. Auch der „Goldplaty" gehört zur Maculatus-Gruppe. Sein Körper ist fast vollständig gelb gefärbt. Der Goldplaty entstand durch die Reduzierung des schwarzen Farbstoffes, Melanin. Fast vollständig schwarz gefärbt ist der „Schwarze Platy". Diese Variante ist bereits aus ihren natürlichen Heimatgewässern bekann, und fand in den Aquarien der Liebhaber nach ihre Einführung viel Beachtung. Durch Zuchtauswahl gelang es einigen Züchtern, rote oder gelbe Rückenflossen anzuzüchten. Der Körper des „Pfeffer- und Salz-Platys" ist hauptsächlich gelb, grau oder weiß gefärbt, wobei ihm eine dunkle Sprenkelung des Körpers sowie der Flossen den ungewöhnlichen Populärnamen gab. Die „Spiegelplatys" sind farblich eher unauffällig. Ihr Körper hat eine grau wirkende Färbung, in der stellenweise bunte Farbflecken auftreten. Die Flossen können ebenfalls verschiedenfarbig sein. Der „Blutendes-Herz Platy" stellt sicherlich eine Besonderheit dar. Die Tiere zeichnen sich durch eine rote Kehlpartie aus, wobei der übrige Körper recht hell gefärbt. Diese Zuchtform, die ähnlich auch in der Natur (Mexiko) vorkommt, ist leider nur sehr selten auf Ausstellungen zu bewundern.

Die zweite Platy-Art ist *Xiphophorus variatus*. Die Variatus-Platys sind durchschnittlich um ein bis zwei Zentimeter größer als die Vertreter der Maculatus-Gruppe. Die bekanntesten Vertreter dieser Gruppe sind sicherlich die „Papageienkärpflinge". Diese in allen erdenklichen Farben schillernden Tiere sind eine Bereicherung für beinahe jedes Aquarium. Laut Standard müssen mindestens drei verschiedene Farbtöne auf dem Körper des Tieres zu sehen sein. Auch die „Tuxedo-Variante" ist vielen Aquarianern aus den Geschäften bekannt. Kennzeichnend für diese Zuchtform ist die intensive Schwarzfärbung in der Mitte des Körpers (siehe Zeichnung). Die umliegende Körperfläche kann rot, grün oder gelb gefärbt sein. Noch intensiver schwarz gefärbt sind die Tiere des „Hawaii-Variatus". Bei dieser Zuchtform ist lediglich der Kopf sowie Brust und Flossen mit anderer Farbe versehen. Abschließend sei der „Gelbrote Variatus" vorgestellt, dessen Körper und Flossen intensiv gelb bis orange gefärbt sind.

Wahrscheinlich hat das Einkreuzen von goldenen Schwertträgern (Goldhelleri) zur Entstehung des Marigold variatus beigetragen. Diese Zuchtform zeichnet sich durch eine von hellgelb bis zu dunkleren Orangetönen reichendes Farbspektrum aus, das den gesamten Körper einschließlich der Flossen abdecken kann.

Bei den Schwertträgern (*X. helleri*) haben vor allem die roten Zuchtformen zur Popularität dieser Art erheblich beigetragen. Es werden verschiedene Rottöne unterschieden. Wie auch beim Maculatus-Platy gibt es die „Wagtail-Zuchtform". Ebenfalls mit einer roten Grundfärbung läßt sich der „Berliner Schwertträger" züchten. Er zeichnet sich durch eine intensive Schwarzsprenkelung des Körpers und der Flossen aus. Ebenfalls rot-schwarz gefärbt ist der „Frankfurter Schwertträger", dessen hinterer Körperabschnitt einschließlich der Caudale schwarz gefärbt ist, während der vordere Bereich des Körpers durch eine intensive Rotfärbung charakterisiert ist. Der „Hamburger Schwertträger" ist beinah völlig schwarz gefärbt. Besonders hübsche Exemplare weisen

rather stumpy body. Females should attain lengths between 4 and 5 cm, males 3 to 4 cm. A second well-known ornamental form of X. maculatus is the so-called "Wagtail Platy" that is offered mostly with red basic colouration. These specimens with yellow or red basic colour also display black fins. The "Gold Platy" belongs to the Maculatus-group, too. Its body is coloured almost completely yellow. This colouration of the "Gold Platy" is the result of the reduction of the black pigment called melanin. The "Black Platy", on the other hand, is almost completely black. This variety is known to occur naturally and has received a great deal of attention by aquarists since its first import. In Maculatus-platies, the black colouration usually occurs sex-dependently only in male specimens, in X. variatus, on the other hand, it can be observed in specimens of both sexes. Some breeders succeeded through careful selection to breed black specimens with red or yellow dorsal fins. The body of a "Salt and Pepper Platy" is mostly coloured yellow or white, with an irregular black spot pattern in body and fins that gave this fish its unusual common name. The "Mirror Platy" is less conspicuously coloured. Its body shows a rather dull, greyish colour with occasional colourful patches; the fins, too, can have various colours. The "Bleeding Heart Platy" is certainly one of the 'specialities' among the Xiphophorus ornamental forms. These specimens display a deep red throat, while the rest of the body has a light colour. This variety, of which a similar looking form occurs in the wild (Mexico), is - unfortunately - quite rarely exhibited.

The second platy species is Xiphophorus variatus. The Variatus-platies are usually 1 or 2 cm larger than their Maculatus relatives. The best known fish of this group are certainly the Parrot platies. These livebearers that display all the colours one can possibly imagine are definitely an enrichment for any aquarium. According to the guidelines, at least three different colours have to be apparent in the body of this variety. The "Tuxedo" variety is also known from the pet shop tanks. Typical for this ornamental form is an intense black colouration in the centre of the fish's body (see drawing). The surrounding areas can be red, green or yellow. Even more intensely black are specimens of the "Hawaii Variatus" form. In this ornamental form, only the head as well as the chest and the fins have a different colour. Finally, I'd like to introduce the "Sunset Variatus": this fish shows an intense yellow to red colouration.

Probably the interbreeding with golden swordtails (Goldhelleri) has contributed to the development of the "Marigold Variatus". This ornamental form displays an array of colours reaching from gold to a deep orange that can cover the whole body and the fins.

In the swordtails (Xiphophorus helleri) the red forms were

hell umrandete Schuppen und eine helle Brust auf, die sich bis zur Schnauze zieht. Der „Wiesbadener Schwertträger" ist nicht ganz so intensiv dunkel gefärbt wie der Hamburger Schwertträger. Sein charakteristisches Merkmal ist die heller gefärbte obere Körperpartie, die entweder rot oder grün ist.

Die Grundfarben des Schwertträgers sind Rot, Grün, Albino und Golden. Schwarz ist keine Grundfarbe, sondern ist den Deckfarben zuzuordnen. Als Flossenformen läßt der Standard die Normalflosser, die Hochflosser und die Lyraflosser zu. Die Normalflosser entsprechen dem ursprünglichen Wildtyp. Die Hochflosser zeichnen sich durch eine Verlängerung der Rückenflossenstrahlen, während beim Lyraflosser eine schleierartige Verlängerung der oberen und unteren Schwanzflossenstrahlen typisch ist. Zudem sollten laut Standard die ersten zwei bis drei Flossenstrahlen der Dorsale lang ausgezogen sein. Für die beiden Platy-Varianten sind diese Flossenformen ebenfalls relevant, wobei jedoch hier noch eine vierter Flossentyp gezüchtet wird. Beim Pinselschwanz sind die mittleren Flossen der Caudale lang ausgezogen. Statt der Körpergrundfarbe Grün (wie beim Helleri) ist bei den Platys die Grundfarbe Wildfarben bekannt.

Die Haltung und Pflege
der Zuchtformen Lebendgebärender Zahnkarpfen

Wie eingangs bereits erwähnt, waren auch die Haltungsbedingungen in den Aquarien dafür verantwortlich, daß sich viele Merkmale entwickelten, die bis dahin in den natürlichen Lebensräumen nicht entfaltet werden konnten. Zudem entwickelten die Aquarianer auftretende Mutationen weiter. Der Entwicklung der Zuchtformen durch die (positiv) veränderten Lebensbedingungen muß man auch heute noch Rechnung tragen, will man einen Zuchtstamm auf einem hohen Niveau entwickeln und letztlich dauerhaft erhalten. Grob gesagt bedeutet dies, daß die Zuchtformen andere Haltungsbedingungen erwarten als Wildformen. Dies bezieht sich sowohl auf die Wasserqualität als auch auf das Futter (als wichtigstem Faktor) als auch auf das eigentliche Zuchtverfahren (Selektion, Geschlechterauftrennung, Zuchttierauswahl).

Um die gravierendsten Unterschiede aufzuzeigen, will ich an dieser Stelle kurz die Pflege der Wildformen stark verallgemeinernd beschreiben. Im Normalfall erfolgt die Pflege einer Wildform im Schwarm. Dadurch nimmt der Schwarm die Zuchtauswahl selber vor. Die stärksten, durchsetzungsfähigsten Tiere werden die meisten Nachkommen haben. Der Züchter sollte lediglich darauf achten, daß kranke, schwächliche oder defekt ausgebildete Fische aus dem Aquarium entfernt werden, um eine Fortpflanzung derartiger Tiere generell auszuschließen. Bei Populationen, die noch nicht lange im Aquarium leben, wird der Pfleger bemüht sein, die Parameter auf die ursprünglichen Bedingungen im Heimatbiotop einzustellen. Erst langsam, nach mehren Generationen, kann eine Anpassung an andere, ungewohnte Wasserwerte erfolgen. Natürlich haben einige Arten weniger Probleme mit der Eingewöhnung, andere hingegen wie *Micropoecilia picta* reagieren auf ungewohnte Lebensbedingungen sehr sensibel. Auch die Ernährung der Wildformen muß im Vergleich zu den Zuchtformen

mainly responsible for the popularity the fish gained in the hobby. Different shades of red are distinguished. Like in the Maculatus-platy, there is a "wagtail" ornamental form. The so-called "Berlin Swordtail" can also be bred with a red basic colouration. This variety displays a conspicuous black spot pattern in body and fins. The "Frankfurt" variety has a red-and-black pattern, too, but in this form, the posterior body half plus the sword are completely black, while the anterior half shows an intense red. The "Hamburg Swordtail" is almost completely black. Outstanding specimens have white seams around the scales and a chest of a light colour that stretches to the snout. The "Wiesbaden Swordtail" is not as intensely black as its cousin from "Hamburg"; typical for this variety is a lighter upper body half that is either green or red.

The basic colourations of the swordtail are red, green, albino and gold. As standard finnage, the official guidelines accept "normal", "highfin" and "lyretail". The "normal" fin types look like the fins of the wild forms. The "highfin" varieties display extended dorsal fin spines, whereas the "lyretail" forms show the typical extensions of the furthest upper and lower spine of the caudal fin. Additionally, the first two or three spines of the dorsal fin have to be extended, too. These finnage varieties are also relevant in the two platy species, but in these fishes, a forth fin variety is bred: In the "Plumetail" variety, the middle spines of the caudal fin are extended. Last, but not least, there is the basic colouration "wild" known in the platies, instead of green (which is only present in X. helleri).

Maintaining ornamental forms of livebearers

As previously noted, the favourable aquarium conditions were largely responsible for the development of many features displayed by ornamental forms that couldn't have developed in the wild. Also, aquarists cultivated occurring mutations. If you want to breed a stable high-quality strain you always have to pay tribute to the (positively) changed living conditions our 'modern' livebearers have adapted to. Put quite bluntly, this means that our 'thoroughbred' livebearers expect other, better living conditions than their wild ancestors. This refers to water quality as well as to foods (as the main factor) and the actual breeding procedure (selection, sex differentiation). In order to show you the most important differences, I will shortly explain how the wild forms of livebearers should be tended. Wild forms are usually kept in swarms. This way, the animals themselves select the suitable breeding partner; the strongest and most aggressive specimens will have the most numerous offspring. The breeder only has to remove obviously ill, weak or deformed specimens from the tank, to avoid further reproduction of these animals. In populations that

anders erfolgen. In der Praxis heißt das, daß weniger tierische Nahrung als vielmehr vegetarische Kost angeboten werden sollte, da in den meisten Fällen die Tiere eher pflanzliches Futter gewohnt sind und auf zu proteinreiche (tierische) Kost mit Verfettung reagieren können.

Die Ernährung der Zuchtformen muß einen bestimmten Teil an hochwertiger, eiweißreicher Kost beinhalten, da die Zuchtformen im Laufe ihrer Entwicklung daran gewöhnt wurden. Ja, oftmals wäre ihre Entwicklung nicht soweit fortgeschritten, wäre die Ernährung in den vorhergehenden Generationen nicht so hochwertig gewesen. In der Haltung und Pflege der Wildformen sind auch regelmäßige Fastentage angebracht. Dies wirkt sich zwar auch bei der Haltung der Zuchtformen günstig auf das Wohlbefinden der Tiere aus, jedoch wird der Züchter schnell feststellen, daß der Stamm bei qualitativ und quantitativ mangelhafter Ernährung schnell degeneriert. Speziell zur Aufzucht von Jungfischen, aber auch zur regelmäßigen Fütterung adulter Fische sind die Nauplien des Salinenkrebschens Artemia salina beinah unverzichtbar. Ihre Kultivierung ist relativ einfach, man verfügt so fast ständig über Lebendfutter, und ihr Nährwert ist recht hoch. Ein weiterer Aspekt ist der Jagdreiz, den die sich bewegenden Krebschen auf die Fische ausüben. So müssen sich die Fische ihr Futter „erarbeiten". Auch Grindalwürmer und Essigälchen lassen sich in Kulturen leicht vermehren, sollten jedoch aufgrund ihres hohen Fettgehaltes nicht öfter als zweimal wöchentlich gereicht werden. Die einheimischen Wasserflöhe sind zwar nicht besonders nahrhaft, aber ihre Schale ist ballaststoffhaltig und somit verdauungsfördernd. Schwarze und Weiße Mückenlarven sind speziell für die Ernährung von Zuchttieren gut geeignet, da sie die Vitalität und Fertilität steigern.

Alle genannten Futtertiere können selbstverständlich auch als Frostfutter verfüttert werden, jedoch fehlt somit den Fischen der Jagdreiz und auch der Nährwert ist nicht ganz so hoch. Vor dem Verfüttern muß das Frostfutter allerdings im Kühlschrank völlig auftauen. Ein hochwertiges, überwiegend oder gänzlich pflanzliches Trockenfutter sollte regelmäßig gereicht werden, damit die Ernährung nicht zu einseitig ausfällt. Insbesondere für viele Lebendgebärende Zahnkarpfen hat sich sogenanntes Hauptfutter als zu fettig erwiesen. Bei ausschließlicher Fütterung mit derartigem Trockenfutter kann es sogar zur Leberverfettung kommen. Insgesamt sollte bei der Ernährung beachtet werden, daß das Futter möglichst frisch ist. Dies gilt auch für die pflanzlichen Futterarten. So sollten in jedem Aquarium einige Algenteppiche verbleiben, da die Fische - insbesondere die Mollys - auch viel pflanzliche Nahrung benötigen. Hin und wieder können auch Schlangengurkenstücke, geriebene Paprika und Banane sowie Spinat und Petersilie gereicht werden. Jungfische sollten bis zu fünf Fütterungen am Tag erfahren, wobei stets so kleinen Mengen gereicht werden sollten, daß die Tiere innerhalb weniger Minuten alles restlos auffressen können. Adulte Fische kommen mit drei Mahlzeiten am Tag aus, wobei auch die Alttiere selbst hochgezüchteter Stämme wöchentlich einen Fastentag gut vertragen. Davon sollten natürlich trächtige Weibchen ausgenommen werden.

Die Wasserhärte spielt für Zuchtstämme eher eine untergeordnete Rolle. Zwar fällt den meisten hochgezüchteten Lebengebärenden eine Umstellung von weichem ins harte Wasser leichter als umgekehrt,

have lived only a short while in the aquarium the keeper will try to establish parameters similar to the biotope the fishes come from. The training in other, unfamiliar living conditions has to be carried out very slowly: It takes several generations before the fishes have adapted to a new environment. There are, of course, species that get used to unusual conditions quickly and without problems, but, for example, Poecilia picta reacts very sensitive to changes. When it comes to feeding wild forms (in comparison to ornamental forms), one has to consider their different needs just the same. In practice, this means that you should offer less animal and more vegetable food, because wild specimens are used to a more vegetarian diet and too much protein (= meat) would lead to obesity. Foods for ornamental forms, though, have to contain certain amounts of protein-rich components because in the course of time they got used to it. One can even say that today's ornamental forms would not be as advanced if the past generation had been fed less nutritious food. Keeping wild forms, you should also include days of fasting regularly.

This latter measure is also quite healthy for our highly developed breeds, but if these strains are fed with low-quality or even too little amounts of food, they will degenerate very quickly. Especially when rearing young, but also for feeding adult fish, brine shrimp nauplii are simply indispensable. They are easily cultured and provide a steady source of high-quality live food. A second, positive aspect of feeding brine shrimp is that the fish have to "work" for their food, i.e. they have to hunt for it. Grindal worms and microworms are good and easy to cultivate live foods, too, but they are quite fat and shouldn't be fed more often than twice a week. Native Daphniae are not too nutrient-rich, but their shells are rich in fibre and thus digestion-improving. Mosquito larvae of any kind are especially well suited for feeding breeding specimens as they stimulate vitality and fertility. All live foods listed here can, of course, be fed frozen, but then their are less nutritious and also lack the healthy "hunting aspect" of live foods. Anyway, before you feed frozen food, please make sure that it has thawed completely in your refridgerator. Additionally, you should regularly feed high-quality, dried vegetable food so that the diet is not too unbalanced. In many livebearing species, the so-called "complete" foods have proved to be too fat. Being fed exclusively this kind of dried food, the fishes can suffer from liver adiposity. As a basic rule, one should always take care that the food is as fresh as possible. This is also true for all sorts of vegetable food. For example, your aquarium should always contain patches of algae, because fishes in general - and especially Mollies - need a lot of vegetable food. Every now and then, you can feed cucumber, peppers, banana, spinach or parsley. Young fish should be fed five times a day; it is important to feed only amounts that are

dennoch sind fast alle Stämme bei vorsichtiger Anpassung in jedem Wasser zu züchten. Selbst einige bekannte Spitzenstämme werden in extrem weichem Wasser seit Jahren in gleicher Qualität gezüchtet. Der pH-Wert ist etwas entscheidender bei der erfolgreichen Pflege von Guppys, Mollys, Schwertträgern und Platys. Viele Tiere haben Probleme, wenn dieser weit unter sechs absinkt. Liegt der pH-Wert im neutralen oder gar alkalischen Bereich, so sagt das den Fischen in der Regel am ehesten zu. Insgesamt betrachtet sind aber gerade auch die Zuchtformen der Lebendgebärenden Zahnkarpfen äußerst anpassungsfähige Fische. Lediglich bei einer rapiden Umstellung auf völlig ungewohnte Werte wird der Stamm einige Generationen benötigen, um sich darauf einzustellen.

Der optimale Temperaturbereich liegt bei Guppys, Schwertträgern und Platys um 26 Grad Celsius, bei der Haltung von Mollys zwischen 28 und 30 Grad Celsius. Die Pflege des Aquarienwassers hingegen ist äußerst wichtig, denn trotz der enormen Anpassungsfähigkeit verlangen die Fische sauberes Wasser. Dies ist eine wesentliche Voraussetzung für die erfolgreiche Zucht. Dazu gehört nicht nur ein leistungsstarkes Filtersystem, das regelmäßig gewartet wird, sondern vielmehr noch der regelmäßige Wasserwechsel. Hier hat jeder Züchter bezüglich des Rhythmus und der Menge des auszutauschenden Wassers seine eigenen Erfahrungen gemacht. Nach meiner Einschätzung sollten wöchentlich 35 bis 40% des Aquarieninhaltes gegen Frischwasser ausgetauscht werden. In stark besetzen Becken kann der Wasserwechsel auch in kürzeren Intervallen durchgeführt werden, jedoch würde ich die Menge des Austauschwassers nicht erhöhen.

Über die richtige Größe der Aquarien läßt sich kaum eine gültige Regel aufstellen. Die alte Faustregel, nach der man für einen Zentimeter Fischlänge einen Zentimeter Wasser zur Verfügung stellen sollte, ist sicherlich längst überholt. Viele Züchter haben seit langem erkannt, daß sich große Aquarien positiv auf das Wachstum und das allgemeine Wohlbefinden der Fische bemerkbar machen. Die Tiere haben mehr Platz, um ihre artspezifischen Verhaltensweisen zu zeigen und ständig umbalzte Weibchen finden ausreichend Rückzugsmöglichkeiten. Generell läßt sich festhalten, daß man kein Aquarium unter 25 Litern Inhalt aufstellen sollte. Selbst einem Pärchen oder einer Zuchtgruppe Guppys muß man soviel Raum zur Verfügung stellen. Auch zur Aufzucht von Jungfischen bis zur Geschlechterauftrennung nach circa drei bis vier Wochen sind 25 Liter das absolute Minimum. Zur weiteren Aufzucht und Hälterung sind dagegen größere Aquarien ein unbedingtes Muß. Vor allem zur Aufzucht von größeren Lebendgebärenden wie Breitflossenkärpflingen oder Schwertträgern, müssen 200 Liter fassende Aquarien als notwendig erachtet werden. Die Einrichtung der Aquarien sollte speziell bei Zucht- und Aufzuchtbecken zweckmäßig sein, um sich einen größeren Zeitaufwand bei der Pflege zu ersparen, Dennoch sollten zumindest einige Pflanzen (in Töpfen) im Aquarium vorhanden sein. Auch eine Schwimmpflanzendecke, beispielsweise mit *Riccia*-Moos, trägt zum Wohlbefinden der Pfleglinge bei. Ein Bodengrund ist nicht unbedingt nötig, jedoch sollte dann der Aquarienuntergrund dunkel gehalten werden, um den Fischen mehr Sicherheit zu vermitteln. Die Beleuchtung der Aquarien muß hauptsächlich von oben erfolgen. Einfallende Sonnenstrahlen erhöhen das Wohlbefinden

eaten greedily within a few minutes. Adult fish do fine with three meals a day, and highly-bred strains should fast once a week. Pregnant females are, of course, excluded from fasting.

Water hardness is not very important in keeping ornamental forms. It is true that most ornamental forms tolerate the change from soft to hard water better than vice versa, but almost all strains can be bred in any kind of water when being carefully accustomed to it. Even some well-known top-quality breeds are bred with great success in extremely soft water. In guppy, platy, Molly and swordtail maintenance, the pH is of more importance, because many species do not tolerate water with a pH below 6. They prefer water within the neutral or alkaline range. But all things considered, the ornamental forms of livebearers are very adaptable fishes and, as I already mentioned, only an extreme change in the living conditions has to be carried out through several generations. The best water temperatures for guppies, swordtails and platies are around 26°C, for Mollies between 28 and 30°C. Aquarium maintenance is very important, because the fishes need clean water despite their literal adaptability. Clean, oxygen-rich water is an indispensable prerequisite for breeding livebearers. For this, you need to install a powerful filtering device and make regular water changes. Regarding the frequency and amount of water that is changed, every breeder holds his own convictions. My experiences proved that a weekly 35 to 40% water change can be recommended. In densely populated aquaria, you can increase the frequency but I would not increase the volume of the changed water.

Talking about tank size, there simply is no strict rule. The old rule of thumb to provide one centimetre water for every centimetre fish is certainly outdated. Many breeders have recognised that large aquaria have a positive effect on their fishes: The animals have more space to show their typical behaviour patterns and females that are too heavily courted can retreat. Generally one can say that an aquarium should not be smaller than 25 litres volume. Even a pair or school of guppies has to have at least that much space. Also for raising the young (until they are separated sexwise after 3-4 weeks) at least a 25 l tank should be used. For further keeping and breeding, larger tanks have to be provided. Especially raising larger livebearers like swordtails or Sailfin mollies require tanks of 200 l minimum volume. In breeding and rearing tanks the furniture can be restricted to useful items so that maintenance takes little time. Still, some plants (planted in pots) should be added to the aquarium. You can also establish a patch of floating plants like Riccia. A substrate is not really necessary but if you decide to do without you have to provide a dark tank bottom in order to give the inhabitants a sense of security. Lighting has to be installed from above; sunlight that falls

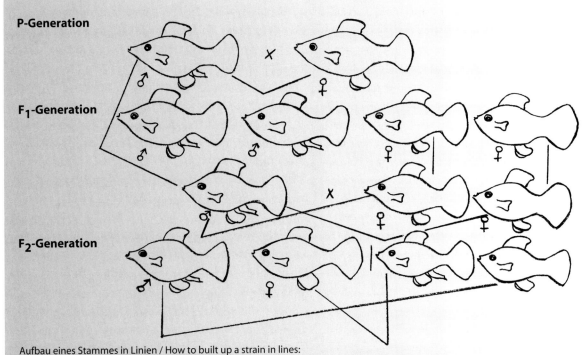

P-Generation

F₁-Generation

F₂-Generation

Aufbau eines Stammes in Linien / How to built up a strain in lines:
Dazu werden in der F₁-Generation die Nachwuchsmännchen weggelassen und die Töchter mit ihrem Vater verpaart. In der F₂-Generation sollten möglichst viele Pärchen oder Zuchtgruppen angesetzt werden, um eine breite Basis der Linien zu schaffen / The males of the F₁ generation should be excluded. The females of the F₁ generation should be paired with their father. Keep as many pairs or groups of the F₂ generation as possible to give the strain a broad base from the start.

und die Balzaktivitäten der meisten Tiere, dennoch muß die Hauptlichtquelle über dem Aquarium installiert werden, da ansonsten manche Fische nach einiger Zeit schräg schwimmen.

into the tank is enjoyed by the fishes and increases their courtship activity but the main light source has to be installed directly above the tank, or some specimens start to lose their balance after a while.

Die Zucht der Zuchtformen Lebendgebärender Zahnkarpfen

Breeding and maintenance of livebearer ornamental forms

Bei der gezielten Zucht geht es um mehr als nur um das Vermehren des Stammes. Der Stamm soll im Einklang mit den Gesetzmäßigkeiten der Natur verändert werden. Dies bedeutet, daß man als Züchter die natürlichen Anlagen der Fische weiterentwickelt, aber auch die von der Natur aufgezeigten Grenzen des Machbaren akzeptiert. Solange man sich in der Aufbauphase der Population befindet, kann man zunächst nur auf äußere Merkmale achten. Darauf sollte sich in der ersten Generationen auch das Hauptaugenmerk des Züchters richten. Er sollte sich ein oder zwei Zuchtziele stecken und diese konsequent verfolgen. Dazu ist aber auch notwendig, alle Fische, die vom Zuchtziel abweichen, von der Zucht auszuschließen. Erst wenn sich das äußere Erscheinungsbild weitestgehend angeglichen und gefestigt hat und der Stamm ein einheitliches Erscheinungsbild aufweist, kann sich der Züchter anderen, wichtigen Zuchtzielen widmen. Nun kennt er den Stamm besser, da er ihn selbst herausgezüchtet hat, und die Population jetzt auch als durchgezüchtet bezeichnet werden kann. Selbstverständlich sollte der Züchter von vornherein auf die Vitalität und die Fertilität der Zuchttiere achten, damit das Herauszüchten des Stammes nicht direkt zum Scheitern verurteilt ist. Jetzt können aber weitere Zuchtziele wie Krankheitsresistenz oder Langlebigkeit hinzukommen.

In specific breeding the breeder wants to achieve more than the sheer propagation of a certain strain: It is the breeder's intention to change the strain and create a new one, according to the laws of nature. This means that the fishes' inherited factors are further developed, but, at the same time, that the limits set by nature are accepted. As long as a population is built up, the breeder concentrates on the appearance of the fish. In the first generation, this is the main point of interest: The breeder should set himself two or three goals and pursue them consistently. For this, it is necessary to exclude all specimens from the breeding tank that do not fulfil the declared criteria. As soon as a uniform phenotype has been fixed in the whole strain, the breeder can devote himself to other important goals. At this stage, the breeder knows the strain quite well, because he personally bred it and can assess how stable his population is. Of course, the breeder has to take care that his animals are active and fertile so that the successful breeding is not limited beforehand by unsuited specimens. Now, goals like disease resistance and long life can be sighted.

Beim Aufbau eines Stammes müssen aber nicht nur konkrete Zuchtziele definiert und umgesetzt werden, sondern der Stamm muß auch eine Basis erlangen. Das bedeutet in der Praxis, daß der Stamm zwar von einigen wenigen Zuchttieren abstammen darf, aber deshalb direkt von Beginn an in sogenannten Linien aufgebaut werden sollte. Dies ist vor allem deshalb so wichtig, da man somit den Stamm über viele Generationen ohne Einkreuzungen aus anderen Stämmen erfolgreich züchten kann. Dazu ist es notwendig, daß der Stamm so aufgebaut ist, daß innerhalb der Population auch weiter entfernt verwandte Tiere vorkommen, damit der Stamm nicht durch übermäßige Inzucht degeneriert. Die Inzucht ist allerdings beim Aufbau eines Stammes unumgänglich, da es sonst nicht möglich ist, gezielt Merkmale zu konzentrieren. So ist es in der Aufbauphase eines Stammes (die ersten vier bis sechs Generationen) recht sinnvoll, nah miteinander verwandte Tiere zu verpaaren. In der züchterischen Praxis bedeutet dies, daß der Vater (als ausgesuchtes Zuchttier mit gewünschten Merkmalen) nach der Verpaarung mit dem Ausgangsweibchen auch mit seinen Töchtern der F$_1$-Generation zur Paarung zusammengesetzt wird, um seine guten Eigenschaften weiter zu konzentrieren. Sollte das Ausgangsmännchen auch die Geschlechtsreife der folgenden Generation erleben, kann er durchaus auch noch mit den Nachwuchsweibchen der F$_2$-Generation verpaart werden. Soviel Inzuchtverpaarungen vertragen die in diesem Abschnitt beschriebenen Arten recht gut, vor allem dann, wenn die Ausgangstiere überhaupt nicht miteinander verwandt waren.

Um den Stamm aber direkt eine breite Basis zu geben, ist es wichtig, bereits in der zweiten Generation möglichst viele Weibchen zu verpaaren und die Jungen separat voneinander aufzuziehen. Somit kann man bereits jetzt den Grundstock für den Aufbau von Zuchtlinien legen. Generell ist zur Aufzucht der Jungfische anzumerken, daß rechtzeitig vor dem Erreichen der Geschlechtsreife Männchen und Weibchen getrennt weiter aufzuziehen sind. Dies ist deshalb so wichtig, da die Weibchen der meisten Lebendgebärenden Zahnkarpfen das Sperma über einen sehr langen Zeitraum speichern können und somit für die Zucht wertlos sind, da bei gemeinsamer Aufzucht mit den männlichen Wurfgeschwistern der Geschlechtspartner des Weibchens nicht genau bestimmt werden kann. Jungfräuliche Weibchen sind aber die Basis jeglicher züchterischer Arbeit, um immer gezielte Verpaarungen durchführen zu können. Zwar bevorzugen die Weibchen frisches Sperma, jedoch wird sich unter den Nachkommen immer auch ein Teil vom alten Sperma abstammender Jungtiere befinden.

Doch zurück zum Aufbau des Stammes. Wie bereits erwähnt, sollte der Stamm in Zuchtlinien aufgebaut werden (siehe Zeichnung). Diese Zuchtlinien müßen unbedingt über mehre Generationen separat voneinander weitergezüchtet werden, so daß das Verwandschaftsverhältnis zunehmend extensiver wird. Andererseits dürfen sich die Zuchtlinien eines Stammes nicht auseinander entwickeln. Die Stammeszugehörigkeit sollte in allen Linien durchaus erkennbar sein. Bevor in einer Linie Degenerationserscheinungen durch übermäßige Inzucht auftreten, sollte von einer starken Linie in die schwache eingekreuzt werden. Dazu wählt man gute, den Zuchtzielen entsprechende Tiere zur Verpaarung aus, und integriert von Generation zu Generation der

When building up a strain, it is important not only to define breeding goals and put them into action but also to establish a basis of this strain. In practice, this means that the strain may be descended from some few breeding specimens but has to be bred along certain "lines" from the beginning. This is especially important as such a strain can be bred through many generations without being crossed with other strains. For this, it is necessary to build up a strain that contains specimens which are rather distantly related to each other so that the population does not degenerate due to excessive inbreeding.

Still, inbreeding is unavoidable when building up a strain; without it, characteristics could not be fixed. Therefore, in the first phase of building up a strain (the first 4 to 6 generations) it is sensible to pair fish that are closely related. For breeders, this means that the father (a selected animal with desired characteristics) should mate with his daughters from the F1 to concentrate the characteristics. If the father is still alive when the females of the F2 reach sexual maturity, he should be paired with his granddaughters, too. The fishes of the species spoken of in this chapter tolerate inbreeding up to this point, especially when specimens of the original pair were no relatives.

To give the strain a broad basis from the start, it is important to fertilise as many females of the F 2 as possible and rear male and female young separately. This way you lay the foundations for building up breeding lines. Generally, one has to be very careful to separate male and female offspring as early as possible if breeding lines are to be established, because in most livebearers the females can "store" sperms for a very long time. When reared together with her brothers, the offspring of such a female is without value for the breeder, as one never knows which male is actually the father. Virgin females are the basis of any successful breeding; with them, the breeder can mate the specimens he intends to. Usually, females prefer fresh sperm but every now and then, one will find young that are the result of old, "stored" sperm as well.

But let's come back to how to build up a strain. Like already mentioned, the strain should be bred along certain lines (see drawing). These lines have to be developed separately for several generations so that the degree of relationship among the fish becomes more and more distant. At the same time, the lines must not develop into completely different directions: In all lines, the membership of the strain has to be obvious in the fish. In order to prevent degeneration caused by too intensive inbreeding, one should cross weak lines with strong ones. For this, you choose good specimens that represent your breeding goal and mate them with the

Nachkommen der Einkreuzung mehr in die alte Linie. Die Zucht der anderen Linien führt man wie gewohnt fort. Um stets die Übersicht zu behalten und auch nach vielen Generationen und Jahren die Entwicklung des Stammes zurückverfolgen zu können, ist es notwendig, eine Zuchtkartei zu führen sowie einen Stammbaum zu entwerfen. In der Zuchtkartei sollen alle wichtigen Daten erfaßt sein, die für die Weiterzucht des Stammes relevant sein könnten. Dazu gehört eine genaue Beschreibung der Zuchttier, sowie des weiteren Verlaufes der Zucht. Auch sämtliche Wurfdaten sollten festgehalten werden. Daraus lassen sich oftmals Rückschlüsse auf die Entwicklung des Stamme sowie der einzelnen Linien ziehen. Anhand dessen läßt sich mitunter auch feststellen, welche Zuchttiere zueinander passen und wie weit sie miteinander verwandt sind. Auch der Stammbaum sollte graphisch die Entwicklung des Stammes und der einzelnen Zuchtlinien aufzeigen, so daß man schnell und übersichtlich jede Verpaarung und den Verbleib ihrer Nachkommenschaft wiederfindet.

Ist der Stamm nach mehreren Generationen als durchgezüchtet zu betrachten, so ist der Aufbau eines großen Schwarmes als sehr sinnvoll zu betrachten. Der Schwarm, der sich aus Tieren aller Linien zusammensetzen sollte, dient in späteren Generationen als Fundament des Stammes. Aus dem Schwarm können immer wieder Tiere zur Einkreuzung in die einzelnen Linien entnommen werden. Schließlich sei auch noch auf die Vorgehensweise bei einer Fremdeinkreuzung hingewiesen. In diesem Fall ist es wichtig, daß das stammesfremde Tier nicht in alle Linien eingekreuzt wird, sondern in die, wozu es am besten paßt. Sollte das Einkreuzungstier nicht zum Stamm passen oder in der Nachkommenschaft nicht den Erwartungen des Züchters entsprechen, so kann der Züchter die Linie abstoßen und muß sich nicht vom gesamten Stamm trennen.

Allgemeine Hinweise

Insgesamt ist das Kapitel über die Zuchtformen der Lebendgebärenden Zahnkarpfen in recht kompakter Form gehalten worden. Auf vieles konnte wegen des knapp bemessenen Umfanges nur kurz eingegangen werden. So konnten die bekannten Zuchtformen und ihre Standards nur auf die wesentlichen Merkmale bezogen beschrieben werden. Zudem sind Erbgänge nur angerissen worden. Jedem interessierten Aquarianer sei deshalb das Studium weiterer Literatur und Standardhefte sowie die Kontaktaufnahme zu einem Verein, dessen Mitglieder sich speziell mit Lebendgebärenden Zahnkarpfen beschäftigen, empfohlen.

females of the weak line; the resulting generations of offspring are then integrated into the line facing degeneration. All other lines are bred as usual. It is important to keep a breeding file and a genealogical tree, or pedigree, so that you don't lose track of your breedings and the course of the strain can be traced back through the generations. The breeding file should contain all important information that could be relevant for the future breeding of the strain, like the exact description of all breeding specimens as well as the report about the development of the strain. Also, all data on offspring should be included. The so collected data allows to draw conclusions about the development of the strain and the single breeding lines. You might even be able to get an insight which specimens are well matched and how closely related they are. The pedigree gives a graphic representation of the development of your strain and lines and allows easy and quick information about each pairing and the whereabouts of the offspring.

If you consider your strain as being thoroughly bred through several generations it is sensible to produce a large swarm. This swarm contains specimens from all lines and forms the base for future generations of the strain. Also, you can breed single specimens from this swarm into established lines. Finally, I'd like to say something about interbreeding with "foreign" specimens. If you intend to do this, please be careful not to breed all lines with this animal but only those suited for such an experiment. If the "fresh blood" does not match the strain or the offspring does not live up to your expectations you can simply stop to breed this line any further without having "lost" the whole strain.

Author's note:

This chapter about the ornamental forms of livebearers is very comprehensive. Due to this shortness, many points are only roughly dealt with, like the descriptions of important characteristics of the most popular ornamental forms and their standards. Also, the laws of genetics and hereditary lines are only touched upon. Therefore I recommend interested aquarists to read specialist literature and relevant standard magazines and/or join one of the many livebearer associations.

Symbole

Um möglichst alle Fische im Bild zeigen zu können und um dem weltweiten Vertrieb unserer Bildbände

Rechnung zu tragen, haben wir bewußt auf ausführliche Texte verzichtet und ersetzen diese durch inter-

nationale Symbole, mit deren Hilfe jeder leicht die wichtigsten Eigenschaften der Fische und deren Pfle-

ge erkennen kann.

Ursprung:

ersehen Sie ganz leicht an dem Buchstaben vor der
Code-Nummer

A = Afrika	**E** = Europa + Nordamerika
S = Südamerika	**X** = Asien + Australien

Alter:

die letzte Zahl der Code-Nummer steht immer für
das Alter des fotografierten Fisches:

1 = klein   (Jugendfärbung)
2 = mittelgroß (Jungfisch / juvenil / Verkaufsgröße)
3 = groß   (halbwüchsig / gute Verkaufsgröße)
4 = XL   (ausgewachsen / adult)
5 = XXL   (Zucht-Tier)
6 = show   (Schau-Tier)

Herkunft:

W = Wildform
B = Nachzucht
Z = Zuchtform
X = Kreuzungs-Form

Größe:

..cm = ungefähre Größe, die dieser Fisch
ausgewachsen (adult) erreichen kann.

Geschlecht:

♂   männlich   ♀   weiblich   ♂♀   Paar

Temperatur:

◁   18-22°C   (64 - 72°F)   (Zimmertemperatur)
▷   22-25°C   (72 -77°F)   (tropische Fische)
△   24-29°C   (75 - 85°F)   (Diskus etc.)
▽   10-22°C   (50 - 72°F)   (kalt)

pH-Wert:

P   pH 6,5 - 7,2 keine besonderen Ansprüche (neutral)
↓P   pH 5,8 - 6,5 liebt weiches u. leicht saures Wasser
↑P   pH 7,5 - 8,5 liebt hartes u. alkalisches Wasser

Beleuchtung:

○   hell, viel Licht / Sonne
◑   nicht zu hell
◕   fast dunkel

Futter:

☺   Allesfresser, Trockenfutter, keine besonderen Ansprüche
☻   Lebendfutter, Gefrierfutter
☹   Fischräuber, Futterfische füttern
☺   Pflanzenfresser, Pflanzenkost zufüttern

Schwimmverhalten:

⊞   keine besonderen Eigenschaften
⬆   im oberen Bereich / Oberflächenfisch
⬇   im unteren Bereich / Bodenfisch

Aquarium-Einrichtung:

▱   nur Bodengrund und Steine etc.
▨   Steine / Wurzeln / Höhlen
▨   Pflanzen-Aquarium mit Dekoration

Verhalten/Vermehrung:

♥   Paarweise oder im Trio halten
🐟   Schwarmfisch, nicht unter 10 Exemplaren halten
🐟   Eierleger
🐟   Lebendgebärer
🐟   Maulbrüter
🐟   Höhlenbrüter
🐟   Schaumnestbauer
◆   Algenvertilger / Scheibenputzer (Wurzeln+Spinat)
◇   leichte Pflege (für entsprechende Gesellschaftsbecken)
▲   schwierig zu halten, vorher Fachliteratur beachten
🛑   Vorsicht, extrem schwierig, nur für erfahrene Spezialisten
❶   die Eier benötigen eine spezielle Behandlung
§   geschützte Art, (WA), "CITES" Sondergenehmigung nötig

Mindestgröße des Aquariums   Inhalt:

⬚	sehr klein	20 - 40 cm	5 - 20 l
⬚	klein	40 - 80 cm	40 - 80 l
⬚	mittel	60 - 100 cm	80 - 200 l
⬚	groß	100 - 200 cm	200 - 400 l
⬚	sehr groß	200 - 400 cm	400 - 3000 l
⬚	extrem groß	über 400 cm	über 3000 l
			(Schauaquarien)

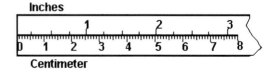

Inches

Centimeter

1. **Der Lago Chapala im Hochland von Mexiko. In dieser Bucht bei Coyumatlan wurden** *Zoogoneticus quitzeoensis, Goodea atripinnis, Chapalichthys encaustus, Poeciliopsis infans* **und Tilapien gefunden.**
   The Lago Chapala, a highland lake in Mexico. In this bay near Coyumatlan *Zoogoneticus quitzeoensis, Goodea atripinnis, Chapalichthys encaustus, Poeciliopsis infans* and Tilapia were found.

2. **Der Lago de Cuitzeo, ein Flachsee, der im Sommer fast austrocknet. Hier wurden wenige** *Zoogoneticus quitzeoensis* **und** *Skiffia lermae*, **sowie massenhaft** *Goodea atripinnis* **gefunden. Ferner lebt hier ein Ährenfisch.**
   The Lago de Cuitzeo, a shallow lake that dries up almost completely during the summer. Some *Zoogoneticus quitzeoensis* and *Skiffia lermae* as well as numerous *Goodea atripinnis* and a member of the family Atherinidae live here.

photo: H. Hieronimus

S01405-4 *Allodontichthys hubbsi* MILLER & UYENO, 1980
Hubbs´Grundkärpfling / Whitepatched Darter Goodeid
Rio Tuxpan, Jalisco, Mexiko, W, 6 cm

◁ ⚤P ◐ ☺ ✪ ⊞ 🎞 ❤ ⚠ ➹ 🔢 ♂   photo: M. K. Meyer

S01405-4 *Allodontichthys hubbsi* MILLER & UYENO, 1980
Hubbs´Grundkärpfling / Whitepatched Darter Goodeid
Rio Tuxpan, Jalisco, Mexiko, W, 6 cm

◁ ⚤P ◐ ☺ ✪ ⊞ 🎞 ❤ ⚠ ➹ 🔢 ♀   photo: O. Böhm

S01406-4 *Allodontichthys polylepis* RAUCHENBERGER, 1988
Vielschuppenkärpfling / Orange Darter Goodeid
Rio Protero Grande, Rio de la Pola, Jalisco, Mexiko, W, 5,5 cm

◁ ⚤P ◐ ☺ ✪ ⊞ 🎞 ❤ ⚠ ➹ 🔢 ♂   photo: H. Hieronimus

S01407-4 *Allodontichthys polylepis* RAUCHENBERGER, 1988
Vielschuppenkärpfling / Orange Darter Goodeid
Rio Estancuela, Mexiko (leg. BÖHM), W, 5,5 cm

◁ ⚤P ◐ ☺ ✪ ⊞ 🎞 ❤ ⚠ ➹ 🔢 ♀   photo: O. Böhm

S01408-4 *Allodontichthys tamazulae* TURNER, 1946
Tamazula-Kärpfling / Tuxpan Darter Goodeid
Einzug des Rio Tuxpan, Jalisco, Mexiko, W, 7 cm

◁ ⚤P ◐ ☺ ✪ ⊞ 🎞 ❤ ⚠ ➹ 🔢 ♂   photo: H. J. Mayland

S01409-4 *Allodontichthys tamazulae* TURNER, 1946
Tamazula-Kärpfling / Tuxpan Darter Goodeid
Rio Terrero, Mexiko (leg. PÜRZL), W, 7 cm

◁ ⚤P ◐ ☺ ✪ ⊞ 🎞 ❤ ⚠ ➹ 🔢 ♂   photo: E. Pürzl

S01410-4 *Allodontichthys zonistius* (HUBBS, 1932)
Colima-Grundkärpfling / Golden Darter Goodeid
San Antonio, Colima, Mexiko (leg. HIERONIMUS), W, 6 cm

◁ ⚤P ◐ ☺ ⊞ 🎞 ❤ ⚠ ➹ 🔢 ♂   photo: H. Hieronimus

S01410-4 *Allodontichthys zonistius* (HUBBS, 1932)
Colima-Grundkärpfling / Golden Darter Goodeid
San Antonio, Colima, Mexiko (leg. HIERONIMUS), W, 7 cm

◁ ⚤P ◐ ☺ ⊞ 🎞 ❤ ⚠ ➹ 🔢 ♀   photo: H. Hieronimus

S01411-4 *Allodontichthys zonistius* (HUBBS, 1932)
Colima-Grundkärpfling / Golden Darter Goodeid
Rio Estanciela, Colima, Mexiko (leg. BÖHM), W, 6 cm

◁ ⇞ ◑ ☺ 😐 ⊞ 🖼 ❤ ⚠ ⤷ 🔲 ♂   **photo:** O. Böhm

S01411-4 *Allodontichthys zonistius* (HUBBS, 1932)
Colima-Grundkärpfling / Golden Darter Goodeid
Rio Estanciela, Colima, Mexiko (leg. BÖHM), W, 7 cm

◁ ⇞ ◑ ☺ 😐 ⊞ 🖼 ❤ ⚠ ⤷ 🔲 ♀   **photo:** O. Böhm

S01412-4 *Allodontichthys zonistius* (HUBBS, 1932)
Colima-Grundkärpfling / Golden Darter Goodeid
Rio Comala, Colima, Mexiko (leg. MEYER), W, 6 cm

◁ ⇞ ◑ ☺ 😐 ⊞ 🖼 ❤ ⚠ ⤷ 🔲 ♂   **photo:** M. K. Meyer

S01456-3 *Alloophorus robustus* (BEAN, 1893)
Bulldoggenkärpfling / Bulldog Goodeid
Rancho Molino, Michoacán, Mexiko (leg. MEYER), W, 15 cm

◁ ⇞ ◑ ☺ 😐 ⊞ 🖼 ❤ ⚠ ⤷ 🔲 ♂   **photo:** M. K. Meyer

S01455-4 *Alloophorus robustus* (BEAN, 1893)
Bulldoggenkärpfling / Bulldog Goodeid
Einzug des unteren Rio-Lerma-Beckens, Mexiko, W, 15 cm

◁ ⇞ ◑ ☺ 😐 ⊞ 🖼 ❤ ⚠ ⤷ 🔲 ♂   **photo:** H. Hieronimus

S01460-4 *Allotoca catarinae* (DE BUEN, 1942)
Grüner Diaz´-Kärpfling / Green Allotoca
Presa de Cotija, Mexiko (leg. PÜRZL), W, 8 cm

◁ ⇞ ◑ ☺ 😐 ⊞ 🖼 ❤ ⚠ ⤷ 🔲 ♂   **photo:** E. Pürzl

S01461-4 *Allotoca catarinae* (DE BUEN, 1942)
Grüner Diaz´-Kärpfling / Green Allotoca
Laguna Santa Catarina, Michoacán, Mexiko, W, 5 cm

◁ ⇞ ◑ ☺ 😐 ⊞ 🖼 ❤ ⚠ ⤷ 🔲 ♂   **photo:** H. Hieronimus

S01461-4 *Allotoca catarinae* (DE BUEN, 1942)
Grüner Diaz´-Kärpfling / Green Allotoca
Laguna Santa Catarina, Michoacán, Mexiko, W, 8 cm

◁ ⇞ ◑ ☺ 😐 ⊞ 🖼 ❤ ⚠ ⤷ 🔲 ♀   **photo:** H. J. Mayland

S01465-4 *Allotoca diazi* (Meek, 1902)
Diaz´-Kärpfling / Bug Eyed Allotoca
Michoácan (Lago de Patzcuaro), Mexiko, W, 10 cm

◁ ⇑P ◑ ☺ ☻ ⊞ ▨ ❤ ⚠ ⤙ 🗔 ♂   photo: H. J. Mayland

S01465-4 *Allotoca diazi* (Meek, 1902)
Diaz´-Kärpfling / Bug Eyed Allotoca
Michoácan (Lago de Patzcuaro), Mexiko, W, 10 cm

◁ ⇑P ◑ ☺ ☻ ⊞ ▨ ❤ ⚠ ⤙ 🗔 ♀   photo: E. Pürzl

S01468-4 *Allotoca dugesii* (Bean, 1888)
Stahlblauer Kärpfling / Bumblebee Goodeid
Michoácan, Jalisco, Guanajuato, Aguascalientes, Mexiko, W, 4 cm

◁ ⇑P ◑ ☺ ☻ ⊞ ▨ ❤ ⚠ ⤙ 🗔 ♂   photo: E. Pürzl

S01468-4 *Allotoca dugesii* (Bean, 1888)
Stahlblauer Kärpfling / Bumblebee Goodeid
Michoácan, Jalisco, Guanajuato, Aguascalientes, Mexiko, W, 6,5 cm

◁ ⇑P ◑ ☺ ☻ ⊞ ▨ ❤ ⚠ ⤙ 🗔 ♀   photo: E. Pürzl

S01468-4 *Allotoca dugesii* (Bean, 1888)
Stahlblauer Kärpfling / Bumblebee Goodeid
Michoácan, Jalisco, Guanajuato, Aguascalientes, Mexiko, W, 4 cm

◁ ⇑P ◑ ☺ ☻ ⊞ ▨ ❤ ⚠ ⤙ 🗔 ♂   photo: H. Hieronimus

S01468-4 *Allotoca dugesii* (Bean, 1888)
Stahlblauer Kärpfling / Bumblebee Goodeid
Michoacán, Jalisco, Guanajuato, Aguascalientes, Mexiko, W, 6,5 cm

◁ ⇑P ◑ ☺ ☻ ⊞ ▨ ❤ ⚠ ⤙ 🗔 ♀   photo: H. Hieronimus

S01469-4 *Allotoca goslinei* Smith & Miller, 1987
Goslines Kärpfling / Banded Allotoca
Rio Ameca, Jalisco, Mexiko, (leg. Meyer), W, 5 cm

◁ ⇑P ◑ ☺ ☻ ⊞ ▨ ❤ ⤙ 🗔 ♂   photo: M. K. Meyer

S01470-3 *Allotoca goslinei* Smith & Miller, 1987
Goslines Kärpfling / Banded Allotoca
Rio Protero Grande (t.t.), Jalisco, Mexiko (leg. Schindler), W, 5 cm

◁ ⇑P ◑ ☺ ☻ ⊞ ▨ ❤ ⤙ 🗔 ♂   photo: H. Hieronimus

S01495-4 *Allotoca maculata* Smith & Miller, 1980
Gefleckter Kärpfling / Opal Allotoca
Lag. de Santa Magdalena, Hacienda San Sebastian, Jalisco, Mexiko, W, 3,5 cm

◁ ⇞P ◐ ☺ ☹ ⊞ ▦ ♥ ⤳ ▣ ♂   photo: J. C. Merino

S01495-4 *Allotoca maculata* Smith & Miller, 1980
Gefleckter Kärpfling / Opal Allotoca
Lag. de Santa Magdalena, Hacienda San Sebastian, Jalisco, Mexiko, W, 3,5 cm

◁ ⇞P ◐ ☺ ☹ ⊞ ▦ ♥ ⤳ ▣ ♂   photo: H. Hieronimus

S01496-4 *Allotoca maculata* Smith & Miller, 1980
Gefleckter Kärpfling / Opal Allotoca
Rio Ameca, Jalisco, Mexiko (leg. Meyer), W, 5 cm

◁ ⇞P ◐ ☺ ☹ ⊞ ▦ ♥ ⤳ ▣ ♂   photo: M. K. Meyer

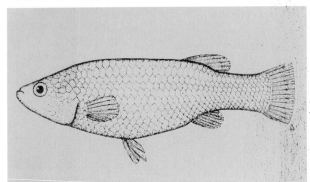

S01497 *Allotoca regalis* (Alvarez, 1959)
Los Reyes-Kärpfling / Regal Goodeid
Los Reyes, Michoacán, Mexiko, 8,5 cm

♀   Zeichnung: M. K. Meyer

S01498-4 *Allotoca* sp. "Hummel"
Hummel-Allotoca / Bumblebee Allotoca
near Laguna de Santa Magdalena, Jalisco, Mexiko, B, 3,5 cm

◁ ⇞P ◐ ☺ ☹ ⊞ ▦ ♥ ⤳ ▣ ♂   photo: H. Hieronimus

S01498-4 *Allotoca* sp. "Hummel"
Hummel-Allotoca / Bumblebee Allotoca
near Laguna de Santa Magdalena, Jalisco, Mexiko, B, 4 cm

◁ ⇞P ◐ ☺ ☹ ⊞ ▦ ♥ ⤳ ▣ ♀   photo: H. Hieronimus

S01600-4 *Ameca splendens* Miller & Fitzsimons, 1971
Ameca-, Schmetterlingskärpfling / Butterfly Goodeid
Rio Ameca, Jalisco, Mexiko (leg. Meyer), W, 8,5 cm

◁ ▷ ⇞P ○ ☺ ◉ ⊞ ▨ ≋ ⤳ ▣ ♂   photo: M. K. Meyer

S01600-4 *Ameca splendens* Miller & Fitzsimons, 1971
Ameca-, Schmetterlingskärpfling / Butterfly Goodeid
Rio Ameca, Jalisco, Mexiko (leg. Meyer), W, 10 cm

◁ ▷ ⇞P ○ ☺ ◉ ⊞ ▨ ≋ ⤳ ▣ ♀   photo: M. K. Meyer

S01601-4 *Ameca splendens* MILLER & FITZSIMONS, 1971
Ameca-, Schmetterlingskärpfling / Butterfly Goodeid
Aquarien-Population / Aquarium strain, B, 8,5 cm

 photo: Migge-Reinhard/A.C.S.

S01602-4 *Ameca splendens* MILLER & FITZSIMONS, 1971
Ameca-, Schmetterlingskärpfling / Butterfly Goodeid
Aquarien-Population / Aquarium strain, B, 10 cm

 photo: J. Glaser

S01603-5 *Ameca splendens* MILLER & FITZSIMONS, 1971
Ameca-, Schmetterlingskärpfling / Butterfly Goodeid
Aquarien-Population / Aquarium strain, B, 8,5 cm

photo: E. Schraml

S01603-5 *Ameca splendens* MILLER & FITZSIMONS, 1971
Ameca-, Schmetterlingskärpfling / Butterfly Goodeid
Aquarien-Population / Aquarium strain, B, 10 cm

photo: E. Schraml

S01605-4 *Ameca splendens* MILLER & FITZSIMONS, 1971
Ameca-, Schmetterlingskärpfling / Butterfly Goodeid
Aquarien-Population / Aquarium strain, B, 10 cm

photo: E. Schraml

S01605-4 *Ameca splendens* MILLER & FITZSIMONS, 1971
Ameca-, Schmetterlingskärpfling / Butterfly Goodeid
GIVING BIRTH/GEBURT   Aquarien-Population / Aquarium strain, B, 10 cm

photo: J. Dawes

S01607-3 *Ameca splendens* MILLER & FITZSIMONS, 1971
Ameca-, Schmetterlingskärpfling / Butterfly Goodeid
Aquarien-Population / Aquarium strain, B, 8,5 cm

photo: U. Dost

S01607-3 *Ameca splendens* MILLER & FITZSIMONS, 1971
Ameca-, Schmetterlingskärpfling / Butterfly Goodeid
Aquarien-Population / Aquarium strain, B, 10 cm

photo: U. Dost

S01609-4 *Ameca splendens* MILLER & FITZSIMONS, 1971
Ameca-, Schmetterlingskärpfling / Butterfly Goodeid
Rio Ameca, Jalisco, Mexiko, B, 8,5 cm

◁ ▷ ⁀P ○ ☺ ⊕ 🖽 🖼 ⊉ ⸾ 🔟 ♂   photo: P. Schubert

S01610-4 *Ameca splendens* MILLER & FITZSIMONS, 1971
Ameca-, Schmetterlingskärpfling / Butterfly Goodeid
Aquarien -Population / Aquarium strain, B, 8,5 cm

◁ ▷ ⁀P ○ ☺ ⊕ 🖽 🖼 ⊉ ⸾ 🔟 ♂   photo: J. C. Merino

S01611-4 *Ameca splendens* MILLER & FITZSIMONS, 1971
Ameca-, Schmetterlingskärpfling / Butterfly Goodeid
Dunkle Aquarien-Population / Dark Aquarium strain, B, 8,5 cm

◁ ▷ ⁀P ○ ☺ ⊕ 🖽 🖼 ⊉ ⸾ 🔟 ♂   photo: J. C. Merino

S01611-4 *Ameca splendens* MILLER & FITZSIMONS, 1971
Ameca-, Schmetterlingskärpfling / Butterfly Goodeid
Dunkle Aquarien-Population / Dark Aquarium strain, B, 10 cm

◁ ▷ ⁀P ○ ☺ ⊕ 🖽 🖼 ⊉ ⸾ 🔟 ♀   photo: J. C. Merino

S06385-4 *Ataeniobius toweri* (MEEK, 1904)
Blaue Goodea / Bluetail Goodea
Media Luna, San Luis Potosi, Mexiko (leg. MEYER), W, 8 cm

⚠ ⁀P ◑ ☺ ⊕ 🖽 🖼 ⊉ ⸾ 🔟 ⚠ ♂   photo: M. K. Meyer

S06386-4 *Ataeniobius toweri* (MEEK, 1904)
Blaue Goodea / Bluetail Goodea
Obere Nebenflüsse des Rio Panuco, San Luis Potosi, Mexiko, B, 10 cm

⚠ ⁀P ◑ ☺ ⊕ 🖽 🖼 ⊉ ⸾ 🔟 ⚠ ♀   photo: H. Hieronimus

S06386-4 *Ataeniobius toweri* (MEEK, 1904)
Blaue Goodea / Bluetail Goodea
Obere Nebenflüsse des Rio Panuco, San Luis Potosi, Mexiko, B, 8 cm

⚠ ⁀P ◑ ☺ ⊕ 🖽 🖼 ⊉ ⸾ 🔟 ⚠ ♂   photo: P. Schubert

S06386-4 *Ataeniobius toweri* (MEEK, 1904)
Blaue Goodea / Bluetail Goodea
Obere Nebenflüsse des Rio Panuco, San Luis Potosi, Mexiko, B, 10 cm

⚠ ⁀P ◑ ☺ ⊕ 🖽 🖼 ⊉ ⸾ 🔟 ⚠ ♀   photo: U. Werner

S06389-4 *Ataeniobius toweri* (Meek, 1904)
Blaue Goodea / Bluetail Goodea
Ober Nebenflüsse des Rio Panuco, San Luis Potosi, Mexiko, B, 8 cm

⚠ ⑪ ◐ ☺ ⊕ ⊞ ⟲ ⌰ ➹ 🔲 ⚠ ♂   photo: J. C. Merino

S06389-4 *Ataeniobius toweri* (Meek, 1904)
Blaue Goodea / Bluetail Goodea
Ober Nebenflüsse des Rio Panuco, San Luis Potosi, Mexiko, B, 10 cm

⚠ ⑪ ◐ ☺ ⊕ ⊞ ⟲ ⌰ ➹ 🔲 ⚠ ♀   photo: J. C. Merino

S12255-4 *Chapalichthys encaustus* (Jordan & Snyder, 1900)
Forellenkärpfling / Barred Goodeid   B, 6 + 8 cm
Lag. de Chapala, Rio Grande de Santiago, Jalisco; Rio Tanhuato, Michoacán

◁ ⑪ ○ ☺ ☺ ⊞ ⟲ ⌰ ➹ 🔲 ♂ ♀   photo: J. C. Merino

S12255-3 *Chapalichthys encaustus* (Jordan & Snyder, 1900)
Forellenkärpfling / Barred Goodeid   B, 6 cm
Lag. de Chapala, Rio Grande de Santiago, Jalisco; Rio Tanhuato, Michoacán

◁ ⑪ ○ ☺ ☺ ⊞ ⟲ ⌰ ➹ 🔲 ♂   photo: J. C. Merino

S12255-4 *Chapalichthys encaustus* (Jordan & Snyder, 1900)
Forellenkärpfling / Barred Goodeid   B, 6 cm
Lag. de Chapala, Rio Grande de Santiago, Jalisco; Rio Tanhuato, Michoacán

◁ ⑪ ○ ☺ ☺ ⊞ ⟲ ⌰ ➹ 🔲 ♂   photo: E. Pürzl

S12256-4 *Chapalichthys encaustus* (Jordan & Snyder, 1900)
Forellenkärpfling / Barred Goodeid   B, 6 cm
Lag. de Chapala, Rio Grande de Santiago, Jalisco; Rio Tanhuato, Michoacán

◁ ⑪ ○ ☺ ☺ ⊞ ⟲ ⌰ ➹ 🔲 ♂   photo: H. Hieronimus

S12255-4 *Chapalichthys encaustus* (Jordan & Snyder, 1900)
Forellenkärpfling / Barred Goodeid   B, 6 cm
Lag. de Chapala, Rio Grande de Santiago, Jalisco; Rio Tanhuato, Michoacán

◁ ⑪ ○ ☺ ☺ ⊞ ⟲ ⌰ ➹ 🔲 ♂   photo: O. Böhm

S12255-3 *Chapalichthys encaustus* (Jordan & Snyder, 1900)
Forellenkärpfling / Barred Goodeid   B, 6 + 8 cm
Lag. de Chapala, Rio Grande de Santiago, Jalisco; Rio Tanhuato, Michoacán

◁ ⑪ ○ ☺ ☺ ⊞ ⟲ ⌰ ➹ 🔲 ♂ ♀   photo: J. Dawes

S12260-4 *Chapalichthys pardalis* Aʟᴠᴀʀᴇᴢ, 1963
Pantherkärpfling / Polkadot Goodeid
Tocumbo, Presa de San Juanico, Lago de la Magdalena, Michoacán, B, 6,5 cm

◁ ⇡P ○ ☺ ☺ ⊞ 🖼 ⇶ ⇀ 🖵 ♂   photo: J. C. Merino

S12260-4 *Chapalichthys pardalis* Aʟᴠᴀʀᴇᴢ, 1963
Pantherkärpfling / Polkadot Goodeid
Tocumbo, Presa de San Juanico, Lago de la Magdalena, Michoacán, B, 7 cm

◁ ⇡P ○ ☺ ☺ ⊞ 🖼 ⇶ ⇀ 🖵 ♀   photo: J. C. Merino

S12261-3 *Chapalichthys pardalis* Aʟᴠᴀʀᴇᴢ, 1963
Pantherkärpfling / Polkadot Goodeid
Tocumbo, Presa de San Juanico, Lago de la Magdalena, Michoacán, B, 6,5 cm

◁ ⇡P ○ ☺ ☺ ⊞ 🖼 ⇶ ⇀ 🖵 ♂   photo: O. Böhm

S12261-4 *Chapalichthys pardalis* Aʟᴠᴀʀᴇᴢ, 1963
Pantherkärpfling / Polkadot Goodeid
Tocumbo, Presa de San Juanico, Lago de la Magdalena, Michoacán, B, 7 cm

◁ ⇡P ○ ☺ ☺ ⊞ 🖼 ⇶ ⇀ 🖵 ♀   photo: O. Böhm

S12262-4 *Chapalichthys pardalis* Aʟᴠᴀʀᴇᴢ, 1963
Pantherkärpfling / Polkadot Goodeid
Tocumbo, Presa de San Juanico, Lago de la Magdalena, Michoacán, B, 6,5 cm

◁ ⇡P ○ ☺ ☺ ⊞ 🖼 ⇶ ⇀ 🖵 ♂   photo: J. C. Merino

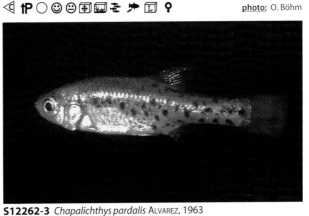

S12262-3 *Chapalichthys pardalis* Aʟᴠᴀʀᴇᴢ, 1963
Pantherkärpfling / Polkadot Goodeid
Tocumbo, Presa de San Juanico, Lago de la Magdalena, Michoacán, B, 7 cm

◁ ⇡P ○ ☺ ☺ ⊞ 🖼 ⇶ ⇀ 🖵 ♀   photo: M. K. Meyer

S12263-4 *Chapalichthys peraticus* Aʟᴠᴀʀᴇᴢ, 1963
Kleiner Pantherkärpfling / Spotted Goodeid
Presa de San Juanico, Michoacán, Mexiko (leg. Hɪᴇʀᴏɴɪᴍᴜs),W, 5 cm

◁ ⇡P ○ ☺ ☺ ⊞ 🖼 ⇶ ⇀ 🖵 ♂   photo: H. Hieronimus

S12264-4 *Chapalichthys peraticus* Aʟᴠᴀʀᴇᴢ, 1963
Kleiner Pantherkärpfling / Spotted Goodeid
Lago de Quitzeo, Michoacán, Mexiko (leg. Pÿᴜʀᴢʟ), W, 6,5 cm

◁ ⇡P ○ ☺ ☺ ⊞ 🖼 ⇶ ⇀ 🖵 ♀   photo: E. Pürzl

S12262-4 *Chapalichthys pardalis* ALVAREZ, 1963   MÄNNCHEN / MALE   photo: J. C. Merino

S12262-4 *Chapalichthys pardalis* ALVAREZ, 1963   PAAR / PAIR   photo: J. C. Merino

S12450-4 *Characodon audax* SMITH & MILLER, 1986
Schwarzer Prinz / Bold Goodeid
Coahuila, Mexiko (leg. PÜRZL), W, 5 cm

◁ ⇡P ○ ☺ ⊕ ⊞ 🖼 ♥ ⤙ ⊡ ♂   photo: E. Pürzl

S12451-3 *Characodon audax* SMITH & MILLER, 1986
Schwarzer Prinz / Bold Goodeid
Aquarienstamm / Aquarium strain, B, 5 cm

◁ ⇡P ○ ☺ ⊕ ⊞ 🖼 ♥ ⤙ ⊡ ♂   photo: H. J. Mayland

S12452-4 *Characodon audax* SMITH & MILLER, 1986
Schwarzer Prinz / Bold Goodeid
Aquarienstamm / Aquarium strain, B, 5 cm

◁ ⇡P ○ ☺ ⊕ ⊞ 🖼 ♥ ⤙ ⊡ ♂   photo: M. K. Meyer

S12452-4 *Characodon audax* SMITH & MILLER, 1986
Schwarzer Prinz / Bold Goodeid
Aquarienstamm / Aquarium strain, B, 6,5 cm

◁ ⇡P ○ ☺ ⊕ ⊞ 🖼 ♥ ⤙ ⊡ ♀   photo: M. K. Meyer

S12453-4 *Characodon audax* SMITH & MILLER, 1986
Schwarzer Prinz / Bold Goodeid
Ojo de Agua, Durango, Mexiko, W, 5 cm

◁ ⇡P ○ ☺ ⊕ ⊞ 🖼 ♥ ⤙ ⊡ ♂   photo: H. Hieronimus

S12453-4 *Characodon audax* SMITH & MILLER, 1986
Schwarzer Prinz / Bold Goodeid
Ojo de Agua, Durango, Mexiko, W, 6,5 cm

◁ ⇡P ○ ☺ ⊕ ⊞ 🖼 ♥ ⤙ ⊡ ♀   photo: H. Hieronimus

S12454-4 *Characodon audax* SMITH & MILLER, 1986
Schwarzer Prinz / Bold Goodeid
Aquarienstamm / Aquarium strain, B, 5 cm

◁ ⇡P ○ ☺ ⊕ ⊞ 🖼 ♥ ⤙ ⊡ ♂   photo: J. C. Merino

S12454-4 *Characodon audax* SMITH & MILLER, 1986
Schwarzer Prinz / Bold Goodeid
Aquarienstamm / Aquarium strain, B, 6,5 cm

◁ ⇡P ○ ☺ ⊕ ⊞ 🖼 ♥ ⤙ ⊡ ♀   photo: J. C. Merino

S12458-4 *Characodon lateralis* GÜNTHER, 1866 PAAR / PAIR **photo:** J. C. Merino

S12455-4 *Characodon lateralis* GÜNTHER, 1866
Regenbogen-Goodeide / Rainbow Goodeid
Los Beros, Durango, Mexiko (leg. PÜRZL), W, 6 cm
◁ ⇑P ○ ☺ ☻ ⊞ 🖼 ❤ ⤳ m ♂   photo: E. Pürzl

S12456-4 *Characodon lateralis* GÜNTHER, 1866
Regenbogen-Goodeide / Rainbow Goodeid
Aquarienstamm / Aquarium strain, B, 6 cm
◁ ⇑P ○ ☺ ☻ ⊞ 🖼 ❤ ⤳ m ♂   photo: H. J. Mayland

S12457-4 *Characodon lateralis* GÜNTHER, 1866
Regenbogen-Goodeide / Rainbow Goodeid
Aquarienstamm / Aquarium strain, B, 6 + 7,5 cm
◁ ⇑P ○ ☺ ☻ ⊞ 🖼 ❤ ⤳ m ♂ ♀   photo: O. Böhm

S12458-4 *Characodon lateralis* GÜNTHER, 1866
Regenbogen-Goodeide / Rainbow Goodeid
Aquarienstamm / Aquarium strain, B, 6 + 7,5 cm
◁ ⇑P ○ ☺ ☻ ⊞ 🖼 ❤ ⤳ m ♂ ♀   photo: H. Hieronimus

S32890-4 *Girardinichthys multiradiatus* (MEEK, 1904)
Gelber Hochlandkärpfling / Golden Sailfin Goodeid
Aquarienstamm / Aquarium strain, B, 4,5 cm
◁ ⇑P ○ ☺ ☻ ⊞ 🖼 ⚖ ⤳ m ♂   photo: O. Böhm

S32890-4 *Girardinichthys multiradiatus* (MEEK, 1904)
Gelber Hochlandkärpfling / Golden Sailfin Goodeid
Aquarienstamm / Aquarium strain, B, 5,5 cm
◁ ⇑P ○ ☺ ☻ ⊞ 🖼 ⚖ ⤳ m ♀   photo: O. Böhm

S32891-4 *Girardinichthys multiradiatus* (MEEK, 1904)
Gelber Hochlandkärpfling / Golden Sailfin Goodeid
Atlacomulco, Mexiko, Mexiko (leg. HIERONIMUS), W, 4,5 cm
◁ ⇑P ○ ☺ ☻ ⊞ 🖼 ⚖ ⤳ m ♂   photo: H. Hieronimus

S32891-4 *Girardinichthys multiradiatus* (MEEK, 1904)
Gelber Hochlandkärpfling / Golden Sailfin Goodeid
Atlacomulco, Mexiko, Mexiko (leg. HIERONIMUS), W, 5,5 cm
◁ ⇑P ○ ☺ ☻ ⊞ 🖼 ⚖ ⤳ m ♂   photo: H. Hieronimus

S32892-4 *Girardinichthys multiradiatus* (Meek, 1904)
Gelber Hochlandkärpfling / Golden Sailfin Goodeid
Lago de Lerma, Mexiko, Mexiko (leg. Pürzl), W, 4,5 cm

◁ ⇑P ○ ☺ ☻ ⊞ 🖼 ⇌ ⤳ m ♂   photo: E. Pürzl

S32893-4 *Girardinichthys multiradiatus* (Meek, 1904)
Gelber Hochlandkärpfling / Golden Sailfin Goodeid
Aquarienstamm / Aquarium strain, B, 4,5 cm

◁ ⇑P ○ ☺ ☻ ⊞ 🖼 ⇌ ⤳ m ♂   photo: D. Barrett

S32894-4 *Girardinichthys viviparus* (Bustamante, 1837)
Amarillo-Kärpfling / Black Sailfin Goodeid
Mexiko City, Mexiko, Mexiko (leg. Hieronimus), W, 4,5 cm

◁ ⇑P ○ ☺ ☻ ⊞ 🖼 ⇌ ⤳ m ♂   photo: H. Hieronimus

S32894-4 *Girardinichthys viviparus* (Bustamante, 1837)
Amarillo-Kärpfling / Black Sailfin Goodeid
Mexiko City, Mexiko, Mexiko (leg. Hieronimus), W, 6,5 cm

◁ ⇑P ○ ☺ ☻ ⊞ 🖼 ⇌ ⤳ m ♀   photo: H. Hieronimus

S32895-4 *Girardinichthys viviparus* (Bustamante, 1837)
Amarillo-Kärpfling / Black Sailfin Goodeid
Aquarienstamm / Aquarium strain, B, 6,5 cm

◁ ⇑P ○ ☺ ☻ ⊞ 🖼 ⇌ ⤳ m ♀   photo: O. Böhm

S32896-4 *Girardinichthys viviparus* (Bustamante, 1837)
Amarillo-Kärpfling / Black Sailfin Goodeid
Mexiko City, Mexiko, Mexiko (leg. Merino), B, 4,5 + 6,5 cm

◁ ⇑P ○ ☺ ☻ ⊞ 🖼 ⇌ ⤳ m ♂ ♀   photo: J. C. Merino

S32896-4 *Girardinichthys viviparus* (Bustamante, 1837)
Amarillo-Kärpfling / Black Sailfin Goodeid
Mexiko City, Mexiko, Mexiko (leg. Merino), B, 4,5 cm

◁ ⇑P ○ ☺ ☻ ⊞ 🖼 ⇌ ⤳ m ♂   photo: J. C. Merino

S32896-4 *Girardinichthys viviparus* (Bustamante, 1837)
Amarillo-Kärpfling / Black Sailfin Goodeid
Mexiko City, Mexiko, Mexiko (leg. Merino), B, 6,5 cm

◁ ⇑P ○ ☺ ☻ ⊞ 🖼 ⇌ ⤳ m ♂   photo: J. C. Merino

S33355-4 *Goodea atripinnis martini* DE BUEN, 1947
Martins Schwarzflossen-Goodea / Martin´s Black Finned Goodeid
Lago de Cuitzeo, Michoacán, Mexiko (leg. HIERONIMUS), W, 12 cm

◁ ⇑Ｐ○☺☻⊞🐟🍴🐟🔛♂   photo: H. Hieronimus

S33356-4 *Goodea atripinnis atripinnis* JORDAN, 1880
Schwarzflossen-Goodea / Black Finned Goodeid
Aquarienstamm / Aquarium strain, B, 18 cm

◁ ⇑Ｐ○☺☻⊞🐟🍴🐟🔛♀   photo: O. Böhm

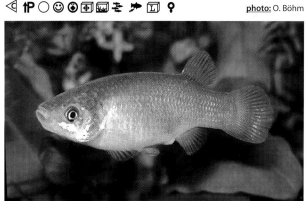

S33357-4 *Goodea atripinnis atripinnis* Jordan, 1880
Schwarzflossen-Goodea / Black Finned Goodeid
Durango, Durango, Mexiko (leg. HIERONIMUS), W, 12 cm

◁ ⇑Ｐ○☺☻⊞🐟🍴🐟🔛♂   photo: H. Hieronimus

S33357-4 *Goodea atripinnis atripinnis* Jordan, 1880
Schwarzflossen-Goodea / Black Finned Goodeid
Durango, Durango, Mexiko (leg. HIERONIMUS), W, 18 cm

◁ ⇑Ｐ○☺☻⊞🐟🍴🐟🔛♀   photo: H. Hieronimus

S33359-4 *Goodea atripinnis luitpoldi* V. BAYERN, 1894
Prinzregent Luitpolds Goodea / Luitpold´s Goodeid
Lago de Patzcuaro, Michoacán, Mexiko (leg. HIERONIMUS), W, 12 cm

◁ ⇑Ｐ○☺☻⊞🐟🍴🐟🔛♂   photo: H. Hieronimus

S33359-4 *Goodea atripinnis luitpoldi* V. BAYERN, 1894
Prinzregent Luitpolds Goodea / Luitpold´s Goodeid
Lago de Patzcuaro, Michoacán, Mexiko (leg. MEYER), W, 18 cm

◁ ⇑Ｐ○☺☻⊞🐟🍴🐟🔛♀   photo: M. K. Meyer

S33361-4 *Goodea atripinnis martini* DE BUEN, 1947
Martins Schwarzflossen-Goodea / Martin´s Black Finned Goodeid
Rio de Morelia, Lago de Cuitzeo, Michoacán, Mexiko, W, 12 cm

◁ ⇑Ｐ○☺☻⊞🐟🍴🐟🔛♂   photo: H. Hieronimus

S39090-4 *Hubbsina turneri* DE BUEN, 1941
Goldener Kärpfling / Turner´s Sailfin Goodeid
Becken des Rio Grande de Morelia, Michoacán, Mexiko, W, 6 cm

◁ ⇑Ｐ◐☺☹⊡🐟🍴🐟▣⚠♂   photo: H. Hieronimus

S39091-4 *Hubbsina turneri* DE BUEN, 1941
Goldener Kärpfling / Turner´s Sailfin Goodeid
Becken des Rio Grande de Morelia, Michoacán, Mexiko, W, 6 cm

◁ ⑴P ◐ ☺ ☻ 🔽 🖼 ⚡ ➹ 🔲 ⚠ ♂   **photo:** M. K. Meyer

39091-4 *Hubbsina turneri* DE BUEN, 1941
Goldener Kärpfling / Turner´s Sailfin Goodeid
Becken des Rio Grande de Morelia, Michoacán, Mexiko, W, 7,5 cm

◁ ⑴P ◐ ☺ ☻ 🔽 🖼 ⚡ ➹ 🔲 ⚠ ♀   **photo:** M. K. Meyer

S42725-4 *Ilyodon furcidens* (JORDAN & GILBERT, 1883)
Colima-Kärpfling / Goldbreast Ilyodon   Aquarienstamm / Aquarium strain, Jalisco, Colima, Michoacán, Mexiko, B, 9 cm

◁ ▷ ⑴P ○ ☺ ⊙ 🔲 🖼 ⚡ ➹ 🔲 ♂    **photo:** E. Schraml

S42725-4 *Ilyodon furcidens* (JORDAN & GILBERT, 1883)
Colima-Kärpfling / Goldbreast Ilyodon   Aquarienstamm / Aquarium strain, Jalisco, Colima, Michoacán, Mexiko, B, 10 cm

◁ ▷ ⑴P ○ ☺ ⊙ 🔲 🖼 ⚡ ➹ 🔲 ♀    **photo:** E. Schraml

S42726-4 *Ilyodon furcidens* (JORDAN & GILBERT, 1883)
Colima-Kärpfling / Goldbreast Ilyodon
San Antonio, Colima, Mexiko (leg. HIERONIMUS), W, 9 cm

◁ ▷ ⑴P ○ ☺ ⊙ 🔲 🖼 ⚡ ➹ 🔲 ♂   **photo:** H. Hieronimus

S42726-4 *Ilyodon furcidens* (JORDAN & GILBERT, 1883)
Colima-Kärpfling / Goldbreast Ilyodon
San Antonio, Colima, Mexiko (leg. HIERONIMUS), W, 10 cm

◁ ▷ ⑴P ○ ☺ ⊙ 🔲 🖼 ⚡ ➹ 🔲 ♀   **photo:** H. Hieronimus

S42727-4 *Ilyodon furcidens* (JORDAN & GILBERT, 1883)
Colima-Kärpfling / Goldbreast Ilyodon   Aquarienstamm / Aquarium strain, Jalisco, Colima, Michoacán, Mexiko, B, 9 cm

◁ ▷ ⑴P ○ ☺ ⊙ 🔲 🖼 ⚡ ➹ 🔲 ♂   **photo:** M.P. & Ch. Piednoir

S42727-4 *Ilyodon furcidens* (JORDAN & GILBERT, 1883)
Colima-Kärpfling / Goldbreast Ilyodon   Aquarienstamm / Aquarium strain, Jalisco, Colima, Michoacán, Mexiko, B, 10 cm

◁ ▷ ⑴P ○ ☺ ⊙ 🔲 🖼 ⚡ ➹ 🔲 ♀   **photo:** M. K. Meyer

S42728-4 *Ilyodon furcidens* (Jordan & Gilbert, 1883)
Colima-Kärpfling / Goldbreast Ilyodon   Aquarienstamm / Aquarium strain, Jalisco, Colima, Michoacán, Mexiko, B, 9 cm
◁ ▷ �🎣P ○ ☺ ⊕ ⊞ 🖼 ⇌ ⤳ L⃞ ♂   photo: E. Pürzl

S42729-4 *Ilyodon furcidens* (Jordan & Gilbert, 1883)
Colima-Kärpfling / Goldbreast Ilyodon   Aquarienstamm / Aquarium strain, Jalisco, Colima, Michoacán, Mexiko, B, 9 cm
◁ ▷ �🎣P ○ ☺ ⊕ ⊞ 🖼 ⇌ ⤳ L⃞ ♂   photo: O. Böhm

S42740-4 *Ilyodon xantusi* (Hubbs & Turner, 1939)
Breitmaul-Colima-Kärpfling / Xantus´ Ilyodon (valid species?)
Aquarienstamm / Aquarium strain, Jalisco, Colima, Mexiko, B, 9 cm
◁ ▷ 🎣P ○ ☺ ⊕ ⊞ 🖼 ⇌ ⤳ L⃞ ♂   photo: Ch. & M. P. Piednoir

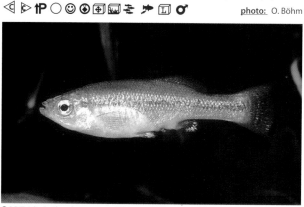

S42740-4 *Ilyodon xantusi* (Hubbs & Turner, 1939)
Breitmaul-Colima-Kärpfling / Xantus´ Ilyodon (valid species?)
Aquarienstamm / Aquarium strain, Jalisco, Colima, Mexiko, B, 9 cm
◁ ▷ 🎣P ○ ☺ ⊕ ⊞ 🖼 ⇌ ⤳ L⃞ ♂   photo: Ch. & M. P. Piednoir

S42741-4 *Ilyodon xantusi* (Hubbs & Turner, 1939)
Breitmaul-Colima-Kärpfling / Xantus´ Ilyodon (valid species?)
Aquarienstamm / Aquarium strain, Jalisco, Colima, Mexiko, B, 9 cm
◁ ▷ 🎣P ○ ☺ ⊕ ⊞ 🖼 ⇌ ⤳ L⃞ ♂   photo: O. Böhm

S42741-4 *Ilyodon xantusi* (Hubbs & Turner, 1939)
Breitmaul-Colima-Kärpfling / Xantus´ Ilyodon (valid species?)
Aquarienstamm / Aquarium strain, Jalisco, Colima, Mexiko, B, 10 cm
◁ ▷ 🎣P ○ ☺ ⊕ ⊞ 🖼 ⇌ ⤳ L⃞ ♀   photo: O. Böhm

S42742-4 *Ilyodon xantusi* (Hubbs & Turner, 1939)
Breitmaul-Colima-Kärpfling / Xantus´ Ilyodon (valid species?)
Aquarienstamm / Aquarium strain, Jalisco, Colima, Mexiko, B, 9 cm
◁ ▷ 🎣P ○ ☺ ⊕ ⊞ 🖼 ⇌ ⤳ L⃞ ♂   photo: E. Pürzl

S42743-4 *Ilyodon xantusi* (Hubbs & Turner, 1939)
Breitmaul-Colima-Kärpfling / Xantus´ Ilyodon (valid species?)
Rio Estancuela (leg. Böhm), W, 10 cm
◁ ▷ 🎣P ○ ☺ ⊕ ⊞ 🖼 ⇌ ⤳ L⃞ ♀   photo: O. Böhm

S42730-4 *Ilyodon lennoni* Meyer & Förster, 1983
Lennons Kärpfling / Lennon´s Ilyodon (valid species?)
Alta Mirano, Guerrero, Mexiko (leg. Meyer), W, 7 cm

◁ ▷ ⼢P ○ ☺ ⊕ 田 🖼 ⪚ ⼂ 🔟 ♂   photo: M. K. Meyer

S42730-4 *Ilyodon lennoni* Meyer & Förster, 1983
Lennons Kärpfling / Lennon´s Ilyodon (valid species?)
Alta Mirano, Guerrero, Mexiko (leg. Meyer), W, 7 cm

◁ ▷ ⼢P ○ ☺ ⊕ 田 🖼 ⪚ ⼂ 🔟 ♂   photo: M. K. Meyer

S42731-4 *Ilyodon lennoni* Meyer & Förster, 1983
Lennons Kärpfling / Lennon´s Ilyodon (valid species?)
Rio Chacamero, Guerrero, Mexiko (leg. Pürzl), W, 7 + 8cm

◁ ▷ ⼢P ○ ☺ ⊕ 田 🖼 ⪚ ⼂ 🔟 ♂ ♀   photo: E. Pürzl

S42732-4 *Ilyodon lennoni* Meyer & Förster, 1983
Lennons Kärpfling / Lennon´s Ilyodon (valid species?)
Rio Chacamero, Guerrero, Mexiko (leg. Merino), B, 7 + 8cm

◁ ▷ ⼢P ○ ☺ ⊕ 田 🖼 ⪚ ⼂ 🔟 ♂ ♀   photo: J. C. Merino

S42735-4 *Ilyodon whitei* (Meek, 1904)
Whites Kärpfling / White´s Ilyodon
Rio Balsas, Morelos, Mexiko (leg. Meyer), W, 7 cm

◁ ▷ ⼢P ○ ☺ ⊕ 田 🖼 ⪚ ⼂ 🔟 ♂   photo: M. K. Meyer

S42736-4 *Ilyodon whitei* (Meek, 1904)
Whites Kärpfling / White´s Ilyodon
Puebla, Morelos, Guerrero, Mexiko, W (?), 7 cm

◁ ▷ ⼢P ○ ☺ ⊕ 田 🖼 ⪚ ⼂ 🔟 ♂   photo: H. J. Mayland

S42737-4 *Ilyodon whitei* (Meek, 1904)
Whites Kärpfling / White´s Ilyodon
Cuantal, Mexiko (leg. Pürzl), W, 7 cm

◁ ▷ ⼢P ○ ☺ ⊕ 田 🖼 ⪚ ⼂ 🔟 ♂   photo: E. Pürzl

S42738-4 *Ilyodon whitei* (Meek, 1904)
Whites Kärpfling / White´s Ilyodon
Puebla, Morelos, Guerrero, Mexiko, W (?), 7 cm

◁ ▷ ⼢P ○ ☺ ⊕ 田 🖼 ⪚ ⼂ 🔟 ♂   photo: H. Hieronimus

S86805-4 *Skiffia bilineata* (Bean, 1888)
Zweilinienkärpfling / Elfin Goodea
Guanajuato, Jalisco, Michoacán, Mexiko, B, 3,5 cm

◁ ▷ ⑂P ○ ☺ ⊕ ⊞ 🐟 ⇌ ⤚ ▥ ♂ photo: E. Pürzl

S86805-4 *Skiffia bilineata* (Bean, 1888)
Zweilinienkärpfling / Elfin Goodea
Guanajuato, Jalisco, Michoacán, Mexiko, B, 7 cm

◁ ▷ ⑂P ○ ☺ ⊕ ⊞ 🐟 ⇌ ⤚ ▥ ♀ photo: E. Pürzl

S86806-4 *Skiffia bilineata* (Bean, 1888)
Zweilinienkärpfling / Elfin Goodea
Guanajuato, Jalisco, Michoacán, Mexiko, B, 3,5 cm

◁ ▷ ⑂P ○ ☺ ⊕ ⊞ 🐟 ⇌ ⤚ ▥ ♂ photo: J. C. Merino

S86806-4 *Skiffia bilineata* (Bean, 1888)
Zweilinienkärpfling / Elfin Goodea
Guanajuato, Jalisco, Michoacán, Mexiko, B, 7 cm

◁ ▷ ⑂P ○ ☺ ⊕ ⊞ 🐟 ⇌ ⤚ ▥ ♀ photo: J. C. Merino

S86807-4 *Skiffia bilineata* (Bean, 1888)
Zweilinienkärpfling / Elfin Goodea
Guanajuato, Jalisco, Michoacán, Mexiko, B, 3,5 cm

◁ ▷ ⑂P ○ ☺ ⊕ ⊞ 🐟 ⇌ ⤚ ▥ ♂ photo: O. Böhm

S86808-4 *Skiffia bilineata* (Bean, 1888)
Zweilinienkärpfling / Elfin Goodea
Laguna Yuriria, Mexiko (leg. Hieronimus), W, 3,5 + 7 cm

◁ ▷ ⑂P ○ ☺ ⊕ ⊞ 🐟 ⇌ ⤚ ▥ ♂ ♀ photo: H. Hieronimus

S86809-4 *Skiffia bilineata* (Bean, 1888), "Yellow"
Zweilinienkärpfling / Elfin Goodea
Guanajuato, Jalisco, Michoacán, Mexiko, B, 3,5 cm

◁ ▷ ⑂P ○ ☺ ⊕ ⊞ 🐟 ⇌ ⤚ ▥ ♂ photo: E. Schraml

S86809-4 *Skiffia bilineata* (Bean, 1888), "Yellow"
Zweilinienkärpfling / Elfin Goodea
Guanajuato, Jalisco, Michoacán, Mexiko, B, 7 cm

◁ ▷ ⑂P ○ ☺ ⊕ ⊞ 🐟 ⇌ ⤚ ▥ ♀ photo: E. Schraml

S86810-4 *Skiffia francesae* KINGSTON, 1978
Goldene Skiffia / Golden Sawfin Goodea
Rio Teuchitlan, Jalisco, Mexiko (leg. PÜRZL), W, 5 cm

▷ ⅋P ○ ☺ ☻ ⊞ 🖼 ⪪ ➴ m ♂   photo: E. Pürzl

S86811-4 *Skiffia francesae* KINGSTON, 1978
Goldene Skiffia / Golden Sawfin Goodea
Rio Teuchitlan, Jalisco, Mexiko, W, 5 cm

▷ ⅋P ○ ☺ ☻ ⊞ 🖼 ⪪ ➴ m ♂ ♀   photo: H. Hieronimus

S86815-3 *Skiffia lermae* MEEK, 1902
Lerma-Kärpfling / Hooded Sawfin
Rancho Molino, Michoacán, Mexiko (leg. MEYER), W, 6 cm

◁ ▷ ⅋P ○ ☺ ⊕ ⊞ 🖼 ⪪ ➴ m ♂   photo: M. K. Meyer

S86815-3 *Skiffia lermae* MEEK, 1902
Lerma-Kärpfling / Hooded Sawfin
Rancho Molino, Michoacán, Mexiko (leg. HIERONIMUS), W, 6,5 cm

◁ ▷ ⅋P ○ ☺ ⊕ ⊞ 🖼 ⪪ ➴ m ♀   photo: H. Hieronimus

S86817-4 *Skiffia multipunctata* (PELLEGRIN, 1901)
Schwarzfleck-Skiffia /Speckled Sawfin Goodeid
Guadajalara, Jalisco, Mexiko, B, 6 cm

◁ ▷ ⅋P ○ ☺ ⊕ ⊞ 🖼 ⪪ ➴ m ♂   photo: H. J. Mayland

S86817-4 *Skiffia multipunctata* (PELLEGRIN, 1901)
Schwarzfleck-Skiffia /Speckled Sawfin Goodeid
Guadajalara, Jalisco, Mexiko, B, 6,5 cm

◁ ▷ ⅋P ○ ☺ ⊕ ⊞ 🖼 ⪪ ➴ m ♀   photo: H. J. Mayland

S86820-4 *Skiffia multipunctata* (PELLEGRIN, 1901)
Schwarzfleck-Skiffia /Speckled Sawfin Goodeid
Guadajalara, Jalisco, Mexiko (leg. MEYER), W, 6 cm

◁ ⅋P ○ ☺ ☻ ⊞ 🖼 ⪪ ➴ m ♂   photo: M. K. Meyer

S86822-4 *Skiffia multipunctata* (PELLEGRIN, 1901)
Schwarzfleck-Skiffia /Speckled Sawfin Goodeid
Guadajalara, Jalisco, Mexiko (leg. MEYER), W, 6 cm

◁ ⅋P ○ ☺ ☻ ⊞ 🖼 ⪪ ➴ m ♂   photo: M. K. Meyer

S86821-4 *Skiffia multipunctata* (Pellegrin, 1901)
Schwarzfleck-Skiffia /Speckled Sawfin Goodeid
Guadajalara, Jalisco, Mexiko, B, 6 cm

◁ ⬚P ○ ☺ ☹ ⊞ 🖼 ⇶ ⤚ 🄼 ♂   photo: J. C. Merino

S86821-4 *Skiffia multipunctata* (Pellegrin, 1901)
Schwarzfleck-Skiffia /Speckled Sawfin Goodeid
Guadajalara, Jalisco, Mexiko, B, 6 cm

◁ ⬚P ○ ☺ ☹ ⊞ 🖼 ⇶ ⤚ 🄼 ♂   photo: J. C. Merino

S86821-4 *Skiffia multipunctata* (Pellegrin, 1901)
Schwarzfleck-Skiffia /Speckled Sawfin Goodeid
Guadajalara, Jalisco, Mexiko, B, 6 + 6,5 cm

◁ ⬚P ○ ☺ ☹ ⊞ 🖼 ⇶ ⤚ 🄼 ♂ ♀   photo: J. C. Merino

S86823-3 *Skiffia multipunctata* (Pellegrin, 1901)
Schwarzfleck-Skiffia /Speckled Sawfin Goodeid
Guadajalara, Jalisco, Mexiko, W, 6 cm

◁ ⬚P ○ ☺ ☹ ⊞ 🖼 ⇶ ⤚ 🄼 ♀   photo: O. Böhm

S86823-3 *Skiffia multipunctata* (Pellegrin, 1901)
Schwarzfleck-Skiffia /Speckled Sawfin Goodeid
Guadajalara, Jalisco, Mexiko, W, 6 cm

◁ ⬚P ○ ☺ ☹ ⊞ 🖼 ⇶ ⤚ 🄼 ♂   photo: O. Böhm

S86823-3 *Skiffia multipunctata* (Pellegrin, 1901)
Schwarzfleck-Skiffia /Speckled Sawfin Goodeid
Guadajalara, Jalisco, Mexiko, W, 6,5 cm

◁ ⬚P ○ ☺ ☹ ⊞ 🖼 ⇶ ⤚ 🄼 ♀   photo: O. Böhm

S86824-4 *Skiffia multipunctata* (Pellegrin, 1901)
Schwarzfleck-Skiffia /Speckled Sawfin Goodeid
Guadajalara, Jalisco, Mexiko, W, 6 + 6,5 cm

◁ ⬚P ○ ☺ ☹ ⊞ 🖼 ⇶ ⤚ 🄼 ♂ ♀   photo: H. Hieronimus

S86825-4 *Skiffia* sp. "Zacapu"
Zacapu-Skiffia / Zacapu Sawfin
Laguna Zacapu, Michoacán, Mexiko (leg. Hieronimus), W, 6 cm

◁ ⬚P ○ ☺ ☹ ⊞ 🖼 ⇶ ⤚ 🄼 ♂   photo: H. Hieronimus

S99978-4 *Xenoophorus captivus* (HUBBS, 1924)
Ritterkärpfling / Green Goodeid
Oberlauf des Rio Panuco, San Luis Potosi, Mexiko, B, 6 cm
▷ ⇑P ○ ☺ ⊕ ⊞ 🔄 ⁂ ⤚ 🄼 ♂ ♂   photo: J. C. Merino

S99978-4 *Xenoophorus captivus* (HUBBS, 1924)
Ritterkärpfling / Green Goodeid
Oberlauf des Rio Panuco, San Luis Potosi, Mexiko, B, 6 + 6,5 cm
▷ ⇑P ○ ☺ ⊕ ⊞ 🔄 ⁂ ⤚ 🄼 ♂ ♀   photo: J. C. Merino

S99979-4 *Xenoophorus captivus* (HUBBS, 1924)
Ritterkärpfling / Green Goodeid
Oberlauf des Rio Panuco, San Luis Potosi, Mexiko, B, 6 cm
▷ ⇑P ○ ☺ ⊕ ⊞ 🔄 ⁂ ⤚ 🄼 ♂   photo: O. Böhm

S99979-4 *Xenoophorus captivus* (HUBBS, 1924)
Ritterkärpfling / Green Goodeid
Oberlauf des Rio Panuco, San Luis Potosi, Mexiko, B, 6,5 cm
▷ ⇑P ○ ☺ ⊕ ⊞ 🔄 ⁂ ⤚ 🄼 ♀   photo: O. Böhm

S99980-4 *Xenoophorus captivus* (HUBBS, 1924)
Ritterkärpfling / Green Goodeid
Oberlauf des Rio Panuco, San Luis Potosi, Mexiko, B, 6 cm
▷ ⇑P ○ ☺ ⊕ ⊞ 🔄 ⁂ ⤚ 🄼 ♂   photo: E. Pürzl

S99980-4 *Xenoophorus captivus* (HUBBS, 1924)
Ritterkärpfling / Green Goodeid
Oberlauf des Rio Panuco, San Luis Potosi, Mexiko, B, 6,5 cm
▷ ⇑P ○ ☺ ⊕ ⊞ 🔄 ⁂ ⤚ 🄼 ♀   photo: E. Schraml

S99981-4 *Xenoophorus captivus* (HUBBS, 1924)
Ritterkärpfling / Green Goodeid
Oberlauf des Rio Panuco, San Luis Potosi, Mexiko, B, 6 cm
▷ ⇑P ○ ☺ ⊕ ⊞ 🔄 ⁂ ⤚ 🄼 ♂   photo: H. Hieronimus

S99981-4 *Xenoophorus captivus* (HUBBS, 1924)
Ritterkärpfling / Green Goodeid
Oberlauf des Rio Panuco, San Luis Potosi, Mexiko, B, 6,5 cm
▷ ⇑P ○ ☺ ⊕ ⊞ 🔄 ⁂ ⤚ 🄼 ♀   photo: H. Hieronimus

S99987-4 *Xenotaenia resolanae* TURNER, 1946
Resolana-Kärpfling / Leopard Goodeid
Rio Purificación, Rio Chacala, Jalisco, Mexiko, B, 6 cm

▷ ⇡P ○ ☺ ☻ ⊞ 🖼 ⛄ ⤳ 🄻 ♂   photo: P. Schubert

S99987-4 *Xenotaenia resolanae* TURNER, 1946
Resolana-Kärpfling / Leopard Goodeid
Rio Resolana, Jalisco, Mexiko (leg. HIERONIMUS), W, 6 cm

▷ ⇡P ○ ☺ ☻ ⊞ 🖼 ⛄ ⤳ 🄻 ♀   photo: H. Hieronimus

S99989-4 *Xenotaenia resolanae* TURNER, 1946
Resolana-Kärpfling / Leopard Goodeid
Rio Purificación, Rio Chacala, Jalisco, Mexiko, B, 6 cm

▷ ⇡P ○ ☺ ☻ ⊞ 🖼 ⛄ ⤳ 🄻 ♂   photo: E. Pürzl

S99989-4 *Xenotaenia resolanae* TURNER, 1946
Resolana-Kärpfling / Leopard Goodeid
Rio Purificación, Rio Chacala, Jalisco, Mexiko, B, 6 cm

▷ ⇡P ○ ☺ ☻ ⊞ 🖼 ⛄ ⤳ 🄻 ♀   photo: J. Dawes

S99991-4 *Xenotaenia resolanae* TURNER, 1946
Resolana-Kärpfling / Leopard Goodeid
Rio Purificación, Rio Chacala, Jalisco, Mexiko, B, 6 cm

▷ ⇡P ○ ☺ ☻ ⊞ 🖼 ⛄ ⤳ 🄻 ♂   photo: O. Böhm

S99991-4 *Xenotaenia resolanae* TURNER, 1946
Resolana-Kärpfling / Leopard Goodeid
Rio Purificación, Rio Chacala, Jalisco, Mexiko, B, 6 cm

▷ ⇡P ○ ☺ ☻ ⊞ 🖼 ⛄ ⤳ 🄻 ♀   photo: O. Böhm

S71455-3 *Xenotoca eiseni* (RUTTER, 1896)
Banderolenkärpfling / Red Tailed Goodeid
Aquarienstamm / Aquarium strain, B, 5 cm

▷ ⇡P ○ ☺ ☻ ⊞ 🖼 ⛄ ⤳ 🄻 ♂   photo: F. Teigler / Archiv A.C.S.

S71455-3 *Xenotoca eiseni* (RUTTER, 1896)
Banderolenkärpfling / Red Tailed Goodeid
Aquarienstamm / Aquarium strain, B, 6 cm

▷ ⇡P ○ ☺ ☻ ⊞ 🖼 ⛄ ⤳ 🄻 ♀   photo: F. Teigler / Archiv A.C.S.

S71457-4 *Xenotoca eiseni* (Rutter, 1896)
Banderolenkärpfling / Red Tailed Goodeid   PAAR / PAIR

photo: Ch. & M. P. Piednoir

S71458-4 *Xenotoca eiseni* (Rutter, 1896) "San Marcos"
Banderolenkärpfling / Red Tailed Goodeid   MÄNNCHEN / MALE

photo: E. Pürzl

S71456-4 *Xenotoca eiseni* (Rutter, 1896)
Banderolenkärpfling / Red Tailed Goodeid
Aquarienstamm / Aquarium strain, B, 6 cm
▷ ⇑P ○ ☺ ☻ ⊞ 🖼 ⇌ ⇝ 🔲 ♂   photo: J. C. Merino

S71456-4 *Xenotoca eiseni* (Rutter, 1896)
Banderolenkärpfling / Red Tailed Goodeid
Aquarienstamm / Aquarium strain, B, 7 cm
▷ ⇑P ○ ☺ ☻ ⊞ 🖼 ⇌ ⇝ 🔲 ♀   photo: J. C. Merino

S71457-4 *Xenotoca eiseni* (Rutter, 1896) "Nayerit (Jacobs)"
Banderolenkärpfling / Red Tailed Goodeid
Aquarienstamm / Aquarium strain, B, 7 cm
▷ ⇑P ○ ☺ ☻ ⊞ 🖼 ⇌ ⇝ 🔲 ♂   photo: O. Böhm

S71457-4 *Xenotoca eiseni* (Rutter, 1896) "Nayerit (Jacobs)"
Banderolenkärpfling / Red Tailed Goodeid
Aquarienstamm / Aquarium strain, B, 8 cm
▷ ⇑P ○ ☺ ☻ ⊞ 🖼 ⇌ ⇝ 🔲 ♀   photo: O. Böhm

S71458-3 *Xenotoca eiseni* (Rutter, 1896) "San Marco"
Banderolenkärpfling / Red Tailed Goodeid
San Marco, Jalisco, Mexiko, B, 6 cm
▷ ⇑P ○ ☺ ☻ ⊞ 🖼 ⇌ ⇝ 🔲 ♂   photo: U. Dost

S71458-3 *Xenotoca eiseni* (Rutter, 1896) "San Marco"
Banderolenkärpfling / Red Tailed Goodeid
San Marco, Jalisco, Mexiko, B, 7 cm
▷ ⇑P ○ ☺ ☻ ⊞ 🖼 ⇌ ⇝ 🔲 ♀   photo: U. Dost

S71458-4 *Xenotoca eiseni* (Rutter, 1896) "San Marco"
Banderolenkärpfling / Red Tailed Goodeid
San Marco, Jalisco, Mexiko, B, 6 cm
▷ ⇑P ○ ☺ ☻ ⊞ 🖼 ⇌ ⇝ 🔲 ♂   photo: O. Böhm

S71458-4 *Xenotoca eiseni* (Rutter, 1896) "San Marco"
Banderolenkärpfling / Red Tailed Goodeid
San Marco, Jalisco, Mexiko, B, 7 cm
▷ ⇑P ○ ☺ ☻ ⊞ 🖼 ⇌ ⇝ 🔲 ♀   photo: O. Böhm

S71460-4 *Xenotoca eiseni* (RUTTER, 1896) "Spotted"
Banderolenkärpfling / Red Tailed Goodeid
Aquarienstamm / Aquarium strain, B, 6 cm

▷ ⇑P ○ ☺ ☻ ⊞ 🖼 ⇌ ⋌ 🔲 ♂   photo: E. Schraml

S71460-4 *Xenotoca eiseni* (RUTTER, 1896) "Spotted"
Banderolenkärpfling / Red Tailed Goodeid
Aquarienstamm / Aquarium strain, B, 7 cm

▷ ⇑P ○ ☺ ☻ ⊞ 🖼 ⇌ ⋌ 🔲 ♀   photo: E. Schraml

S71465-4 *Xenotoca melanosoma* FITZSIMONS, 1972
Dunkler Hochlandkärpfling / Blue Bellied Goodeid
Jalisco, Mexiko, B, 8 cm

▷ ⇑P ○ ☺ ☻ ⊞ 🖼 ⇌ ⋌ 🔲 ♂   photo: M. K. Meyer

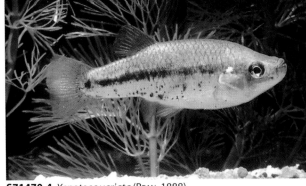

S71466-4 *Xenotoca melanosoma* FITZSIMONS, 1972
Dunkler Hochlandkärpfling / Blue Bellied Goodeid
Jalisco, Mexiko, B, 8 cm

▷ ⇑P ○ ☺ ☻ ⊞ 🖼 ⇌ ⋌ 🔲 ♂   photo: E. Pürzl

S71470-4 *Xenotoca variata* (BEAN, 1888)
Veränderlicher Hochlandkärpfling / Jeweled Goodeid
Aguascalientes, San Luis Potosi, Jalisco, Michoacán, Mexiko, B, 8 cm

▷ ⇑P ○ ☺ ☻ ⊞ 🖼 ⇌ ⋌ 🔲 ♂   photo: O. Böhm

S71470-4 *Xenotoca variata* (BEAN, 1888)
Veränderlicher Hochlandkärpfling / Jeweled Goodeid
Aguascalientes, San Luis Potosi, Jalisco, Michoacán, Mexiko, B, 9 cm

▷ ⇑P ○ ☺ ☻ ⊞ 🖼 ⇌ ⋌ 🔲 ♀   photo: O. Böhm

S71471-4 *Xenotoca variata* (BEAN, 1888)
Veränderlicher Hochlandkärpfling / Jeweled Goodeid
Nayarit, Mexiko (leg. MEYER), W, 8 cm

▷ ⇑P ○ ☺ ☻ ⊞ 🖼 ⇌ ⋌ 🔲 ♂   photo: M. K. Meyer

S71472-4 *Xenotoca variata* (BEAN, 1888)
Veränderlicher Hochlandkärpfling / Jeweled Goodeid
Laguna Zacapu, Michoacán, Mexiko (leg. HIERONIMUS), W, 8 cm

▷ ⇑P ○ ☺ ☻ ⊞ 🖼 ⇌ ⋌ 🔲 ♂   photo: H. Hieronimus

S99950-4 *Zoogoneticus quitzeoensis* (BEAN, 1898)
Cuitzeo-Kärpfling / Picoted Goodeid
Jalisco, Michoacán, Guanajuato, Mexiko, B, 6,5 cm
 photo: J. C. Merino

S99950-4 *Zoogoneticus quitzeoensis* (BEAN, 1898)
Cuitzeo-Kärpfling / Picoted Goodeid
Jalisco, Michoacán, Guanajuato, Mexiko, B, 6,5 cm
photo: J. C. Merino

S99954-4 *Zoogoneticus quitzeoensis* (BEAN, 1898)
Cuitzeo-Kärpfling / Picoted Goodeid
El Fuerte, Mexiko (leg. PÜRZL), W, 6,5 cm
photo: E. Pürzl

S99954-4 *Zoogoneticus quitzeoensis* (BEAN, 1898)
Cuitzeo-Kärpfling / Picoted Goodeid
El Fuerte, Mexiko (leg. PÜRZL), W, 6,5 cm
photo: E. Pürzl

S99953-4 *Zoogoneticus quitzeoensis* (BEAN, 1898)
Cuitzeo-Kärpfling / Picoted Goodeid
Lago de Chapala, Jalisco, Michoacán, Mexiko (leg. HIERONIMUS),W, 6,5 cm
photo: H. Hieronimus

S99953-4 *Zoogoneticus quitzeoensis* (BEAN, 1898)
Cuitzeo-Kärpfling / Picoted Goodeid
Lago de Chapala, Jalisco, Michoacán, Mexiko (leg. HIERONIMUS),W, 6,5 cm
photo: H. Hieronimus

S99952-4 *Zoogoneticus quitzeoensis* (BEAN, 1898)
Cuitzeo-Kärpfling / Picoted Goodeid
Lago de Chapala, Jalisco, Michoacán, Mexiko (leg. HIERONIMUS),W, 6,5 cm
photo: H. Hieronimus

S99951-3 *Zoogoneticus* sp. "Crescent"
Orangeband-Kärpfling / Crescent Goodeid
Michoacán (?), Mexiko, B, 6,5 cm
photo: M. K. Meyer

S99955-4 *Zoogoneticus* sp. "Crescent"
Orangeband-Kärpfling / Crescent Goodeid
Michoacán (?), Mexiko, B, 6,5 cm

◁ ⇑P ○ ☺ ☺ ⊞ ▦ ≜ ⤚ ▥ ♂

photo: H. Hieronimus

S99955-4 *Zoogoneticus* sp. "Crescent"
Orangeband-Kärpfling / Crescent Goodeid
Michoacán (?), Mexiko, B, 6,5 cm

◁ ⇑P ○ ☺ ☺ ⊞ ▦ ≜ ⤚ ▥ ♀

photo: H. Hieronimus

S99955-4 *Zoogoneticus* sp. "Crescent"
Orangeband-Kärpfling / Crescent Goodeid
Michoacán (?), Mexiko, B, 6,5 cm

◁ ⇑P ○ ☺ ☺ ⊞ ▦ ≜ ⤚ ▥ ♂ ♀

photo: J. C. Merino

Der Geburtsvorgang bei Hochlandkärpflingen soll hier anhand *Xenotoca eiseni* einmal beispielhaft gezeigt werden. Wie man auf dem Bild gut erkennt, kommt das Baby mit dem Schwanz voran auf die Welt.
The birth of goodeid fry is shown in this photo sequence of *Xenotoca eiseni*. The babies are born with the tail first.

Hier sind bereits die Nährschnüre, die Trophotaenien, zu erkennen. Now the trophotaenia are already visible.

Das Jungtier steckt jetzt nur noch mit dem Kopf in der Geburtsöffnung. The baby is almost born, only the head is still inside the mother´s body.

Es ist geschafft: In Rückenlage erblickt der junge Hochlandkärpfling das Licht der Welt. It is done: the freshly born goodeid is still swimming on the back.

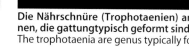

Die Nährschnüre (Trophotaenien) am Bauch des Frischgeborenen, die gattungtypisch geformt sind, sind hier gut zu erkennen. The trophotaenia are genus typically formed

photos: U. Werner

photo: U. Werner

1. *Anableps dowei* im natürlichen Lebensraum
   in Honduras
   Anableps dowei in their natural habitat in Honduras.

2. **Der Lago Rodrigo de Freitas vor Rio de Janeiro
   weist trotz seines ungeheuren Verschmutzungs
   grades ein reiches Fischleben auf. Hier leben
   *Poecilia vivipara, Jenynsia multidentata , Geopha-
   gus brasiliensis* und verschiedene Meeres- und
   Brackwasserarten.**
   The Lago Rodrigo de Freitas next to Rio de Janeiro
   contains an amazing amount of fishes, despite its
   massive pollution. In this lake, one can find *Poecilia
   vivipara, Jenynsia multidentata , Geophagus brasiliensis* and several marine and brackish water species.

photo: J. Dawes

S01850-4 *Anableps anableps* (LINNÉ, 1758)
Gewöhnliches Vierauge / Striped Foureyed Fish
Orinocodelta bis Amazonasdelta, Atlantik, W, 18 + 27 cm

⚠ ⑂ ◑ ☺ ⊕ ⊡ ⊠ ⋢ ⤲ ⚠ ⊠ ♂   **photo:** E. Schraml

S01850-4 *Anableps anableps* (LINNÉ, 1758)
Gewöhnliches Vierauge / Striped Foureyed Fish
Orinocodelta bis Amazonasdelta, Atlantik, W, 18 + 27 cm

⚠ ⑂ ◑ ☺ ⊕ ⊡ ⊠ ⋢ ⤲ ⚠ ⊠   **photo:** E. Schraml

S01850-4 *Anableps anableps* (LINNÉ, 1758)
Gewöhnliches Vierauge / Striped Foureyed Fish
Orinocodelta bis Amazonasdelta, Atlantik, W, 18 + 27 cm

⚠ ⑂ ◑ ☺ ⊕ ⊡ ⊠ ⋢ ⤲ ⚠ ⊠   **photo:** U. Werner

S01850-4 *Anableps anableps* (LINNÉ, 1758)
Gewöhnliches Vierauge / Striped Foureyed Fish
Orinocodelta bis Amazonasdelta, Atlantik, W, 18 + 27 cm

⚠ ⑂ ◑ ☺ ⊕ ⊡ ⊠ ⋢ ⤲ ⚠ ⊠   **photo:** U. Werner

S01855-4 *Anableps dowei* GILL, 1861
Pazifisches Vierauge / Pacific Foureyed Fish
Mexiko bis Nicaragua, Pazifik, W, 22 + 32 cm

⚠ ⑂ ◑ ☺ ⊕ ⊡ ⊠ ⋢ ⤲ ⚠ ⊠ ♂   **photo:** U. Werner

S01855-4 *Anableps dowei* GILL, 1861
Pazifisches Vierauge / Pacific Foureyed Fish
Mexiko bis Nicaragua, Pazifik, W, 22 + 32 cm

⚠ ⑂ ◑ ☺ ⊕ ⊡ ⊠ ⋢ ⤲ ⚠ ⊠   **photo:** U. Werner

S01860-2 *Anableps* cf. *microlepis* MÜLLER & TROSCHEL, 1844
Kleinschuppen-Vierauge / Finescale Foureyed Fish
Orinocodelta bis Amazonasdelta, Atlantik, W, 24 + 32 cm

⚠ ⑂ ◑ ☺ ⊕ ⊡ ⊠ ⋢ ⤲ ⚠ ⊠   **photo:** F. Teigler / A.C.S.

S01860-3 *Anableps* cf. *microlepis* MÜLLER & TROSCHEL, 1844
Kleinschuppen-Vierauge / Finescale Foureyed Fish
Orinocodelta bis Amazonasdelta, Atlantik, W, 24 + 32 cm

⚠ ⑂ ◑ ☺ ⊕ ⊡ ⊠ ⋢ ⤲ ⚠ ⊠ ♂ ♀   **photo:** F. Teigler / A.C.S.

S01860-4 *Anableps* cf. *microlepis* MÜLLER & TROSCHEL, 1844
Kleinschuppen-Vierauge / Finescale Foureyed Fish
Orinocodelta bis Amazonasdelta, Atlantik, W, 24 + 32 cm
⚠ ⭲P ◑ ☺ ⊛ ⊡ 🖼 ⇶ ⤚ ⚠ 🖾 ♂   photo: F. Teigler / A.C.S.

S01860-4 *Anableps* cf. *microlepis* MÜLLER & TROSCHEL, 1844
Kleinschuppen-Vierauge / Finescale Foureyed Fish
Orinocodelta bis Amazonasdelta, Atlantik, W, 24 + 32 cm
⚠ ⭲P ◑ ☺ ⊛ ⊡ 🖼 ⇶ ⤚ ⚠ 🖾 ♀   photo: F. Teigler / A.C.S.

S01860-4 *Anableps* cf. *microlepis* MÜLLER & TROSCHEL, 1844
Kleinschuppen-Vierauge / Finescale Foureyed Fish
Orinocodelta bis Amazonasdelta, Atlantik, W, 24 + 32 cm
⚠ ⭲P ◑ ☺ ⊛ ⊡ 🖼 ⇶ ⤚ ⚠ 🖾 ♂ ♀   photo: F. Teigler / A.C.S.

S01860-4 *Anableps* cf. *microlepis* MÜLLER & TROSCHEL, 1844
Kleinschuppen-Vierauge / Finescale Foureyed Fish
Orinocodelta bis Amazonasdelta, Atlantik, W, 24 + 32 cm
⚠ ⭲P ◑ ☺ ⊛ ⊡ 🖼 ⇶ ⤚ ⚠ 🖾   photo: F. Teigler / A.C.S.

S01860-4 *Anableps* cf. *microlepis* MÜLLER & TROSCHEL, 1844
Kleinschuppen-Vierauge / Finescale Foureyed Fish
Orinocodelta bis Amazonasdelta, Atlantik, W, 24 + 32 cm
⚠ ⭲P ◑ ☺ ⊛ ⊡ 🖼 ⇶ ⤚ ⚠ 🖾 ♂ ♀   photo: F. Teigler / A.C.S.

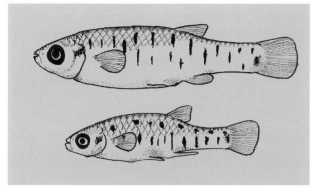

S42835-4 *Jenynsia alternimaculata* FOWLER, 1940
Wechseltupfen-Linienkärpfling / Alternating Spotted Jenynsia
t.t.: Monte Bello, Tarija, Bolivia, 4 + 10 cm (?)

zeichnung: Hidenori Nakano / A.C.S.

S42837-4 *Jenynsia eigenmanni* (HASEMAN, 1911)
Eigenmanns Linienkärpfling / Eigenmann´s Jenynsia
t.t.: Creek near Serrhina Parana, Rio Iguassu, Brazil, 4 + 10 cm (?)

from: Haseman, 1911 (changed)

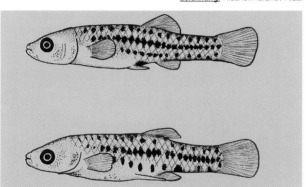

S42839-4 *Jenynsia eirostigma* GHEDOTTI & WEITZMAN, 1995
Nadelstreifen-Linienkärpfling / Needlestriped Jenynsia
t.t.: Rio Grande do Sul, Rio Manuel Leao, Mun. de Camb. do Sul, Brazil, 4 + 10 cm (?)

zeichnung: Hidenori Nakano / A.C.S.

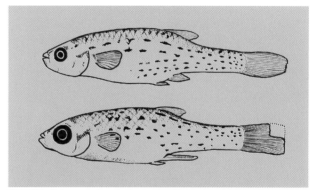

S42841-4 *Jenynsia lineata* (JENYNS, 1842)
Echter Linienkärpfling / Real Striped Jenynsia
t.t.: Maldonado, Uruguay, 4 + 10 cm (?)

zeichnung: Hidenori Nakano / A.C.S.

S42843-4 *Jenynsia multidentata* (JENYNS, 1842)
Falscher Linienkärpfling / False Striped Jenynsia
Aquarienstamm / Aquarium strain, B, 4 cm

◁ ▷ � ○ ☺ ☺ ⊞ ▦ ≩ ⚠ ⌇ ⊡ ♂   photo: H. Hieronimus

S42843-4 *Jenynsia multidentata* (JENYNS, 1842)
Falscher Linienkärpfling / False Striped Jenynsia
Aquarienstamm / Aquarium strain, B, 10 cm

◁ ▷ ⟨welt⟩ ○ ☺ ☺ ⊞ ▦ ≩ ⚠ ⌇ ⊡ ♀   photo: H. Hieronimus

S42844-4 *Jenynsia multidentata* (JENYNS, 1842)
Falscher Linienkärpfling / False Striped Jenynsia
Aquarienstamm / Aquarium strain, B, 4 + 10 cm

◁ ▷ ⟨welt⟩ ○ ☺ ☺ ⊞ ▦ ≩ ⚠ ⌇ ⊡ ♂ ♀   photo: H. J. Mayland

S42845-4 *Jenynsia multidentata* (JENYNS, 1842)
Falscher Linienkärpfling / False Striped Jenynsia
Aquarienstamm / Aquarium strain, B, 4 + 10 cm

◁ ▷ ⟨welt⟩ ○ ☺ ☺ ⊞ ▦ ≩ ⚠ ⌇ ⊡ ♂ ♀   photo: O. Böhm

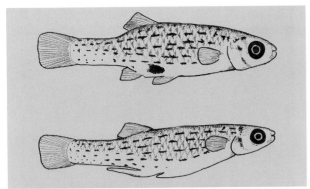

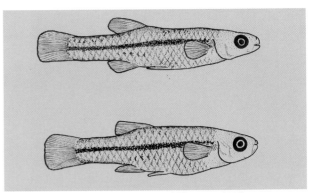

S42847-4 *Jenynsia sanctaecatarinae* GHEDOTTI & WEITZMAN, 1996
Santa-Catarina-Linienkärpfling / Santa Catarina Jenynsia
t.t.: Rio Pique, Santa Catarina, Brazil, 4 + 10 cm (?)

zeichnung: Hidenori Nakano / A.C.S.

S42848-4 *Jenynsia unitaenia* GHEDOTTI & WEITZMAN, 1995
Einstreifen-Linienkärpfling / One Stripe Jenynsia
t.t.: Rio Faxinalzinho, Santa Catarina, Brazil, 4 + 10 cm (?)

zeichnung: Hidenori Nakano / A.C.S.

S56605-4 *Oxyzygonectes dovii* (GÜNTHER, 1866)
Dowes Kärpfling / Dowe´s Minnow
Panama, Costa Rica (both: pacific side), B, 15 - 30 cm

photo: G. Zurlo

S56605-4 *Oxyzygonectes dovii* (GÜNTHER, 1866)
Dowes Kärpfling / Dowe´s Minnow
Panama, Costa Rica (both: pacific side), B, 15 - 30 cm

photo: G. Zurlo

S56606-3 *Oxyzygonectes dovii* (GÜNTHER, 1866)
Dowes Kärpfling / Dowe´s Minnow
Panama, Costa Rica (both: pacific side), B, 15 - 30 cm

photo: M. Smith

photo: E. Meinema

photo: E. Meinema

1. **Der Rio Tuba in Costa Rica, Lebensraum von *Alfaro cultratus, Poecilia gillii, Astyanax* sp. und Cichliden**
   The Rio Tuba in Costa Rica, habitat of *Alfaro cultratus, Poecilia gillii, Astyanax* sp. and many cichlids.

2. **Der Rio Burrito (nahe Fortuna) in Costa Rica, Lebens raum von *Alfaro cultratus, Phallichthys* sp., *Xeno- phallus umbratilis, Poecilia gillii,* Buntbarschen, *Astyanax* sp. und *Melanurus hubbsi.***
   The Rio Burrito (near Fortuna) in Costa Rica, habitat of *Alfaro cultratus, Phallichthys* sp., *Xenophallus umbratilis, Poecilia gillii,* cichlids, *Astyanax* sp. and *Melanurus hubbsi.*

S01250-4 *Alfaro cultratus* (REGAN, 1908)
Messerkärpfling / Knife Livebearer
Costa Rica (leg. MEYER), W, 6 + 8 cm

▷ ⇈P ○ ☺ ☺ ⊞ 🖼 ⬚ 🐟 m ♂ ♀   photo: M. K. Meyer

S01251-4 *Alfaro cultratus* (REGAN, 1908)
Messerkärpfling / Knife Livebearer
Costa Rica , W-Panama (both: atlantic side), Nicaragua, B, 6 + 8 cm

▷ ⇈P ○ ☺ ☺ ⊞ 🖼 ⬚ 🐟 m ♂ ♀   photo: F. P. Müllenholz

S01252-4 *Alfaro cultratus* (REGAN, 1908)
Messerkärpfling / Knife Livebearer
Costa Rica , W-Panama (both: atlantic side), Nicaragua, B, 6 cm

▷ ⇈P ○ ☺ ☺ ⊞ 🖼 ⬚ 🐟 m ♂   photo: D. Barrett

S01252-4 *Alfaro cultratus* (REGAN, 1908)
Messerkärpfling / Knife Livebearer
Costa Rica , W-Panama (both: atlantic side), Nicaragua, B, 8 cm

▷ ⇈P ○ ☺ ☺ ⊞ 🖼 ⬚ 🐟 m ♀   photo: U. Werner

S01253-4 *Alfaro cultratus* (REGAN, 1908)
Messerkärpfling / Knife Livebearer
Costa Rica , W-Panama (both: atlantic side), Nicaragua, B, 6 cm

▷ ⇈P ○ ☺ ☺ ⊞ 🖼 ⬚ 🐟 m ♂   photo: U. Dost

S01253-4 *Alfaro cultratus* (REGAN, 1908)
Messerkärpfling / Knife Livebearer
Costa Rica , W-Panama (both: atlantic side), Nicaragua, B, 8 cm

▷ ⇈P ○ ☺ ☺ ⊞ 🖼 ⬚ 🐟 m ♀   photo: U. Dost

S01254-3 *Alfaro cultratus* (REGAN, 1908)
Messerkärpfling / Knife Livebearer
Costa Rica , W-Panama (both: atlantic side), Nicaragua, B, 6 cm

▷ ⇈P ○ ☺ ☺ ⊞ 🖼 ⬚ 🐟 m ♂   photo: Ch. & M. P. Piednoir

S01254-3 *Alfaro cultratus* (REGAN, 1908)
Messerkärpfling / Knife Livebearer
Costa Rica , W-Panama (both: atlantic side), Nicaragua, B, 8 cm

▷ ⇈P ○ ☺ ☺ ⊞ 🖼 ⬚ 🐟 m ♀   photo: Ch. & M. P. Piednoir

S01255-4 *Alfaro cultratus* (Regan, 1908)
Messerkärpfling / Knife Livebearer
Costa Rica , W-Panama (both: atlantic side), Nicaragua, B, 6 cm
▷ ⇈P ○ ☺ ☺ ⊞ 🖾 ⊱ ⤳ m ♂   photo: H. J. Mayland

S01255-4 *Alfaro cultratus* (Regan, 1908)
Messerkärpfling / Knife Livebearer
Costa Rica , W-Panama (both: atlantic side), Nicaragua, B, 8 cm
▷ ⇈P ○ ☺ ☺ ⊞ 🖾 ⊱ ⤳ m ♀   photo: E. Schraml

S01256-3 *Alfaro huberi* (Fowler, 1923)
Netzkärpfling / Orange Rocket
Guatemala, Honduras, Nicaragua (all: atlantic side), B, 5 cm
▷ ⇈P ○ ☺ ☺ ⊞ 🖾 ⊱ ⤳ m ⚠ ♂   photo: H. Hieronimus

S01257-3 *Alfaro huberi* (Fowler, 1923)
Netzkärpfling / Orange Rocket
Guatemala (atlantic side) (leg. Meyer), W, 7 cm
▷ ⇈P ○ ☺ ☺ ⊞ 🖾 ⊱ ⤳ m ⚠ ♀   photo: M. K. Meyer

S01258-3 *Alfaro huberi* (Fowler, 1923)
Netzkärpfling / Orange Rocket
Rio Jutiapa (leg. Merino), W, 5 cm
▷ ⇈P ○ ☺ ☺ ⊞ 🖾 ⊱ ⤳ m ⚠ ♂   photo: J. C. Merino

S01259-4 *Alfaro huberi* (Fowler, 1923)
Netzkärpfling / Orange Rocket
Guatemala, Honduras, Nicaragua (all: atlantic side), B, 7 cm
▷ ⇈P ○ ☺ ☺ ⊞ 🖾 ⊱ ⤳ m ⚠ ♀   photo: U. Werner

S01260-4 *Alfaro huberi* (Fowler, 1923)
Netzkärpfling / Orange Rocket
Guatemala, Honduras, Nicaragua (all: atlantic side), B, 5 cm
▷ ⇈P ○ ☺ ☺ ⊞ 🖾 ⊱ ⤳ m ⚠ ♂   photo: O. Böhm

S01260-4 *Alfaro huberi* (Fowler, 1923)
Netzkärpfling / Orange Rocket
Guatemala, Honduras, Nicaragua (all: atlantic side), B, 7 cm
▷ ⇈P ○ ☺ ☺ ⊞ 🖾 ⊱ ⤳ m ⚠ ♀   photo: O. Böhm

S07115-1 *Belonesox belizanus belizanus* KNER, 1860
Hechtkärpfling / Pike Livebearer
S-Mexiko bis Honduras (atlantic side), B, 12 + 20 cm
▷ ⇑P ○ ⊗⊞🔲⤳ 🔲   **photo:** U. Werner

S07115-1 *Belonesox belizanus belizanus* KNER, 1860
Hechtkärpfling / Pike Livebearer
S-Mexiko bis Honduras (atlantic side), B, 12 + 20 cm
▷ ⇑P ○ ⊗⊞🔲⤳ 🔲   **photo:** J. C. Merino

S07115-3 *Belonesox belizanus belizanus* KNER, 1860
Hechtkärpfling / Pike Livebearer
S-Mexiko bis Honduras (atlantic side), B, 12 + 20 cm
▷ ⇑P ○ ⊗⊞🔲⤳ 🔲 ♂ ♀   **photo:** U. Werner

S07115-3 *Belonesox belizanus belizanus* KNER, 1860
Hechtkärpfling / Pike Livebearer
S-Mexiko bis Honduras (atlantic side), B, 20 cm
▷ ⇑P ○ ⊗⊞🔲⤳ 🔲 ♀   **photo:** U. Werner

S07115-4 *Belonesox belizanus belizanus* KNER, 1860
Hechtkärpfling / Pike Livebearer
S-Mexiko bis Honduras (atlantic side), B, 12 cm
▷ ⇑P ○ ⊗⊞🔲⤳ 🔲 ♂   **photo:** H. J. Mayland

S07115-4 *Belonesox belizanus belizanus* KNER, 1860
Hechtkärpfling / Pike Livebearer
S-Mexiko bis Honduras (atlantic side), B, 20 cm
▷ ⇑P ○ ⊗⊞🔲⤳ 🔲 ♀   **photo:** M. Smith

S07120-4 *Belonesox belizanus maxillosus* HUBBS,1936
Gelber Hechtkärpfling / Yellow Pike Livebearer (valid subspecies?)
Yucatan, Mexiko , B, 12 cm
▷ ⇑P ○ ⊗⊞🔲⤳ 🔲 ♂   **photo:** J. C. Merino

S07120-4 *Belonesox belizanus maxillosus* HUBBS,1936
Gelber Hechtkärpfling / Yellow Pike Livebearer (valid subspecies?)
Yucatan, Mexiko , B, 20 cm
▷ ⇑P ○ ⊗⊞🔲⤳ 🔲 ♀   **photo:** J. C. Merino

Belonesox belizanus belizanus KNER, 1860
Hechtkärpfling / Pike Livebearer
S-Mexiko bis Honduras (atlantic side), B, 12 + 20 cm

photo: E. Pürzl

Das Bild zeigt das beeindruckende Gebiß des Hechtkärpflings.

This large specimen of the Pike Livebearer shows its impressive teeth.

photo: U. Werner

1. **Quebrada Rio (San Isidro, Costa Rica). Fundort von *Poecilia gillii, Phalloceros caudomaculatus, Poecilia reticulata, Brachyrhaphis terrabensis, Poecilopsis elongata*, Buntbarschen, *Astyanax* sp. und Welsen.**
   Quebrada Rio (San Isidro, Costa Rica). Habitat of *Poecilia gillii, Phalloceros caudomaculatus, Poecilia reticulata, Brachyrhaphis terrabensis, Poecilopsis elongata*, cichlids, *Astyanax* sp. and catfishes

2. **Flüßchen in Costa Rica. An Lebendgebärenden finden sich hier Mollies und *Brachyrhaphis*-Kärpflinge.**
   A little river in Costa Rica. Mollies and *Brachyrhaphis* species live here syntopically.

S08450-4 *Brachyrhaphis cascajalensis* (MEEK & HILDEBRAND, 1913)
Cascajal-Kärpfling / Cascajal-Brachy
Chingurrida, Panama (leg. MEYER), W, 6 cm

▷🐟🌓☺☹⊞🐢🛬➹⚠️ⓜ♂   **photo:** M. K. Meyer

S08450-4 *Brachyrhaphis cascajalensis* (MEEK & HILDEBRAND, 1913)
Cascajal-Kärpfling / Cascajal-Brachy
Chingurrida, Panama (leg. MEYER), W, 7,5 cm

▷🐟🌓☺☹⊞🐢🛬➹⚠️ⓜ♀   **photo:** M. K. Meyer

S08451-4 *Brachyrhaphis cascajalensis* (MEEK & HILDEBRAND, 1913)
Cascajal-Kärpfling / Cascajal-Brachy
S-Costa Rica bis Panama, B, 6 cm

▷🐟🌓☺☹⊞🐢🛬➹⚠️ⓜ♂   **photo:** J. C. Merino

S08451-4 *Brachyrhaphis cascajalensis* (MEEK & HILDEBRAND, 1913)
Cascajal-Kärpfling / Cascajal-Brachy
S-Costa Rica bis Panama, B, 6 cm

▷🐟🌓☺☹⊞🐢🛬➹⚠️ⓜ♂   **photo:** J. C. Merino

S08455-4 *Brachyrhaphis episcopi* (STEINDACHNER, 1878)
Bischofskärpfling / Bishop Brachy
Z-Panama, B, 3,5 cm

▷🐟🌓☺☹⊞🐢🛬➹⚠️ⓜ♂   **photo:** J. Glaser

S08455-4 *Brachyrhaphis episcopi* (STEINDACHNER, 1878)
Bischofskärpfling / Bishop Brachy
Z-Panama, B, 5 cm

▷🐟🌓☺☹⊞🐢🛬➹⚠️ⓜ♀   **photo:** J. Glaser

S08456-4 *Brachyrhaphis episcopi* (STEINDACHNER, 1878)
Bischofskärpfling / Bishop Brachy
Rio Chapira, Panama (leg. PÜRZL), W, 5 cm

▷🐟🌓☺☹⊞🐢🛬➹⚠️ⓜ♀   **photo:** E. Pürzl

S08457-4 *Brachyrhaphis cf. episcopi* (STEINDACHNER, 1878)
Falscher Bischofskärpfling / False Bishop Brachy
Z-Panama, B, 3,5 + 5 cm

▷🐟🌓☺☹⊞🐢🛬➹⚠️ⓜ♂   **photo:** M. K. Meyer

S08460-4 *Brachyrhaphis hartwegi* ROSEN & BAILEY, 1963
Hartwegs Kärpfling / Hartweg´s Brachy
Retalhuleu, Guatemala (leg. PÜRZL), W, 3,5 cm

▷ ♫ ◑ ☺ ☺ ⊞ 🖼 ⇌ ⤚ ⚠ m ♂   photo: E. Pürzl

S08460-4 *Brachyrhaphis hartwegi* ROSEN & BAILEY, 1963
Hartwegs Kärpfling / Hartweg´s Brachy
Guatemala (leg. BÖHM), W, 5 cm

▷ ♫ ◑ ☺ ☺ ⊞ 🖼 ⇌ ⤚ ⚠ m ♀   photo: O. Böhm

S08462-4 *Brachyrhaphis holdridgei* BUSSING, 1967
Holdridges Kärpfling / Holdridges Brachy
Costa Rica (atlantic side), W, 4 cm

▷ ♫ ◑ ☺ ☺ ⊞ 🖼 ⇌ ⤚ ⚠ m ♂   photo: U. Dost

S08462-4 *Brachyrhaphis holdridgei* BUSSING, 1967
Holdridges Kärpfling / Holdridges Brachy
Costa Rica (atlantic side), W, 5 cm

▷ ♫ ◑ ☺ ☺ ⊞ 🖼 ⇌ ⤚ ⚠ m ♀   photo: U. Dost

S08463-4 *Brachyrhaphis holdridgei* BUSSING, 1967
Holdridges Kärpfling / Holdridges Brachy
Costa Rica (atlantic side), W, 4 + 5 cm

▷ ♫ ◑ ☺ ☺ ⊞ 🖼 ⇌ ⤚ ⚠ m ♂ ♀   photo: U. Dost

S08464-4 *Brachyrhaphis parismina* (MEEK, 1912)
Parismina-Kärpfling / Parismina Brachy
Costa Rica (atlantic side), W, 4,5 cm

▷ ♫ ◑ ☺ ☺ ⊞ 🖼 ⇌ ⤚ ⚠ m ♂   photo: U. Dost

S08464-4 *Brachyrhaphis parismina* (MEEK, 1912)
Parismina-Kärpfling / Parismina Brachy
Costa Rica (atlantic side), W, 5 cm

▷ ♫ ◑ ☺ ☺ ⊞ 🖼 ⇌ ⤚ ⚠ m ♀   photo: U. Dost

S08466-4 *Brachyrhaphis parismina* (MEEK, 1912)
Parismina-Kärpfling / Parismina Brachy
Parismina, Costa Rica (leg. MEYER), W, 5 cm

▷ ♫ ◑ ☺ ☺ ⊞ 🖼 ⇌ ⤚ ⚠ m ♀   photo: M. K. Meyer

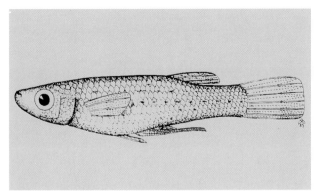

S08467-4 *Brachyrhaphis punctifer* (Hubbs, 1926)
Punktierter Kärpfling / Spotted Brachy
W-Panama (atlantic side), 3 + 5 cm

S08470-4 *Brachyrhaphis rhabdophora* (Regan, 1908)
Bullenkärpfling / Lace Brachy
L. Arenal, Costa Rica (leg. Meyer), W, 4 cm

S08471-4 *Brachyrhaphis rhabdophora* (Regan, 1908)
Bullenkärpfling / Lace Brachy
Costa Rica (atlantic + pazific side), B, 4 cm

S08471-4 *Brachyrhaphis rhabdophora* (Regan, 1908)
Bullenkärpfling / Lace Brachy
Costa Rica (atlantic + pazific side), B, 6,5 cm

S08472-4 *Brachyrhaphis rhabdophora* (Regan, 1908)
Bullenkärpfling / Lace Brachy
Costa Rica (atlantic + pazific side), B, 4 cm

S08472-4 *Brachyrhaphis rhabdophora* (Regan, 1908)
Bullenkärpfling / Lace Brachy
Costa Rica (atlantic + pazific side), B, 6,5 cm

S08473-4 *Brachyrhaphis rhabdophora* (Regan, 1908)
Bullenkärpfling / Lace Brachy
Costa Rica (atlantic + pazific side), B, 4 cm

S08473-4 *Brachyrhaphis rhabdophora* (Regan, 1908)
Bullenkärpfling / Lace Brachy
Costa Rica (atlantic + pazific side), B, 6,5 cm

S08474-4 *Brachyrhaphis rhabdophora* (REGAN, 1908)
Bullenkärpfling / Lace Brachy
Costa Rica (atlantic + pazific side), B, 4 cm

▷🕭❶◐☺☻⊞🖼🎣 🐟 ⚠🔟 ♂   **photo:** H. J. Mayland

S08474-4 *Brachyrhaphis rhabdophora* (REGAN, 1908)
Bullenkärpfling / Lace Brachy
Costa Rica (atlantic + pazific side), B, 6,5 cm

▷🕭❶◐☺☻⊞🖼🎣 🐟 ⚠🔟 ♀   **photo:** H. J. Mayland

S08475-4 *Brachyrhaphis roseni* BUSSING, 1988
Rosenkärpfling / The Cardinal
5 km S von Santa Fé, Panama (leg. ETZEL & HESSFELD), W, 4,5 cm

▷🕭❶◐☺☻⊞🖼🎣 🐟 ⚠🔟 ♂   **photo:** M. K. Meyer

S08476-4 *Brachyrhaphis roseni* BUSSING, 1988
Rosenkärpfling / The Cardinal
Rio Golfito, Costa Rica (leg. MEYER), W, 6 cm

▷🕭❶◐☺☻⊞🖼🎣 🐟 ⚠🔟 ♀   **photo:** M. K. Meyer

S08477-4 *Brachyrhaphis roseni* BUSSING, 1988
Rosenkärpfling / The Cardinal
Rio Golfito, Costa Rica (leg. MERINO), B, 4,5 + 6 cm

▷🕭❶◐☺☻⊞🖼🎣 🐟 ⚠🔟 ♂ ♀   **photo:** J. C. Merino

S08477-4 *Brachyrhaphis roseni* BUSSING, 1988
Rosenkärpfling / The Cardinal
Rio Golfito, Costa Rica (leg. MERINO), B, 4,5 + 6 cm

▷🕭❶◐☺☻⊞🖼🎣 🐟 ⚠🔟 ♂ ♀   **photo:** J. C. Merino

S08479-4 *Brachyrhaphis roseni* BUSSING, 1988
Rosenkärpfling / The Cardinal
S-Costa Rica (pacific side), B, 4,5 cm

▷🕭❶◐☺☻⊞🖼🎣 🐟 ⚠🔟 ♂   **photo:** H. Hieronimus

S08479-4 *Brachyrhaphis roseni* BUSSING, 1988
Rosenkärpfling / The Cardinal
S-Costa Rica (pacific side), B, 6 cm

▷🕭❶◐☺☻⊞🖼🎣 🐟 ⚠🔟 ♀   **photo:** H. J. Mayland

S08480-4 *Brachyrhaphis roseni* Bussing, 1988
Rosenkärpfling / The Cardinal
S-Costa Rica (pacific side), B, 4,5 cm

▷♫❶☺☹⊞🖼🌿🏹⚠️ⓜ ♂ photo: U. Dost

S08480-4 *Brachyrhaphis roseni* Bussing, 1988
Rosenkärpfling / The Cardinal
S-Costa Rica (pacific side), B, 6 cm

▷♫❶☺☹⊞🖼🌿🏹⚠️ⓜ ♀ photo: U. Dost

S08486-4 *Brachyrhaphis roseni* Bussing, 1988
Rosenkärpfling / The Cardinal
Rio Convento, Costa Rica (leg. Pürzl), W, 5 cm

▷♫❶☺☹⊞🖼🌿🏹⚠️ⓜ ♂ photo: E. Pürzl

S08486-4 *Brachyrhaphis roseni* Bussing, 1988
Rosenkärpfling / The Cardinal
Rio Convento, Costa Rica (leg. Pürzl), W, 6 cm

▷♫❶☺☹⊞🖼🌿🏹⚠️ⓜ ♀ photo: E. Pürzl

S08481-4 *Brachyrhaphis* cf. *roseni* Bussing, 1988
Rosenkärpfling / The Cardinal
Soná, Rio San Pablo System, Panama (leg. Etzel), W, 4,5 cm

▷♫❶☺☹⊞🖼🌿🏹⚠️ⓜ ♂ photo: M. K. Meyer

S08485-4 *Brachyrhaphis terrabensis* (Regan, 1907)
Térraba-Kärpfling / Sailfin Brachy
Panama "FU 48" (leg. Meyer), W, 6 cm

▷♫❶☺☹⊞🖼🌿🏹⚠️ⓜ ♀ photo: M. K. Meyer

S08487-4 *Brachyrhaphis terrabensis* (Regan, 1907)
Térraba-Kärpfling / Sailfin Brachy
S-Costa Rica, W-Panama, B, 5 cm

▷♫❶☺☹⊞🖼🌿🏹⚠️ⓜ ♂ photo: U. Dost

S08487-4 *Brachyrhaphis terrabensis* (Regan, 1907)
Térraba-Kärpfling / Sailfin Brachy
S-Costa Rica, W-Panama, B, 6 cm

▷♫❶☺☹⊞🖼🌿🏹⚠️ⓜ ♀ photo: U. Dost

S03490-4 *Brachyrhaphis* sp. "Cascajal"
Roswithas Kärpfling / Roswitha´s Brachy
Rio Cascajal, Panama (leg. ETZEL & HESSFELD), W, 3,5 cm

▷ ⚡ ◐ ☺ ☹ ⊞ 🖼 ⇌ 🐟 ⚠ 🔟 ♂   photo: M. K. Meyer

S08491-4 *Brachyrhaphis* sp. "FU 61"

"FU 61", Panama (leg. MEYER), W, 3,5 cm

▷ ⚡ ◐ ☺ ☹ ⊞ 🖼 ⇌ 🐟 ⚠ 🔟 ♂   photo: M. K. Meyer

S08492-4 *Brachyrhaphis* sp. "EH 33"

Carti Road, Panama (leg. ETZEL & HESSFELD), W, 3,5 cm

▷ ⚡ ◐ ☺ ☹ ⊞ 🖼 ⇌ 🐟 ⚠ 🔟 ♂   photo: M. K. Meyer

S08492-4 *Brachyrhaphis* sp. "EH 33"

Carti Road, Panama (leg. ETZEL & HESSFELD), W, 5 cm

▷ ⚡ ◐ ☺ ☹ ⊞ 🖼 ⇌ 🐟 ⚠ 🔟 ♀   photo: M. K. Meyer

S08493-4 *Brachyrhaphis* sp. "EH 18"

Tambo, Panama (leg. ETZEL & HESSFELD), W, 3,5 cm

▷ ⚡ ◐ ☺ ☹ ⊞ 🖼 ⇌ 🐟 ⚠ 🔟 ♂   photo: M. K. Meyer

S08493-4 *Brachyrhaphis* sp. "EH 18"

Tambo, Panama (leg. ETZEL & HESSFELD), W, 5 cm

▷ ⚡ ◐ ☺ ☹ ⊞ 🖼 ⇌ 🐟 ⚠ 🔟 ♀   photo: M. K. Meyer

S08494-4 *Brachyrhaphis* sp. "FU 35"

Palenque, Panama (leg. MEYER), W, 4,5 cm

▷ ⚡ ◐ ☺ ☹ ⊞ 🖼 ⇌ 🐟 ⚠ 🔟 ♂   photo: M. K. Meyer

S08495-4 *Brachyrhaphis* sp. "EH 19"

El Cope, Panama (leg. ETZEL & HESSFELD), W, 4 cm

▷ ⚡ ◐ ☺ ☹ ⊞ 🖼 ⇌ 🐟 ⚠ 🔟 ♂   photo: M. K. Meyer

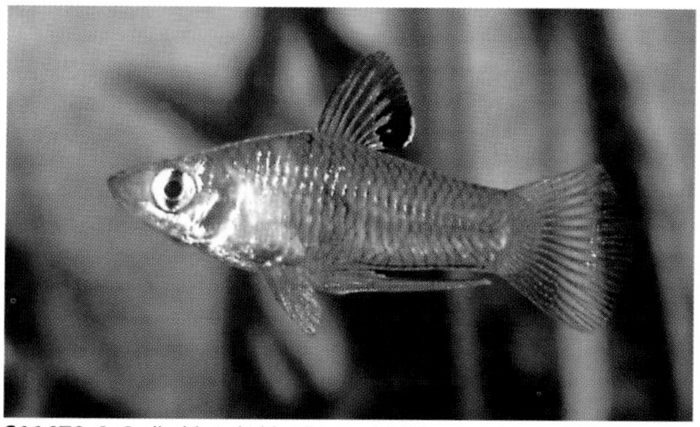

S11470-4 *Carlhubbsia kidderi* (HUBBS, 1936)
Nadelkärpfling / Kidder´s Livebearer
Mexiko, Guatemala, B, 5 cm
▷ ⚘ ◑ ☺ ⊞ ▣ ≋ 🐟 ◈ [S] ♂ **photo:** U. Werner

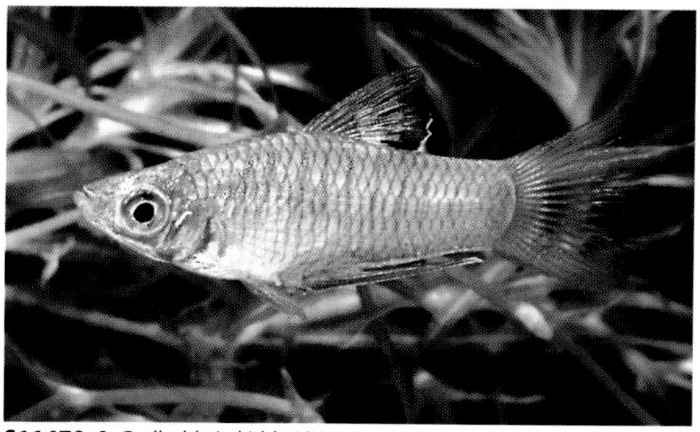

S11470-4 *Carlhubbsia kidderi* (HUBBS, 1936)
Nadelkärpfling / Kidder´s Livebearer
Mexiko, Guatemala, B, 5 cm
▷ ⚘ ◑ ☺ ⊞ ▣ ≋ 🐟 ◈ [S] ♂ **photo:** O. Böhm

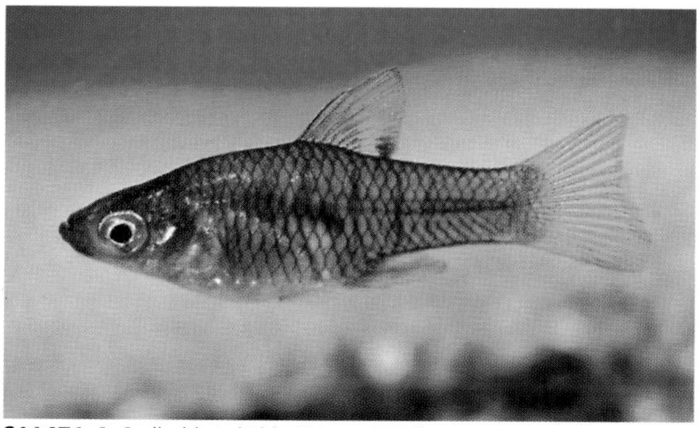

S11471-4 *Carlhubbsia kidderi* (HUBBS, 1936)
Nadelkärpfling / Kidder´s Livebearer
Mexiko, Guatemala, B, 5 cm
▷ ⚘ ◑ ☺ ⊞ ▣ ≋ 🐟 ◈ [S] ♂ **photo:** U. Dost

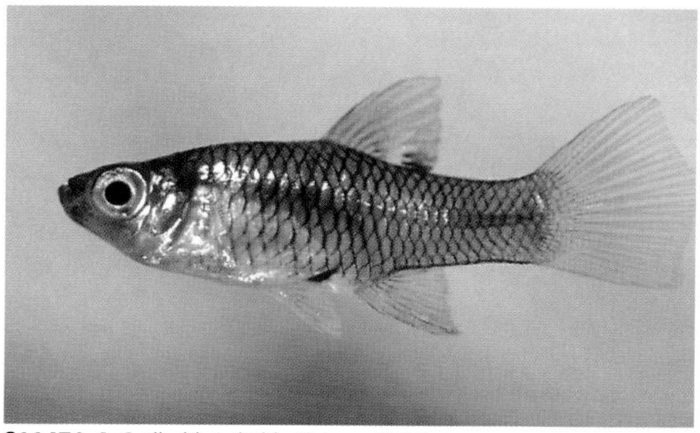

S11471-4 *Carlhubbsia kidderi* (HUBBS, 1936)
Nadelkärpfling / Kidder´s Livebearer
Mexiko, Guatemala, B, 6 cm
▷ ⚘ ◑ ☺ ⊞ ▣ ≋ 🐟 ◈ [S] ♀ **photo:** U. Dost

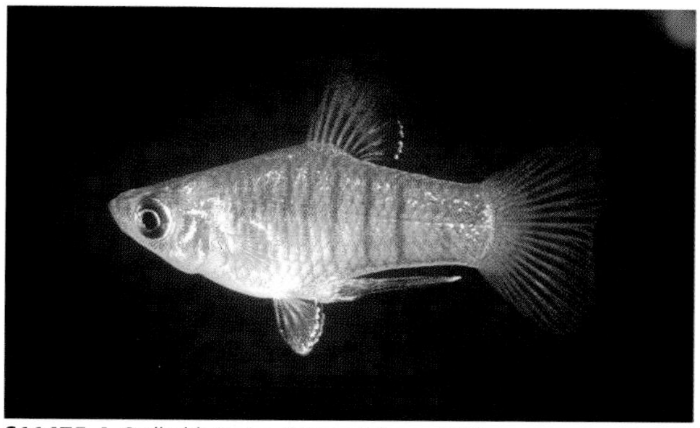

S11475-4 *Carlhubbsia stuarti* ROSEN & BAILEY, 1959
Stuarts Kärpfling / Stuart´s Livebearer
Rio Dulce, Guatemala (leg. PÜRZL), W, 4,5 cm
▷ ⚘ ◑ ☺ ⊞ ▣ ≋ 🐟 ◈ [S] ♂ **photo:** E. Pürzl

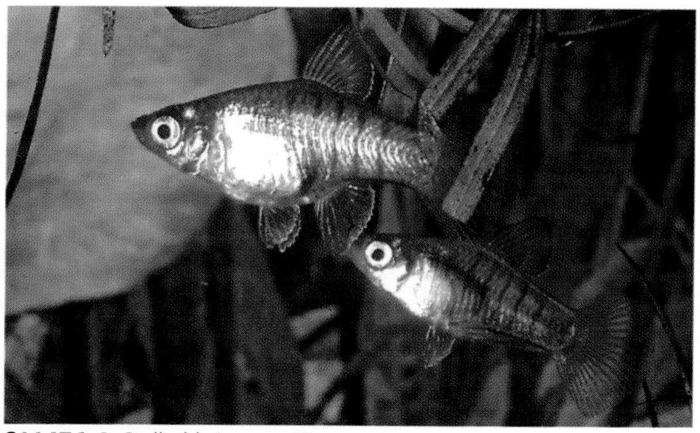

S11476-4 *Carlhubbsia stuarti* ROSEN & BAILEY, 1959
Stuarts Kärpfling / Stuart´s Livebearer
Rio Sebol, Guatemala (leg. MERINO), W, 4,5 cm
▷ ⚘ ◑ ☺ ⊞ ▣ ≋ 🐟 ◈ [S] ♂ ♀ **photo:** J. C. Merino

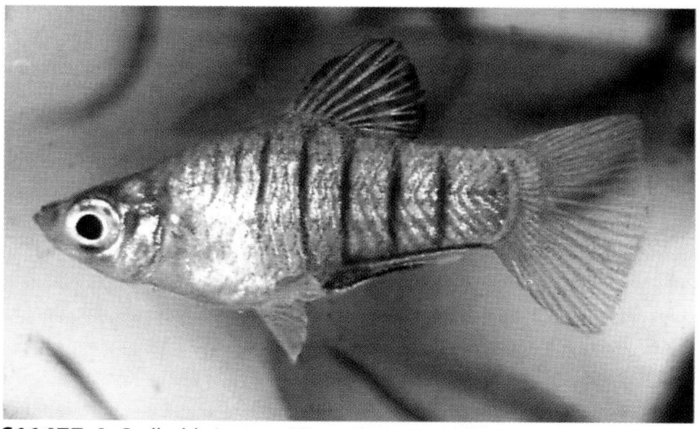

S11477-4 *Carlhubbsia stuarti* ROSEN & BAILEY, 1959
Stuarts Kärpfling / Stuart´s Livebearer
Guatemala, B, 4,5 cm
▷ ⚘ ◑ ☺ ⊞ ▣ ≋ 🐟 ◈ [S] ♂ **photo:** D. Barrett

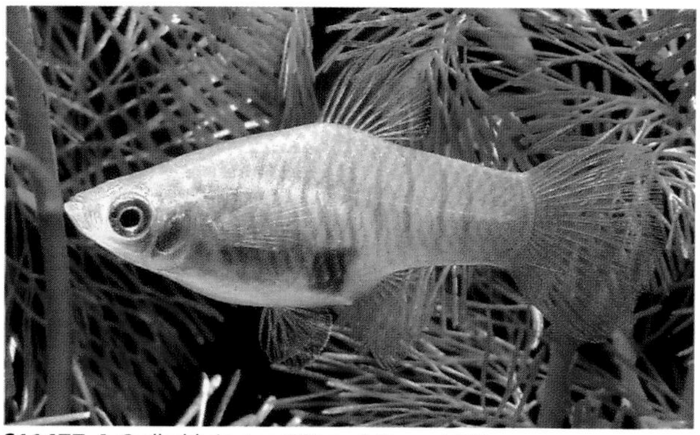

S11477-4 *Carlhubbsia stuarti* ROSEN & BAILEY, 1959
Stuarts Kärpfling / Stuart´s Livebearer
Guatemala, B, 4,5 cm
▷ ⚘ ◑ ☺ ⊞ ▣ ≋ 🐟 ◈ [S] ♀ **photo:** O. Böhm

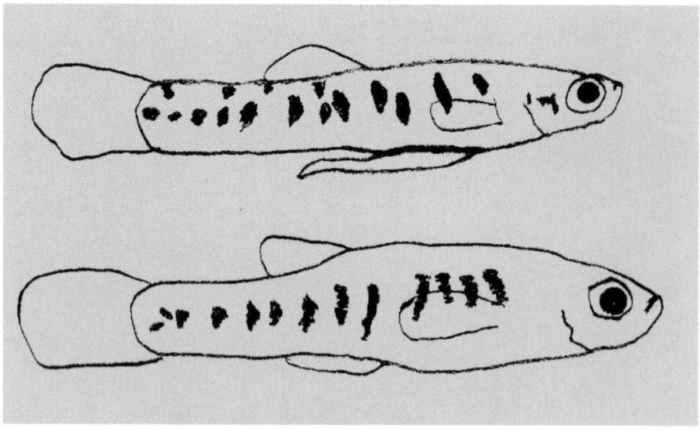

S16340-4 *Cnesterodon brevirostratus* Rosa & Costa, 1993
Kurznasen-Kärpfling / Shortnosed Livebearer
C-Rio grande do Sul, Brazil, 2,5 cm
◁ ▷ ℞ ○ ☺ ⊞ ▣ ≢ ➤ [S] **sketch:** F. Schäfer

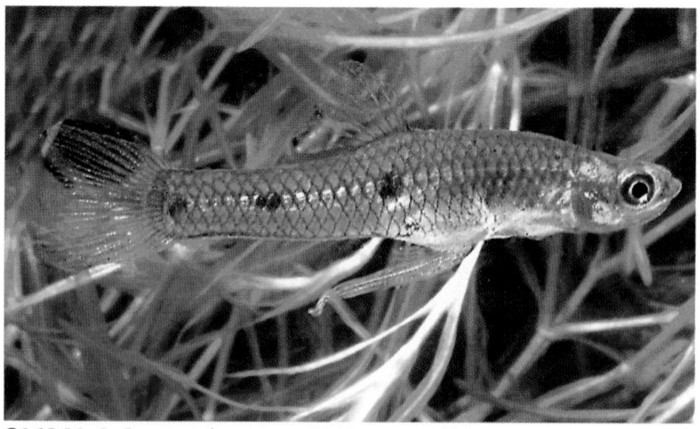

S16341-4 *Cnesterodon carnegiei* Haseman, 1911
Carnegie-Kärpfling / Carnegie´s Livebearer
S-Brasilien, Uruguay, B, 3,5 cm
◁ ▷ ℞ ○ ☺ ⊞ ▣ ≢ ➤ [S] ♂ **photo:** O. Böhm

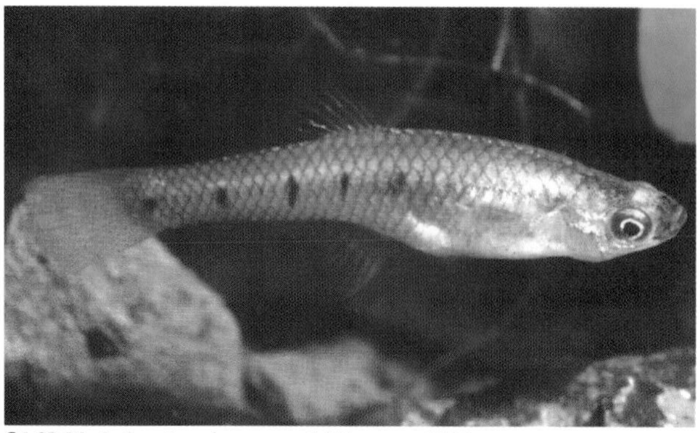

S16341-4 *Cnesterodon carnegiei* Haseman, 1911
Carnegie-Kärpfling / Carnegie´s Livebearer
Argentina (leg. Wildekamp), W, 5 cm
◁ ▷ ℞ ○ ☺ ⊞ ▣ ≢ ➤ [S] ♀ **photo:** R. Wildekamp

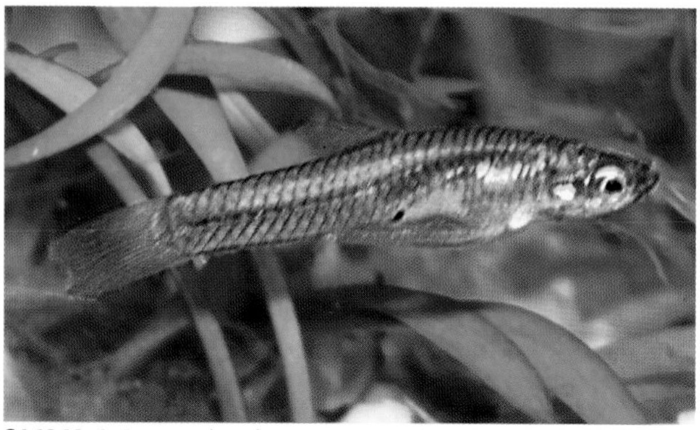

S16343-4 *Cnesterodon* cf. *carnegiei* Haseman, 1911
Kleiner Carnegie-Kärpfling / Dwarf Carnegie´s Livebearer
Brasilien, Uruguay, Paraguay, B, 2 + 3,5 cm
◁ ▷ ℞ ○ ☺ ⊞ ▣ ≢ ➤ [S] ♂ **photo:** H. Hieronimus

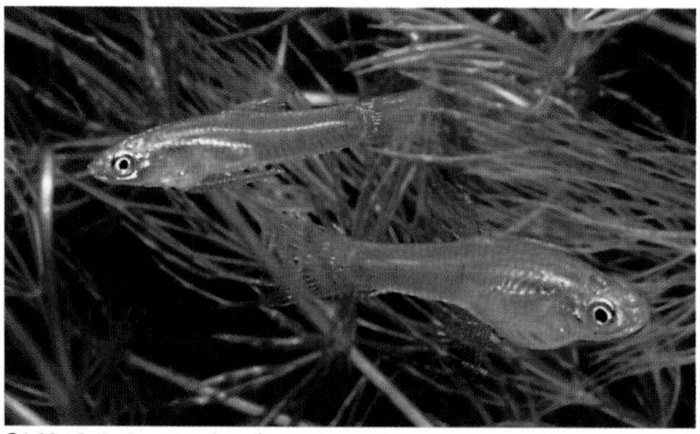

S16348-4 *Cnesterodon* cf. *carnegiei* Haseman, 1911
Kleiner Carnegie-Kärpfling / Dwarf Carnegie´s Livebearer
Brasilien, Uruguay, Paraguay, B, 2 + 3,5 cm
◁ ▷ ℞ ○ ☺ ⊞ ▣ ≢ ➤ [S] ♂ ♀ **photo:** O. Böhm

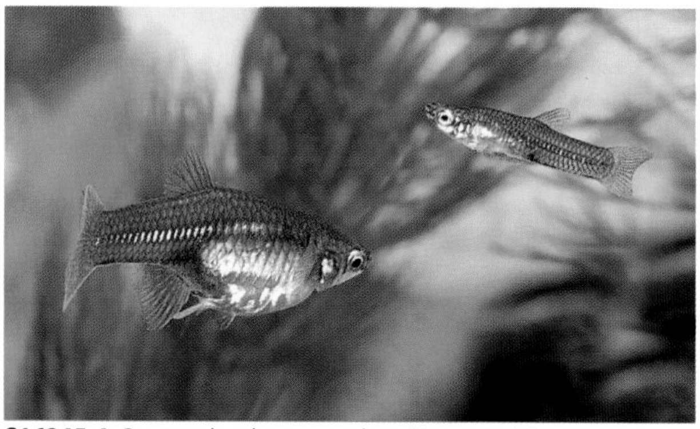

S16345-4 *Cnesterodon decemmaculatus* (Jenyns, 1842)
Zehnfleckkärpfling / Ten Spot Livebearer
S-Brasilien, Bolivien, Argentinien, Uruguay, B, 3 + 4,5 cm
◁ ▷ ℞ ○ ☺ ⊞ ▣ ≢ ➤ [S] ♂ ♀ **photo:** J. C. Merino

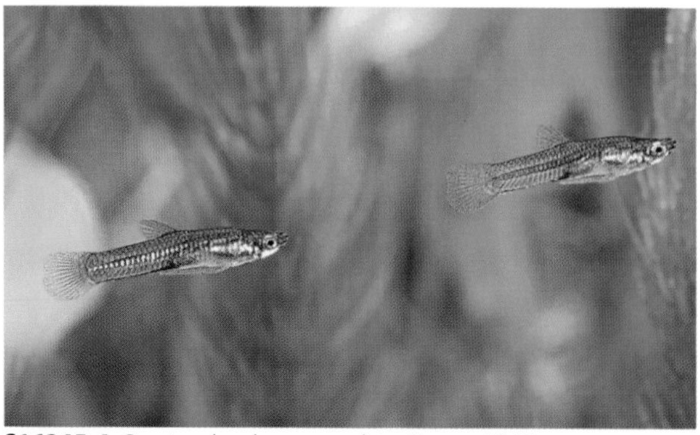

S16345-4 *Cnesterodon decemmaculatus* (Jenyns, 1842)
Zehnfleckkärpfling / Ten Spot Livebearer
S-Brasilien, Bolivien, Argentinien, Uruguay, B, 3 cm
◁ ▷ ℞ ○ ☺ ⊞ ▣ ≢ ➤ [S] ♂ **photo:** J. C. Merino

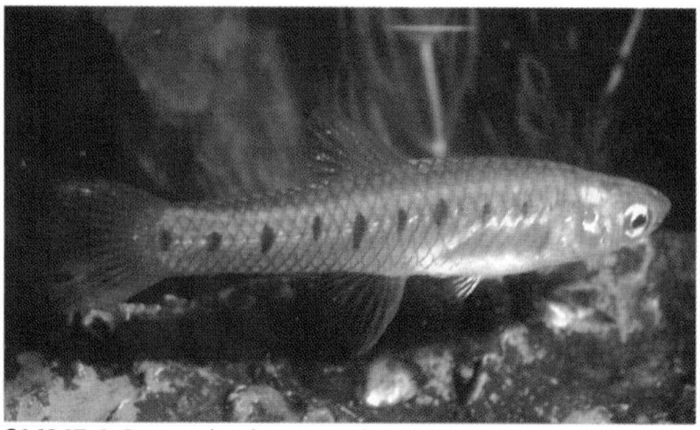

S16347-4 *Cnesterodon decemmaculatus* (Jenyns, 1842)
Zehnfleckkärpfling / Ten Spot Livebearer
Argentina (leg. Wildekamp), W, 4,5 cm
◁ ▷ ℞ ○ ☺ ⊞ ▣ ≢ ➤ [S] ♀ **photo:** R. Wildekamp

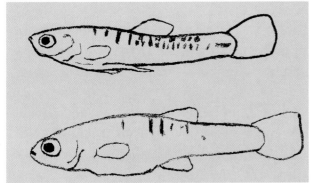

S16349 *Cnesterodon septentrionalis* ROSA & COSTA, 1993
Nördlicher Kärpfling / Northern Livebearer
Mato Grosso area, Brazil, 2,5 cm

◁ ▷ ß ○ ☺ ⊞ 🖼 ⇌ ⤞ Ⓢ   sketch: F. Schäfer

S16350-3 *Cnesterodon* sp. "Anal-Spot"
Analfleck-Kärpfling / Anal Spot Livebearer
Brasilien (leg. MEYER), W, 3,5 cm

◁ ▷ ß ○ ☺ ⊞ 🖼 ⇌ ⤞ Ⓢ ♂   photo: M. K. Meyer

S31835-4 *Flexipenis vittata* (HUBBS, 1926)
Schwarzsaum-Kärpfling / Blackline Mosquitofish
Rio Coy, Mexiko (leg. MEYER), W, 4,5 cm

▷ ß ○ ☺ ⊞ 🖼 ⇌ ⤞ ◈ Ⓜ ♂   photo: M. K. Meyer

S31835-4 *Flexipenis vittata* (HUBBS, 1926)
Schwarzsaum-Kärpfling / Blackline Mosquitofish
Rio Coy, Mexiko (leg. MEYER), W, 6 cm

▷ ß ○ ☺ ⊞ 🖼 ⇌ ⤞ ◈ Ⓜ ♀   photo: M. K. Meyer

S31836-4 *Flexipenis vittata* (HUBBS, 1926)
Schwarzsaum-Kärpfling / Blackline Mosquitofish
Rio Axtla, Mexiko (leg. PÜRZL), W, 4,5 cm

▷ ß ○ ☺ ⊞ 🖼 ⇌ ⤞ ◈ Ⓜ ♂   photo: E. Pürzl

S31837-4 *Flexipenis vittata* (HUBBS, 1926)
Schwarzsaum-Kärpfling / Blackline Mosquitofish
Mexiko, B, 4,5 cm

▷ ß ○ ☺ ⊞ 🖼 ⇌ ⤞ ◈ Ⓜ ♂   photo: D. Barrett

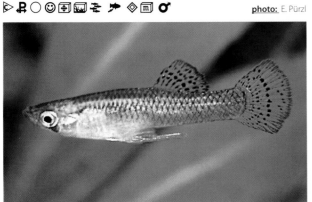

S31902-4 *Gambusia affinis* (BAIRD & GIRARD, 1853)
Texas-Kärpfling / Western Mosquitofish
USA: Texas, B, 4 cm

◁ ▷ ß ○ ☺ ☹ ⊞ 🖼 ⇌ ⤞ Ⓜ ♂   photo: H. Hieronimus

S31902-4 *Gambusia affinis* (BAIRD & GIRARD, 1853)
Texas-Kärpfling / Western Mosquitofish
USA: Texas, B, 7 cm

◁ ▷ ß ○ ☺ ☹ ⊞ 🖼 ⇌ ⤞ Ⓜ ♀   photo: P. Müller

1. **Bach bei Pichucalco, Mexiko. Hier leben Lebendgebärende der Gattungen** *Poecilia, Xiphophorus, Priapella* **und** *Gambusia.*
A brook near Pichucalco, Mexico, where livebearers of the genera *Poecilia, Xiphophorus, Priapella* and *Gambusia* live.

2. **Los Azufres in Südmexiko. Lebensraum von** *Xiphophorus, Poecilia* **und** *Gambusia.*
Los Azufres in south Mexico, habitat of *Xiphophorus, Poecilia* and *Gambusia.*

S31904-4 *Gambusia* cf. *affinis* (BAIRD & GIRARD, 1853)
Texas-Kärpfling / Western Mosquitofish
15 km S Veracruz, Mexiko (leg. SCHARTL), W, 4 cm

◁ ▷ ℬ ○ ☺ ☻ ⊞ 🔲 ≢ ⤳ 🔳 ♂

photo: M. K. Meyer

S31903-4 *Gambusia affinis* (BAIRD & GIRARD, 1853)
Texas-Kärpfling / Western Mosquitofish
Rio Mante, Mexiko (leg. PÜRZL), W, 7 cm

◁ ▷ ℬ ○ ☺ ☻ ⊞ 🔲 ≢ ⤳ 🔳 ♀

photo: E. Pürzl

S31905-4 *Gambusia alvarezi* HUBBS & SPRINGER, 1957
Alvarezkärpfling / Alvarez´s Mosquitofish
San Gregorio, Mexiko (leg. MEYER), 3 cm

◁ ▷ ℬ ○ ☺ ☻ ⊞ 🔲 ≢ ⤳ 🔳 ♂

photo: M. K. Meyer

S31905-4 *Gambusia alvarezi* HUBBS & SPRINGER, 1957
Alvarezkärpfling / Alvarez´s Mosquitofish
San Gregorio, Mexiko (leg. MEYER), 4 cm

◁ ▷ ℬ ○ ☺ ☻ ⊞ 🔲 ≢ ⤳ 🔳 ♀

photo: M. K. Meyer

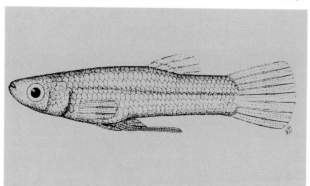

S31908 *Gambusia amistadensis* PEDEN, 1973
Amistad-Gambuse / Amistad Mosquitofish
Goodenough Spring, Val Verde Co., Texas, USA. Ausgestorben / extinct

zeichnung: M. K. Meyer

S31909-4 *Gambusia atrora* ROSEN & BAILEY, 1963
Schwarzkanten-Gambuse / Picoted Mosquitofish
Mexiko, W, 3 + 4 cm

◁ ▷ ℬ ○ ☺ ☻ ⊞ 🔲 ≢ ⤳ 🔳 ♂ ♀

photo: H. Linke

S31910-4 *Gambusia atrora* ROSEN & BAILEY, 1963
Schwarzkanten-Gambuse / Picoted Mosquitofish
Rio Axtla, Mexiko (leg MEYER), W, 3 cm

◁ ▷ ℬ ○ ☺ ☻ ⊞ 🔲 ≢ ⤳ 🔳 ♂

photo: M. K. Meyer

S31913-4 *Gambusia* cf. *aurata* MILLER & MINCKLEY, 1970
Limonen-Kärpfling / Golden Mosquitofish
Mexiko, B, 4 cm

◁ ▷ ℬ ○ ☺ ☻ ⊞ 🔲 ≢ ⤳ 🔳 ♀

photo: D. Barrett

S31914-4 *Gambusia aurata* MILLER & MINCKLEY, 1970
Limonen-Kärpfling / Golden Mosquitofish
Rio Mante System, Tamaulipas, Mexiko, W,3 cm

◁ ▷ ♫ ○ ☺ ☹ ⊞ ⛆ ⇌ ⤚ m♂   photo: M. K. Meyer

S31914-4 *Gambusia aurata* MILLER & MINCKLEY, 1970
Limonen-Kärpfling / Golden Mosquitofish
Rio Mante System, Tamaulipas, Mexiko, W, 4 cm

◁ ▷ ♫ ○ ☺ ☹ ⊞ ⛆ ⇌ ⤚ m♀   photo: M. K. Meyer

S31901   *Gambusia beebei* MYERS, 1935
Miragoane-Gambuse / Miragoane Mosquitofish
Lake Miragoane, Haiti, 6 + 10 cm

zeichnung: M. K. Meyer

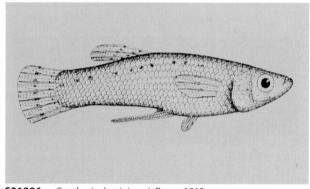

S31906   *Gambusia dominicensis* REGAN, 1913
Dominikanische Gambuse / Dominican Mosquitofish
Haiti, 3 + 6 cm

zeichnung: M. K. Meyer

S31917-4 *Gambusia eurystoma* MILLER, 1975
Breitmaul-Kärpfling / Wide-mouthed Mosquitofish
Arroyo del Azufre, Tabasco, Mexiko, W, 2,5 + 3,5 cm

⚠ ♫ ○ ☺ ☹ ⊞ ⛆ ⇌ ⤚ m ♂   photo: M. K. Meyer

S31923-4 *Gambusia gaigei* HUBBS, 1929
Gaiges Gambuse / Big Bend Mosquitofish
Rio Grande near Boquillas, Texas, U.S.A., W, 3 + 4 cm

◁ ▷ ♫ ○ ☺ ☹ ⊞ ⛆ ⇌ ⤚ m ♂   photo: M. K. Meyer

S31926-4 *Gambusia geiseri* HUBBS & HUBBS in HUBBS & SPRINGER, 1957
Geisers Gambuse / Largespring Mosquitofish
Braunfels, Texas (leg. PÜRZL), W, 3 + 4 cm

◁ ▷ ♫ ○ ☺ ☹ ⊞ ⛆ ⇌ ⤚ m ♂   photo: E. Pürzl

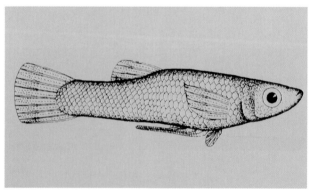

S31927   *Gambusia georgei* HUBBS & PEDEN, 1969
San Marcos Gambuse / San Marcos Mosquitofish
San Marcos River, Texas, U.S.A., 3,5 + 4,5 cm

zeichnung: M. K. Meyer

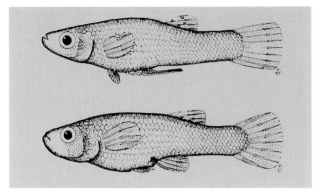

S31928 *Gambusia heterochir* HUBBS, 1957
Clear Creek Gambuse / Clear Creek Mosquitofish
Clear Creek, Texas, U.S.A., 3 + 4,5 cm

zeichnung: M. K. Meyer

S31918-4 *Gambusia hispaniolae* Fink, 1971
Rotflossenkärpfling / Hispaniolan Mosquitofish
Haiti, Dominikanische Republik, B, 3 cm

▷ ♬ ○ ☺ ☻ 田 🖼 ⇌ ⤝ ⓜ ⚠ ♂   photo: H. Hieronimus

S31919-4 *Gambusia hispaniolae* Fink, 1971
Rotflossenkärpfling / Hispaniolan Mosquitofish
Lago Enriquillio, Dominikanische Republik (leg. MEYER), W, 3 cm

▷ ♬ ○ ☺ ☻ 田 🖼 ⇌ ⤝ ⓜ ⚠ ♂   photo: M. K. Meyer

S31919-4 *Gambusia hispaniolae* Fink, 1971
Rotflossenkärpfling / Hispaniolan Mosquitofish
Lago Enriquillio, Dominikanische Republik (leg. MEYER), W, 6 cm

▷ ♬ ○ ☺ ☻ 田 🖼 ⇌ ⤝ ⓜ ⚠ ♀   photo: M. K. Meyer

S31929-4 *Gambusia holbrooki* GIRARD (ex AGASSIZ), 1859
Koboldkärpfling / Eastern Mosquitofish
Subtropen und Tropen, weltweit ausgesetzt, B, 4 + 7 cm

◁ ▷ ♬ ○ ☺ ☻ 田 🖼 ⇌ ⤝ ⓜ ♂ ♀   photo: Migge-Reinhard / ACS

S31930-4 *Gambusia holbrooki* GIRARD (ex AGASSIZ), 1859
Koboldkärpfling / Eastern Mosquitofish
Gibraltar (leg. DAWES), as an example for the european population, W, 4 + 7 cm

◁ ▷ ♬ ○ ☺ ☻ 田 🖼 ⇌ ⤝ ⓜ ♂ ♀   photo: J. Dawes

S31931-4 *Gambusia holbrooki* GIRARD (ex AGASSIZ), 1859
Koboldkärpfling / Eastern Mosquitofish
Myakka Meer, Florida (leg. MERINO), B, 4 cm

◁ ▷ ♬ ○ ☺ ☻ 田 🖼 ⇌ ⤝ ⓜ ♂   photo: J. C. Merino

S31931-4 *Gambusia holbrooki* GIRARD (ex AGASSIZ), 1859
Koboldkärpfling / Eastern Mosquitofish
Myakka Meer, Florida (leg. MERINO), B, 4 + 7 cm

◁ ▷ ♬ ○ ☺ ☻ 田 🖼 ⇌ ⤝ ⓜ ♂ ♀   photo: J. C. Merino

S31932-4 *Gambusia holbrooki* GIRARD (ex AGASSIZ), 1859
Koboldkärpfling / Eastern Mosquitofish
Aquarienstamm / Aquarium strain, B, 4 + 7 cm

◁ ▷ ♫ ○ ☺ ☹ ⊞ 🔲 ⇌ ✈ m ♂   photo: U. Werner

S31933-4 *Gambusia holbrooki* GIRARD (ex AGASSIZ), 1859
Koboldkärpfling / Eastern Mosquitofish
Texas, U.S.A. (leg. MEYER), W, 4 + 7 cm

◁ ▷ ♫ ○ ☺ ☹ ⊞ 🔲 ⇌ ✈ m ♂   photo: M. K. Meyer

S31935-4 *Gambusia hurtadoi* HUBBS & SPRINGER, 1957
Dolores-Kärpfling / Hurtado´s Mosquitofish
Rio Conchos System, Chihuahua, Mexiko, W, 2,5 cm

◁ ▷ ♫ ○ ☺ ☹ ⊞ 🔲 ⇌ ✈ m ♂   photo: M. K. Meyer

S31935-4 *Gambusia hurtadoi* HUBBS & SPRINGER, 1957
Dolores-Kärpfling / Hurtado´s Mosquitofish
Rio Conchos System, Chihuahua, Mexiko, W, 3,5 cm

◁ ▷ ♫ ○ ☺ ☹ ⊞ 🔲 ⇌ ✈ m ♀   photo: M. K. Meyer

S31937-4 *Gambusia krumholzi* MINCKLEY, 1963
Krumholz´Gambuse / Krumholz´s Mosquitofish
Rio Nava, Coahuila, Mexiko (leg. PÜRZL), W, 4 cm

▷ ♫ ○ ☺ ☹ ⊞ 🔲 ⇌ ✈ ⬇ ♂   photo: E. Pürzl

S31938-4 *Gambusia krumholzi* MINCKLEY, 1963
Krumholz´Gambuse / Krumholz´s Mosquitofish
Rio Nava, Coahuila, Mexiko (leg. MERINO), B, 4 cm

▷ ♫ ○ ☺ ☹ ⊞ 🔲 ⇌ ✈ ⬇ ♂   photo: J. C. Merino

S31939-4 *Gambusia krumholzi* MINCKLEY, 1963
Krumholz´Gambuse / Krumholz´s Mosquitofish
Rio Nava, Coahuila, Mexiko, B, 4 cm

▷ ♫ ○ ☺ ☹ ⊞ 🔲 ⇌ ✈ ⬇ ♂   photo: H. J. Mayland

S31939-4 *Gambusia krumholzi* MINCKLEY, 1963
Krumholz´Gambuse / Krumholz´s Mosquitofish
Rio Nava, Coahuila, Mexiko, W, 6 cm

▷ ♫ ○ ☺ ☹ ⊞ 🔲 ⇌ ✈ ⬇ ♀   photo: H. J. Mayland

S31942-4 *Gambusia lemaitrei* Fowler, 1950
Totuma-Kärpfling / Lemaitre´s Mosquitofish
Totuma-See, Kolumbien, B, 3 cm

▷♬○☺☹⊞🖼⇌↣🔟♂ photo: O. Böhm

S31942-4 *Gambusia lemaitrei* Fowler, 1950
Totuma-Kärpfling / Lemaitre´s Mosquitofish
Totuma-See, Kolumbien, B, 4 cm

▷♬○☺☹⊞🖼⇌↣🔟♂ photo: O. Böhm

S31944-4 *Gambusia longispinis* Minckley, 1962
Cuatro-Cienegas-Kärpfling / Cuatrocienegas Mosquitofish
Cuatro Cienegas, Coahuila, Mexiko (leg. Meyer), W, 3 cm

◁▷♬○☺☹⊞🖼⇌↣🔟♂ photo: M. K. Meyer

S31944-4 *Gambusia longispinis* Minckley, 1962
Cuatro-Cienegas-Kärpfling / Cuatrocienegas Mosquitofish
Cuatro Cienegas, Coahuila, Mexiko (leg. Meyer), W, 5 cm

◁▷♬○☺☹⊞🖼⇌↣🔟♀ photo: M. K. Meyer

S31945-4 *Gambusia longispinis* Minckley, 1962
Cuatro-Cienegas-Kärpfling / Cuatrocienegas Mosquitofish
Cuatro Cienegas, Coahuila, Mexiko (leg. Merino), B, 3 cm

◁▷♬○☺☹⊞🖼⇌↣🔟♂ photo: J. C. Merino

S31945-4 *Gambusia longispinis* Minckley, 1962
Cuatro-Cienegas-Kärpfling / Cuatrocienegas Mosquitofish
Cuatro Cienegas, Coahuila, Mexiko (leg. Merino), B, 3 + 5 cm

◁▷♬○☺☹⊞🖼⇌↣🔟♂♀ photo: J. C. Merino

S31948-4 *Gambusia luma* Rosen & Bailey, 1963
Blauspiegel-Kärpfling / Clawed Mosquitofish
Rio Dulce, Guatemala (leg. Meyer), W, 3,5 cm

⚠↑P○☺☹⊞🖼⇌↣🔽⚠♂ photo: M. K. Meyer

S31948-4 *Gambusia luma* Rosen & Bailey, 1963
Blauspiegel-Kärpfling / Clawed Mosquitofish
Rio Dulce, Guatemala (leg. Meyer), W, 4 cm

⚠↑P○☺☹⊞🖼⇌↣🔽⚠♀ photo: M. K. Meyer

S31950-4 *Gambusia marshi* Minckley & Craddock in Minckley, 1962
Salado-Kärpfling / Marsh´s Mosquitofish
Coahuila, Mexiko, B, 3,5 cm

▷⚖○☺☹⊞▦⇶➹▥♂   **photo:** E. Schraml

S31950-4 *Gambusia marshi* Minckley & Craddock in Minckley, 1962
Salado-Kärpfling / Marsh´s Mosquitofish
Coahuila, Mexiko, B, 6 cm

▷⚖○☺☹⊞▦⇶➹▥♀   **photo:** O. Böhm

S31952-4 *Gambusia marshi* Minckley & Craddock in Minckley, 1962
Salado-Kärpfling / Marsh´s Mosquitofish
Coahuila, Mexiko, B, 3,5 cm

▷⚖○☺☹⊞▦⇶➹▥♂   **photo:** J. C. Merino

S31952-4 *Gambusia marshi* Minckley & Craddock in Minckley, 1962
Salado-Kärpfling / Marsh´s Mosquitofish
Coahuila, Mexiko, B, 6 cm

▷⚖○☺☹⊞▦⇶➹▥♀   **photo:** J. C. Merino

S31954-4 *Gambusia melapleura* (Gosse, 1851)
Streifen-Gambuse / Striped Mosquitofish
Bluefield, Jamaica (t.t. leg. Meyer), W, 3,5 cm

▷⚖○☺☹⊞▦⇶➹▥♂   **photo:** M. K. Meyer

S31954-4 *Gambusia melapleura* (Gosse, 1851)
Streifen-Gambuse / Striped Mosquitofish
Bluefield, Jamaica (t.t. leg. Meyer), W, 7 cm

▷⚖○☺☹⊞▦⇶➹▥♀   **photo:** M. K. Meyer

S31956-4 *Gambusia nicaraguensis* Günther, 1866
Nicaragua-Gambuse / Nicaragua Mosquitofish
Albrook Fields, Panama (leg. Pürzl), W, 3,5 cm

⚠⇑P○☺☹⊞▦⇶➹▥♀   **photo:** E. Pürzl

S31958-4 *Gambusia nobilis* (Baird & Girard, 1853)
Pecoskärpfling / Pecos Mosquitofish
Balmorhea, Texas, U.S.A. (leg. Meyer), W, 6 cm

◁▷⚖○☺☹⊞▦⇶➹▥♀   **photo:** M. K. Meyer

S31959-4 *Gambusia nobilis* (BAIRD & GIRARD, 1853)
Pecoskärpfling / Pecos Mosquitofish
Griffin Springs, Toyah Vale, Texas, U.S.A. (leg. KOPIC), W, 4 cm

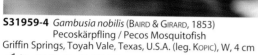

photo: G. Kopic

S31959-4 *Gambusia nobilis* (BAIRD & GIRARD, 1853)
Pecoskärpfling / Pecos Mosquitofish
Griffin Springs, Toyah Vale, Texas, U.S.A. (leg. KOPIC), W, 6 cm

photo: G. Kopic

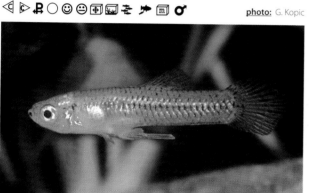

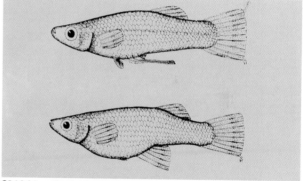

S31960-4 *Gambusia panuco* HUBBS, 1926
Panuco-Kärpfling / Panuco Mosquitofish
Media Luna, Mexiko (leg. PÜRZL), W, 3,5 cm

photo: E. Pürzl

S31961-4 *Gambusia panuco* HUBBS, 1926
Panuco-Kärpfling / Panuco Mosquitofish
Rio Panuco System, Mexiko, B, 3,5 cm

photo: D. Barrett

S31962-4 *Gambusia panuco* HUBBS, 1926
Panuco-Kärpfling / Panuco Mosquitofish
Rio Panuco, Mexiko (leg. MEYER), W, 5,5 cm

photo: M. K. Meyer

S31964 *Gambusia pseudopunctata* RIVAS, 1969
Tiburon-Gambuse / Tiburon Peninsula Mosquitofish
Quelle bei Roseaux, Haiti, 3,5 + 6,5 cm

zeichnung: M. K. Meyer

S31966-4 *Gambusia punctata* POEY, 1854
Kubanische Gambuse / Cuban Mosquitofish
Kuba und Isle of Pines, B, 5 cm

photo: M. K. Meyer

S31966-4 *Gambusia punctata* POEY, 1854
Kubanische Gambuse / Cuban Mosquitofish
Kuba und Isle of Pines, B, 8 cm

photo: M. K. Meyer

S31967-4 *Gambusia* cf. *punctata* Poey, 1854
Kubanische Gambuse / Cuban Mosquitofish
Aquarienstamm / Aquarium strain, B, 6 + 8 cm

photo: B. Teichfischer

S31971-4 *Gambusia* cf. *puncticulata* Poey, 1854
Karibischer Kärpfling / Carribean Mosquitofish (Hybrid?)
Kuba, Isle of Pines, Jamaika, Cayman-Inseln, Bahamas, B, 3,5 cm
photo: D. Barrett

S31969-4 *Gambusia puncticulata* Poey, 1854
Karibischer Kärpfling / Carribean Mosquitofish
Varadero, Kuba (leg. Meyer), W, 4 cm

photo: M. K. Meyer

S31969-4 *Gambusia puncticulata* Poey, 1854
Karibischer Kärpfling / Carribean Mosquitofish
Varadero, Kuba (leg. Meyer), W, 5,5 cm
photo: M. K. Meyer

S31970-4 *Gambusia puncticulata* Poey, 1854
Karibischer Kärpfling / Carribean Mosquitofish
Grand Cayman (leg. Dost), W, 4 cm
photo: U. Dost

S31970-4 *Gambusia puncticulata* Poey, 1854
Karibischer Kärpfling / Carribean Mosquitofish
Grand Cayman (leg. Dost), W, 5,5 cm
photo: U. Dost

S31974-4 *Gambusia regani* Hubbs, 1926
Regans Kärpfling / Elegant Mosquitofish
Rio Forlon, Mexiko (t.t., leg. Pürzl), W, 3,5 cm

photo: E. Pürzl

S31975-4 *Gambusia regani* Hubbs, 1926
Regans Kärpfling / Elegant Mosquitofish
Rio Tamesi System, Mexiko, B, 3,5 cm
photo: H. J. Mayland

S31975-4 *Gambusia regani* Hubbs, 1926
Regans Kärpfling / Elegant Mosquitofish
Rio Tamesi System, Mexiko, B, 4,5 cm

◁ ▷ ♬ ○ ☺ ☻ ⊞ 🖼 ⇵ ⤅ m ♀   photo: H. J. Mayland

S31977-4 *Gambusia rhizophorae* Rivas, 1969
Mangrovenkärpfling / Mongrove Mosquitofish
Varadero, Kuba (leg. Meyer), W, 3,5 cm

◁ ▷ ⇑P ○ ☺ ☻ ⊞ 🖼 ⇵ ⤅ m ⚠ ♂   photo: M. K. Meyer

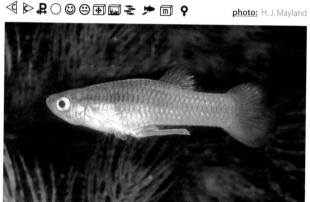

S31979-4 *Gambusia senilis* Girard, 1859
Conchos-Kärpfling / Blotched Mosquitofish
Meoqui, Chihuahua, Mexiko (leg. Meyer), W, 3,5 cm

◁ ▷ ♬ ○ ☺ ☻ ⊞ 🖼 ⇵ ⤅ m ♂   photo: M. K. Meyer

S31979-4 *Gambusia senilis* Girard, 1859
Conchos-Kärpfling / Blotched Mosquitofish
Meoqui, Chihuahua, Mexiko (leg. Meyer), W, 5,5 cm

◁ ▷ ♬ ○ ☺ ☻ ⊞ 🖼 ⇵ ⤅ m ♀   photo: M. K. Meyer

S31980-4 *Gambusia sexradiata* Hubbs, 1936
Banditenkärpfling / Bandit Mosquitofish
Mexiko, N-Guatemala, N-Honduras, B, 3 cm

▷ ♬ ○ ☺ ☻ ⊞ 🖼 ⇵ ⤅ m ♂   photo: U. Dost

S31980-4 *Gambusia sexradiata* Hubbs, 1936
Banditenkärpfling / Bandit Mosquitofish
Mexiko, N-Guatemala, N-Honduras, B, 5 cm

▷ ♬ ○ ☺ ☻ ⊞ 🖼 ⇵ ⤅ m ♀   photo: U. Dost

S31981-4 *Gambusia sexradiata* Hubbs, 1936
Banditenkärpfling / Bandit Mosquitofish
Mexiko, N-Guatemala, N-Honduras, W, 3 cm

▷ ♬ ○ ☺ ☻ ⊞ 🖼 ⇵ ⤅ m ♂   photo: U. Werner

S31981-4 *Gambusia sexradiata* Hubbs, 1936
Banditenkärpfling / Bandit Mosquitofish
Mexiko, N-Guatemala, N-Honduras, W, 5 cm

▷ ♬ ○ ☺ ☻ ⊞ 🖼 ⇵ ⤅ m ♀   photo: U. Werner

S31983-4 *Gambusia speciosa* G<small>IRARD</small>, 1859
Blaugelber Kärpfling / Muzquiz Mosquitofish
Rio Nava, Mexiko (leg. M<small>ERINO</small>), B, 3,5 cm

◁ ▷ ♫ ○ ☺ ☻ ⊞ 🖼 ⇌ ⤳ 🅜 ♂   **photo:** J. C. Merino

S31983-4 *Gambusia speciosa* G<small>IRARD</small>, 1859
Blaugelber Kärpfling / Muzquiz Mosquitofish
Rio Nava, Mexiko (leg. M<small>ERINO</small>), B, 5 cm

◁ ▷ ♫ ○ ☺ ☻ ⊞ 🖼 ⇌ ⤳ 🅜 ♀   **photo:** J. C. Merino

S31985-4 *Gambusia wrayi* R<small>EGAN</small>, 1913
Jamaika-Kärpfling / Wray´s Mosquitofish
Amity Cross, Jamaika (leg. P<small>ÜRZL</small>), W, 4 cm

▷ ⇡P ◑ ☺ ⊞ 🖼 ⇌ ⤳ 🅜 ♂   **photo:** E. Pürzl

S31986-4 *Gambusia wrayi* R<small>EGAN</small>, 1913
Jamaika-Kärpfling / Wray´s Mosquitofish
Jamaika, B, 4 cm

▷ ⇡P ◑ ☺ ⊞ 🖼 ⇌ ⤳ 🅜 ♂   **photo:** E. Schraml

S31987-4 *Gambusia wrayi* R<small>EGAN</small>, 1913
Jamaika-Kärpfling / Wray´s Mosquitofish
Suameer, Jamaika (leg. M<small>ERINO</small>), W, 4 cm

▷ ⇡P ◑ ☺ ⊞ 🖼 ⇌ ⤳ 🅜 ♂   **photo:** J. C. Merino

S31987-4 *Gambusia wrayi* R<small>EGAN</small>, 1913
Jamaika-Kärpfling / Wray´s Mosquitofish
Suameer, Jamaika (leg. M<small>ERINO</small>), W, 5,5 cm

▷ ⇡P ◑ ☺ ⊞ 🖼 ⇌ ⤳ 🅜 ♀   **photo:** J. C. Merino

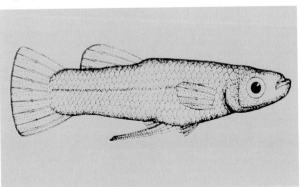

S31990 *Gambusia xanthosoma* G<small>REENFIELD</small>, 1983
Cayman-Gambuse / Cayman Mosquitofish
Tarquin Manor, West Bay, Grand Cayman, 4 cm

zeichnung: M. K. Meyer

S31992-4 *Gambusia yucatana* R<small>EGAN</small>, 1914
Yucatán-Kärpfling / Yucatan Mosquitofish
Yucatán, Mexiko,W, 5 cm

▷ ♫ ○ ☺ ☻ ⊞ 🖼 ⇌ ⤳ 🅜 ♀   **photo:** E. Pürzl

S31993-4 *Gambusia yucatana* Regan, 1914
Yucatán-Kärpfling / Yucatan Mosquitofish
Yucatán, Mexiko,W, 5 cm

▷⋅ℝ○☺☹⊞🖼⩥ ✈ 🔲 ♀

photo: H. Linke

S31993-4 *Gambusia yucatana* Regan, 1914
Yucatán-Kärpfling / Yucatan Mosquitofish
Yucatán, Mexiko,W, 5 cm

▷⋅ℝ○☺☹⊞🖼⩥ ✈ 🔲 ♀

photo: D. Barrett

S32850-4 *Girardinus creolus* Garman, 1895
Kreolen-Kärpfling / Creole Topminnow
Rio Soroa, Kuba (leg. Meyer), W, 4 cm

⚠ ⇑P ○☺☹⊞🖼⩥ ✈ 🔲 ◈ ♂

photo: M. K. Meyer

S32850-4 *Girardinus creolus* Garman, 1895
Kreolen-Kärpfling / Creole Topminnow
Rio Soroa, Kuba (leg. Meyer), W, 7 cm

⚠ ⇑P ○☺☹⊞🖼⩥ ✈ 🔲 ◈ ♀

photo: M. K. Meyer

S32851-4 *Girardinus creolus* Garman, 1895
Kreolen-Kärpfling / Creole Topminnow
Kuba, B, 4 + 7 cm

⚠ ⇑P ○☺☹⊞🖼⩥ ✈ 🔲 ◈ ♂ ♀

photo: H. Hieronimus

S32852-4 *Girardinus creolus* Garman, 1895
Kreolen-Kärpfling / Creole Topminnow
Kuba, B, 4 cm

⚠ ⇑P ○☺☹⊞🖼⩥ ✈ 🔲 ◈ ♂

photo: J. C. Merino

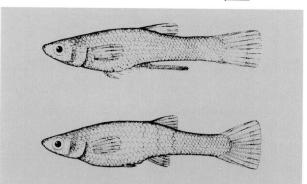

S32854 *Girardinus cubensis* (Eigenmann, 1903)
Westkuba-Kärpfling / Cuban Topminnow (valid species?)
Flachland W-Kuba, 3 + 4,5 cm

zeichnung: M. K. Meyer

S32856-4 *Giradinus denticulatus* Garman, 1895
Graublauer Kärpfling / Toothy Topminnow
Kuba, B, 4 cm

⚠ ⇑P ○☺☹⊞🖼⩥ ✈ 🔲 ◈ ♂

photo: M. K. Meyer

S32857-4 *Giradinus denticulatus* GARMAN, 1895
Graublauer Kärpfling / Toothy Topminnow
Kuba, B, 4 cm
⚠ ⇡P ○ ☺ ☹ ⊞ 🖾 ≈ ➤ 🖩 ◈ ♂ photo: H. Hieronimus

S32859-4 *Girardinus falcatus* (EIGENMANN, 1903)
Sichelkärpfling / Goldbelly Topminnow
Kuba, B, 4 cm
⚠ ⇡P ○ ☺ ☹ ⊞ 🖾 ≈ ➤ 🖩 ◈ ♂ photo: E. Pürzl

S32859-4 *Girardinus falcatus* (EIGENMANN, 1903)
Sichelkärpfling / Goldbelly Topminnow
Kuba, B, 7 cm
⚠ ⇡P ○ ☺ ☹ ⊞ 🖾 ≈ ➤ 🖩 ◈ ♀ photo: E. Pürzl

S32860-4 *Girardinus falcatus* (EIGENMANN, 1903)
Sichelkärpfling / Goldbelly Topminnow
Kuba, B, 4 + 7 cm
⚠ ⇡P ○ ☺ ☹ ⊞ 🖾 ≈ ➤ 🖩 ◈ ♂ ♀ photo: F. Teigler / ACS

S32862-4 *Girardinus metallicus* POEY, 1854
Metallkärpfling / Metallic Topminnow
Kuba, B, 4 cm
⚠ ⇡P ○ ☺ ☹ ⊞ 🖾 ≈ ➤ 🖩 ◈ ♂ photo: Ch. & M. P. Piednoir

S32862-4 *Girardinus metallicus* POEY, 1854
Metallkärpfling / Metallic Topminnow
Kuba, B, 7 cm
⚠ ⇡P ○ ☺ ☹ ⊞ 🖾 ≈ ➤ 🖩 ◈ ♀ photo: Ch. & M. P. Piednoir

S32863-4 *Girardinus metallicus* POEY, 1854
Metallkärpfling / Metallic Topminnow
Kuba, B, 4 cm
⚠ ⇡P ○ ☺ ☹ ⊞ 🖾 ≈ ➤ 🖩 ◈ ♂ photo: F. P. Müllenholz

S32863-4 *Girardinus metallicus* POEY, 1854
Metallkärpfling / Metallic Topminnow
Kuba, B, 7 cm
⚠ ⇡P ○ ☺ ☹ ⊞ 🖾 ≈ ➤ 🖩 ◈ ♀ photo: F. P. Müllenholz

S32864-4 *Girardinus metallicus* Poey, 1854
Schwarzbauch-Metallkärpfling / Black Bellied Metallic
Breeding Form, B, 4 cm   Topminnow

⚠ 🅟 ○ ☺ ☺ ⊞ 🔧 ⇌ ➤ m ◈ ♂   photo: U. Dost

S32864-4 *Girardinus metallicus* Poey, 1854
Schwarzbauch-Metallkärpfling / Black Bellied Metallic
Breeding Form, B, 4 + 7 cm   Topminnow

⚠ 🅟 ○ ☺ ☺ ⊞ 🔧 ⇌ ➤ m ◈ ♂ ♀   photo: F. Teigler / ACS

Girardinus metallicus Poey, 1854
Metallkärpfling / Metallic Topminnow; oben/upper fish:wildfarben / wild coloured, unten /lower fish: Schwarzbauch / black bellied
Breeding Form, B, 4 cm

photo: J. C. Merino

S32867-4 *Girardinus metallicus* PoEY, 1854
Schwarzbauch-Metallkärpfling / Black Bellied Metallic
Breeding Form, B, 4 + 7 cm   Topminnow
⚠ ⇑P ○ ☺ ☻ ⊞ 🖼 ⚓ ⤚ m ◈ ♂ ♀   photo: B. Teichfischer

S32867-4 *Girardinus metallicus* PoEY, 1854
Schwarzbauch-Metallkärpfling / Black Bellied Metallic
Breeding Form, B, 7 cm   Topminnow
⚠ ⇑P ○ ☺ ☻ ⊞ 🖼 ⚓ ⤚ m ◈ ♀   photo: F. Teigler / ACS

S32870-4 *Girardinus microdactylus* RIVAS, 1944
Fingerkärpfling / Smallfinger Topminnow
Rio Soroa; Kuba (leg. MEYER), W, 3,5 cm
⚠ ⇑P ○ ☺ ☻ ⊞ 🖼 ⚓ ⤚ m ◈ ♂   photo: M. K. Meyer

S32871-4 *Girardinus microdactylus* RIVAS, 1944
Fingerkärpfling / Smallfinger Topminnow
Kuba, B, 3,5 + 6 cm
⚠ ⇑P ○ ☺ ☻ ⊞ 🖼 ⚓ ⤚ m ◈ ♂ ♀   photo: H. Hieronimus

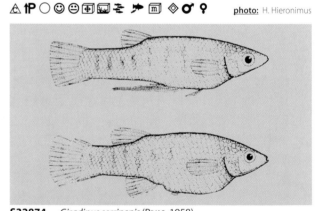

S32872-4 *Girardinus microdactylus* RIVAS, 1944
Fingerkärpfling / Smallfinger Topminnow
Kuba, B, 3,5 cm
⚠ ⇑P ○ ☺ ☻ ⊞ 🖼 ⚓ ⤚ m ◈ ♂   photo: O. Böhm

S32874   *Giradinus serripenis* (RIVAS, 1958)
Taco-Taco-Kärpfling / Taco Taco Topminnow
Rio Taco Taco, Pinar del Rio, Kuba, 4 + 6,5 cm

zeichnung: M. K. Meyer

S32876-4 *Girardinus uninotatus* PoEY, 1860
Einfleck-Kärpfling / Singlespot Topminnow
Rio Soroa, Kuba (leg. MEYER), W, 5 cm
⚠ ⇑P ○ ☺ ☻ ⊞ 🖼 ⚓ ⤚ m ◈ ♂   photo: M. K. Meyer

S32877-2 *Girardinus uninotatus* PoEY, 1860
Einfleck-Kärpfling / Singlespot Topminnow (5 weeks old)
Kuba, B, 5 + 8 cm
⚠ ⇑P ○ ☺ ☻ ⊞ 🖼 ⚓ ⤚ m ◈   photo: O. Böhm

S32877-4 *Girardinus uninotatus* POEY, 1860
Einfleck-Kärpfling / Singlespot Topminnow
Kuba, B, 5 + 8 cm

⚠ ⚤P ○ ☺ ☹ ⊞ 🔲 ⇌ ⤳ 🔲 ◈ ♂ ♀   photo: O. Böhm

S32877-4 *Girardinus uninotatus* POEY, 1860
Einfleck-Kärpfling / Singlespot Topminnow
Kuba, B, 8 cm

⚠ ⚤P ○ ☺ ☹ ⊞ 🔲 ⇌ ⤳ 🔲 ◈ ♀   photo: O. Böhm

Lake Myakka, Florida, U.S.A.
Fundort von *Heterandria formosa, Gambusia holbrooki, Poecilia latipinna, Fundulus chrysotus, Jordanella floridae.*
Lake Myakka, collecting site of *Heterandria formosa, Gambusia holbrooki, Poecilia latipinna, Fundulus chrysotus, Jordanella floridae.*

photo: C. M. de Jong

S38058-4 *Heterandria formosa* GIRARD (ex AGASSIZ), 1859
Zwergkärpfling / Least Killifish
Everglades, Florida, U.S.A. (leg. PIEDNOIR), W, 3 cm

◁ ▷ ♬ ○ ☺ ☹ ⊞ 🔲 ⇌ ⤳ 🔲 ♂   photo: Ch. + M. P. Piednoir

S38059-2 *Heterandria formosa* GIRARD (ex AGASSIZ), 1859
Zwergkärpfling / Least Killifish
S-Carolina, Florida, U.S.A., B, 3 cm

◁ ▷ ♬ ○ ☺ ☹ ⊞ 🔲 ⇌ ⤳ 🔲   photo: E. Schraml

S38060-4 *Heterandria formosa* GIRARD (ex AGASSIZ), 1859
Zwergkärpfling / Least Killifish
S-Carolina, Florida, U.S.A., B, 2 cm
◁ ▷ ℞ ○ ☺ 😐 ⊞ ▣ ≛ ➤ [S] ♂ photo: E. Schraml

S38060-4 *Heterandria formosa* GIRARD (ex AGASSIZ), 1859
Zwergkärpfling / Least Killifish
S-Carolina, Florida, U.S.A., B, 3 cm
◁ ▷ ℞ ○ ☺ 😐 ⊞ ▣ ≛ ➤ [S] ♀ photo: Ch. + M. P. Piednoir

S38062-4 *Heterandria formosa* GIRARD (ex AGASSIZ), 1859
Zwergkärpfling / Least Killifish
S-Carolina, Florida, U.S.A., B, 2 cm
◁ ▷ ℞ ○ ☺ 😐 ⊞ ▣ ≛ ➤ [S] ♂ photo: U. Dost

S38062-4 *Heterandria formosa* GIRARD (ex AGASSIZ), 1859
Zwergkärpfling / Least Killifish
S-Carolina, Florida, U.S.A., B, 3 cm
◁ ▷ ℞ ○ ☺ 😐 ⊞ ▣ ≛ ➤ [S] ♀ photo: U. Dost

S38063-4 *Heterandria formosa* GIRARD (ex AGASSIZ), 1859
Zwergkärpfling / Least Killifish
S-Carolina, Florida, U.S.A., B, 2 + 3 cm
◁ ▷ ℞ ○ ☺ 😐 ⊞ ▣ ≛ ➤ [S] ♂ ♀ photo: O. Böhm

S38063-4 *Heterandria formosa* GIRARD (ex AGASSIZ), 1859
Zwergkärpfling / Least Killifish
S-Carolina, Florida, U.S.A., B, 3 cm
◁ ▷ ℞ ○ ☺ 😐 ⊞ ▣ ≛ ➤ [S] ♀ photo: H. Hieronimus

S38065-4 *Heterandria formosa* GIRARD (ex AGASSIZ), 1859
Zwergkärpfling / Least Killifish
Lake Myakka, Florida, U.S.A., B, 2 + 3 cm
◁ ▷ ℞ ○ ☺ 😐 ⊞ ▣ ≛ ➤ [S] ♂ ♀ photo: J. C. Merino

S38065-4 *Heterandria formosa* GIRARD (ex AGASSIZ), 1859
Zwergkärpfling / Least Killifish
Lake Myakka, Florida, U.S.A., B, 2 + 3 cm
◁ ▷ ℞ ○ ☺ 😐 ⊞ ▣ ≛ ➤ [S] ♂ ♀ photo: J. C. Merino

S38067-4 *Heterandria formosa* GIRARD (ex AGASSIZ), 1859
Zwergkärpfling / Least Killifish "Blond"
Zuchtform / Breeding form, B, 3 cm
◁ ▷ ⚓ ○ ☺ ☹ [+] [~] ≋ 🐟 [S] ♀ photo: D. Rössel

S38067-4 *Heterandria formosa* GIRARD (ex AGASSIZ), 1859
Zwergkärpfling / Least Killifish "Blond"
Zuchtform / Breeding form, B, 3 cm
◁ ▷ ⚓ ○ ☺ ☹ [+] [~] ≋ 🐟 [S] ♀ photo: J. C. Merino

S38105-4 *Heterophallus echeagarayi* (ALVAREZ, 1952)
Palenque-Kärpfling / Palenque Flyer
Mexiko, B, 2,5 cm
◁ ▷ ⚓ ○ ☺ ☹ [+] [~] ≋ 🐟 [S] ♂ photo: U. Dost

S38106-4 *Heterophallus echeagarayi* (ALVAREZ, 1952)
Palenque-Kärpfling / Palenque Flyer
Chiapas, Mexiko (leg. MEYER), W, 4 cm
◁ ▷ ⚓ ○ ☺ ☹ [+] [~] ≋ 🐟 [S] ♀ photo: M. K. Meyer

S38108-4 *Heterophallus milleri* RADDA, 1987
Millers Kärpfling / Miller´s Flyer
Rio Teapa, Mexiko (leg. SCHARTL), W, 2,5 cm
◁ ▷ ⚓ ○ ☺ ☹ [+] [~] ≋ 🐟 [S] ♂ photo: M. K. Meyer

S38108-4 *Heterophallus milleri* RADDA, 1987
Millers Kärpfling / Miller´s Flyer
Rio Teapa, Mexiko (leg. SCHARTL), W, 4 cm
◁ ▷ ⚓ ○ ☺ ☹ [+] [~] ≋ 🐟 [S] ♀ photo: M. K. Meyer

S38108-4 *Heterophallus milleri* RADDA, 1987
Millers Kärpfling / Miller´s Flyer
Rio Teapa, Mexiko (leg. MERINO), B, 2,5 cm
◁ ▷ ⚓ ○ ☺ ☹ [+] [~] ≋ 🐟 [S] ♂ photo: J. C. Merino

S38108-4 *Heterophallus milleri* RADDA, 1987
Millers Kärpfling / Miller´s Flyer
Rio Teapa, Mexiko (leg. MERINO), B, 4 cm
◁ ▷ ⚓ ○ ☺ ☹ [+] [~] ≋ 🐟 [S] ♀ photo: J. C. Merino

S38110-4 *Heterophallus milleri* RADDA, 1987
Millers Kärpfling / Miller´s Flyer
Mexiko, B, 2,5 + 4 cm

◁ ▷ ₿ ○ ☺ ☹ 田 ⛽ ⚓ ≁ Ⓢ ♂ ♀   <u>photo:</u> H. J. Mayland

S38110-4 *Heterophallus milleri* RADDA, 1987
Millers Kärpfling / Miller´s Flyer
Mexiko, B, 4 cm

◁ ▷ ₿ ○ ☺ ☹ 田 ⛽ ⚓ ≁ Ⓢ ♀   <u>photo:</u> H. J. Mayland

S38112-4 *Heterophallus rachovii* Regan, 1914
Rachows Kärpfling / Rachow´s Flyer
Rio Teapa, Mexiko, W, 2,5 cm

◁ ▷ ₿ ○ ☺ ☹ 田 ⛽ ⚓ ≁ Ⓢ ♂   <u>photo:</u> E. Pürzl

S38112-4 *Heterophallus rachovii* Regan, 1914
Rachows Kärpfling / Rachow´s Flyer
Rio Teapa, Mexiko, W, 4 cm

◁ ▷ ₿ ○ ☺ ☹ 田 ⛽ ⚓ ≁ Ⓢ ♀   <u>photo:</u> E. Pürzl

S48901-4 *Limia caymanensis* RIVAS & FINK, 1970
Grand-Cayman-Kärpfling / Grand Cayman Limia
Grand Cayman (leg. DOST), W, 3 + 3,5 cm

⚠ ⇡P ○ ☺ ⊕ 田 ⛽ ⚓ ≁ � ◈ ♂ ♀   <u>photo:</u> U. Dost

S48901-4 *Limia caymanensis* RIVAS & FINK, 1970
Grand-Cayman-Kärpfling / Grand Cayman Limia
Grand Cayman (leg. DOST), W, 3,5 cm

⚠ ⇡P ○ ☺ ⊕ 田 ⛽ ⚓ ≁ � ◈ ♀   <u>photo:</u> U. Dost

S48907-5 *Limia dominicensis* (VALENCIENNES in CUVIER & VALENCIENNES, 1846)
Haiti-Limia / Tiburon Peninsula Limia
Hispaniola (leg. HIERONIMUS), B, 6 cm (= *L*. sp. „americana")

⚠ ⇡P ○ ☺ ⊕ 田 ⛽ ⚓ ≁ � ◈ ♂ ♀   <u>photo:</u> H. Hieronimus

S48910 *Limia fuscomaculata* RIVAS, 1980
Gefleckte Limia / Blotched Limia
Lake Miragoane, Haiti, 4,5 cm

<u>zeichnung:</u> M. K. Meyer

S48912 *Limia garnieri* Rivas, 1980
Garniers Limia / Garnier´s Limia
Lake Miragoane, Haiti, 3 + 3,5 cm

zeichnung: M. K. Meyer

S48915-4 *Limia grossidens* Rivas, 1980
Breitzahn-Limia / Largetooth Limia
Lake Miragoane, Haiti, B, 5,5 cm

photo: M. K. Meyer

S48915-5 *Limia grossidens* Rivas, 1980
Breitzahn-Limia / Largetooth Limia
Lake Miragoane, Haiti, B, 5,5 cm

photo: J. C. Merino

S48918 *Limia immaculata* Rivas, 1980
Einfarb-Limia / Plain Limia
Lake Miragoane, Haiti, 2,5 + 4,5 cm

zeichnung: M. K. Meyer

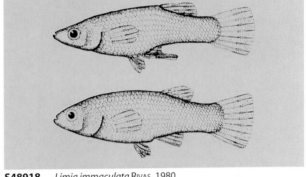

S48921-4 *Limia melanogaster* (Günther, 1866)
Dreifarbiger Jamaika-Kärpfling / Black-belly Limia
Jamaica, B, 4,5 cm

photo: U. Dost

S48921-4 *Limia melanogaster* (Günther, 1866)
Dreifarbiger Jamaika-Kärpfling / Black-belly Limia
Jamaica, B, 6 cm

photo: U. Dost

S48922-4 *Limia melanogaster* (Günther, 1866)
Dreifarbiger Jamaika-Kärpfling / Black-belly Limia
Jamaica, B, 4,5 cm

photo: H. Linke

S48922-4 *Limia melanogaster* (Günther, 1866)
Dreifarbiger Jamaika-Kärpfling / Black-belly Limia
Jamaica, B, 6 cm

photo: H. Linke

S48923-4 *Limia melanogaster* (GÜNTHER, 1866)(= *L. caudofasciata* REGAN, 1913)
Jamaika-Kärpfling / Black-belly Limia
Jamaica, B, 4,5 cm

⚠ 🔱 ◯ ☺ ⊕ 🎛 🖼 ⚖ ⇥ 🔳 ◈ ♂   photo: O. Böhm

S48923-4 *Limia melanogaster* (GÜNTHER, 1866)(= *L. caudofasciata* REGAN, 1913)
Jamaika-Kärpfling / Black-belly Limia
Jamaica, B, 6 cm

⚠ 🔱 ◯ ☺ ⊕ 🎛 🖼 ⚖ ⇥ 🔳 ◈ ♀   photo: O. Böhm

S48920-4 *Limia melanogaster* (GÜNTHER, 1866)
Dreifarbiger Jamaika-Kärpfling / Black-belly Limia
Amity Cross, Jamaica(leg. PÜRZL), W, 4,5 cm

⚠ 🔱 ◯ ☺ ⊕ 🎛 🖼 ⚖ ⇥ 🔳 ◈ ♂   photo: E. Pürzl

S48925   *Limia miragoanensis* RIVAS, 1980
Miragoane-Limia / Miragoane Limia
Lake Miragoane, Haiti, 3,5 + 4,5 cm

zeichnung: M. K. Meyer

S48926-5 *Limia nigrofasciata* REGAN, 1913
Schwarzbinden-Kärpfling / Humpback Limia
Haiti, B, 5 cm

⚠ 🔱 ◯ ☺ ⊕ 🎛 🖼 ⚖ ⇥ 🔳 ◈ ♂   photo: H. Hieronimus

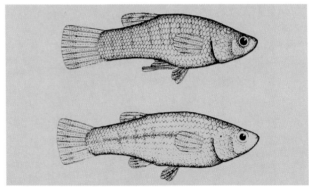

S48928-5 *Limia nigrofasciata* REGAN, 1913
Schwarzbinden-Kärpfling / Humpback Limia
Lake Miragoane, Haiti (leg. MERINO), B, 5 cm

⚠ 🔱 ◯ ☺ ⊕ 🎛 🖼 ⚖ ⇥ 🔳 ◈ ♂   photo: J. C. Merino

S48929-3 *Limia nigrofasciata* REGAN, 1913
Schwarzbinden-Kärpfling / Humpback Limia
Haiti, B, 5 cm

⚠ 🔱 ◯ ☺ ⊕ 🎛 🖼 ⚖ ⇥ 🔳 ◈ ♂   photo: H. J. Mayland

S48929-5 *Limia nigrofasciata* REGAN, 1913
Schwarzbinden-Kärpfling / Humpback Limia
Haiti, B, 6 cm

⚠ 🔱 ◯ ☺ ⊕ 🎛 🖼 ⚖ ⇥ 🔳 ◈ ♀   photo: U. Werner

S48929-5 *Limia nigrofasciata* Regan, 1913
Schwarzbinden-Kärpfling / Humpback Limia
Haiti, B, 5 cm

⚠ ⑰ ○ ☺ ⑥ ⊞ 🖼 ⧫ 🐟 ⒨ ◈ ♂   photo: U. Werner

S48934 *Limia ornata* Regan, 1913
Schmuck-Limia / Ornate Limia
Haiti, B, 5+ 6 cm (from: Wochenschrift, 1912: 635, changed)

⚠ ⑰ ○ ☺ ⑥ ⊞ 🖼 ⧫ 🐟 ⒨ ◈ ♂ ♀   zeichnung: J. P. Arnold

S48933-4 *Limia* cf. *ornata* Regan, 1913 (*L. vittata*?, see pp. 122-123)
Schmuck-Limia / Ornate Limia
Haiti, B, 5 cm

⚠ ⑰ ○ ☺ ⑥ ⊞ 🖼 ⧫ 🐟 ⒨ ◈ ♂   photo: Ch. & M.P. Piednoir

S48933-4 *Limia* cf. *ornata* Regan, 1913 (*L. vittata*?, see pp. 122-123)
Schmuck-Limia / Ornate Limia
Haiti, B, 6 cm

⚠ ⑰ ○ ☺ ⑥ ⊞ 🖼 ⧫ 🐟 ⒨ ◈ ♀   photo: Ch. & M.P. Piednoir

S48935-4 *Limia pauciradiata* Rivas, 1980
Puerto-Plata-Limia / Few-rayed Limia
Grand Riviere, Haiti (leg. Meyer), W, 4 cm

⚠ ⑰ ○ ☺ ⑥ ⊞ 🖼 ⧫ 🐟 ⒨ ◈ ♂   photo: M. K. Meyer

S48935-4 *Limia pauciradiata* Rivas, 1980
Puerto-Plata-Limia / Few-rayed Limia
Grand Riviere, Haiti (leg. Meyer), W, 6 cm

⚠ ⑰ ○ ☺ ⑥ ⊞ 🖼 ⧫ 🐟 ⒨ ◈ ♀   photo: M. K. Meyer

S48937-4 *Limia perugiae* (Evermann & Clark, 1906)
Perugiakärpfling / Perugia´s Limia
Lago Enriquillo, Dominikanische Republik (leg. Meyer), W, 7 cm

⚠ ⑰ ○ ☺ ⑥ ⊞ 🖼 ⧫ 🐟 ⒨ ◈ ♂   photo: M. K. Meyer

S48938-4 *Limia perugiae* (Evermann & Clark, 1906)
Perugiakärpfling / Perugia´s Limia
Lago Enriquillo, Dominikanische Republik (leg. Pürzl), W, 7 cm

⚠ ⑰ ○ ☺ ⑥ ⊞ 🖼 ⧫ 🐟 ⒨ ◈ ♂   photo: E. Pürzl

Zwei Männchen des alten Aquarienstammes von *Limia nigrofasciata* beim Imponieren.

Two males of Limia nigrofasciata, from the old aquarium strain in threatening pose.

Ganz ähnlich sieht das Balzverhalten der Tiere aus, doch ist die Absicht eine andere.

The courtship display looks very similar, but it has a completely different purpose.

S48939-4 *Limia perugiae* (EVERMANN & CLARK, 1906)
Perugiakärpfling / Perugia´s Limia
Dominikanische Republik, B, 7 cm

⚠ ⇃P ○ ☺ ⊕ ⊞ 🖼 ⇌ ⤚ m ◈ ♂ photo: H. J. Mayland

S48939-4 *Limia perugiae* (EVERMANN & CLARK, 1906)
Perugiakärpfling / Perugia´s Limia
Dominikanische Republik, B, 8,5 cm

⚠ ⇃P ○ ☺ ⊕ ⊞ 🖼 ⇌ ⤚ m ◈ ♀ photo: H. J. Mayland

S48940-5 *Limia perugiae* (EVERMANN & CLARK, 1906)
Perugiakärpfling / Perugia´s Limia
Las Marias, Dominikanische Republik (leg. MERINO), B, 7 cm

⚠ ⇃P ○ ☺ ⊕ ⊞ 🖼 ⇌ ⤚ m ◈ ♂ photo: J. C. Merino

S48945-4 *Limia sulphurophila* RIVAS, 1980
Schwefelquellen-Limia / Sulphur Limia
Balneario (spa) La Zurza, Dominikanische Republik, B, 3,5 cm

⚠ ⇃P ○ ☺ ⊕ ⊞ 🖼 ⇌ ⤚ m ⚠ ♂ photo: J. C. Merino

S48945-4 *Limia sulphurophila* RIVAS, 1980
Schwefelquellen-Limia / Sulphur Limia
Balneario (spa) La Zurza, Dominikanische Republik, B, 3,5 cm

⚠ ⇃P ○ ☺ ⊕ ⊞ 🖼 ⇌ ⤚ m ⚠ ♀ photo: M. K. Meyer

S48948-4 *Limia* cf. *tridens* (HILGENDORF, 1889)
Dreizahn-Kärpfling / Trident Limia
Dominikanische Republik (leg. MEYER), B, 3,5 cm

⚠ ⇃P ○ ☺ ⊕ ⊞ 🖼 ⇌ ⤚ m ◈ ♂ photo: M. K. Meyer

S48948-4 *Limia* cf. *tridens* (HILGENDORF, 1889)
Dreizahn-Kärpfling / Trident Limia
Dominikanische Republik (leg. MEYER), B, 4 cm

⚠ ⇃P ○ ☺ ⊕ ⊞ 🖼 ⇌ ⤚ m ◈ ♀ photo: M. K. Meyer

S48906-4 *Limia tridens* (HILGENDORF, 1889)
Tiburon-Limia / Tiburon Limia
Aquarienstamm / Aquarium strain, B, 3 cm

⚠ ⇃P ○ ☺ ⊕ ⊞ 🖼 ⇌ ⤚ m ◈ ♂ photo: H. J. Richter/ACS

S48904-4 *Limia tridens* (Hilgendorf, 1889)
Tiburon-Limia / Tiburon Limia
Port au Prince, Haiti (leg. Pürzl), W, 3 cm

⚠ ⇑P ○ ☺ ⊕ ⊞ ▦ ⇌ ⤸ 🅼 ◈ ♂ photo: E. Pürzl

S48905-4 *Limia tridens* (Hilgendorf, 1889)
Tiburon-Limia / Tiburon Limia
Hispaniola, Haiti (leg. Werner), B, 3 cm

⚠ ⇑P ○ ☺ ⊕ ⊞ ▦ ⇌ ⤸ 🅼 ◈ ♂ photo: U. Werner

S48908-4 *Limia tridens* (Hilgendorf, 1889)
Tiburon-Limia / Tiburon Limia
Aquarienstamm / Aquarium strain, B, 3 cm

⚠ ⇑P ○ ☺ ⊕ ⊞ ▦ ⇌ ⤸ 🅼 ◈ ♂ photo: O. Böhm

S48908-4 *Limia tridens* (Hilgendorf, 1889)
Tiburon-Limia / Tiburon Limia
Aquarienstamm / Aquarium strain, B, 4,5 cm

⚠ ⇑P ○ ☺ ⊕ ⊞ ▦ ⇌ ⤸ 🅼 ◈ ♀ photo: O. Böhm

S48949-4 *Limia tridens* (Hilgendorf, 1889)
Tiburon-Limia / Tiburon Limia
Haiti (leg. Meyer), B, 3,5 + 4 cm

⚠ ⇑P ○ ☺ ⊕ ⊞ ▦ ⇌ ⤸ 🅼 ◈ ♂ ♀ photo: M. K. Meyer

S48950-4 *Limia versicolor* (Günther, 1866)
Bunte Limia / Versicolored Limia
Dominikanische Republik (leg. Meyer), B, 4 cm

⚠ ⇑P ○ ☺ ⊕ ⊞ ▦ ⇌ ⤸ 🅼 ◈ ♂ photo: M. K. Meyer

S48953-3 *Limia vittata* (Guichenot, 1853)
Kuba-Kärpfling / Cuban Limia
Kuba, B, 5 cm

⚠ ⇑P ○ ☺ ⊕ ⊞ ▦ ⇌ ⤸ 🅼 ◈ ♂ photo: U. Dost

S48954-4 *Limia vittata* (Guichenot, 1853)
Kuba-Kärpfling / Cuban Limia
Varadero, Kuba (leg. Meyer), B, 10 cm

⚠ ⇑P ○ ☺ ⊕ ⊞ ▦ ⇌ ⤸ 🅼 ◈ ♀ photo: M. K. Meyer

S48955-4 *Limia vittata* (Guichenot, 1853)
Kuba-Kärpfling / Cuban Limia
Aquarienstamm / Aquarium strain, B, 5 cm

⚠ ⭡P ○ ☺ ⊕ ⊞ 🖾 ⇌ ➴ ▥ ◈ ♂   photo: H. J. Mayland

S48955-4 *Limia vittata* (Guichenot, 1853)
Kuba-Kärpfling / Cuban Limia
Aquarienstamm / Aquarium strain, B, 10 cm

⚠ ⭡P ○ ☺ ⊕ ⊞ 🖾 ⇌ ➴ ▥ ◈ ♀ 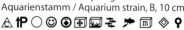 photo: Migge-Reinhard/ACS

S48957-4 *Limia vittata* (Guichenot, 1853)
Kuba-Kärpfling / Cuban Limia
Aquarienstamm / Aquarium strain, B, 5 cm

⚠ ⭡P ○ ☺ ⊕ ⊞ 🖾 ⇌ ➴ ▥ ◈ ♂ photo: O. Böhm

S48957-4 *Limia vittata* (Guichenot, 1853)
Kuba-Kärpfling / Cuban Limia
Aquarienstamm / Aquarium strain, B, 10 cm

⚠ ⭡P ○ ☺ ⊕ ⊞ 🖾 ⇌ ➴ ▥ ◈ ♀ photo: O. Böhm

S48960-4 *Limia yaguajali* Rivas, 1980
Yaguajal-Kärpfling / Yaguajal-Limia
Rio Yaguajal, Dominikanische Republik (leg. Meyer), B, 4 cm

⚠ ⭡P ○ ☺ ⊕ ⊞ 🖾 ⇌ ➴ ▥ ◈ ♂ photo: M. K. Meyer

S48961-4 *Limia yaguajali* Rivas, 1980
Yaguajal-Kärpfling / Yaguajal-Limia
Puerto-Plata, Dominikanische Republik (leg. Meyer), B, 4 cm

⚠ ⭡P ○ ☺ ⊕ ⊞ 🖾 ⇌ ➴ ▥ ◈ ♀ photo: M. K. Meyer

S48965-4 *Limia zonata* (Nichols, 1915)
Zonatakärpfling / Striped Limia
Jarabacoa, Dominikanische Republik (leg. Meyer), B, 4 cm

⚠ ⭡P ○ ☺ ⊕ ⊞ 🖾 ⇌ ➴ ▥ ◈ ♂ photo: M. K. Meyer

S48966-4 *Limia zonata* (Nichols, 1915)
Zonatakärpfling / Striped Limia
Dominikanische Republik, B, 4 cm

⚠ ⭡P ○ ☺ ⊕ ⊞ 🖾 ⇌ ➴ ▥ ◈ ♂ photo: M. K. Meyer

Zuchtform von *Limia vittata*. Das Männchen stupst das Weibchen in Paarungsabsicht in die Aftergegend.

Breeding form of *Limia vittata*. The male, being ready to spawn, follows the female, butting her with his nose.

Die Begattung selbst erfolgt rasch, das Männchen dreht sich dabei leicht von der Partnerin fort.

The actual fertilization follows very soon, with the male turning slightly away from the female.

S48967-4 *Limia zonata* (NICHOLS, 1915)
Zonatakärpfling / Striped Limia
Hispaniola, Dominikanische Republik (leg. WERNER), B, 4 + 6 cm
⚠ �↑P ○ ☺ ⊕ ⊞ 🖼 ⇄ 🏃 🔲 ◈ ♂ ♀   photo: U. Werner

S48967-4 *Limia zonata* (NICHOLS, 1915)
Zonatakärpfling / Striped Limia
Hispaniola, Dominikanische Republik (leg. WERNER), B, 4 + 6 cm
⚠ �↑P ○ ☺ ⊕ ⊞ 🖼 ⇄ 🏃 🔲 ◈ ♂ ♀   photo: U. Werner

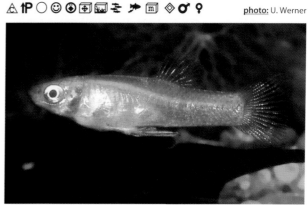

S48968-4 *Limia zonata* (NICHOLS, 1915)
Zonatakärpfling / Striped Limia
Rio Soco, Dominikanische Republik (leg. PÜRZL), B, 4 cm
⚠ �↑P ○ ☺ ⊕ ⊞ 🖼 ⇄ 🏃 🔲 ◈ ♂   photo: E. Pürzl

S48969-4 *Limia zonata* (NICHOLS, 1915)
Zonatakärpfling / Striped Limia
Rio Yuna, Dominikanische Republik (leg. PÜRZL), B (F$_3$), 4 cm
⚠ �↑P ○ ☺ ⊕ ⊞ 🖼 ⇄ 🏃 🔲 ◈ ♂   photo: E. Pürzl

S48970-4 *Limia zonata* (NICHOLS, 1915)
Zonatakärpfling / Striped Limia
Aquarienstamm / Aquarium strain, B, 4 cm
⚠ �↑P ○ ☺ ⊕ ⊞ 🖼 ⇄ 🏃 🔲 ◈ ♂   photo: O. Böhm

S48971-4 *Limia zonata* (NICHOLS, 1915)
Zonatakärpfling / Striped Limia
Aquarienstamm / Aquarium strain, B, 4 + 6 cm
⚠ ⧺P ○ ☺ ⊕ ⊞ 🖼 ⇄ 🏃 🔲 ◈ ♂ ♀   photo: H. Hieronimus

S48985-4 Hybride *Limia nigrofasciata* x *L. melanogaster*

S48986-4 Hybride *Limia nigrofasciata* x *L. perugiae*

⚠ ⧺P ○ ☺ ⊕ ⊞ 🖼 ⇄ 🏃 🔲 ◈ ♂   photo: J. C. Merino

⚠ ⧺P ○ ☺ ⊕ ⊞ 🖼 ⇄ 🏃 🔲 ◈ ♂   photo: J. C. Merino

S48987-4 Hybride *Limia melanogaster* x *L. vittata*

⚠ ⇑P ○ ☺ ⊕ ⊞ 🖼 ≛ ⤚ 🖩 ◈ ♂ ♀   photo: J. Dawes

S48988-4 Hybride
Vater/Father: *Hybide Limia nigrofsciata* x *L. melanogaster*
Mutter / Mother: *Poecila latipinna*

⚠ ⇑P ○ ☺ ⊕ ⊞ 🖼 ≛ ⤚ 🖩 ◈ ♂ ♀   photo: J. Dawes

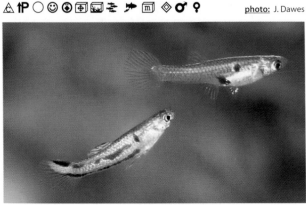

S52401 *Micropoecilia amazonica* (GARMAN, 1895)
Amazonenkärpfling / Amazon Livebearer
Brazil, W, 3 cm (from: STANSCH (1914): 204, changed)

▷ ⇑P ○ ☺ ⊕ ⊞ 🖼 ≛ ⤚ 🖩 ⚠ ♂ ♀   zeichnung: A. Schlawsinski

S52402-4 *Micropoecilia* cf. *amazonica* (GARMAN, 1895) (*M. parae*? see p. 128)
Amazonenkärpfling / Amazon Livebearer
Brazil, W, 3 cm

▷ ⇑P ○ ☺ ⊕ ⊞ 🖼 ≛ ⤚ 🖩 ⚠ ♂ ♀   photo: H. Hieronimus

S52405-4 *Micropoecilia bifurca* (EIGENMANN, 1909)
Kleiner Amazonenkärpfling / Small Amazon Livebearer
Rio Morichal, Venezuela (leg. BORK), W, 2,5 cm

▷ ⇑P ○ ☺ ⊕ ⊞ 🖼 ≛ ⤚ 🖩 ⚠ ♂   photo: D. Bork

S52405-4 *Micropoecilia bifurca* (EIGENMANN, 1909)
Kleiner Amazonenkärpfling / Small Amazon Livebearer
Rio Morichal, Venezuela (leg. BORK), W, 3,5 cm

▷ ⇑P ○ ☺ ⊕ ⊞ 🖼 ≛ ⤚ 🖩 ⚠ ♀   photo: D. Bork

S52407-4 *Micropoecilia branneri* (EIGENMANN, 1894)
Zitronenkärpfling / Branner´s Livebearer
Santarem, Pará, Brasilien, W, 2,5 cm

▷ ⇑P ○ ☺ ⊕ ⊞ 🖼 ≛ ⤚ 🖩 ⚠ ♂   photo: D. Bork

S52407-4 *Micropoecilia branneri* (EIGENMANN, 1894)
Zitronenkärpfling / Branner´s Livebearer
Santarem, Pará, Brasilien, W, 2,5 cm

▷ ⇑P ○ ☺ ⊕ ⊞ 🖼 ≛ ⤚ 🖩 ⚠ ♀   photo: D. Bork

Der Rio Morichal in Venezuela, ein Lebensraum von *Micropoecilia bifurca*.

The Rio Morichal in Venezuela, habitat of *Micropoecilia bifurca*.

photo: D. Bork

Diese *Micropoecilia bifurca* stammt aus dem Coropina Creek in Surinam (leg. STAECK).

This *Micropoecilia bifurca* comes from Coropina Creek in Surinam (leg. STAECK).

photo: W. Staeck

S52409-4 *Micropoecilia branneri* (Eigenmann, 1894)
Zitronenkärpfling / Branner´s Livebearer
Belém, Brasilien (leg. Werner), W, 2,5 cm

▷ ‖P ○ ☺ ⊕ ⊞ 🖬 ⚞ ⚓ ▥ ⚠ ♂   photo: U. Werner

S52409-4 *Micropoecilia branneri* (Eigenmann, 1894)
Zitronenkärpfling / Branner´s Livebearer
Belém, Brasilien (leg. Werner), W, 2,5 cm

▷ ‖P ○ ☺ ⊕ ⊞ 🖬 ⚞ ⚓ ▥ ⚠ ♀   photo: U. Werner

S52410-4 *Micropoecilia branneri* (Eigenmann, 1894)
Zitronenkärpfling / Branner´s Livebearer
Rio Itapicuru, Maranhão, Brasilien (leg. Staeck), W, 2,5 cm

▷ ‖P ○ ☺ ⊕ ⊞ 🖬 ⚞ ⚓ ▥ ⚠ ♂   photo: W. Staeck

S52410-4 *Micropoecilia branneri* (Eigenmann, 1894)
Zitronenkärpfling / Branner´s Livebearer
Rio Itapicuru, Maranhão, Brasilien (leg. Staeck), W, 2,5 cm

▷ ‖P ○ ☺ ⊕ ⊞ 🖬 ⚞ ⚓ ▥ ⚠ ♀   photo: W. Staeck

S52413-4 *Micropoecilia minima* (Costa & Sarraf, 1997)
Mini-Molly / Mini Molly
Ourém, Rio Guamá basin, Pará, Brazil

photo: H. Hieronimus

S52415-4 *Micropoecilia parae* (Eigenmann, 1894)
Para-Molly / Variable Mini
Guyana (leg. Bork), W, 3 cm

▷ ‖P ○ ☺ ⊕ ⊞ 🖬 ⚞ ⚓ ▥ ⚠ ♂   photo: D. Bork

S52416-4 *Micropoecilia parae* (Eigenmann, 1894)
Para-Molly / Variable Mini
Guyana (leg. Bork), W, 3 cm

▷ ‖P ○ ☺ ⊕ ⊞ 🖬 ⚞ ⚓ ▥ ⚠ ♂   photo: D. Bork

S52417-4 *Micropoecilia parae* (Eigenmann, 1894)
Para-Molly / Variable Mini
Guyana (leg. Bork), W, 3 cm

▷ ‖P ○ ☺ ⊕ ⊞ 🖬 ⚞ ⚓ ▥ ⚠ ♂   photo: H. J. Mayland

S52418-4 *Micropoecilia parae* (Eigenmann, 1894) (*M. amazonica?*)
Para-Molly / Variable Mini
Z-British Guyana bis Amazonas-Becken, Brasiien, W, 3 cm

▷ ⫯P ○ ☺ ⊕ ⊞ 🖼 ⥹ ⤚ 🔲 ⚠ ♂   photo: M. K. Meyer

S52418-4 *Micropoecilia parae* (Eigenmann, 1894) (*M. amazonica?*)
Para-Molly / Variable Mini
Z-British Guyana bis Amazonas-Becken, Brasiien, W, 5 cm

▷ ⫯P ○ ☺ ⊕ ⊞ 🖼 ⥹ ⤚ 🔲 ⚠ ♀   photo: M. K. Meyer

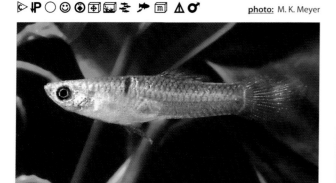

S52419-4 *Micropoecilia parae* (Eigenmann, 1894)
Para-Molly / Variable Mini
Z-British Guyana bis Amazonas-Becken, Brasiien, W, 3 cm

▷ ⫯P ○ ☺ ⊕ ⊞ 🖼 ⥹ ⤚ 🔲 ⚠ ♂   photo: O. Böhm

S52419-4 *Micropoecilia parae* (Eigenmann, 1894)
Para-Molly / Variable Mini
Z-British Guyana bis Amazonas-Becken, Brasiien, W, 5 cm

▷ ⫯P ○ ☺ ⊕ ⊞ 🖼 ⥹ ⤚ 🔲 ⚠ ♀   photo: O. Böhm

S52422-4 *Micropoecilia picta* (Regan, 1913)
Schwarzer Picta / Black Picta
Playa Colorada, Venezuela (leg. Bork), W, 2,5 cm

▷ ⫯P ○ ☺ ⊕ ⊞ 🖼 ⥹ ⤚ 🔲 ⚠ ♂   photo: D. Bork

S52422-4 *Micropoecilia picta* (Regan, 1913)
Schwarzer Picta / Black Picta
Playa Colorada, Venezuela (leg. Bork), W, 4 cm

▷ ⫯P ○ ☺ ⊕ ⊞ 🖼 ⥹ ⤚ 🔲 ⚠ ♀   photo: D. Bork

S52423-4 *Micropoecilia picta* (Regan, 1913)
Pfauenaugenkärpfling / Black Banded Mini
Mahacony River, Guyana (leg. Staeck), W, 2,5 cm

▷ ⫯P ○ ☺ ⊕ ⊞ 🖼 ⥹ ⤚ 🔲 ⚠ ♂   photo: W. Staeck

S52424-4 *Micropoecilia picta* (Regan, 1913)
Pfauenaugenkärpfling / Black Banded Mini
Aquarienstamm / Aquarium strain, B, 2,5 + 4 cm

▷ ⫯P ○ ☺ ⊕ ⊞ 🖼 ⥹ ⤚ 🔲 ⚠ ♂ ♀   photo: F. P. Müllenholz

S52425-4 *Micropoecilia picta* (Regan, 1913)
Pfauenaugenkärpfling / Black Banded Mini
Orinoco, Venezuela (leg. Merino), B, 2,5 cm

▷ �ⵑP ○ ☺ ⨁ ⊞ 🖼 ⇌ ⚓ 🔟 ⚠ ♂   photo: J. C. Merino

S52426-4 *Micropoecilia picta* (Regan, 1913)
Pfauenaugenkärpfling / Black Banded Mini
Aquarienstamm / Aquarium strain, B, 2,5 cm

▷ ⵑP ○ ☺ ⨁ ⊞ 🖼 ⇌ ⚓ 🔟 ⚠ ♂   photo: O. Böhm

S52427-4 *Micropoecilia picta* (Regan, 1913)
Pfauenaugenkärpfling / Black Banded Mini
Aquarienstamm / Aquarium strain, B, 2,5 cm

▷ ⵑP ○ ☺ ⨁ ⊞ 🖼 ⇌ ⚓ 🔟 ⚠ ♂   photo: E. Schraml

S52427-4 *Micropoecilia picta* (Regan, 1913)
Pfauenaugenkärpfling / Black Banded Mini
Aquarienstamm / Aquarium strain, B, 4 cm

▷ ⵑP ○ ☺ ⨁ ⊞ 🖼 ⇌ ⚓ 🔟 ⚠ ♀   photo: E. Schraml

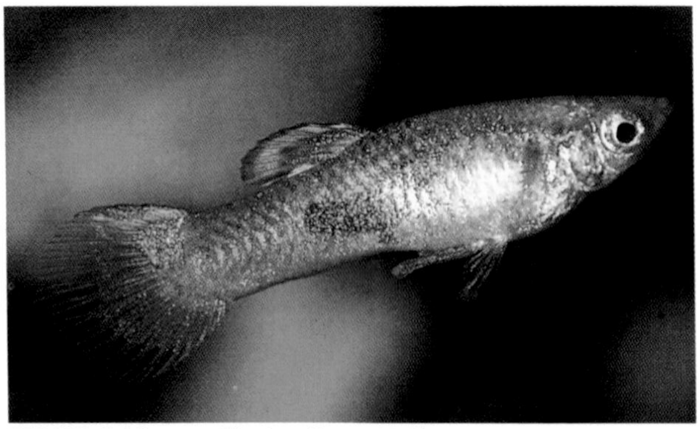

S52428-4 *Micropoecilia picta* (Regan, 1913)
Roter Picta / Red Picta
Aquarienstamm / Aquarium strain, B, 2,5 cm

▷ ⵑP ○ ☺ ⨁ ⊞ 🖼 ⇌ ⚓ 🔟 ⚠ ♂   photo: M. K. Meyer

S52429-4 *Micropoecilia picta* (Regan, 1913)
Pfauenaugenkärpfling / Black Banded Mini
Trinidad, Venezuela bis N-Brasilien, 2,5 cm

▷ ⵑP ○ ☺ ⨁ ⊞ 🖼 ⇌ ⚓ 🔟 ⚠ ♂   photo: R. Wildekamp

S54452-4 *Neoheterandria* cf. *cana* (Meek & Hildebrand, 1913)
Cana Kärpfling / Cana Teddy (valid species?)
Rio Satigani, Cana (Darien), Panama, B, 2,5 cm

▷ ⵑB ◑ ☺ ⨁ ⊞ 🖼 ⇌ ⚓ 🔟 ♂   photo: H. Hieronimus

S54452-4 *Neoheterandria* cf. *cana* (Meek & Hildebrand, 1913)
Cana Kärpfling / Cana Teddy (valid species?)
Rio Satigani, Cana (Darien), Panama, B, 4 cm

▷ ⵑB ◑ ☺ ⨁ ⊞ 🖼 ⇌ ⚓ 🔟 ♀   photo: H. Hieronimus

S54455-4 *Neoheterandria elegans* HENN, 1916
Elegant-Kärpfling / Tiger Teddy
Kolumbien, B, 2 cm

▷ ♫ ◐ ☺ ⊕ ⊞ ▦ ⇄ ⋗ Ⓢ ♂   photo: D. Bork

S54455-4 *Neoheterandria elegans* HENN, 1916
Elegant-Kärpfling / Tiger Teddy
Kolumbien, B, 2,5 cm

▷ ♫ ◐ ☺ ⊕ ⊞ ▦ ⇄ ⋗ Ⓢ ♀   photo: D. Bork

S54456-4 *Neoheterandria elegans* HENN, 1916
Elegant-Kärpfling / Tiger Teddy
Kolumbien, B, 2 cm

▷ ♫ ◐ ☺ ⊕ ⊞ ▦ ⇄ ⋗ Ⓢ ♂   photo: U. Dost

S54456-4 *Neoheterandria elegans* HENN, 1916
Elegant-Kärpfling / Tiger Teddy
Kolumbien, B, 2,5 cm

▷ ♫ ◐ ☺ ⊕ ⊞ ▦ ⇄ ⋗ Ⓢ ♀   photo: U. Dost

S54457-4 *Neoheterandria elegans* HENN, 1916
Elegant-Kärpfling / Tiger Teddy
Kolumbien, B, 2 cm

▷ ♫ ◐ ☺ ⊕ ⊞ ▦ ⇄ ⋗ Ⓢ ♂   photo: J. C. Merino

S54457-4 *Neoheterandria elegans* HENN, 1916
Elegant-Kärpfling / Tiger Teddy
Kolumbien, B, 2,5 cm

▷ ♫ ◐ ☺ ⊕ ⊞ ▦ ⇄ ⋗ Ⓢ ♀   photo: O. Böhm

S54460-4 *Neoheterandria tridentiger* (GARMAN, 1895) (*N.* cf. *cana*?)
Dreizack-Kärpfling / Toothy Teddy
Panama, B, 2,5 cm

▷ ♫ ◐ ☺ ⊕ ⊞ ▦ ⇄ ⋗ ▥ ♂   photo: O. Böhm

S54461-4 *Neoheterandria tridentiger* (GARMAN, 1895)
Dreizack-Kärpfling / Toothy Teddy
Panama, B, 5 cm

▷ ♫ ◐ ☺ ⊕ ⊞ ▦ ⇄ ⋗ ▥ ♀   photo: M. K. Meyer

photo: C. M. de Jong

photo: E. Meinema

1. **Gewässer südlich von Felipe Carillo Puerto, Mexiko. Fundort von *Phallichthys fairweatheri, Poecilia mexicana, Gambusia yucatana, Astyanax* sp., *Thorichthys meeki* und *Vieja bifasciatus*.** Waters south of Felipe Carillo Puerto, Mexico, collecting site of *Phallichthys fairweatheri, Poecilia mexicana, Gambusia yucatana, Astyanax* sp., *Thorichthys meeki* and *Vieja bifasciatus*.

2. **Quebrada Habana in Costa Rica. Hier leben *Amphilophus alfari, Poecilia gillii, Rivulus fuscolineatus, Phallichthys* sp., *Priapichthys annectens* und *Alfaro cultratus*.** Quebrada Habana in Costa Rica, habitat of *Amphilophus alfari, Poecilia gillii, Rivulus fuscolineatus, Phallichthys* sp., *Priapichthys annectens* and *Alfaro cultratus*.

S60905-4 *Phallichthys amates* (MILLER, 1907)
Guatemala-Kärpfling / Merry Widow
Guatemala and Honduras (both: atlantic side), B, 3 cm

▷🎣🌓☺⊕⊞🖼🐟🦈 🔲 ◈♂   photo: U. Dost

S60905-4 *Phallichthys amates* (MILLER, 1907)
Guatemala-Kärpfling / Merry Widow
Guatemala and Honduras (both: atlantic side), B, 6 cm

▷🎣🌓☺⊕⊞🖼🐟🦈 🔲 ◈♀   photo: U. Dost

Phallichthys amates (MILLER, 1907)
Balzend nähert sich das Männchen dem Weibchen
The courtshipping male advances the female.

photo: J. C. Merino

Auch hier gehört das Betupfen der Afterregion zum festen Verhaltensrepertoire geschlechtsaktiver Männchen. In this species, the butting of the anal region is also part of the mating ritual.

photo: J. C. Merino

Mit nach vorne geklapptem Gonopodium schwimmt das Männchen das Weibchen von hinten zur eigentlichen Befruchtung an. With forwardly folded gonopodium, the male advances the female from behind to mate with her.

photo: J. C. Merino

S60908-4 *Phallichthys amates* (MILLER, 1907)
Guatemala-Kärpfling / Merry Widow
Aquarienstamm / Aquarium strain, B, 3 + 6 cm

▷ ♫ ◑ ☺ ✛ ⊞ 🖼 ⇋ ✈ m ◈ ♂ ♀   photo: H. J. Günther

S60912-4 *Phallichthys fairweatheri* ROSEN & BAILEY, 1959
Faiweathers Kärpfling / Elegant Widow
Mexiko, Guatemala, W, 3,5 cm

▷ ♫ ◑ ☺ ✛ ⊞ 🖼 ⇋ ✈ m ◈ ♂   photo: U. Werner

S60910-4 *Phallichthys fairweatheri* ROSEN & BAILEY, 1959
Faiweathers Kärpfling / Elegant Widow
Rio Subin, Guatemala (leg. PÜRZL), B, 3,5 cm

▷ ♫ ◑ ☺ ✛ ⊞ 🖼 ⇋ ✈ m ◈ ♂   photo: E. Pürzl

S60911-4 *Phallichthys fairweatheri* ROSEN & BAILEY, 1959
Faiweathers Kärpfling / Elegant Widow
Mexiko, Guatemala, B, 4,5 cm

▷ ♫ ◑ ☺ ✛ ⊞ 🖼 ⇋ ✈ m ◈ ♀   photo: H. Hieronimus

S60913-4 *Phallichthys fairweatheri* ROSEN & BAILEY, 1959
Faiweathers Kärpfling / Elegant Widow
Guatemala, B, 4,5 cm

▷ ♫ ◑ ☺ ✛ ⊞ 🖼 ⇋ ✈ m ◈ ♀   photo: U. Dost

S60907-4 *Phallichthys pittieri* (MEEK, 1912)
Pittiers Kärpfling / Orange Dorsal Widow
Puerto Viejo, Costa Rica (leg. RADDA), B, 4 cm

▷ ♫ ◑ ☺ ✛ ⊞ 🖼 ⇋ ✈ m ◈ ♂   photo: E. Pürzl

S60906-4 *Phallichthys pittieri* (MEEK, 1912)
Pittiers Kärpfling / Orange Dorsal Widow
Cahuita (leg. MERINO), B, 4 cm

▷ ♫ ◑ ☺ ✛ ⊞ 🖼 ⇋ ✈ m ◈ ♂   photo: J. C. Merino

S60909-4 *Phallichthys pittieri* (MEEK, 1912)
Pittiers Kärpfling / Orange Dorsal Widow
Aquarienstamm / Aquarium strain, B, 4 + 7 cm

▷ ♫ ◑ ☺ ✛ ⊞ 🖼 ⇋ ✈ m ◈ ♂ ♀   photo: H. Hieronimus

S90915-4 *Phallichthys quadripunctatus* Bussing, 1979
Vierpunktkärpfling / Domino Widow
Limon, Costa Rica (leg. Pürzl), B, 1,5 cm

▷ ♫ ◐ ☺ ⊕ ⊞ ▧ ⇶ ⋗ ▥ ⚠ ♂   photo: E. Pürzl

S60915-4 *Phallichthys quadripunctatus* Bussing, 1979
Vierpunktkärpfling / Domino Widow
Limon, Costa Rica (leg. Pürzl), B, 3,5 cm

▷ ♫ ◐ ☺ ⊕ ⊞ ▧ ⇶ ⋗ ▥ ⚠ ♀   photo: E. Pürzl

S60916-4 *Phallichthys quadripunctatus* Bussing, 1979
Vierpunktkärpfling / Domino Widow
Rio Sixaola, Costa Rica (leg. Merino), B, 1,5+ 3,5 cm

▷ ♫ ◐ ☺ ⊕ ⊞ ▧ ⇶ ⋗ ▥ ⚠ ♂ ♀   photo: J. C. Merino

S60917-4 *Phallichthys quadripunctatus* Bussing, 1979
Vierpunktkärpfling / Domino Widow
E-Costa Rica, B, 3,5 cm

▷ ♫ ◐ ☺ ⊕ ⊞ ▧ ⇶ ⋗ ▥ ⚠ ♀   photo: D. Barrett

S60920-4 *Phallichthys tico* Bussing, 1963
Schwarzfleck-Kärpfling / Pallid Widow
Rio Puerto Viejo, Costa Rica (leg. Meyer), W, 2,5 cm

▷ ♫ ◐ ☺ ⊕ ⊞ ▧ ⇶ ⋗ ▥ ♂   photo: M. K. Meyer

S60920-4 *Phallichthys tico* Bussing, 1963
Schwarzfleck-Kärpfling / Pallid Widow
Rio Puerto Viejo, Costa Rica (leg. Meyer), W, 4,5 cm

▷ ♫ ◐ ☺ ⊕ ⊞ ▧ ⇶ ⋗ ▥ ♀   photo: M. K. Meyer

S60921-4 *Phallichthys tico* Bussing, 1963
Schwarzfleck-Kärpfling / Pallid Widow
Costa Rica, B, 2,5 cm

▷ ♫ ◐ ☺ ⊕ ⊞ ▧ ⇶ ⋗ ▥ ♂   photo: U. Dost

S60921-4 *Phallichthys tico* Bussing, 1963
Schwarzfleck-Kärpfling / Pallid Widow
Costa Rica, B, 4,5 cm

▷ ♫ ◐ ☺ ⊕ ⊞ ▧ ⇶ ⋗ ▥ ♀   photo: U. Dost

S60925-4 *Phalloceros caudimaculatus* (Hensel, 1868)
Kaudi / The Caudo
S-Brazil, Uruguay, Paraguay, B, 3 cm

◁ ▷ ♣ ○ ☺ ⊞ 🖼 ⇶ ✈ 🔟 ◈ ♂   photo: D. Bork

S60926-4 *Phalloceros caudimaculatus* (Hensel, 1868)
Kaudi / The Caudo
Brazil (le. Meyer), B, 4,5 cm

◁ ▷ ♣ ○ ☺ ⊞ 🖼 ⇶ ✈ 🔟 ◈ ♀   photo: M. K. Meyer

S60927-4 *Phalloceros caudimaculatus* (Hensel, 1868)
Kaudi / The Caudo
Rio Paraná, Corrientes, Agentina (leg. Staeck), W, 3 cm

◁ ▷ ♣ ○ ☺ ⊞ 🖼 ⇶ ✈ 🔟 ◈ ♂   photo: W. Staeck

S60928-4 *Phalloceros caudimaculatus* (Hensel, 1868)
Kaudi / The Caudo
S-Brazil, Uruguay, Paraguay, B, 4,5 cm

◁ ▷ ♣ ○ ☺ ⊞ 🖼 ⇶ ✈ 🔟 ◈ ♀   photo: H. Hieronimus

S60929-4 *Phalloceros caudimaculatus* (Hensel, 1868)
Kaudi / The Caudo
S-Brazil, Uruguay, Paraguay, B, 3 cm

◁ ▷ ♣ ○ ☺ ⊞ 🖼 ⇶ ✈ 🔟 ◈ ♂   photo: E. Schraml

S60929-4 *Phalloceros caudimaculatus* (Hensel, 1868)
Kaudi / The Caudo
S-Brazil, Uruguay, Paraguay, B, 4,5 cm

◁ ▷ ♣ ○ ☺ ⊞ 🖼 ⇶ ✈ 🔟 ◈ ♀   photo: E. Schraml

S60930-4 *Phalloceros caudimaculatus* (Hensel, 1868)
Kaudi / The Caudo
Rio Paranio, Brazil (leg. Dawes), W, 3 cm

◁ ▷ ♣ ○ ☺ ⊞ 🖼 ⇶ ✈ 🔟 ◈ ♂   photo: J. Dawes

S60931-4 *Phalloceros caudimaculatus* (Hensel, 1868)
Kaudi / The Caudo
Velazquez, Uruguay (leg. Merino), B, 3 + 4,5 cm

◁ ▷ ♣ ○ ☺ ⊞ 🖼 ⇶ ✈ 🔟 ◈ ♂ ♀   photo: J. C. Merino

S60932-4 *Phalloceros caudimaculatus* (H<small>ENSEL</small>, 1868) "Reticulatus"
Kaudi / The Caudo
Zuchtform / Breeding-Form, B, 3 + 4,5 cm

◁ ▷ ♬ ○ ☺ ⊞ 🖼 ≋ ➹ 🔲 ◈ ♂ ♀   photo: H. Hieronimus

S60933-4 *Phalloceros caudimaculatus* (H<small>ENSEL</small>, 1868) "Reticulatus"
Kaudi / The Caudo
Zuchtform / Breeding-Form, B, 3 + 4,5 cm

◁ ▷ ♬ ○ ☺ ⊞ 🖼 ≋ ➹ 🔲 ◈ ♂ ♀   photo: F. P. Müllenholz

S60934-4 *Phalloceros caudimaculatus* (H<small>ENSEL</small>, 1868) "Reticulatus"
Kaudi / The Caudo
Zuchtform / Breeding-Form, B, 3 cm

◁ ▷ ♬ ○ ☺ ⊞ 🖼 ≋ ➹ 🔲 ◈ ♂   photo: J. C. Merino

S60935-4 *Phalloceros caudimaculatus* (H<small>ENSEL</small>, 1868) "Reticulatus"
Kaudi / The Caudo
Zuchtform / Breeding-Form, B, 4,5 cm

◁ ▷ ♬ ○ ☺ ⊞ 🖼 ≋ ➹ 🔲 ◈ ♀   photo: F. Teigler/ACS

S60936-4 *Phalloceros caudimaculatus* (H<small>ENSEL</small>, 1868) "Auratus"
Kaudi / The Caudo
Zuchtform / Breeding-Form, B, 3 cm

◁ ▷ ♬ ○ ☺ ⊞ 🖼 ≋ ➹ 🔲 ◈ ♂   photo: J. C. Merino

S60936-4 *Phalloceros caudimaculatus* (H<small>ENSEL</small>, 1868) "Auratus"
Kaudi / The Caudo
Zuchtform / Breeding-Form, B, 4,5 cm

◁ ▷ ♬ ○ ☺ ⊞ 🖼 ≋ ➹ 🔲 ◈ ♀   photo: O. Böhm

S60938-4 *Phalloceros caudimaculatus* (H<small>ENSEL</small>, 1868) "Auratus"
Kaudi / The Caudo
Zuchtform / Breeding-Form, B, 3 cm

◁ ▷ ♬ ○ ☺ ⊞ 🖼 ≋ ➹ 🔲 ◈ ♂   photo: H. J. Richter/ACS

S60938-4 *Phalloceros caudimaculatus* (H<small>ENSEL</small>, 1868) "Auratus"
Kaudi / The Caudo
Zuchtform / Breeding-Form, B, 4,5 cm

◁ ▷ ♬ ○ ☺ ⊞ 🖼 ≋ ➹ 🔲 ◈ ♀   photo: J. Glaser

S60940-4 *Phalloceros caudimaculatus* (Hensel, 1868) "Auratus"
Kaudi / The Caudo
Zuchtform / Breeding-Form, B, 3 cm

◁ ▷ 🐟 ○ ☺ ⊞ 🖼 ≛ ⤚ 🔳 ◈ ♂   photo: Ch. & M.P. Piednoir

S60941-4 *Phalloceros caudimaculatus* (Hensel, 1868) "Auratus"
Kaudi / The Caudo
Zuchtform / Breeding-Form, B, 4,5 cm

◁ ▷ 🐟 ○ ☺ ⊞ 🖼 ≛ ⤚ 🔳 ◈ ♀   photo: U. Dost

S60945-4 *Phalloptychus* cf. *eigenmanni* Henn, 1916
Eigenmanns Zwergkärpfling / Eigenmann´s Millionsfish
Rio Catu, Bahia, Brazil, 2,5 cm

◁ ▷ 🐟 ○ ☺ ⊞ 🖼 ≛ ⤚ 🔳 ♂   photo: J. C. Merino

S60948-4 *Phalloptychus januarius* (Hensel, 1868)
Januar-Kärpfling / Barred Millionsfish
Brasilien, Paraguay, Uruguay, B, 2,5 cm

◁ ▷ 🐟 ○ ☺ ⊞ 🖼 ≛ ⤚ 🔳 ♂   photo: O. Böhm

S60948-4 *Phalloptychus januarius* (Hensel, 1868)
Januar-Kärpfling / Barred Millionsfish
Brasilien, Paraguay, Uruguay, B, 4 cm

◁ ▷ 🐟 ○ ☺ ⊞ 🖼 ≛ ⤚ 🔳 ♀   photo: O. Böhm

S60949-4 *Phalloptychus januarius* (Hensel, 1868)
Januar-Kärpfling / Barred Millionsfish
Brasilien, Paraguay, Uruguay, B, 4 cm

◁ ▷ 🐟 ○ ☺ ⊞ 🖼 ≛ ⤚ 🔳 ♀   photo: H. Hieronimus

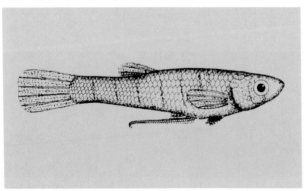

S60955 *Phallotorynus fasciolatus* Henn, 1916
Gestreifter Geweihkärpfling / Striped Antlers Livebearer
Rio-Paraiba-Becken, Sao Paulo, Brazil, 2,5 + 3,5 cm

♂   zeichnung: M. K. Meyer

S60958-4 *Phallotorynus jucundus* Ihering, 1930
Geweihkärpfling / Antlers Livebearer
Rio-Paraná-Becken, Sao Paulo, Brazil, Z-Paraguay, B, 2,5 + 3 cm

◁ ▷ 🐟 ○ ☺ ⊞ 🖼 ≛ ⤚ 🔳 ♂ ♀   photo: H. Hieronimus

S60959-4 *Phallotorynus jucundus* IHERING, 1930
Geweihkärpfling / Antlers Livebearer
Rio-Paraná-Becken, Sao Paulo, Brazil, Z-Paraguay, B, 2,5 cm
◁ ▷ ♣ ○ ☺ ⊞ ▣ ≑ ➤ [S] ♂ photo: H. Hieronimus

S60959-4 *Phallotorynus jucundus* IHERING, 1930
Geweihkärpfling / Antlers Livebearer
Rio-Paraná-Becken, Sao Paulo, Brazil, Z-Paraguay, B, 3 cm
◁ ▷ ♣ ○ ☺ ⊞ ▣ ≑ ➤ [S] ♀ photo: H. Hieronimus

S60963-4 *Phallotorynus victoriae* OLIVEROS, 1983
Viktoria-Kärpfling / Viktoria Livebearer
Rio Paraná, Rio Paraguay (Prov. Corrientes and Chaco), Argentina, B, 2,5 cm
◁ ▷ ♣ ○ ☺ ⊞ ▣ ≑ ➤ [S] ♂ photo: M. K. Meyer

S60964-4 *Phallotorynus victoriae* OLIVEROS, 1983
Viktoria-Kärpfling / Viktoria Livebearer
Rio Paraná, Prov. Corrients , Argentina (leg. STAECK), W, 2,5 cm
◁ ▷ ♣ ○ ☺ ⊞ ▣ ≑ ➤ [S] ♂ photo: W. Staeck

S60964-4 *Phallotorynus victoriae* OLIVEROS, 1983
Viktoria-Kärpfling / Viktoria Livebearer
Rio Paraná, Prov. Corrients , Argentina (leg. STAECK), W, 2,5 cm
◁ ▷ ♣ ○ ☺ ⊞ ▣ ≑ ➤ [S] ♂ photo: W. Staeck

S63600-4 *Poecilia butleri* Jordan, 1889
Butler-Molly / Pacific Molly
Tepic (paz. side), Mexico (leg. Werner), W, 7 cm

⚠ ↑P ○ ☺ ⊕ 田 🖼 ⇶ ⤚ m̄ ◈ ♂
photo: U. Werner

S63601-4 *Poecilia butleri* Jordan, 1889
Butler-Molly / Pacific Molly
Guatemala (paz. side) (leg. Werner), W, 7 cm

⚠ ↑P ○ ☺ ⊕ 田 🖼 ⇶ ⤚ m̄ ◈ ♂
photo: U. Werner

S63602-4 *Poecilia butleri* Jordan, 1889
Butler-Molly / Pacific Molly
Guatemala (paz. side) (leg. Werner), W, 7 + 8 cm

⚠ ↑P ○ ☺ ⊕ 田 🖼 ⇶ ⤚ m̄ ◈ ♂ ♀
photo: U. Werner

S63603-4 *Poecilia butleri* Jordan, 1889
Butler-Molly / Pacific Molly
W-Mexico bis W-Panama, B, 7 cm

⚠ ↑P ○ ☺ ⊕ 田 🖼 ⇶ ⤚ m̄ ◈ ♂
photo: H. Hieronimus

S63604-4 *Poecilia butleri* Jordan, 1889
Butler-Molly / Pacific Molly
Papagayo, Acapulco, Mexico (leg. Werner), W, 7 cm

⚠ ↑P ○ ☺ ⊕ 田 🖼 ⇶ ⤚ m̄ ◈ ♂
photo: U. Werner

S63604-4 *Poecilia butleri* Jordan, 1889
Butler-Molly / Pacific Molly
Papagayo, Acapulco, Mexico (leg. Werner), W, 8 cm

⚠ ↑P ○ ☺ ⊕ 田 🖼 ⇶ ⤚ m̄ ◈ ♀
photo: U. Werner

S63605-4 *Poecilia butleri* Jordan, 1889
Butler-Molly / Pacific Molly
Acapulco, Mexico (leg. Meyer), B, 7 + 8 cm

⚠ ↑P ○ ☺ ⊕ 田 🖼 ⇶ ⤚ m̄ ◈ ♂ ♀
photo: M. K. Meyer

S63606-4 *Poecilia butleri* Jordan, 1889
Butler-Molly / Pacific Molly
Acapulco, Mexico (leg. Werner), W, 7 cm

⚠ ↑P ○ ☺ ⊕ 田 🖼 ⇶ ⤚ m̄ ◈ ♂
photo: U. Werner

S63608-4 *Poecilia catemaconis* MILLER, 1975
Zitronen-Molly / Catemaco Molly
Laguna Catemaco, Mexiko (leg. MEYER), W, 8 cm

⚠ ⇑P ○ ☺ ⊕ ⊞ 🐟 ⇌ 🐟 m ◈ ♂   photo: M. K. Meyer

S63608-4 *Poecilia catemaconis* MILLER, 1975
Zitronen-Molly / Catemaco Molly
Laguna Catemaco, Mexiko (leg. MEYER), W, 10,5 cm

⚠ ⇑P ○ ☺ ⊕ ⊞ 🐟 ⇌ 🐟 m ◈ ♀   photo: M. K. Meyer

S63609-4 *Poecilia catemaconis* MILLER, 1975
Zitronen-Molly / Catemaco Molly
Laguna Catemaco, Mexiko (leg. WERNER), W, 8 cm

⚠ ⇑P ○ ☺ ⊕ ⊞ 🐟 ⇌ 🐟 m ◈ ♂   photo: U. Werner

S63610-4 *Poecilia catemaconis* MILLER, 1975
Zitronen-Molly / Catemaco Molly
Laguna Catemaco, Mexiko (leg. STAECK), W, 8 cm

⚠ ⇑P ○ ☺ ⊕ ⊞ 🐟 ⇌ 🐟 m ◈ ♂   photo: W. Staeck

S63614-4 *Poecilia caucana* (STEINDACHNER, 1880)
Cauca-Molly / South American Molly
Cartagena, Columbia (leg. MERINO), B, 3 + 4 cm

▷ ₿ ○ ☺ ⊕ ⊞ 🐟 ⇌ 🐟 m ◈ ♂ ♀   photo: J. C. Merino

S63615-4 *Poecilia caucana* (STEINDACHNER, 1880)
Cauca-Molly / South American Molly
Aquarienstamm / Aquarium strain, B, 3 + 4 cm

▷ ₿ ○ ☺ ⊕ ⊞ 🐟 ⇌ 🐟 m ◈ ♂ ♀   photo: H. Hieronimus

S63616-4 *Poecilia caucana* (STEINDACHNER, 1880)
Cauca-Molly / South American Molly
Panama, Columbia , Venezuela, B, 3 cm

▷ ₿ ○ ☺ ⊕ ⊞ 🐟 ⇌ 🐟 m ◈ ♂   photo: D. Barrett

S63617-4 *Poecilia caucana* (STEINDACHNER, 1880)
Cauca-Molly / South American Molly
Panama, Columbia , Venezuela, B, 3 cm

▷ ₿ ○ ☺ ⊕ ⊞ 🐟 ⇌ 🐟 m ◈ ♂   photo: D. Bork

S63618-4 *Poecilia caucana* (Steindachner, 1880)
Cauca-Molly / South American Molly
Tolu, Columbia (leg. Pürzl), B, 3 cm

▷ ♫ ○ ☺ ✪ ⊞ 🖼 ⇌ 🦅 Ⓜ ◈ ♂   photo: E. Pürzl

S63619-4 *Poecilia caucana* (Steindachner, 1880)
Cauca-Molly / South American Molly
Panama, Columbia , Venezuela, B, 4 cm

▷ ♫ ○ ☺ ✪ ⊞ 🖼 ⇌ 🦅 Ⓜ ◈ ♀   photo: O. Böhm

S63620-4 *Poecilia cf. caucana* (Steindachner, 1880)
Cauca-Molly / South American Molly
Venezuela (leg. Meyer), B, 3 cm

▷ ♫ ○ ☺ ✪ ⊞ 🖼 ⇌ 🦅 Ⓜ ◈ ♂   photo: M. K. Meyer

S63620-4 *Poecilia cf. caucana* (Steindachner, 1880)
Cauca-Molly / South American Molly
Venezuela (leg. Meyer), B, 4 cm

▷ ♫ ○ ☺ ✪ ⊞ 🖼 ⇌ 🦅 Ⓜ ◈ ♀   photo: M. K. Meyer

S63621-4 *Poecilia cf. caucana* (Steindachner, 1880) „Panama"
Panama-Cauca-Molly / South American Molly „Panama"
Panama (leg. Smith), W, 4 cm

▷ ♫ ○ ☺ ✪ ⊞ 🖼 ⇌ 🦅 Ⓜ ◈ ♂   photo: M. Smith

S63625-4 *Poecilia chica* Miller, 1975
Zwergmolly / Dwarf Molly
Rio Purificacion, Jalisco, Mexico (leg. Merino), B, 3,5 cm

▷ ⇑P ○ ☺ ✪ ⊞ 🖼 ⇌ 🦅 Ⓜ ◈ ♂   photo: J. C. Merino

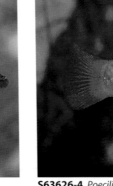

S63626-4 *Poecilia chica* Miller, 1975
Zwergmolly / Dwarf Molly
Rio Purificacion, Jalisco, Mexico (leg. Werner), B, 3 cm

▷ ⇑P ○ ☺ ✪ ⊞ 🖼 ⇌ 🦅 Ⓜ ◈ ♂   photo: U. Werner

S63626-4 *Poecilia chica* Miller, 1975
Zwergmolly / Dwarf Molly
Rio Purificacion, Jalisco, Mexico (leg. Werner), B, 3,5 cm

▷ ⇑P ○ ☺ ✪ ⊞ 🖼 ⇌ 🦅 Ⓜ ◈ ♀   photo: U. Werner

S63627-4 *Poecilia chica* MILLER, 1975
Zwergmolly / Dwarf Molly
Aquarienstamm / Aquarium strain, B, 3 cm

▷ �🜚P ○ ☺ ⊕ ⊞ 🖼 ⇌ ✈ 🔟 ◈ ♂

photo: D. Bork

S63627-4 *Poecilia chica* MILLER, 1975
Zwergmolly / Dwarf Molly
Aquarienstamm / Aquarium strain, B, 3,5 cm

▷ �🜚P ○ ☺ ⊕ ⊞ 🖼 ⇌ ✈ 🔟 ◈ ♀

photo: D. Bork

S63628-4 *Poecilia chica* MILLER, 1975
Zwergmolly / Dwarf Molly
Aquarienstamm / Aquarium strain, B, 3 + 3,5 cm

▷ �🜚P ○ ☺ ⊕ ⊞ 🖼 ⇌ ✈ 🔟 ◈ ♂ ♀

photo: F.P. Müllenholz

S63629-4 *Poecilia chica* MILLER, 1975
Zwergmolly / Dwarf Molly
Aquarienstamm der ALA / ALA aquarium strain, B, 3 + 3,5 cm

▷ �🜚P ○ ☺ ⊕ ⊞ 🖼 ⇌ ✈ 🔟 ◈ ♂ ♀

photo: E. Pürzl

S63633-4 *Poecilia dominicensis* (EVERMANN & CLARK, 1906)
Santo-Domingo-Molly / Santo Domingo Molly
Jarabacoa, Dominikanische Republik (leg. MEYER), W, 3,5 cm

▷ ⋔ ○ ☺ ⊕ ⊞ 🖼 ⇌ ✈ 🔟 ◈ ♂

photo: M. K. Meyer

S63635-4 *Poecilia elegans* (TREWAVAS, 1948)
Blauband-Molly / Elegant Molly
Jarabacoa, Dominikanische Republik (leg. MEYER), B, 4 cm

▷ ⋔ ○ ☺ ⊕ ⊞ 🖼 ⇌ ✈ 🔟 ◈ ♂

photo: M. K. Meyer

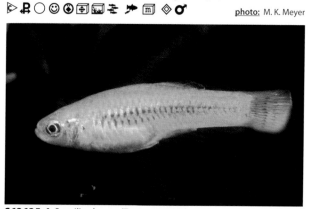

S63635-4 *Poecilia elegans* (TREWAVAS, 1948)
Blauband-Molly / Elegant Molly
Jarabacoa, Dominikanische Republik, B, 4 cm

▷ ⋔ ○ ☺ ⊕ ⊞ 🖼 ⇌ ✈ 🔟 ◈ ♂

photo: H. J. Mayland

S63635-4 *Poecilia elegans* (TREWAVAS, 1948)
Blauband-Molly / Elegant Molly
Jarabacoa, Dominikanische Republik (leg. MEYER), B, 5 cm

▷ ⋔ ○ ☺ ⊕ ⊞ 🖼 ⇌ ✈ 🔟 ◈ ♀

photo: H. J. Mayland

S63638-4 *Poecilia* kl. *formosa* (GIRARD, 1859)
Amazonenkärpfling / Amazon Molly (gynogenetic „species")
San Marcos River (leg. MERINO), W, 8 cm
▷ ⱡP ○ ☺ ⊕ ⊞ ▦ ⯮ ⵜ m̄ ◈ ♀   **photo:** J. C. Merino

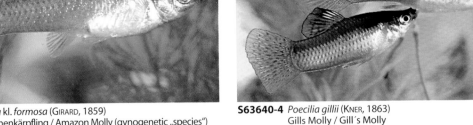

S63640-4 *Poecilia gillii* (KNER, 1863)
Gills Molly / Gill´s Molly
Rio Aquam, Honduras (leg. MERINO), B, 4 + 5 cm
▷ ⱡP ○ ☺ ⊕ ⊞ ▦ ⯮ ⵜ m̄ ◈ ♂ ♀   **photo:** J. C. Merino

S63641-4 *Poecilia gillii* (KNER, 1863)
Gills Molly / Gill´s Molly
Arenal, Costa Rica (leg. DOST), B, 4 cm
▷ ⱡP ○ ☺ ⊕ ⊞ ▦ ⯮ ⵜ m̄ ◈ ♂   **photo:** U. Dost

S63641-4 *Poecilia gillii* (KNER, 1863)
Gills Molly / Gill´s Molly
Arenal, Costa Rica (leg. DOST), B, 5 cm
▷ ⱡP ○ ☺ ⊕ ⊞ ▦ ⯮ ⵜ m̄ ◈ ♀   **photo:** U. Dost

S63642-4 *Poecilia* cf. *gillii* (KNER, 1863)
Gills Molly / Gill´s Molly
Laguna Bacalar (leg. SOSNA), W, 4 cm
▷ ⱡP ○ ☺ ⊕ ⊞ ▦ ⯮ ⵜ m̄ ◈ ♂   **photo:** E. Sosna

S63644-4 *Poecilia* cf. *gillii* (KNER, 1863)
Gills Molly / Gill´s Molly
Rio Cahabon, Guatemala (leg. SOSNA), W, 6 cm
▷ ⱡP ○ ☺ ⊕ ⊞ ▦ ⯮ ⵜ m̄ ◈ ♂   **photo:** E. Sosna

S63643-4 *Poecilia gillii* (KNER, 1863)
Gills Molly / Gill´s Molly
Aquarienstamm / Aquarium strain, B, 4 cm
▷ ⱡP ○ ☺ ⊕ ⊞ ▦ ⯮ ⵜ m̄ ◈ ♂   **photo:** F. Teigler/ACS

S63643-4 *Poecilia gillii* (KNER, 1863)
Gills Molly / Gill´s Molly
Aquarienstamm / Aquarium strain, B, 5 cm
▷ ⱡP ○ ☺ ⊕ ⊞ ▦ ⯮ ⵜ m̄ ◈ ♀   **photo:** F. Teigler/ACS

S63646-4 *Poecilia heterandria* (REGAN, 1913)
Venezuela-Molly / Caracas Livebearer
Venezuela (leg. MEYER), B, 2,5 cm

▷ ⚑ ○ ☺ ⊕ ⊞ 🖼 ⇶ ⤳ 🔲 ♂   photo: M. K. Meyer

S63646-4 *Poecilia heterandria* (REGAN, 1913)
Venezuela-Molly / Caracas Livebearer
Venezuela (leg. MEYER), B, 4 cm

▷ ⚑ ○ ☺ ⊕ ⊞ 🖼 ⇶ ⤳ 🔲 ♀   photo: M. K. Meyer

S63647-4 *Poecilia heterandria* (REGAN, 1913)
Venezuela-Molly / Caracas Livebearer
Venezuela, B, 2,5 cm

▷ ⚑ ○ ☺ ⊕ ⊞ 🖼 ⇶ ⤳ 🔲 ♂   photo: J. C. Merino

S63647-4 *Poecilia heterandria* (REGAN, 1913)
Venezuela-Molly / Caracas Livebearer
Venezuela, B, 4 cm

▷ ⚑ ○ ☺ ⊕ ⊞ 🖼 ⇶ ⤳ 🔲 ♀   photo: J. C. Merino

S63650-4 *Poecilia hispaniolana* RIVAS, 1978
Hispaniola-Molly / Hispaniola Molly
Dominikanische Republik (leg. MEYER), W, 4,5 cm

▷ ⚑ ○ ☺ ⊕ ⊞ 🖼 ⇶ ⤳ 🔲 ♂   photo: M. K. Meyer

S63652-4 *Poecilia (Pamphorichthys) hollandi* (HENN, 1916) (= *P. minor?*)
Hollands Zwergkärpfling / Holland´s Livebearer
Rio Tapajos, Brazil (leg. LINKE), W, 2,5 + 4 cm

▷ ⚑ ○ ☺ ⊕ ⊞ 🖼 ⇶ ⤳ Ⓢ ⚠ ♂ ♀   photo: H. Linke

S63653-4 *Poecilia (Pamphorichthys) hollandi* (HENN, 1916) (= *P. minor?*)
Hollands Zwergkärpfling / Holland´s Livebearer
Januaria, Sao Francisco, Brazil (leg. MERINO), W, 2,5 cm

▷ ⚑ ○ ☺ ⊕ ⊞ 🖼 ⇶ ⤳ Ⓢ ⚠ ♂   photo: J. C. Merino

S63653-4 *Poecilia (Pamphorichthys) hollandi* (HENN, 1916)(= *P. minor?*)
Hollands Zwergkärpfling / Holland´s Livebearer
Januaria, Sao Francisco, Brazil (leg. MERINO), W, 4 cm

▷ ⚑ ○ ☺ ⊕ ⊞ 🖼 ⇶ ⤳ Ⓢ ⚠ ♀   photo: J. C. Merino

S63654-4 *Poecilia (Pamphorichthys) hollandi* (Henn, 1916) (= *P. minor?*)
Hollands Zwergkärpfling / Holland´s Livebearer
Rio Itapicuru, Maranhao, Brazil (leg. Staeck), W, 2,5 cm

▷ ⫫P ○ ☺ ⊕ ⊞ 🖼 ⇶ ⤚ Ⓢ ⚠ ♂   **photo:** W. Staeck

S63655-4 *Poecilia (Pamphorichthys)* cf. *hollandi* (Henn, 1916) (= *P. minor?*)
Hollands Zwergkärpfling / Holland´s Livebearer
Amazonas-System, Brazil (leg. Meyer), W, 2,5 cm

▷ ⫫P ○ ☺ ⊕ ⊞ 🖼 ⇶ ⤚ Ⓢ ⚠ ♂   **photo:** M. K. Meyer

S63656-4 *Poecilia (Pamphorichthys) hollandi* (Henn, 1916) (= *P. minor?*)
Hollands Zwergkärpfling / Holland´s Livebearer
Mato Grosso, Z-Brazil (leg. Bork), W, 2,5 cm

▷ ⫫P ○ ☺ ⊕ ⊞ 🖼 ⇶ ⤚ Ⓢ ⚠ ♂   **photo:** D. Bork

S63656-4 *Poecilia (Pamphorichthys) hollandi* (Henn, 1916) (= *P. minor?*)
Hollands Zwergkärpfling / Holland´s Livebearer
Mato Grosso, Z-Brazil (leg. Bork), W, 4 cm

▷ ⫫P ○ ☺ ⊕ ⊞ 🖼 ⇶ ⤚ Ⓢ ♀   **photo:** D. Bork

S63656-4 *Poecilia (Pamphorichthys) hollandi* (Henn, 1916) (= *P. minor?*)
Hollands Zwergkärpfling / Holland´s Livebearer
Mato Grosso, Z-Brazil (leg. Bork), W, 2,5 cm

▷ ⫫P ○ ☺ ⊕ ⊞ 🖼 ⇶ ⤚ Ⓢ ⚠ ♂   **photo:** D. Bork

S63660-4 *Poecilia latipinna* (Lesueur, 1821)
Breitflossenkärpfling / Sailfin Molly
Everglades, Florida, U.S.A. (leg. Piednoir), W, 8 + 10 cm

▷ ⫫P ○ ☺ ⊕ ⊞ 🖼 ⇶ ⤚ Ⓛ ◈ ♂ ♀   **photo:** M.P. & Ch. Piednoir

S63661-4 *Poecilia latipinna* (Lesueur, 1821)
Breitflossenkärpfling / Sailfin Molly
Texas, U.S.A. (leg. Meyer), W, 8 cm

▷ ⫫P ○ ☺ ⊕ ⊞ 🖼 ⇶ ⤚ Ⓛ ◈ ♂   **photo:** M. K. Meyer

S63662-4 *Poecilia latipinna* (Lesueur, 1821)
Breitflossenkärpfling / Sailfin Molly
Florida, Nordmexiko, W, 8 cm

▷ ⫫P ○ ☺ ⊕ ⊞ 🖼 ⇶ ⤚ Ⓛ ◈ ♂   **photo:** U. Werner

S63663-4 *Poecilia latipinna* (LESUEUR, 1821)
Breitflossenkärpfling / Sailfin Molly
Florida, Nordmexiko, B, 8 cm

▷ ↑P ○ ☺ ⊕ ⊞ ▦ ⇌ ⤙ 🔲 ◇ ♂
photo: J. C. Merino

S63855-4 *Poecilia latipunctata* MEEK, 1904
Nahtmolly / Tamesi Molly
Rio Mante, Mexiko (leg. MEYER), W, 6 cm

▷ ↑P ○ ☺ ⊕ ⊞ ▦ ⇌ ⤙ 🔲 ♀
photo: M. K. Meyer

S63856-4 *Poecilia latipunctata* MEEK, 1904
Nahtmolly / Tamesi Molly
Media Luna, Mexiko (leg. WERNER), W, 6 cm

▷ ↑P ○ ☺ ⊕ ⊞ ▦ ⇌ ⤙ 🔲 ♀
photo: U. Werner

S63858-4 *Poecilia marcellinoi* POESER, 1995
Marecellino-Kärpfling / Marcellino Molly
Honduras (leg. MEYER), B, 5 cm

▷ ↑P ○ ☺ ⊕ ⊞ ▦ ⇌ ⤙ 🔲 ♂
photo: M. K. Meyer

S63860-4 *Poecilia maylandi* MEYER, 1983
Maylands Molly / Mayland´s Molly
Altamirano, Mexiko (leg. MEYER), W, 10 cm

▷ ↑P ○ ☺ ⊕ ⊞ ▦ ⇌ ⤙ 🔲 ◇ ♂
photo: M. K. Meyer

S63860-4 *Poecilia maylandi* MEYER, 1983
Maylands Molly / Mayland´s Molly
Altamirano, Mexiko (leg. MEYER), W, 12 cm

▷ ↑P ○ ☺ ⊕ ⊞ ▦ ⇌ ⤙ 🔲 ◇ ♀
photo: M. K. Meyer

S63861-4 *Poecilia maylandi* MEYER, 1983
Maylands Molly / Mayland´s Molly
Altamirano, Mexiko (leg. MEYER), W, 10 cm

▷ ↑P ○ ☺ ⊕ ⊞ ▦ ⇌ ⤙ 🔲 ◇ ♂
photo: H. J. Mayland

S63861-4 *Poecilia maylandi* MEYER, 1983
Maylands Molly / Mayland´s Molly
Altamirano, Mexiko (leg. MEYER), W, 12 cm

▷ ↑P ○ ☺ ⊕ ⊞ ▦ ⇌ ⤙ 🔲 ◇ ♀
photo: H. J. Mayland

S63865-4 *Poecilia mexicana mexicana* STEINDACHNER, 1863
Mexikomolly / Atlantic Molly
Rio Axtla, Mexiko (leg. MEYER), W, 7 cm

 photo: M. K. Meyer

S63866-4 *Poecilia mexicana mexicana* STEINDACHNER, 1863
Mexikomolly / Atlantic Molly
Rio Machacas, Mexiko (leg. BÖHM), W, 7 cm

photo: O. Böhm

S63867-4 *Poecilia mexicana mexicana* STEINDACHNER, 1863
Mexikomolly / Atlantic Molly
Papaloapan, Mexiko (leg. MERINO), W, 7 cm

 photo: J. C. Merino

S63868-4 *Poecilia mexicana mexicana* STEINDACHNER, 1863
Mexikomolly / Atlantic Molly
Panama (leg. SMITH), W, 7 cm

photo: M. Smith

S63869-4 *Poecilia* cf. *mexicana mexicana* STEINDACHNER, 1863
Mexikomolly / Atlantic Molly
Costa Rica (leg. MEYER), W, 7 cm

photo: M. K. Meyer

S63870-4 *Poecilia mexicana mexicana* STEINDACHNER, 1863
Mexikomolly / Atlantic Molly
Aquarienstamm / Aquarium strain, B, 7 cm

 photo: H. Hieronimus

S63871-4 *Poecilia mexicana mexicana* STEINDACHNER, 1863
Mexikomolly / Atlantic Molly
Laguna Kana, Mexiko (leg. MERINO), W, 7 cm

photo: J. C. Merino

S63872-4 *Poecilia mexicana limantouri* JORADAN & SNYDER, 1900
Limantours Molly / Limantour´s Molly
Laguna Media Luna, Mexiko (leg. MERINO), W, 5,5 cm

photo: J. C. Merino

S63873-4 *Poecilia mexicana limantouri* Joradan & Snyder, 1900
Limantours Molly / Limantour´s Molly
Laguna Media Luna, Mexiko (leg. Merino), W, 5,5 + 7 cm

▷ ⵏP ○ ☺ ⊕ ⊞ 🖼 ⫘ ⤙ ⊡ ◈ ♂   photo: J. C. Merino

S63873-4 *Poecilia mexicana limantouri* Joradan & Snyder, 1900
Limantours Molly / Limantour´s Molly
Laguna Media Luna, Mexiko (leg. Merino), W, 5,5 cm

▷ ⵏP ○ ☺ ⊕ ⊞ 🖼 ⫘ ⤙ ⊡ ◈ ♂   photo: J. C. Merino

S63874-4 *Poecilia mexicana limantouri* Joradan & Snyder, 1900
Limantours Molly / Limantour´s Molly
Laguna Media Luna, Mexiko (leg. Werner), W, 5,5 cm

▷ ⵏP ○ ☺ ⊕ ⊞ 🖼 ⫘ ⤙ ⊡ ◈ ♂   photo: U. Werner

S63875-4 *Poecilia mexicana limantouri* Joradan & Snyder, 1900
Limantours Molly / Limantour´s Molly
Laguna Media Luna, Mexiko (leg. Meyer), W, 5,5 cm

▷ ⵏP ○ ☺ ⊕ ⊞ 🖼 ⫘ ⤙ ⊡ ◈ ♂   photo: M. K. Meyer

S63881-4 *Poecilia mexicana* ssp.
Höhlen-Molly / Cave Molly
Tapijulapa,Tabasco, Mexico (leg. Meyer), W, 4 cm

▷ ⵏP ○ ☺ ⊕ ⊞ 🖼 ⫘ ⤙ ⊡ ◈ ♂   photo: M. K. Meyer

S63882-4 *Poecilia* cf. *mexicana* Steindachner, 1863
Mexikomolly / Atlantic Molly
Puente Chius Luiz, Oaxaca, Mexiko (leg. Merino), W, 5 cm

▷ ⵏP ○ ☺ ⊕ ⊞ 🖼 ⫘ ⤙ ⊡ ◈ ♂   photo: J. C. Merino

S63885-4 *Poecilia (Pamphorichthys) minor* (Garman, 1895)
Längsstreifen-Zwergkärpfling / Blue Mini
Cuiabá, Mato Grosso, Brazil (leg. Werner), W, 2 + 3 cm (see also *P. hollandi*)

▷ ⵏP ○ ☺ ⊕ ⊞ 🖼 ⫘ ⤙ S ⚠ ♂ ♀   photo: U. Werner

S63888-4 *Poecilia orri* Fowler, 1943
Mangrovenmolly / Mangrove Molly
Santa Fé, Honduras (atl. side) (leg. Werner), W, 6 cm

⚠ ⵏP ○ ☺ ⊕ ⊞ 🖼 ⫘ ⤙ ⊡ ⚠ ♂   photo: U. Werner

S63889-4 *Poecilia orri* FOWLER, 1943
Mangrovenmolly / Mangrove Molly
Tulum, Honduras (leg. MERINO), B, 6 + 8 cm

S63895-4 *Poecilia petenensis* GÜNTHER, 1866
Petén-Molly / Petén Molly
Laguna Petén, Guatemala (leg. MEYER), W, 10 cm

S64000-4 *Poecilia (Lebistes) reticulata* PETERS, 1860
Guppy
Rio Cocoyoc, Mexico (leg. MERINO), W, 2,5 cm

S64001-4 *Poecilia (Lebistes) reticulata* PETERS, 1860
Guppy
Rio Cocoyoc, Mexico (leg. MERINO), W, 2,5 cm

S64001-4 *Poecilia (Lebistes) reticulata* PETERS, 1860
Guppy
Rio Cocoyoc, Mexico (leg. MERINO), W, 2,5 + 5 cm

S64002-4 *Poecilia (Lebistes) reticulata* PETERS, 1860
Guppy
Essequibo River, Guyana (leg. STAECK), W, 2,5 cm

S64003-4 *Poecilia (Lebistes) reticulata* PETERS, 1860
Guppy
Coropina Kreek, Surinam (leg. STAECK), W, 2,5 cm

S64004-4 *Poecilia (Lebistes) reticulata* PETERS, 1860
Guppy
Rio Guatapo, Venezuela (leg. WERNER), W, 2,5 cm

S64005-4 *Poecilia (Lebistes) reticulata* Peters, 1860
Guppy
Venezuela (leg. Meyer), W, 2,5 cm
▷ ⑪P ○ ☺ ⊞ 🖼 ⇌ ⤜ 🆂 ◈ ♂
photo: M. K. Meyer

S64006-4 *Poecilia (Lebistes) reticulata* Peters, 1860
Guppy
Venezuela (leg. Mayland), W, 2,5 cm
▷ ⑪P ○ ☺ ⊞ 🖼 ⇌ ⤜ 🆂 ◈ ♂
photo: H. J. Mayland

S64007-4 *Poecilia (Lebistes) reticulata* Peters, 1860
Guppy
Venezuela (leg. Mayland), W, 2,5 cm
▷ ⑪P ○ ☺ ⊞ 🖼 ⇌ ⤜ 🆂 ◈ ♂
photo: H. J. Mayland

S64008-4 *Poecilia (Lebistes) reticulata* Peters, 1860
Guppy
Venezuela (leg. Hieronimus), W, 2,5 + 5 cm
▷ ⑪P ○ ☺ ⊞ 🖼 ⇌ ⤜ 🆂 ◈ ♂ ♀
photo: H. Hieronimus

S64009-4 *Poecilia (Lebistes) reticulata* Peters, 1860
Guppy
Wildfang unbekannter Herkunft / Wildcaught, origin unknown, W, 2,5 cm
▷ ⑪P ○ ☺ ⊞ 🖼 ⇌ ⤜ 🆂 ◈ ♂
photo: M.P. & Ch. Piednoir

S64010-4 *Poecilia (Lebistes) reticulata* Peters, 1860
Guppy
Guyana (leg. Piednoir), W, 2,5 cm
▷ ⑪P ○ ☺ ⊞ 🖼 ⇌ ⤜ 🆂 ◈ ♂
photo: M.P. & Ch. Piednoir

S64012-4 *Poecilia (Lebistes) reticulata* Peters, 1860
Guppy
Guadeloupe (leg. Piednoir), W, 2,5 cm
▷ ⑪P ○ ☺ ⊞ 🖼 ⇌ ⤜ 🆂 ◈ ♂
photo: M.P. & Ch. Piednoir

S64012-4 *Poecilia (Lebistes) reticulata* Peters, 1860
Guppy
Guadeloupe (leg. Piednoir), W, 5 cm
▷ ⑪P ○ ☺ ⊞ 🖼 ⇌ ⤜ 🆂 ◈ ♀
photo: M.P. & Ch. Piednoir

photo: U. Werner

1. Ein Flüßchen im Guatapo-Bereich in Venezuela, unweit der Typuslokalität des Guppy.
A small river in the Guatapo drainage in Venezuela, near the type locality of the guppy.

2. Der Rio Orituco in Venezuela. Auch hier leben Guppys.
The Rio Orituco in Venezuela, another habitat of guppys.

photo: M. Kempkes

S64011-4 *Poecilia (Lebistes) reticulata* Peters, 1860
Guppy
Mouraca, Mexico (leg. Piednoir), W, 2,5 cm

▷ ⑴P ○ ☺⊞🖼⚒ ➤ ⓢ◈ ♂   **photo:** M.P. & Ch. Piednoir

S64014-4 *Poecilia (Lebistes) reticulata* Peters, 1860
Guppy
Tuluca, Mexico (leg. Schraml), W, 2,5 cm

▷ ⑴P ○ ☺⊞🖼⚒ ➤ ⓢ◈ ♂   **photo:** E. Schraml

S64013-4 *Poecilia (Lebistes) reticulata* Peters, 1860
Guppy
Columbia (leg. Piednoir), W, 2,5 cm

▷ ⑴P ○ ☺⊞🖼⚒ ➤ ⓢ◈ ♂   **photo:** M.P. & Ch. Piednoir

S64013-4 *Poecilia (Lebistes) reticulata* Peters, 1860
Guppy
Columbia (leg. Piednoir), W, 5 cm

▷ ⑴P ○ ☺⊞🖼⚒ ➤ ⓢ◈ ♀   **photo:** M.P. & Ch. Piednoir

S64016-4 *Poecilia (Lebistes) reticulata* Peters, 1860
Guppy
Brazil (leg. Linke), W, 2,5 cm

▷ ⑴P ○ ☺⊞🖼⚒ ➤ ⓢ◈ ♂   **photo:** H. Linke

S64016-4 *Poecilia (Lebistes) reticulata* Peters, 1860
Guppy
Brazil (leg. Linke), W, 5 cm

▷ ⑴P ○ ☺⊞🖼⚒ ➤ ⓢ◈ ♀   **photo:** H. Linke

S64017-4 *Poecilia (Lebistes) reticulata* Peters, 1860
Guppy
Nanzanares, Brazil (leg. Morche), W, 2,5 cm

▷ ⑴P ○ ☺⊞🖼⚒ ➤ ⓢ◈ ♂   **photo:** H. Morche

S64017-4 *Poecilia (Lebistes) reticulata* Peters, 1860
Guppy
Nanzanares, Brazil (leg. Morche), W, 5 cm

▷ ⑴P ○ ☺⊞🖼⚒ ➤ ⓢ◈ ♀   **photo:** H. Morche

S64015-4 *Poecilia (Lebistes) reticulata* Peters, 1860
Guppy
Aquarienstamm / Aquarium strain, B, 2,5 cm
▷ ↑P ○ ☺ ⊞ ⊡ ≢ ➤ [S] ◈ ♂ **photo:** E. Pürzl

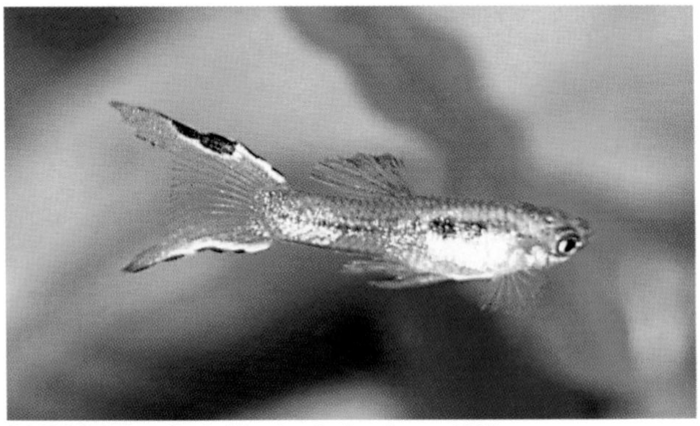

S64020-4 *Poecilia (Lebistes) reticulata* Peters, 1860
Guppy
Guyana (leg. Hieronimus), W, 2,5 cm
▷ ↑P ○ ☺ ⊞ ⊡ ≢ ➤ [S] ◈ ♂ **photo:** H. Hieronimus

S64018-4 *Poecilia (Lebistes) reticulata* Peters, 1860
Guppy
C. Ajies, Brazil (leg. Morche), W, 2,5 cm
▷ ↑P ○ ☺ ⊞ ⊡ ≢ ➤ [S] ◈ ♂ **photo:** H. Morche

S64018-4 *Poecilia (Lebistes) reticulata* Peters, 1860
Guppy
C. Ajies, Brazil (leg. Morche), W, 5 cm
▷ ↑P ○ ☺ ⊞ ⊡ ≢ ➤ [S] ◈ ♀ **photo:** H. Morche

S64019-4 *Poecilia (Lebistes) reticulata* Peters, 1860
Guppy
Belem, Brazil (leg. Hieronimus), W, 2,5 cm
▷ ↑P ○ ☺ ⊞ ⊡ ≢ ➤ [S] ◈ ♂ **photo:** H. Hieronimus

S64019-4 *Poecilia (Lebistes) reticulata* Peters, 1860
Guppy
Belem, Brazil (leg. Hieronimus), W, 5 cm
▷ ↑P ○ ☺ ⊞ ⊡ ≢ ➤ [S] ◈ ♀ **photo:** H. Hieronimus

S64022-3 *Poecilia (Lebistes) reticulata* Peters, 1860
Guppy
NE-Venezuela (leg. Sosna), W, 2,5 cm
▷ ↑P ○ ☺ ⊞ ⊡ ≢ ➤ [S] ◈ ♂ **photo:** E. Sosna

S64022-4 *Poecilia (Lebistes) reticulata* Peters, 1860
Guppy
NE-Venezuela (leg. Sosna), W, 2,5 cm
▷ ↑P ○ ☺ ⊞ ⊡ ≢ ➤ [S] ◈ ♂ **photo:** E. Sosna

S64021-4 *Poecilia (Lebistes) reticulata* Peters, 1860
Guppy
Boinice (leg. Teichfischer), W, 2,5 + 5 cm
▷ ↑P ○ ☺ [+] [≋] ≹ ➤ [S] ◈ ♂ ♀ **photo:** B. Teichfischer

S63880-4 *Poecilia salvatoris* Regan, 1907
Salvator Molly / Salvator Molly
Honduras (leg. Meyer), W, 8 cm
▷ ↑P ○ ☺ ⊛ [+] [≋] ≹ ➤ [m] ◈ ♂ **photo:** M. K. Meyer

S63876-4 *Poecilia salvatoris* Regan, 1907
Salvator Molly / Salvator Molly
Choluteca, Honduras (paz. side) (leg. Werner), W, 8 cm
▷ ↑P ○ ☺ ⊛ [+] [≋] ≹ ➤ [m] ◈ ♂ **photo:** U. Werner

S63877-4 *Poecilia salvatoris* Regan, 1907
Salvator Molly / Salvator Molly
Choluteca, Honduras (paz. side) (leg. Werner), W, 8 cm
▷ ↑P ○ ☺ ⊛ [+] [≋] ≹ ➤ [m] ◈ ♂ **photo:** U. Werner

S63878-4 *Poecilia salvatoris* Regan, 1907
Salvator Molly / Salvator Molly
San Lorenzo, Nicaragua (leg. Werner), W, 8 cm
▷ ↑P ○ ☺ ⊛ [+] [≋] ≹ ➤ [m] ◈ ♂ **photo:** U. Werner

S63878-4 *Poecilia salvatoris* Regan, 1907
Salvator Molly / Salvator Molly
San Lorenzo, Nicaragua (leg. Werner), W, 10 cm
▷ ↑P ○ ☺ ⊛ [+] [≋] ≹ ➤ [m] ◈ ♀ **photo:** U. Werner

S63879-4 *Poecilia* cf. *salvatoris* Regan, 1907
Salvator Molly / Salvator Molly
Commercial import, Nicaragua (leg. Schäfer), W, 8 cm
▷ ↑P ○ ☺ ⊛ [+] [≋] ≹ ➤ [m] ◈ ♂ **photo:** F. Teigler/ACS

S63879-4 *Poecilia* cf. *salvatoris* Regan, 1907
Salvator Molly / Salvator Molly
Commercial import, Nicaragua (leg. Schäfer), W, 10 cm
▷ ↑P ○ ☺ ⊛ [+] [≋] ≹ ➤ [m] ◈ ♀ **photo:** F. Teigler/ACS

S64819-4 *Poecilia salvatoris* REGAN, 1907
Spitzkopfmolly / Mexican Molly
Rio Cascajal, Panama (leg. KEIJMAN), W, 6 cm
▷ ⇡P ○ ☺ ⊕ ⊞ 🖼 ⇶ ➹ 🅼 ◈ ♂   photo: M. Keijman

S64819-4 *Poecilia salvatoris* REGAN, 1907
Spitzkopfmolly / Mexican Molly
Rio Cascajal, Panama (leg. KEIJMAN), W, 8 cm
▷ ⇡P ○ ☺ ⊕ ⊞ 🖼 ⇶ ➹ 🅼 ◈ ♀   photo: M. Keijman

S64820-4 *Poecilia salvatoris* REGAN, 1907
Spitzkopfmolly / Mexican Molly
Rio Guango, Panama (leg. KEIJMAN), W, 6 cm
▷ ⇡P ○ ☺ ⊕ ⊞ 🖼 ⇶ ➹ 🅼 ◈ ♂   photo: M. Keijman

S64820-4 *Poecilia salvatoris* REGAN, 1907
Spitzkopfmolly / Mexican Molly
Rio Guango, Panama (leg. KEIJMAN), W, 8 cm
▷ ⇡P ○ ☺ ⊕ ⊞ 🖼 ⇶ ➹ 🅼 ◈ ♀   photo: M. Keijman

S64821-4 *Poecilia salvatoris* REGAN, 1907
Spitzkopfmolly / Mexican Molly
Rio Achiote System, Panama (leg. KEIJMAN), W, 6 cm
▷ ⇡P ○ ☺ ⊕ ⊞ 🖼 ⇶ ➹ 🅼 ◈ ♂   photo: M. Keijman

S64821-4 *Poecilia salvatoris* REGAN, 1907
Spitzkopfmolly / Mexican Molly
Rio Achiote System, Panama (leg. KEIJMAN), W, 8 cm
▷ ⇡P ○ ☺ ⊕ ⊞ 🖼 ⇶ ➹ 🅼 ◈ ♀   photo: M. Keijman

S64822-4 *Poecilia* cf. *salvatoris* REGAN, 1907
Spitzkopfmolly / Mexican Molly
Rio Canaza, Panama (leg. KEIJMAN), W, 6 cm
▷ ⇡P ○ ☺ ⊕ ⊞ 🖼 ⇶ ➹ 🅼 ◈ ♂   photo: M. Keijman

S64822-4 *Poecilia* cf. *salvatoris* REGAN, 1907
Spitzkopfmolly / Mexican Molly
Rio Canaza, Panama (leg. KEIJMAN), W, 8 cm
▷ ⇡P ○ ☺ ⊕ ⊞ 🖼 ⇶ ➹ 🅼 ◈ ♀   photo: M. Keijman

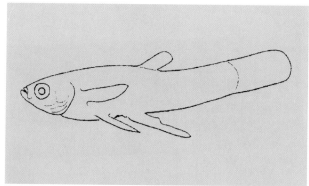

S64605 *Poecilia scalpridens* (GARMAN, 1895)(syn. of *Poecilia minor?*)
Meißelzahnkärpfling / Hump Back Mini
Amazonas-Becken, Brazil

from: Garman, 1895 (changed)

S64800-4 *Poecilia sphenops* VALENCIENNES in CUVIER & VALENCIENNES, 1846
Spitzkopfmolly / Mexican Molly
Mexico (leg. MEYER), W, 5 cm

▷ ⇑P ○ ☺ ⊕ ⊞ 🖳 ⇌ ⤚ 🔳 ◈ ♂

photo: M. K. Meyer

S64803-4 *Poecilia sphenops* VALENCIENNES in CUVIER & VALENCIENNES, 1846
Spitzkopfmolly / Mexican Molly
Guerrero, Mexico (leg. MEYER), W, 5 cm

▷ ⇑P ○ ☺ ⊕ ⊞ 🖳 ⇌ ⤚ 🔳 ◈ ♂

photo: M. K. Meyer

S64804-4 *Poecilia sphenops* VALENCIENNES in CUVIER & VALENCIENNES, 1846
Spitzkopfmolly / Mexican Molly
Rio Paradiso, Mexico (leg. HIERONIMUS), W, 5 cm

▷ ⇑P ○ ☺ ⊕ ⊞ 🖳 ⇌ ⤚ 🔳 ◈ ♂

photo: H. Hieronimus

S64805-4 *Poecilia sphenops* VALENCIENNES in CUVIER & VALENCIENNES, 1846
Spitzkopfmolly / Mexican Molly
Panama (leg. SMITH), W, 5 cm

▷ ⇑P ○ ☺ ⊕ ⊞ 🖳 ⇌ ⤚ 🔳 ◈ ♂

photo: M. Smith

S64806-4 *Poecilia sphenops* VALENCIENNES in CUVIER & VALENCIENNES, 1846
Spitzkopfmolly / Mexican Molly
Guatemala (leg. PÜRZL), B, 5 + 7 cm

▷ ⇑P ○ ☺ ⊕ ⊞ 🖳 ⇌ ⤚ 🔳 ◈ ♂ ♀

photo: E. Pürzl

S64807-4 *Poecilia sphenops* VALENCIENNES in CUVIER & VALENCIENNES, 1846
Spitzkopfmolly / Mexican Molly
Aquarienstamm / Aquarium strain, B, 5 cm

▷ ⇑P ○ ☺ ⊕ ⊞ 🖳 ⇌ ⤚ 🔳 ◈ ♂

photo: H. J. Mayland

S64807-4 *Poecilia sphenops* VALENCIENNES in CUVIER & VALENCIENNES, 1846
Spitzkopfmolly / Mexican Molly
Aquarienstamm / Aquarium strain, B, 7 cm

▷ ⇑P ○ ☺ ⊕ ⊞ 🖳 ⇌ ⤚ 🔳 ◈ ♀

photo: H. J. Mayland

S64808-4 *Poecilia sphenops* Valenciennes in Cuvier & Valenciennes, 1846
Spitzkopfmolly / Mexican Molly
Agua Dulce, Mexico (leg. Keijman), W, 5 cm

▷ ↑P ○ ☺ ⊕ ⊞ ▦ ⇶ ⤚ m̄ ◈ ♂   **photo:** M. Keijman

S64808-4 *Poecilia sphenops* Valenciennes in Cuvier & Valenciennes, 1846
Spitzkopfmolly / Mexican Molly
Agua Dulce, Mexico (leg. Keijman), W, 7 cm

▷ ↑P ○ ☺ ⊕ ⊞ ▦ ⇶ ⤚ m̄ ◈ ♀   **photo:** M. Keijman

S64809-4 *Poecilia sphenops* Valenciennes in Cuvier & Valenciennes, 1846
Spitzkopfmolly / Mexican Molly
Rio Malatengo, Mexico (leg. Keijman), W, 5 cm

▷ ↑P ○ ☺ ⊕ ⊞ ▦ ⇶ ⤚ m̄ ◈ ♂   **photo:** M. Keijman

S64809-4 *Poecilia sphenops* Valenciennes in Cuvier & Valenciennes, 1846
Spitzkopfmolly / Mexican Molly
Rio Malatengo, Mexico (leg. Keijman), W, 7 cm

▷ ↑P ○ ☺ ⊕ ⊞ ▦ ⇶ ⤚ m̄ ◈ ♀   **photo:** M. Keijman

S64810-4 *Poecilia sphenops* Valenciennes in Cuvier & Valenciennes, 1846
Spitzkopfmolly / Mexican Molly
Cuatzacualas, Mexico (leg. Werner), W, 5 cm

▷ ↑P ○ ☺ ⊕ ⊞ ▦ ⇶ ⤚ m̄ ◈ ♂   **photo:** U. Werner

S64810-4 *Poecilia sphenops* Valenciennes in Cuvier & Valenciennes, 1846
Spitzkopfmolly / Mexican Molly
Cuatzacualas, Mexico (leg. Werner), W, 7 cm

▷ ↑P ○ ☺ ⊕ ⊞ ▦ ⇶ ⤚ m̄ ◈ ♀   **photo:** U. Werner

S64811-4 *Poecilia sphenops* Valenciennes in Cuvier & Valenciennes, 1846
Spitzkopfmolly / Mexican Molly
Rio Hondo, Mexico (leg. Keijman), W, 5 cm

▷ ↑P ○ ☺ ⊕ ⊞ ▦ ⇶ ⤚ m̄ ◈ ♂   **photo:** M. Keijman

S64811-4 *Poecilia sphenops* Valenciennes in Cuvier & Valenciennes, 1846
Spitzkopfmolly / Mexican Molly
Rio Hondo, Mexico (leg. Keijman), W, 7 cm

▷ ↑P ○ ☺ ⊕ ⊞ ▦ ⇶ ⤚ m̄ ◈ ♀   **photo:** M. Keijman

S64812-4 *Poecilia sphenops* Valenciennes in Cuvier & Valenciennes, 1846
Spitzkopfmolly / Mexican Molly
Pichucalco, Grijava, Mexico (leg. Werner), W, 6 + 8 cm

▷ ⑪ ○ ☺ ⑨ ⊞ 🐟 ⮾ ➹ 🖻 ◈ ♂ ♀   **photo:** U. Werner

S64813-4 *Poecilia sphenops* Valenciennes in Cuvier & Valenciennes, 1846
Spitzkopfmolly / Mexican Molly
Pichucalco, Grijava, Mexico (leg. Werner), W, 6 cm

▷ ⑪ ○ ☺ ⑨ ⊞ 🐟 ⮾ ➹ 🖻 ◈ ♂   **photo:** U. Werner

S64814-4 *Poecilia sphenops* Valenciennes in Cuvier & Valenciennes, 1846
Spitzkopfmolly / Mexican Molly
Pichucalco, Grijava, Mexico (leg. Werner), W, 6 cm

▷ ⑪ ○ ☺ ⑨ ⊞ 🐟 ⮾ ➹ 🖻 ◈ ♂   **photo:** U. Werner

S64815-4 *Poecilia sphenops* Valenciennes in Cuvier & Valenciennes, 1846
Spitzkopfmolly / Mexican Molly
Pichucalco, Grijava, Mexico (leg. Werner), W, 6 cm

▷ ⑪ ○ ☺ ⑨ ⊞ 🐟 ⮾ ➹ 🖻 ◈ ♂   **photo:** U. Werner

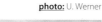

S64816-4 *Poecilia sphenops* Valenciennes in Cuvier & Valenciennes, 1846
Spitzkopfmolly / Mexican Molly
Pichucalco, Grijava, Mexico (leg. Werner), W, 6 cm

▷ ⑪ ○ ☺ ⑨ ⊞ 🐟 ⮾ ➹ 🖻 ◈ ♂   **photo:** U. Werner

S64816-4 *Poecilia sphenops* Valenciennes in Cuvier & Valenciennes, 1846
Spitzkopfmolly / Mexican Molly
Pichucalco, Grijava, Mexico (leg. Werner), W, 8 cm

▷ ⑪ ○ ☺ ⑨ ⊞ 🐟 ⮾ ➹ 🖻 ◈ ♀   **photo:** U. Werner

S64817-4 *Poecilia sphenops* Valenciennes in Cuvier & Valenciennes, 1846
Spitzkopfmolly / Mexican Molly
Pichucalco, Grijava, Mexico (leg. Werner), W, 6 cm

▷ ⑪ ○ ☺ ⑨ ⊞ 🐟 ⮾ ➹ 🖻 ◈ ♂   **photo:** U. Werner

S64818-4 *Poecilia sphenops* Valenciennes in Cuvier & Valenciennes, 1846
Spitzkopfmolly / Mexican Molly
Pichucalco, Grijava, Mexico (leg. Werner), W, 6 cm

▷ ⑪ ○ ☺ ⑨ ⊞ 🐟 ⮾ ➹ 🖻 ◈ ♂   **photo:** U. Werner

S64823-4 *Poecilia sphenops* Valenciennes in Cuvier & Valenciennes, 1846
Spitzkopfmolly / Mexican Molly
Tehuantepec, Mexico (leg. Schlosser), B (F₂), 6 cm

photo: E. Pürzl

S64824-4 *Poecilia sphenops* Valenciennes in Cuvier & Valenciennes, 1846
Spitzkopfmolly / Mexican Molly
Rio Candelaria, Mexico (leg. Werner), W, 6 cm

photo: U. Werner

S64825-4 *Poecilia* cf. *sphenops* Valenciennes in Cuvier & Valenciennes, 1846
Spitzkopfmolly / Mexican Molly
Rio Nautla/Misantla, Mexico (leg. Werner), W, 8 cm

photo: U. Werner

S64826-4 *Poecilia* cf. *sphenops* Valenciennes in Cuvier & Valenciennes, 1846
Spitzkopfmolly / Mexican Molly
Rio Nautla/Misantla, Mexico (leg. Werner), W, 8 cm

photo: U. Werner

S64827-4 *Poecilia sphenops* Valenciennes in Cuvier & Valenciennes, 1846
Spitzkopfmolly / Mexican Molly
Rio Atoyac, Mexico (leg. Werner), W, 8 cm

photo: U. Werner

S64827-4 *Poecilia sphenops* Valenciennes in Cuvier & Valenciennes, 1846
Spitzkopfmolly / Mexican Molly
Rio Atoyac, Mexico (leg. Werner), W, 10 cm

photo: U. Werner

S64829-4 *Poecilia* cf. *sphenops* Valenciennes in Cuvier & Valenciennes, 1846
Spitzkopfmolly / Mexican Molly
Honduras (leg. Meyer), W, 6 cm

photo: M. K. Meyer

S64830-4 *Poecilia* cf. *sphenops* Valenciennes in Cuvier & Valenciennes, 1846
Spitzkopfmolly / Mexican Molly
Barbados (leg. Hieronimus), B, 6 cm

photo: H. Hieronimus

S64831-4 *Poecilia* cf. *sphenops* Valenciennes in Cuvier & Valenciennes, 1846
Spitzkopfmolly / Mexican Molly
Barbados (leg. Werner), W, 6 cm

▷ ⇑P ○ ☺ ✪ 🔲 🖼 ⇌ ➹ 🔲 ◈ ♂   **photo:** U. Werner

S64832-4 *Poecilia* cf. *sphenops* Valenciennes in Cuvier & Valenciennes, 1846
Spitzkopfmolly / Mexican Molly
Barbados (leg. Werner), W, 6 cm

▷ ⇑P ○ ☺ ✪ 🔲 🖼 ⇌ ➹ 🔲 ◈ ♂   **photo:** U. Werner

S64835-4 *Poecilia* sp.
Chiandega-Molly / Chiandega Molly
Chiandega, Nicaragua (paz. side) (leg. Werner), W, 6 cm

▷ ⇑P ○ ☺ ✪ 🔲 🖼 ⇌ ➹ 🔲 ◈ ♂   **photo:** U. Werner

S64835-4 *Poecilia* sp.
Chiandega-Molly / Chiandega Molly
Chiandega, Nicaragua (paz. side) (leg. Werner), W, 8 cm

▷ ⇑P ○ ☺ ✪ 🔲 🖼 ⇌ ➹ 🔲 ◈ ♀   **photo:** U. Werner

S64836-4 *Poecilia* sp.
Tulija-Molly / Tulija Molly
Rio Tulija, Mexico (leg. Werner), W, 8 cm

▷ ⇑P ○ ☺ ✪ 🔲 🖼 ⇌ ➹ 🔲 ◈ ♂   **photo:** U. Werner

S64837-4 *Poecilia* sp.
Tulija-Molly / Tulija Molly
Rio Tulija, Mexico (leg. Werner), W, 8 cm

▷ ⇑P ○ ☺ ✪ 🔲 🖼 ⇌ ➹ 🔲 ◈ ♂   **photo:** U. Werner

S64838-4 *Poecilia* sp.
Blau-Gelber Molly / Blue Yellow Molly
Rio Paso de Ovejas (near Veracruz), Mexico (leg. Sosna), W, 8 + 10 cm

▷ ⇑P ○ ☺ ✪ 🔲 🖼 ⇌ ➹ 🔲 ◈ ♂ ♀   **photo:** E. Sosna

S64839-4 *Poecilia* sp.
Blau-Gelber Molly / Blue Yellow Molly
Rio Panoaya, Mexico (atl. side) (leg. Werner), W, 8 + 10 cm

▷ ⇑P ○ ☺ ✪ 🔲 🖼 ⇌ ➹ 🔲 ◈ ♂ ♀   **photo:** U. Werner

S64840-5 *Poecilia* sp.
Honduras-Molly / Honduras Molly
Rio Cangrejal, Honduras (atl. side) (leg. WERNER), W, 10 cm

▷ ⇑P ○ ☺ ⊕ ⊞ 🖼 ⇌ ⤚ ⊡ ◈ ♂   **photo:** U. Werner

S64840-5 *Poecilia* sp.
Honduras-Molly / Honduras Molly
Rio Cangrejal, Honduras (atl. side) (leg. WERNER), W, 10 + 12 cm

▷ ⇑P ○ ☺ ⊕ ⊞ 🖼 ⇌ ⤚ ⊡ ◈ ♂ ♀   **photo:** U. Werner

S64842-4 *Poecilia* sp.
Honduras-Molly / Honduras Molly
Lancetilla, Honduras (atl. side) (leg. WERNER), W, 10 cm

▷ ⇑P ○ ☺ ⊕ ⊞ 🖼 ⇌ ⤚ ⊡ ◈ ♂   **photo:** U. Werner

S64843-5 *Poecilia* sp.
Honduras-Molly / Honduras Molly
Rio Wampu, Honduras (atl. side) (leg. WERNER), W, 10 cm

▷ ⇑P ○ ☺ ⊕ ⊞ 🖼 ⇌ ⤚ ⊡ ◈ ♂   **photo:** U. Werner

S64844-4 *Poecilia* sp.
Mond-Molly / Moon Molly
Choluteca, Honduras (pac. side) (leg. Werner), W, 8 cm

▷ ⇑P ○ ☺ ⊕ ⊞ 🖼 ⇌ ⤚ ⊡ ◈ ♂   **photo:** U. Werner

S64844-4 *Poecilia* sp.
Mond-Molly / Moon Molly
Choluteca, Honduras (pac. side) (leg. Werner), W, 10 cm

▷ ⇑P ○ ☺ ⊕ ⊞ 🖼 ⇌ ⤚ ⊡ ◈ ♀   **photo:** U. Werner

S64846-4 *Poecilia* sp.
Choluteca-Molly / Choluteca Molly
Choluteca, Honduras (pac. side) (leg. WERNER), W, 6 cm

▷ ⇑P ○ ☺ ⊕ ⊞ 🖼 ⇌ ⤚ m ◈ ♂   **photo:** U. Werner

S64847-4 *Poecilia* sp.
San Lorenzo-Molly / San Lorenzo Molly
San Lorenzo, Nicaragua (leg. WERNER), W, 8 cm

▷ ⇑P ○ ☺ ⊕ ⊞ 🖼 ⇌ ⤚ m ◈ ♂   **photo:** U. Werner

S65105-4 *Poecilia sulphuraria* (ALVAREZ, 1948)
Schwefel-Molly / Sulphur Molly
Banos del Azufra, Mexico (leg. MEYER), W, 3 cm

⚠ ⵏP ◯ ☺ ⊛ 🔲🔲 ⇌ ➹ 🔳 ⚠ ♂   **photo:** M. K. Meyer

S65105-4 *Poecilia sulphuraria* (ALVAREZ, 1948)
Schwefel-Molly / Sulphur Molly
Banos del Azufra, Mexico (leg. MEYER), W, 3,5 cm

⚠ ⵏP ◯ ☺ ⊛ 🔲🔲 ⇌ ➹ 🔳 ⚠ ♀   **photo:** M. K. Meyer

S65106-4 *Poecilia sulphuraria* (ALVAREZ, 1948)
Schwefel-Molly / Sulphur Molly
Banos del Azufra, Mexico (leg. KEIJMAN), W, 3 cm

⚠ ⵏP ◯ ☺ ⊛ 🔲🔲 ⇌ ➹ 🔳 ⚠ ♂   **photo:** M. Keijman

S65106-4 *Poecilia sulphuraria* (ALVAREZ, 1948)
Schwefel-Molly / Sulphur Molly
Banos del Azufra, Mexico (leg. KEIJMAN), W, 3,5 cm

⚠ ⵏP ◯ ☺ ⊛ 🔲🔲 ⇌ ➹ 🔳 ⚠ ♀   **photo:** M. Keijman

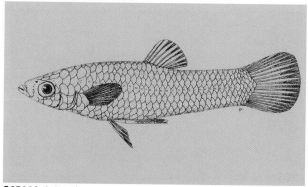

S65110-4 *Poecilia teresae* GREENFIELD, 1990
Teresas Molly / Teresa´s Molly
Macal River, Belize, Mexico, 5 cm

♂   **from:** Greenfield, 1990, with kind permission of the author and the publisher

S65115-4 *Poecilia vandepolli* VAN LIDTH DE JEUDE, 1887
Vandepolls Molly / Vandepoll´s Molly
Rio Acanti, Kolumbien (leg. BORK), W, 6 cm

▷ ⵏP ◯ ☺ ⊛ 🔲🔲 ⇌ ➹ 🔳 ◈ ♂ ♀   **photo:** D. Bork

S65116-4 *Poecilia vandepolli* VAN LIDTH DE JEUDE, 1887
Vandepolls Molly / Vandepoll´s Molly
Rio Acanti, Kolumbien (leg. BORK), W, 6 cm

▷ ⵏP ◯ ☺ ⊛ 🔲🔲 ⇌ ➹ 🔳 ◈ ♂   **photo:** D. Bork

S65115-4 *Poecilia vandepolli* VAN LIDTH DE JEUDE, 1887
Vandepolls Molly / Vandepoll´s Molly
Rio Acanti, Kolumbien (leg. BORK), W, 6 cm

▷ ⵏP ◯ ☺ ⊛ 🔲🔲 ⇌ ➹ 🔳 ◈ ♂   **photo:** M. K. Meyer

1. Der schwefelhaltige Banos del Azufre ist der Lebensraum der spezialisierten *Poecilia sulphuraria*.
The Banos del Azufre contains sulphor and is the habitat of the specialised species *Poecilia sulphuraria*.

2. Der Rio Agua Dulce in Mexiko, auch hier lebt eine Variante von *Poecilia sulphuraria*.
The Rio Agua Dulce in Mexico where another variety of *Poecilia sulphuraria* lives.

photos: M. Keijman

S65120-4 *Poecilia velifera* (Regan, 1914)
Segelkärpfling / Yucatan Molly
Yucatan, Mexiko (leg. Meyer), W, 15 cm

⚠ ⅃P ◯ ☺ ⊕ ⊞ 🖼 ⇌ ⚶ 🔲 ◈ ♂   photo: M. K. Meyer

S65121-4 *Poecilia velifera* (Regan, 1914)
Segelkärpfling / Yucatan Molly
Pichucalco, Mexiko (leg. Werner), W, 15 cm

⚠ ⅃P ◯ ☺ ⊕ ⊞ 🖼 ⇌ ⚶ 🔲 ◈ ♂   photo: U. Werner

65122-4 *Poecilia velifera* (Regan, 1914)
Segelkärpfling / Yucatan Molly
Rio Candelaria, Mexiko (leg. Werner), W, 15 cm

⚠ ⅃P ◯ ☺ ⊕ ⊞ 🖼 ⇌ ⚶ 🔲 ◈ ♂   photo: U. Werner

65123-4 *Poecilia velifera* (Regan, 1914)
Segelkärpfling / Yucatan Molly
Usumacinta, Mexiko (leg. Werner), W, 15 cm

⚠ ⅃P ◯ ☺ ⊕ ⊞ 🖼 ⇌ ⚶ 🔲 ◈ ♂   photo: U. Werner

Die Unterwasseraufnahme zeigt den Segelkärpfling, *Poecila velifera*, **im natürlichen Lebensraum (Cenote, Mexiko).**
The photo shows the Yucatan Molly, *Poecilia velifera*, in its natural habitat (Cenote, Mexiko)

photo: U. Dost

S65130-4 *Poecilia vivipara* Bloch & Schneider, 1801
Augenfleckkärpfling / One Spot Molly
Rio Bertengas, Piaui, Brazil (leg. Staeck), W, 5 cm

▷ ₿ ○ ☺ 🐟 🖼 ≋ ⤳ 🅜 ◈ ♂   **photo:** W. Staeck

S65131-4 *Poecilia* cf. *vivipara* Bloch & Schneider, 1801
Augenfleckkärpfling / One Spot Molly
Aquarienstamm / Aquarium strain, B, 5 cm

▷ ₿ ○ ☺ 🐟 🖼 ≋ ⤳ 🅜 ◈ ♂   **photo:** O. Böhm

S65132-4 *Poecilia vivipara* Bloch & Schneider, 1801
Augenfleckkärpfling / One Spot Molly
Aquarienstamm / Aquarium strain, B, 5 cm

▷ ₿ ○ ☺ 🐟 🖼 ≋ ⤳ 🅜 ◈ ♂   **photo:** E. Schraml

S65132-4 *Poecilia vivipara* Bloch & Schneider, 1801
Augenfleckkärpfling / One Spot Molly
Aquarienstamm / Aquarium strain, B, 6 cm

▷ ₿ ○ ☺ 🐟 🖼 ≋ ⤳ 🅜 ◈ ♀   **photo:** E. Schraml

S65133-4 *Poecilia* cf. *vivipara* Bloch & Schneider, 1801 „Gelbe Morphe"
Gelber Augenfleckkärpfling / Yellow One Spot Molly
Georgetown, Guyana (leg. Staeck), W, 5 cm

▷ ₿ ○ ☺ 🐟 🖼 ≋ ⤳ 🅜 ◈ ♂   **photo:** W. Staeck

S65134-4 *Poecilia* cf. *vivipara* Bloch & Schneider, 1801 „Blaue Morphe"
Blauer Augenfleckkärpfling / Blue One Spot Molly
Georgetown, Guyana (leg. Staeck), W, 5 cm

▷ ₿ ○ ☺ 🐟 🖼 ≋ ⤳ 🅜 ◈ ♂   **photo:** W. Staeck

S65136-4 *Poecilia* cf. *vivipara* Bloch & Schneider, 1801
Großer Augenfleckkärpfling / Large One Spot Molly
Import via Belem, Brazil, B, 6-7 cm

▷ ₿ ○ ☺ 🐟 🖼 ≋ ⤳ 🅜 ◈ ♀   **photo:** D. Rössel

S65137-4 *Poecilia* cf. *vivipara* Bloch & Schneider, 1801 „Zwerg"
Zwerg-Augenfleckkärpfling / Dwarf One Spot Molly
Import via Belem, Brazil (leg. Schäfer), W, 2,5 cm

▷ ₿ ○ ☺ 🐟 🖼 ≋ ⤳ 🅜 ◈ ♂   **photo:** D. Bork/ACS

S65140-4 *Poecilia vivipara* BLOCH & SCHNEIDER, 1801
Augenfleckkärpfling / One Spot Molly
Aquarienstamm / Aquarium strain, B, 5 cm

▷ ⦙ ○ ☺ ⊞ 🖳 ⪪ ⋟ ⅿ ◈ ♂   **photo:** M.P. & Ch. Piednoir

S65140-4 *Poecilia vivipara* BLOCH & SCHNEIDER, 1801
Augenfleckkärpfling / One Spot Molly
Aquarienstamm / Aquarium strain, B, 6 cm

▷ ⦙ ○ ☺ ⊞ 🖳 ⪪ ⋟ ⅿ ◈ ♀   **photo:** M.P. & Ch. Piednoir

S65141-4 *Poecilia vivipara* BLOCH & SCHNEIDER, 1801
Augenfleckkärpfling / One Spot Molly
Aquarienstamm / Aquarium strain, B, 5 cm

▷ ⦙ ○ ☺ ⊞ 🖳 ⪪ ⋟ ⅿ ◈ ♂   **photo:** E. Pürzl

S65142-4 *Poecilia vivipara* BLOCH & SCHNEIDER, 1801
Augenfleckkärpfling / One Spot Molly
Aquarienstamm / Aquarium strain, B, 5 + 6 cm

▷ ⦙ ○ ☺ ⊞ 🖳 ⪪ ⋟ ⅿ ◈ ♂ ♀   **photo:** H. Hieronimus

S65143-4 *Poecilia vivipara* BLOCH & SCHNEIDER, 1801
Augenfleckkärpfling / One Spot Molly
Aquarienstamm / Aquarium strain, B, 5 cm

▷ ⦙ ○ ☺ ⊞ 🖳 ⪪ ⋟ ⅿ ◈ ♂   **photo:** H. J. Mayland

S65143-4 *Poecilia vivipara* BLOCH & SCHNEIDER, 1801
Augenfleckkärpfling / One Spot Molly
Aquarienstamm / Aquarium strain, B, 6 cm

▷ ⦙ ○ ☺ ⊞ 🖳 ⪪ ⋟ ⅿ ◈ ♀   **photo:** H. J. Mayland

S65145-4 Hybride
Poecilia chica x *P. sphenops*

▷ ⦙ ○ ☺ ⊞ 🖳 ⪪ ⋟ ⅿ ◈ ♂   **photo:** D. Bork

S65146-4 Hybride
P. reticulata x *Poecila* sp. (Molly)

▷ ⦙ ○ ☺ ⊞ 🖳 ⪪ ⋟ ⅿ ◈ ♂   **photo:** M. K. Meyer

S65150-4 *Poeciliopsis baenschi* MEYER, RADDA, RIEHL & FEICHTINGER, 1986
Baenschs Zahnkärpfling / Baensch´s Topminnow
Sinaloa, Mexiko (leg. MEYER), W, 3 cm

◁ ⇈P ○ ☺ ☹ ⊞ 🖼 ⇉ ⤳ 🔟 ♂   **photo:** M. K. Meyer

S65151-4 *Poeciliopsis baenschi* MEYER, RADDA, RIEHL & FEICHTINGER, 1986
Baenschs Zahnkärpfling / Baensch´s Topminnow
Mexiko (leg. MEYER), B, 3 cm

◁ ⇈P ○ ☺ ☹ ⊞ 🖼 ⇉ ⤳ 🔟 ♂   **photo:** M. K. Meyer

S65152-4 *Poeciliopsis baenschi* MEYER, RADDA, RIEHL & FEICHTINGER, 1986
Baenschs Zahnkärpfling / Baensch´s Topminnow
Mexiko, Rio Tuito (leg. HIERONIMUS), W, 3 cm

◁ ⇈P ○ ☺ ☹ ⊞ 🖼 ⇉ ⤳ 🔟 ♂   **photo:** H. Hieronimus

S65152-4 *Poeciliopsis baenschi* MEYER, RADDA, RIEHL & FEICHTINGER, 1986
Baenschs Zahnkärpfling / Baensch´s Topminnow
Mexiko, Rio Tuito (leg. HIERONIMUS), W, 3 cm

◁ ⇈P ○ ☺ ☹ ⊞ 🖼 ⇉ ⤳ 🔟 ♀   **photo:** H. Hieronimus

S65155-4 *Poeciliopsis balsas* HUBBS, 1926
Balsas-Kärpfling / Balsas River Topminnow
Rio Balsas, Mexiko (leg. MEYER), W, 3,5 cm

▷ ⇈P ○ ☺ ☹ ⊞ 🖼 ⇉ ⤳ 🔟 ♂   **photo:** M. K. Meyer

S65155-4 *Poeciliopsis balsas* HUBBS, 1926
Balsas-Kärpfling / Balsas River Topminnow
Rio Balsas, Mexiko (leg. MEYER), W, 6 cm

▷ ⇈P ○ ☺ ☹ ⊞ 🖼 ⇉ ⤳ 🔟 ♀   **photo:** M. K. Meyer

S65160-4 *Poeciliopsis catemaco* MILLER, 1975
Catemaco-Kärpfling / Catemaco Topminnow
Lago Catemaco, Mexiko (leg. MEYER), W, 8 cm

▷ ⇈P ○ ☺ ☹ ⊞ 🖼 ⇉ ⤳ 🔟 ♀   **photo:** M. K. Meyer

S65165-4 *Poeciliopsis elongata* (GÜNTHER, 1866)
Grüner Kärpfling / Slender Topminnow
Punta Chame, Panama (leg. PÜRZL), W, 6 cm

▷ ⇈P ○ ☺ ☹ ⊞ 🖼 ⇉ ⤳ 🔟 ♂   **photo:** E. Pürzl

S65170-4 *Poeciliopsis fasciata* (Meek, 1904)
Querstreifen-Kärpfling / Banded Topminnow
Tehuantepec, Mexiko (leg. Meyer), W, 3 cm

▷ ⚑ ○ ☺ ☻ ⊞ 🖼 ⇌ ➤ ▣ ♂   **photo:** M. K. Meyer

S65171-4 *Poeciliopsis fasciata* (Meek, 1904)
Querstreifen-Kärpfling / Banded Topminnow
Tehuantepec, Mexiko (leg. Pürzl), W, 3 cm

▷ ⚑ ○ ☺ ☻ ⊞ 🖼 ⇌ ➤ ▣ ♀   **photo:** E. Pürzl

S65172-4 *Poeciliopsis fasciata* (Meek, 1904)
Querstreifen-Kärpfling / Banded Topminnow
Mexiko, B, 3 cm

▷ ⚑ ○ ☺ ☻ ⊞ 🖼 ⇌ ➤ ▣ ♂   **photo:** H. Hieronimus

S65172-4 *Poeciliopsis fasciata* (Meek, 1904)
Querstreifen-Kärpfling / Banded Topminnow
Mexiko, B, 3 cm

▷ ⚑ ○ ☺ ☻ ⊞ 🖼 ⇌ ➤ ▣ ♀   **photo:** H. Hieronimus

S65175-4 *Poeciliopsis gracilis* (Heckel, 1843)
Seitenfleckkärpfling / Porthole Topminnow
Aquarienstamm / Aquarium strain, B, 4 + 6 cm

▷ ⚑ ○ ☺ ☻ ⊞ 🖼 ⇌ ➤ ▣ ♂ ♀   **photo:** U. Werner

S65176-4 *Poeciliopsis gracilis* (Heckel, 1843)
Seitenfleckkärpfling / Porthole Topminnow
Catemaco, Mexiko (leg. Meyer), B, 4 + 6 cm

▷ ⚑ ○ ☺ ☻ ⊞ 🖼 ⇌ ➤ ▣ ♂ ♀   **photo:** M. K. Meyer

S65177-4 *Poeciliopsis gracilis* (Heckel, 1843)
Seitenfleckkärpfling / Porthole Topminnow
Aquarienstamm / Aquarium strain, B, 4 cm

▷ ⚑ ○ ☺ ☻ ⊞ 🖼 ⇌ ➤ ▣ ♂   **photo:** E. Pürzl

S65178-4 *Poeciliopsis gracilis* (Heckel, 1843)
Seitenfleckkärpfling / Porthole Topminnow
Aquarienstamm / Aquarium strain, B, 4 + 6 cm

▷ ⚑ ○ ☺ ☻ ⊞ 🖼 ⇌ ➤ ▣ ♂ ♀   **photo:** H. Linke

S65179-4 *Poeciliopsis gracilis* (Heckel, 1843)
Seitenfleckkärpfling / Porthole Topminnow
Aquarienstamm / Aquarium strain, B, 4 cm

▷♫○☺☹⊞▧⇶↠▥ ♂   photo: J. C. Merino

S65178-4 *Poeciliopsis gracilis* (Heckel, 1843)
Seitenfleckkärpfling / Porthole Topminnow
Aquarienstamm / Aquarium strain, B, 6 cm (Geburt/giving birth)

▷♫○☺☹⊞▧⇶↠▥ ♀   photo: J. C. Merino

S65180-4 *Poeciliopsis gracilis* (Heckel, 1843)
Seitenfleckkärpfling / Porthole Topminnow
Aquarienstamm / Aquarium strain, B, 4 + 6 cm

▷♫○☺☹⊞▧⇶↠▥ ♂♀   photo: O. Böhm

S65181-4 *Poeciliopsis gracilis* (Heckel, 1843)
Seitenfleckkärpfling / Porthole Topminnow
Aquarienstamm / Aquarium strain, B, 4 + 6 cm

▷♫○☺☹⊞▧⇶↠▥ ♂♀   photo: H. J. Mayland

S65182-4 *Poeciliopsis gracilis* (Heckel, 1843)
Seitenfleckkärpfling / Porthole Topminnow
Aquarienstamm / Aquarium strain, B, 4 cm

▷♫○☺☹⊞▧⇶↠▥ ♂   photo: E. Schraml

S65182-4 *Poeciliopsis gracilis* (Heckel, 1843)
Seitenfleckkärpfling / Porthole Topminnow
Aquarienstamm / Aquarium strain, B, 6 cm

▷♫○☺☹⊞▧⇶↠▥ ♀   photo: E. Schraml

S65185-4 *Poeciliopsis hnilickai* Meyer & Vogel, 1981
Chiapas-Kärpfling / Comitan Topminnow
Aquarienstamm / Aquarium strain, B, 3,5 cm

▷♫○☺☹⊞▧⇶↠▥ ♂   photo: E. Pürzl

S65186-4 *Poeciliopsis hnilickai* Meyer & Vogel, 1981
Chiapas-Kärpfling / Comitan Topminnow
Ixtapa, Chiapas, Mexiko (leg. Meyer), W, 5 cm

▷♫○☺☹⊞▧⇶↠▥ ♀   photo: M. K. Meyer

S65187-4 *Poeciliopsis hnilickai* Meyer & Vogel, 1981
Chiapas-Kärpfling / Comitan Topminnow
Aquarienstamm / Aquarium strain, B, 3,5 cm

▷⚑○☺☹⊞🖼⚟ ⤚ 🅜 ♂   photo: U. Dost

S65187-4 *Poeciliopsis hnilickai* Meyer & Vogel, 1981
Chiapas-Kärpfling / Comitan Topminnow
Aquarienstamm / Aquarium strain, B, 5 cm

▷⚑○☺☹⊞🖼⚟ ⤚ 🅜 ♀   photo: U. Dost

S65190-4 *Poeciliopsis infans* (Woolman, 1894)
Hochland-Poeciliopsis / Black Topminnow
Rio Lerma, Mexiko (leg. Meyer), W, 3,5 cm

◁ ⇈P○☺☹⊞🖼⚟ ⤚ 🅜 ♂   photo: M. K. Meyer

S65190-4 *Poeciliopsis infans* (Woolman, 1894)
Hochland-Poeciliopsis / Black Topminnow
Rio Lerma, Mexiko (leg. Meyer), W, 5 cm

◁ ⇈P○☺☹⊞🖼⚟ ⤚ 🅜 ♀   photo: M. K. Meyer

S65191-4 *Poeciliopsis infans* (Woolman, 1894)
Hochland-Poeciliopsis / Black Topminnow
Lago Patzcuaro, Mexiko (leg. Merino), W, 3,5 cm

◁ ⇈P○☺☹⊞🖼⚟ ⤚ 🅜 ♂♂   photo: J. C. Merino

S65192-4 *Poeciliopsis infans* (Woolman, 1894)
Hochland-Poeciliopsis / Black Topminnow
Lago Patzcuaro, Mexiko (leg. Merino), W, 3,5 + 5 cm

◁ ⇈P○☺☹⊞🖼⚟ ⤚ 🅜 ♂ ♀   photo: J. C. Merino

S65193-4 *Poeciliopsis infans* (Woolman, 1894)
Hochland-Poeciliopsis / Black Topminnow
Aquarienstamm / Aquarium strain, B, 3,5 cm

◁ ⇈P○☺☹⊞🖼⚟ ⤚ 🅜 ♂   photo: H. Hieronimus

S65193-4 *Poeciliopsis infans* (Woolman, 1894)
Hochland-Poeciliopsis / Black Topminnow
Aquarienstamm / Aquarium strain, B, 5 cm

◁ ⇈P○☺☹⊞🖼⚟ ⤚ 🅜 ♀   photo: H. Hieronimus

S65195-4 *Poeciliopsis latidens* (Garman, 1895)
Breitstreifenkärpfling / Broad Toothed Topminnow
San Blas, Mexiko (leg. MEYER), W, 3 cm

▷ ⑂ ○ ☺ ☻ 🔲 🖼 ⚓ ⤳ 🅼 ♂   **photo:** M. K. Meyer

S65195-4 *Poeciliopsis latidens* (Garman, 1895)
Breitstreifenkärpfling / Broad Toothed Topminnow
San Blas, Mexiko (leg. MEYER), W, 5 cm

▷ ⑂ ○ ☺ ☻ 🔲 🖼 ⚓ ⤳ 🅼 ♀   **photo:** M. K. Meyer

S65196-4 *Poeciliopsis latidens* (GARMAN, 1895)
Breitstreifenkärpfling / Broad Toothed Topminnow
Nayarit, Mexiko, B, 3 + 5 cm

▷ ⑂ ○ ☺ ☻ 🔲 🖼 ⚓ ⤳ 🅼 ♂ ♀   **photo:** O. Böhm

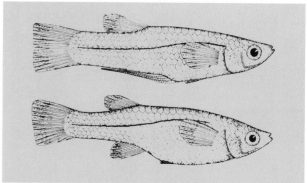

S65198-4 *Poeciliopsis lucida* MILLER, 1960
Farbwechselnder Kärpfling / Translucscent Topminnow
Rio Mocorito-Becken, Rio del Fuerte, Sinaloa, Mexiko, 3 + 5 cm

♂ ♀   **zeichnung:** M. K. Meyer

S65201-4 *Poeciliopsis lutzi* (MEEK, 1902)
Lutz´Kärpfling / Lutz´s Topminnow
Rio Quiotepec, Cuicatlan, Oaxaca, Mexiko, B, 3,5 + 6 cm

▷ ⑂ ○ ☺ ☻ 🔲 🖼 ⚓ ⤳ 🅼 ♂ ♀   **photo:** M. K. Meyer

S65205 *Poeciliopsis monacha* MILLER, 1960
Orangeflossenkärpfling / Orange Finned Topminnow
Arroyo San Benito, Sonore, NW-Mexiko, 3 + 4,5 cm

♂ ♀   **zeichnung:** H. Nakano / A.C.S.

S65208-4 *Poeciliopsis occidentalis* (BAIRD & GIRARD, 1853)
Arizonakärpfling / Yaqui Topminnow
Arizona, N-Mexiko, W, 3 + 5 cm

▷ ⑂ ○ ☺ ☻ 🔲 🖼 ⚓ ⤳ 🅼 ♂   **photo:** M. K. Meyer

S65210-4 *Poeciliopsis paucimaculatus* BUSSING, 1967
Gefleckter Poeciliopsis / Small Spot Topminnow
Rio General, Costa Rica (leg. MEYER), B, 4 + 7 cm

▷ ⑂ ○ ☺ ☻ 🔲 🖼 ⚓ ⤳ 🅼 ♂   **photo:** M. K. Meyer

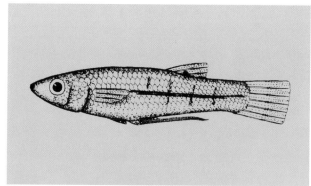

S65213 *Poeciolipsis presidionis* (JORDAN & CULVER in JORDAN, 1895)
Presidio-Kärpfling / Presidio Topminnow
Rio Presidio, Sinaloa, Mexiko, 3,5 + 5 cm
♂ zeichnung: M. K. Meyer

S65215-4 *Poeciliopsis prolifica* MILLER, 1960
Sonnenkärpfling / Prolific Topminnow
Rio Presidio, Sinaloa, Mexiko (leg. PÜRZL), B, 2 + 3,5 cm
▷ ⅋P ○ ☺ ☻ ⊞ 🖼 ⚓ ⋆ 𝕞 ♂ ♀ photo: E. Pürzl

S65216-4 *Poeciliopsis prolifica* MILLER, 1960
Sonnenkärpfling / Prolific Topminnow
Arroyo Sonolona, Mexiko (leg. MEYER), B, 2 cm
▷ ⅋P ○ ☺ ☻ ⊞ 🖼 ⚓ ⋆ 𝕞 ♂ photo: M. K. Meyer

S65216-4 *Poeciliopsis prolifica* MILLER, 1960
Sonnenkärpfling / Prolific Topminnow
Arroyo Sonolona, Mexiko (leg. MEYER), B, 3,5 cm
▷ ⅋P ○ ☺ ☻ ⊞ 🖼 ⚓ ⋆ 𝕞 ♀ photo: M. K. Meyer

S65217-4 *Poeciliopsis prolifica* MILLER, 1960
Sonnenkärpfling / Prolific Topminnow
Aquarienstamm / Aquarium strain, B, 2 cm
▷ ⅋P ○ ☺ ☻ ⊞ 🖼 ⚓ ⋆ 𝕞 ♂ photo: H. Hieronimus

S65218-4 *Poeciliopsis prolifica* MILLER, 1960
Sonnenkärpfling / Prolific Topminnow
Aquarienstamm / Aquarium strain, B, 3,5 cm
▷ ⅋P ○ ☺ ☻ ⊞ 🖼 ⚓ ⋆ 𝕞 ♀ photo: D. Barrett

S65219-4 *Poeciliopsis prolifica* MILLER, 1960
Sonnenkärpfling / Prolific Topminnow
Aquarienstamm / Aquarium strain, B, 2 + 3,5 cm
▷ ⅋P ○ ☺ ☻ ⊞ 🖼 ⚓ ⋆ 𝕞 ♂ ♀ photo: J. C. Merino

S65220-4 *Poeciliopsis prolifica* MILLER, 1960
Sonnenkärpfling / Prolific Topminnow
Aquarienstamm / Aquarium strain, B, 2 + 3,5 cm
▷ ⅋P ○ ☺ ☻ ⊞ 🖼 ⚓ ⋆ 𝕞 ♂ ♀ photo: O. Böhm

S65223-4 *Poeciliopsis retropinna* (Regan, 1908)
Kleinflossen-Kärpfling / Giant Topminnow
Rio General, Costa Rica (leg. Meyer), W, 5 cm

▷ ⑴P ○ ☺ ☻ ⊞ 🖼 ⮢ ⮞ 🔲 ♂   photo: M. K. Meyer

S65224-4 *Poeciliopsis retropinna* (Regan, 1908)
Kleinflossen-Kärpfling / Giant Topminnow
Rio General, Costa Rica (leg. Meyer), W, 5 cm

▷ ⑴P ○ ☺ ☻ ⊞ 🖼 ⮢ ⮞ 🔲 ♂   photo: M. K. Meyer

S65227-4 *Poeciliopsis scarlli* Meyer, Riehl, Dawes & Dibble, 1985
Scarlls Kärpfling / Scarll's Topminnow
Michoacan, Mexiko (leg. Meyer), W, 3 + 4 cm

▷ ♬ ○ ☺ ☻ ⊞ 🖼 ⮢ ⮞ 🔲 ♂ ♀   photo: M. K. Meyer

S65228-4 *Poeciliopsis scarlli* Meyer, Riehl, Dawes & Dibble, 1985
Scarlls Kärpfling / Scarll's Topminnow
Guerrero, Michoacan, Mexiko B, 4 cm

▷ ♬ ○ ☺ ☻ ⊞ 🖼 ⮢ ⮞ 🔲 ♀   photo: D. Barrett

S65229-4 *Poeciliopsis* sp.
Dunkler Chiapas-Kärpfling / Dark Chiapas Topminnow
Chiapas, Mexiko (leg. Meyer), W, 2,5 cm

▷ ♬ ○ ☺ ☻ ⊞ 🖼 ⮢ ⮞ 🔲 ♂   photo: M. K. Meyer

S65230-4 *Poeciliopsis* sp. (in all probability: *P. baenschi*)
Puerto Vallarte-Kärpfling / Puerto Vallarte Topminnow
Puerto Vallarte (leg. Linke), W, 2,5 cm (?)

▷ ♬ ○ ☺ ☻ ⊞ 🖼 ⮢ ⮞ 🔲 ♂   photo: H. Linke

S65231-5 *Poeciliopsis* sp. (a gynogenetic klepton?)
Atlantischer Kärpfling / Atlantic Topminnow
Rio Jamapa, Mexiko (atl. side) (leg. Werner), W, 8 cm

▷ ♬ ○ ☺ ☻ ⊞ 🖼 ⮢ ⮞ 🔲 ♀   photo: U. Werner

S65232-5 *Poeciliopsis* sp. (a gynogenetic klepton?)
Atlantischer Kärpfling / Atlantic Topminnow
Rio Panoaya, Mexiko (atl. side) (leg. Werner), W, 8 cm

▷ ♬ ○ ☺ ☻ ⊞ 🖼 ⮢ ⮞ 🔲 ♀   photo: U. Werner

S65234-4 *Poeciliopsis turneri* Miller, 1975
Apamila-Kärpfling / Turner´s Topminnow
Rio Apamila, Jalisco, Mexiko (leg. Pürzl), B, 3 cm

▷ ⇑P ◯ ☺ ☺ ⊞ ▦ ⇌ ⤚ ㎜ ♀ **photo:** E. Pürzl

S65233-4 *Poeciliopsis turrubarensis* (Meek, 1912)
Turrubarés-Kärpfling / Pacific Topminnow
Jalisco, Mexiko, B, 4 cm

▷ ⇑P ◯ ☺ ☺ ⊞ ▦ ⇌ ⤚ ㎜ ♂ **photo:** H. Hieronimus

S65239-4 *Poeciliopsis turrubarensis* (Meek, 1912)
Turrubarés-Kärpfling / Pacific Topminnow
Acapulco, Mexiko (pac. side) (leg. Werner), W, 6 cm

▷ ⇑P ◯ ☺ ☺ ⊞ ▦ ⇌ ⤚ ㏑ ♀ **photo:** U. Werner

S65235-4 *Poeciliopsis turrubarensis* (Meek, 1912)
Turrubarés-Kärpfling / Pacific Topminnow
Turrubarés, Costa Rica (leg. Meyer), B, 4 cm

▷ ⇑P ◯ ☺ ☺ ⊞ ▦ ⇌ ⤚ ㏑ ♂ **photo:** M. K. Meyer

S65236-4 *Poeciliopsis turrubarensis* (Meek, 1912)
Turrubarés-Kärpfling / Pacific Topminnow
Turrubarés, Costa Rica (leg. Meyer), B, 8 cm

▷ ⇑P ◯ ☺ ☺ ⊞ ▦ ⇌ ⤚ ㏑ ♀ **photo:** M. K. Meyer

S65237-4 *Poeciliopsis turrubarensis* (Meek, 1912)
Turrubarés-Kärpfling / Pacific Topminnow
Choluteca, Honduras (leg. Werner), W, 8 cm

▷ ⇑P ◯ ☺ ☺ ⊞ ▦ ⇌ ⤚ ㏑ ♀ **photo:** U. Werner

S65238-4 *Poeciliopsis turrubarensis* (Meek, 1912)
Turrubarés-Kärpfling / Pacific Topminnow
Costa Rica (leg. Dost), W, 4 cm

▷ ⇑P ◯ ☺ ☺ ⊞ ▦ ⇌ ⤚ ㏑ ♂ **photo:** U. Dost

S65238-4 *Poeciliopsis turrubarensis* (Meek, 1912)
Turrubarés-Kärpfling / Pacific Topminnow
Costa Rica (leg. Dost), W, 8 cm

▷ ⇑P ◯ ☺ ☺ ⊞ ▦ ⇌ ⤚ ㏑ ♀ **photo:** U. Dost

S65240-4 *Poeciliopsis turrubarensis* (MEEK, 1912)
Turrubarés-Kärpfling / Pacific Topminnow
Costa Rica (leg. DOST), W, 8 cm

▷ ⫫P ○ ☺ ☻ ⊞ 🎏 � 🚑 Ⓛ ♀   photo: U. Dost

S65245-4 *Poeciliopsis viriosa* MILLER, 1960
Viriosa-Kärpfling / Robust Topminnow
El Palillo, Mexiko (leg. MERINO), B, 3,5 cm

▷ ⱖ ○ ☺ ☻ ⊞ 🎏 ⟻ 🚑 ⓜ ♂   photo: J. C. Merino

65248-4 *Poeciliopsis viriosa* MILLER, 1960
Viriosa-Kärpfling / Robust Topminnow
Tepic, Mexiko (leg. PÜRZL), B, 3,5 + 6 cm

▷ ⱖ ○ ☺ ☻ ⊞ 🎏 ⟻ 🚑 ⓜ ♂ ♀   photo: E. Pürzl

S65246-4 *Poeciliopsis viriosa* MILLER, 1960
Viriosa-Kärpfling / Robust Topminnow
Rio Compostela (leg. HIERONIMUS), B, 3,5 cm

▷ ⱖ ○ ☺ ☻ ⊞ 🎏 ⟻ 🚑 ⓜ ♂   photo: H. Hieronimus

S65247-4 *Poeciliopsis viriosa* MILLER, 1960
Viriosa-Kärpfling / Robust Topminnow
Aquarienstamm / Aquarium strain, B, 6 cm

▷ ⱖ ○ ☺ ☻ ⊞ 🎏 ⟻ 🚑 ⓜ ♀   photo: O. Böhm

photo: K. de Jong

1. **Puente Chinoluiz, Fundort von *Xiphophorus clemenciae*, *Pseudoxiphophorus bimaculatus*, *Xiphophorus helleri*, *Poeciliopsis gracilis*, *Poecilia sphenops*, *Priapella intermedia* und Cichliden.**
   Puente Chinoluiz, locality of *Xiphophorus clemenciae*, *Pseudoxiphophorus bimaculatus*, *Xiphophorus helleri*, *Poeciliopsis gracilis*, *Poecilia sphenops*, *Priapella intermedia* and cichlids.
2. **Bach bei Pichucalcu, Mexiko. Der Lebensraum von Mollys, Platys, *Priapella* und *Gambusia*.**
   A brook near Pichucalcu, Mexico, habitat of Mollys, Platys, *Priapella* and *Gambusia*.

photo: U. Werner

S66400 *Priapella bonita* (MEEK, 1904)
Gefleckter Blauaugenkärpfling / Spotted Blue-Eye
Rio Yonto at Refugio, Mexico, 5 cm (?)

♀   **from:** Meek, 1904 (changed)

S66402-4 *Priapella compressa* ALVAREZ, 1948
Gedrungener Blauaugenkärpfling / Mayan Blue-Eye
Aquarienstamm / Aquarium strain, B, 4,5 + 7 cm

▷♫○☺☻⊤🖼⇌ ⤳ m ♂ ♀   **photo:** F. P. Müllenholz

S66403-4 *Priapella compressa* ALVAREZ, 1948
Gedrungener Blauaugenkärpfling / Mayan Blue-Eye
Chiapas, Mexiko (leg. WERNER), W, 4,5 cm

▷♫○☺☻⊤🖼⇌ ⤳ m ♂   **photo:** U. Werner

S66403-4 *Priapella compressa* ALVAREZ, 1948
Gedrungener Blauaugenkärpfling / Mayan Blue-Eye
Chiapas, Mexiko (leg. WERNER), W, 7 cm

▷♫○☺☻⊤🖼⇌ ⤳ m ♀   **photo:** U. Werner

S66404-4 *Priapella compressa* ALVAREZ, 1948
Gedrungener Blauaugenkärpfling / Mayan Blue-Eye
Palenque, Mexiko (leg. MEYER), W, 4,5 cm

▷♫○☺☻⊤🖼⇌ ⤳ m ♂   **photo:** M. K. Meyer

S66404-4 *Priapella compressa* ALVAREZ, 1948
Gedrungener Blauaugenkärpfling / Mayan Blue-Eye
Palenque, Mexiko (leg. MEYER), W, 7 cm

▷♫○☺☻⊤🖼⇌ ⤳ m ♀   **photo:** M. K. Meyer

S66405-4 *Priapella compressa* ALVAREZ, 1948
Gedrungener Blauaugenkärpfling / Mayan Blue-Eye
Aquarienstamm / Aquarium strain, B, 4,5 cm

▷♫○☺☻⊤🖼⇌ ⤳ m ♂   **photo:** U. Dost

S66405-4 *Priapella compressa* ALVAREZ, 1948
Gedrungener Blauaugenkärpfling / Mayan Blue-Eye
Aquarienstamm / Aquarium strain, B, 7 cm

▷♫○☺☻⊤🖼⇌ ⤳ m ♀   **photo:** U. Dost

S66406-4 *Priapella compressa* ALVAREZ, 1948
Gedrungener Blauaugenkärpfling / Mayan Blue-Eye
Aquarienstamm / Aquarium strain, B, 4,5 cm
▷ ♫ ○ ☺ ☻ ⊡ 🖾 ⚘ ✈ 🖾 ♂   **photo:** D. Barrett

S66407-4 *Priapella compressa* ALVAREZ, 1948
Gedrungener Blauaugenkärpfling / Mayan Blue-Eye
Chiapas, Palenque, Mexiko (leg. STAECK), W, 7 cm
▷ ♫ ○ ☺ ☻ ⊡ 🖾 ⚘ ✈ 🖾 ♀   **photo:** W. Staeck

S66410-4 *Priapella intermedia* ALVAREZ & CARRANZA, 1952
Blauaugenkärpfling / Oaxancan Blue-Eye
Rio Coatzacoalos, Mexiko (leg. MEYER), W, 5 cm
▷ ♫ ○ ☺ ☻ ⊡ 🖾 ⚘ ✈ ◈ 🖾 ♂   **photo:** M. K. Meyer

S66411-4 *Priapella intermedia* ALVAREZ & CARRANZA, 1952
Blauaugenkärpfling / Oaxancan Blue-Eye
Aquarienstamm / Aquarium strain, B, 5 + 6,5 cm
▷ ♫ ○ ☺ ☻ ⊡ 🖾 ⚘ ✈ ◈ 🖾 ♂ ♀   **photo:** F. Teigler/ACS

S66412-4 *Priapella intermedia* ALVAREZ & CARRANZA, 1952
Blauaugenkärpfling / Oaxancan Blue-Eye
Aquarienstamm / Aquarium strain, B, 5 cm
▷ ♫ ○ ☺ ☻ ⊡ 🖾 ⚘ ✈ ◈ 🖾 ♂   **photo:** U. Dost

S66412-4 *Priapella intermedia* ALVAREZ & CARRANZA, 1952
Blauaugenkärpfling / Oaxancan Blue-Eye
Aquarienstamm / Aquarium strain, B, 6,5 cm
▷ ♫ ○ ☺ ☻ ⊡ 🖾 ⚘ ✈ ◈ 🖾 ♀   **photo:** U. Dost

S66413-4 *Priapella intermedia* ALVAREZ & CARRANZA, 1952
Blauaugenkärpfling / Oaxancan Blue-Eye
Aquarienstamm / Aquarium strain, B, 5 + 6,5 cm
▷ ♫ ○ ☺ ☻ ⊡ 🖾 ⚘ ✈ ◈ 🖾 ♂ ♀   **photo:** H. Hieronimus

S66414-4 *Priapella intermedia* ALVAREZ & CARRANZA, 1952
Blauaugenkärpfling / Oaxancan Blue-Eye
Aquarienstamm / Aquarium strain, B, 5 + 6,5 cm
▷ ♫ ○ ☺ ☻ ⊡ 🖾 ⚘ ✈ ◈ 🖾 ♂ ♀   **photo:** J. C. Canovas

S66417-4 *Priapella olmecae* MEYER & PEREZ, 1990
Olmeken-Kärpfling / Olmecan Blue-Eye
Rio de la Palma, Veracruz, Mexiko (t.t.) (leg. MEYER), W, 5 cm

▷ ♫ ○ ☺ ☹ ⬆ 🖼 ⇌ ⤵ 🖩 ♂   photo: M. K. Meyer

S66417-4 *Priapella olmecae* MEYER & PEREZ, 1990
Olmeken-Kärpfling / Olmecan Blue-Eye
Rio de la Palma, Veracruz, Mexiko (t.t.) (leg. MEYER), W, 6 cm

▷ ♫ ○ ☺ ☹ ⬆ 🖼 ⇌ ⤵ 🖩 ♀   photo: M. K. Meyer

S66418-4 *Priapella olmecae* MEYER & PEREZ, 1990
Olmeken-Kärpfling / Olmecan Blue-Eye
Veracruz, Mexiko, B, 5 cm

▷ ♫ ○ ☺ ☹ ⬆ 🖼 ⇌ ⤵ 🖩 ♂   photo: U. Dost

S66418-4 *Priapella olmecae* MEYER & PEREZ, 1990
Olmeken-Kärpfling / Olmecan Blue-Eye
Veracruz, Mexiko, B, 6 cm

▷ ♫ ○ ☺ ☹ ⬆ 🖼 ⇌ ⤵ 🖩 ♀   photo: U. Dost

S66419-4 *Priapella olmecae* MEYER & PEREZ, 1990
Olmeken-Kärpfling / Olmecan Blue-Eye
Veracruz, Mexiko, B, 5 cm

▷ ♫ ○ ☺ ☹ ⬆ 🖼 ⇌ ⤵ 🖩 ♂   photo: U. Werner

S66420-4 *Priapella olmecae* MEYER & PEREZ, 1990
Olmeken-Kärpfling / Olmecan Blue-Eye
Veracruz, Mexiko, W, 6 cm

▷ ♫ ○ ☺ ☹ ⬆ 🖼 ⇌ ⤵ 🖩 ♀   photo: E. Pürzl

S66421-4 *Priapella* sp.
Misol-Ha Kärpfling / Misol-Ha Blue-Eye
Misol-Ha, Mexiko (leg. DOST), W, 4 cm (?)

▷ ♫ ○ ☺ ☹ ⬆ 🖼 ⇌ ⤵ 🖩 ♂   photo: U. Dost

S66421-4 *Priapella* sp.
Misol-Ha Kärpfling / Misol-Ha Blue-Eye
Misol-Ha, Mexiko (leg. DOST), W, 5 cm (?)

▷ ♫ ○ ☺ ☹ ⬆ 🖼 ⇌ ⤵ 🖩 ♀   photo: U. Dost

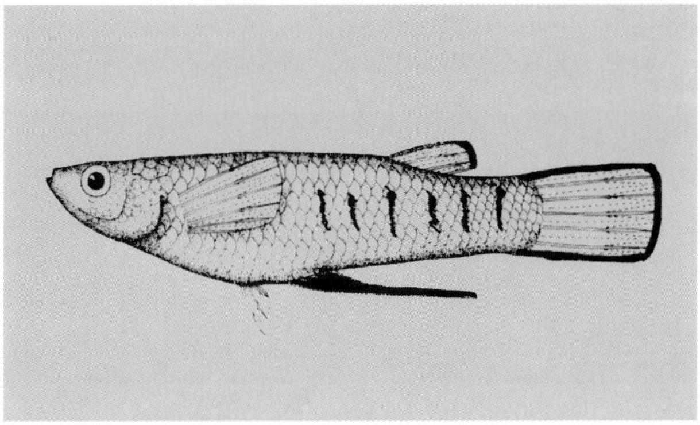

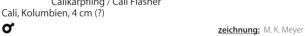

S01415 *Alloheterandria caliensis* (EIGENMANN & HENN in HENN, 1916)
Calikärpfling / Cali Flasher
Cali, Kolumbien, 4 cm (?)
♂ **zeichnung:** M. K. Meyer

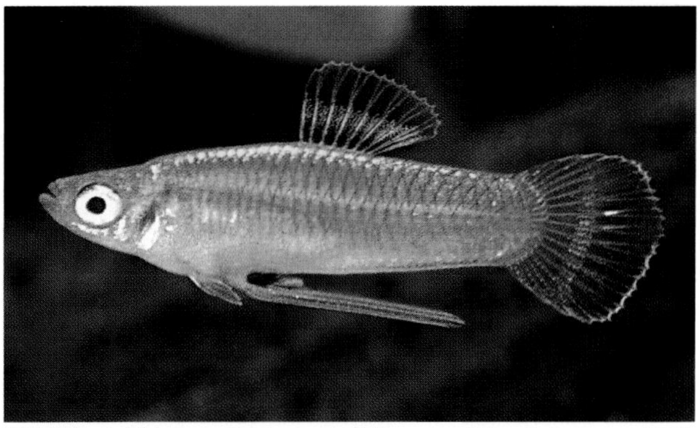

S01418-4 *Alloheterandria nigroventralis* (EIGENMANN & HENN in EIGENMANN, 1912)
Schwarzflossenkärpfling / Black-finned Flasher
Anelagoya, Kolumbien (leg. PÜRZL), W, 2 cm
⊳ P ◑ ☺ 😐 ⊞ ▣ ≡ 🐟 [S] ♂ **photo:** E. Pürzl

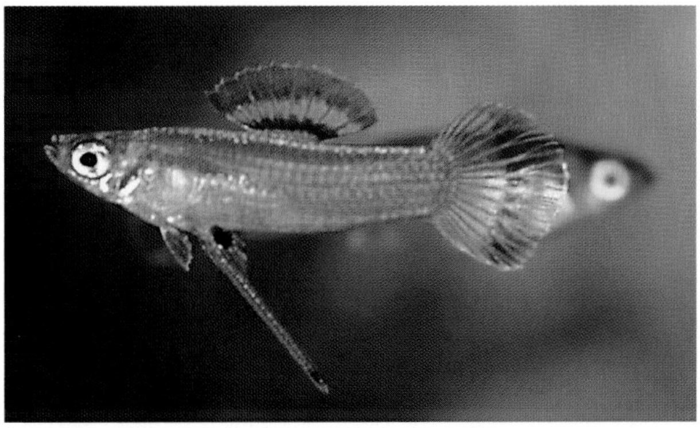

S01419-4 *Alloheterandria nigroventralis* (EIGENMANN & HENN in EIGENMANN, 1912)
Schwarzflossenkärpfling / Black-finned Flasher
Kolumbien, W, 2 cm
⊳ P ◑ ☺ 😐 ⊞ ▣ ≡ 🐟 [S] ♂ **photo:** H. J. Mayland

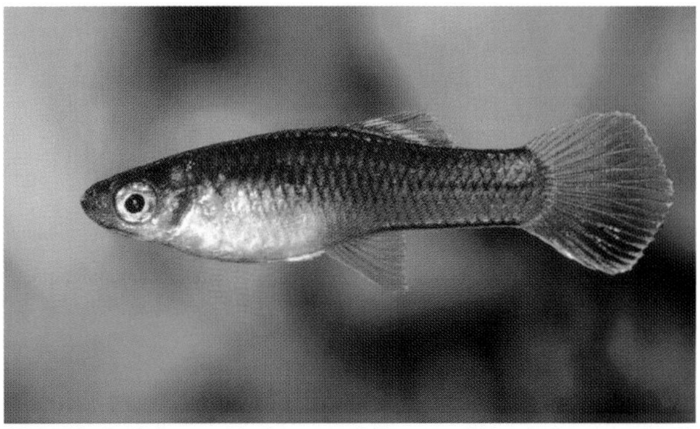

S01419-4 *Alloheterandria nigroventralis* (EIGENMANN & HENN in EIGENMANN, 1912)
Schwarzflossenkärpfling / Black-finned Flasher
Kolumbien, W, 3 cm
⊳ P ◑ ☺ 😐 ⊞ ▣ ≡ 🐟 [S] ♀ **photo:** H. J. Mayland

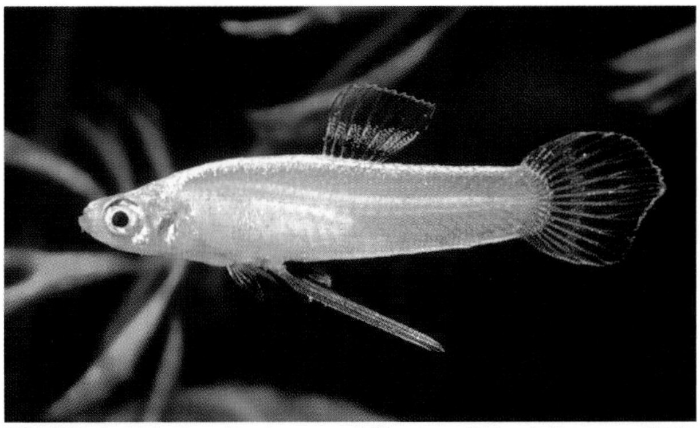

S01420-4 *Alloheterandria nigroventralis* (EIGENMANN & HENN in EIGENMANN, 1912)
Schwarzflossenkärpfling / Black-finned Flasher
Kolumbien, W, 2 cm
⊳ P ◑ ☺ 😐 ⊞ ▣ ≡ 🐟 [S] ♂ **photo:** O. Böhm

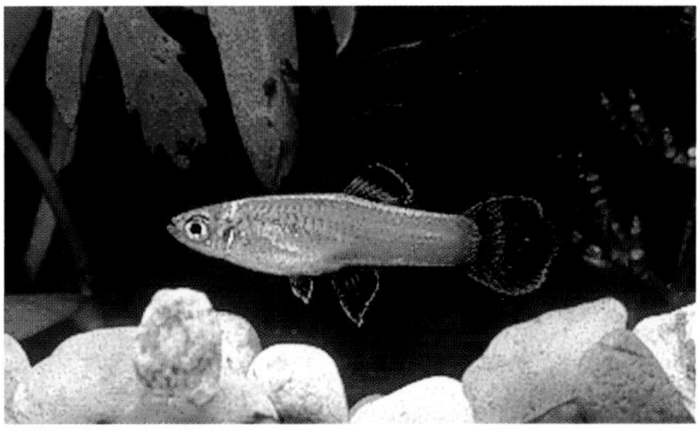

S01420-4 *Alloheterandria nigroventralis* (EIGENMANN & HENN in EIGENMANN, 1912)
Schwarzflossenkärpfling / Black-finned Flasher
Kolumbien, W, 3 cm
⊳ P ◑ ☺ 😐 ⊞ ▣ ≡ 🐟 [S] ♀ **photo:** O. Böhm

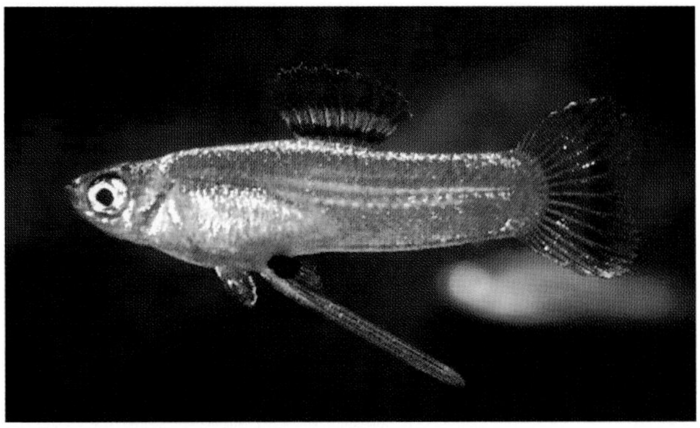

S01421-4 *Alloheterandria nigroventralis* (EIGENMANN & HENN in EIGENMANN, 1912)
Schwarzflossenkärpfling / Black-finned Flasher
Kolumbien, W, 2 cm
⊳ P ◑ ☺ 😐 ⊞ ▣ ≡ 🐟 [S] ♂ **photo:** D Bork

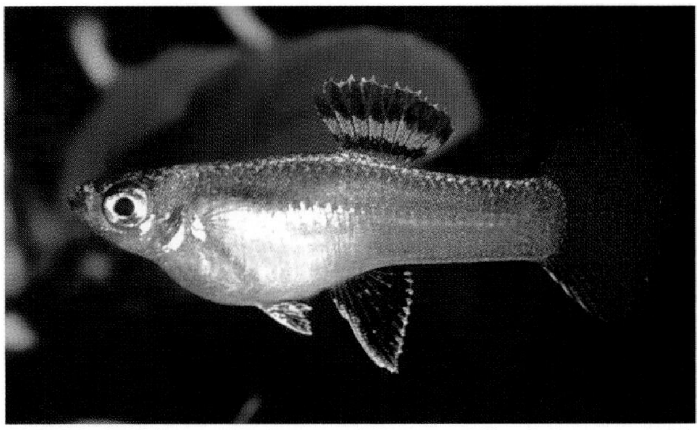

S01421-4 *Alloheterandria nigroventralis* (EIGENMANN & HENN in EIGENMANN, 1912)
Schwarzflossenkärpfling / Black-finned Flasher
Kolumbien, W, 3 cm
⊳ P ◑ ☺ 😐 ⊞ ▣ ≡ 🐟 [S] ♀ **photo:** D. Bork

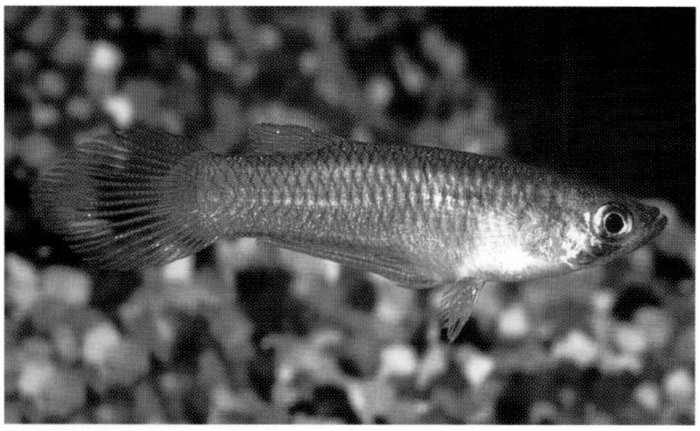

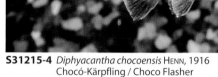

S31215-4 *Diphyacantha chocoensis* HENN, 1916
Chocó-Kärpfling / Choco Flasher
Kolumbien, W, 3 cm
▷ P ◑ ☺ 😐 ⊞ ⊞ ≡ ➤ [S] ♂ **photo:** D. Bork

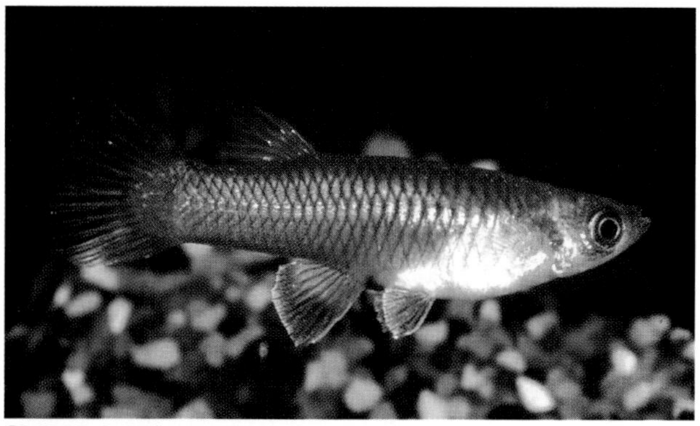

S31215-4 *Diphyacantha chocoensis* HENN, 1916
Chocó-Kärpfling / Choco Flasher
Kolumbien, W, 4 cm
▷ P ◑ ☺ 😐 ⊞ ⊞ ≡ ➤ [S] ♀ **photo:** D. Bork

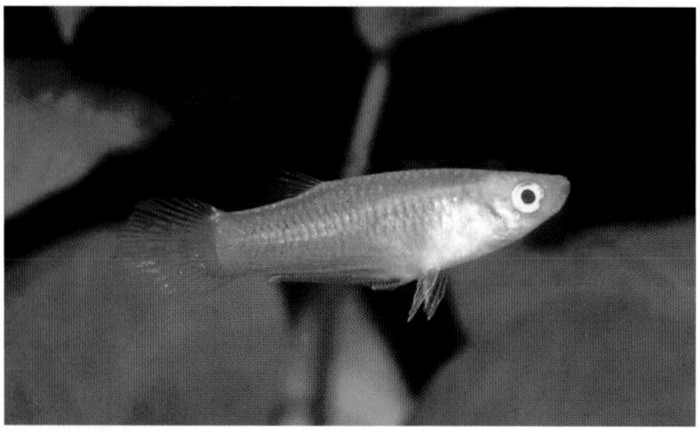

S31216-4 *Diphyacantha chocoensis* HENN, 1916
Chocó-Kärpfling / Choco Flasher
Baya Calima, Kolumbien (leg. Pürzl), W, 3 cm
▷ P ◑ ☺ 😐 ⊞ ⊞ ≡ ➤ [S] ♂ **photo:** E. Pürzl

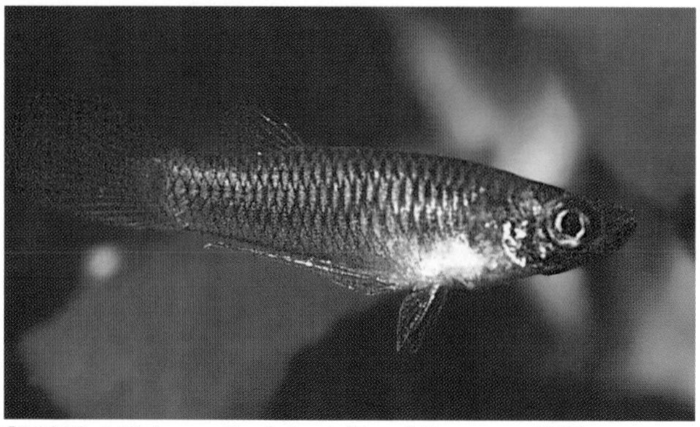

S31218-4 *Diphyacantha dariensis* (MEEK & HILDEBRAND, 1913)
Darien-Kärpfling / Darien Flasher
Panama, W, 3 cm
▷ P ◑ ☺ 😐 ⊞ ⊞ ≡ ➤ [S] ♂ **photo:** D. Barrett

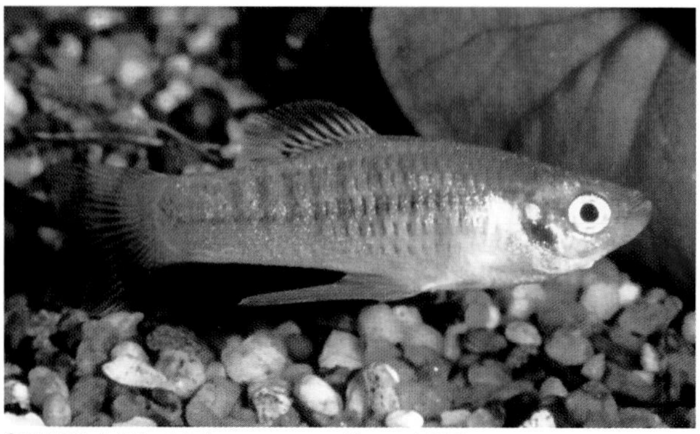

S66500-4 *Priapichthys annectens* (REGAN, 1907)
Orangeflossen-Kärpfling / Orange Finned Flasher
Quebrada Habana (leg. MERINO), W, 4 cm
▷ R ◑ ☺ 😐 ⊞ ⊞ ≡ ➤ [m] ♂ **photo:** J. C. Merino

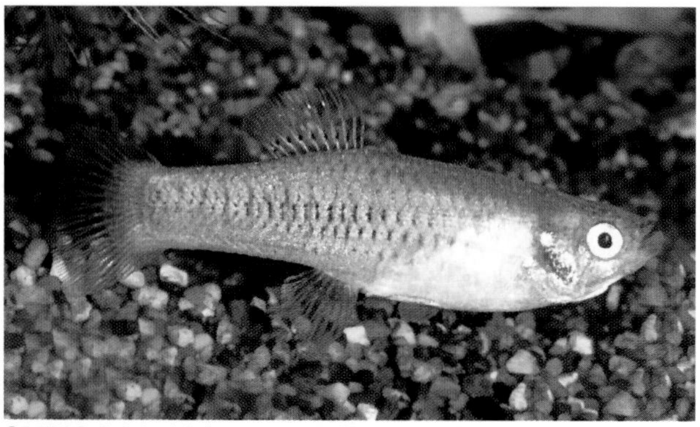

S66500-4 *Priapichthys annectens* (REGAN, 1907)
Orangeflossen-Kärpfling / Orange Finned Flasher
Quebrada Habana (leg. MERINO), W, 6,5 cm
▷ R ◑ ☺ 😐 ⊞ ⊞ ≡ ➤ [m] ♀ **photo:** J. C. Merino

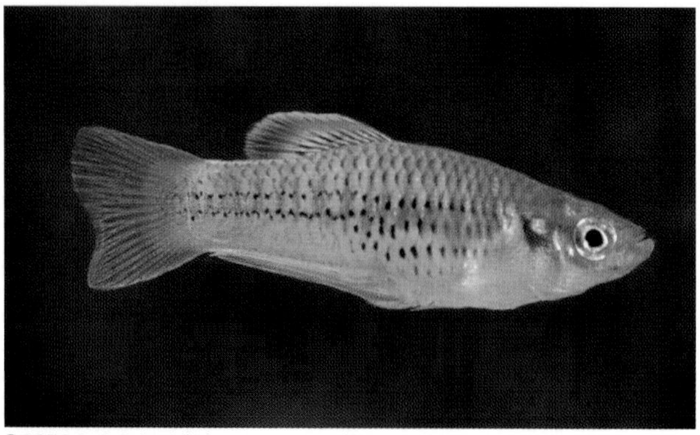

S66501-4 *Priapichthys annectens* (REGAN, 1907)
Orangeflossen-Kärpfling / Orange Finned Flasher
Costa Rica, B, 4 cm
▷ R ◑ ☺ 😐 ⊞ ⊞ ≡ ➤ [m] ♂ **photo:** U. Dost

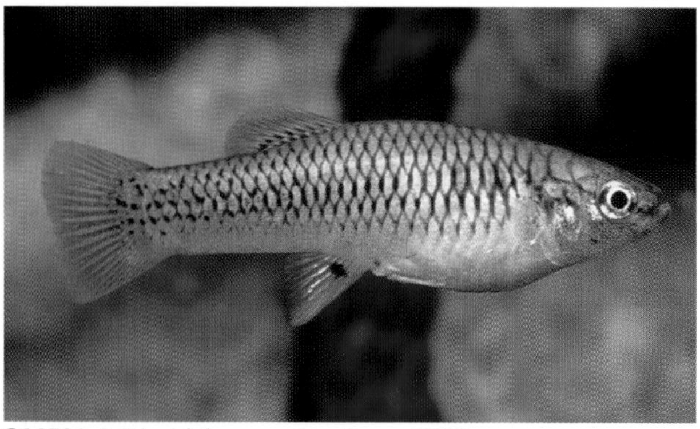

S66501-4 *Priapichthys annectens* (REGAN, 1907)
Orangeflossen-Kärpfling / Orange Finned Flasher
Costa Rica, B, 6,5 cm
▷ R ◑ ☺ 😐 ⊞ ⊞ ≡ ➤ [m] ♀ **photo:** U. Dost

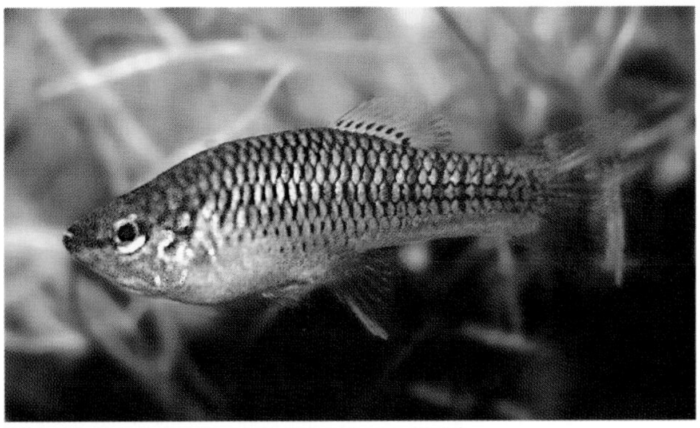

S66502-4 *Priapichthys annectens* (Regan, 1907)
Orangeflossen-Kärpfling / Orange Finned Flasher
Costa Rica, Panama, B, 6,5 cm
⊳ ♮P ◑ ☺ ☹ [+] [~] ≈ ➤ [m] ♀ **photo:** D. Barrett

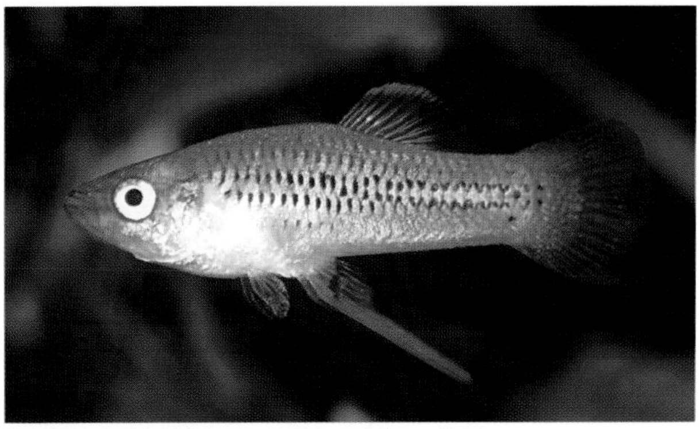

S66510-4 *Priapichthys puetzi* Meyer & Etzel, 1996
Pütz´ Kärpfling / Pütz´s Flasher
Punta Pena, Panama (leg. Meyer), W, 3 cm
⊳ ♮P ◑ ☺ ☹ [+] [~] ≈ ➤ [m] ♂ **photo:** M. K. Meyer

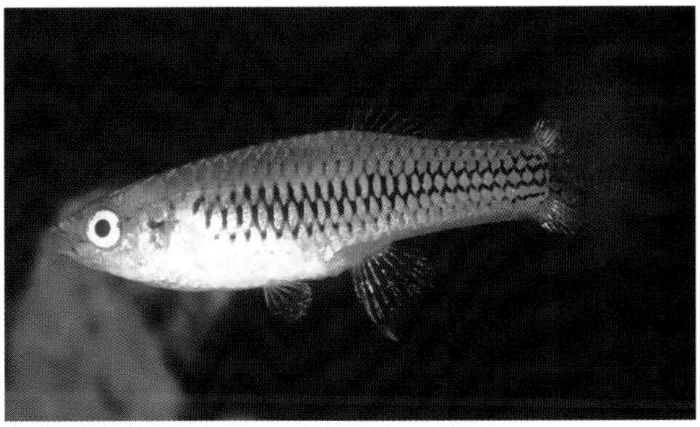

S66510-4 *Priapichthys puetzi* Meyer & Etzel, 1996
Pütz´ Kärpfling / Pütz´s Flasher
Punta Pena, Panama (leg. Meyer), W, 6,5 cm
⊳ ♮P ◑ ☺ ☹ [+] [~] ≈ ➤ [m] ♀ **photo:** M. K. Meyer

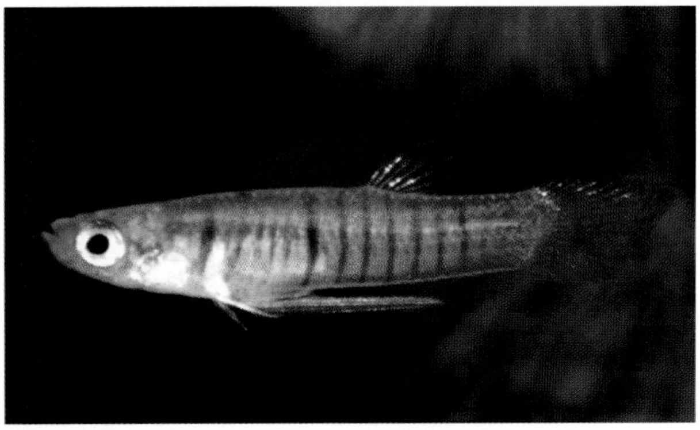

S71030-4 *Pseudopoecilia austrocolumbiana* Radda, 1987
Narino-Kärpfling / Southern Flasher
Narino, Kolumbien, W, 2,5 cm
⊳ ♮P ◑ ☺ ☹ [+] [~] ≈ ➤ [s] ♂ **photo:** M. K. Meyer

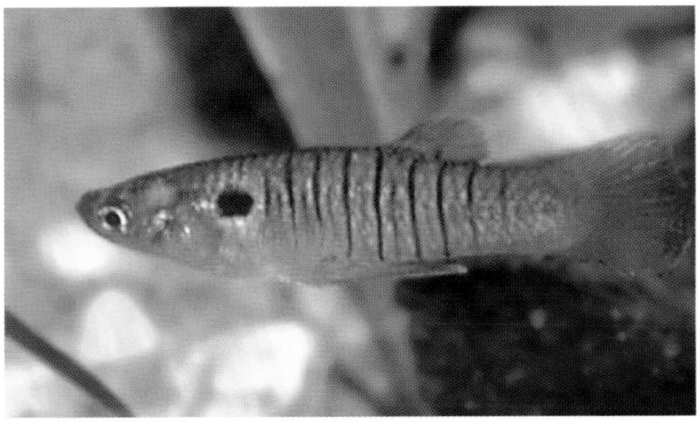

S71033-4 *Pseudopoecilia festae* (Boulenger, 1898)
Festakärpfling / Ecuadorian Flasher
Ecuador (pac. side) (leg. Werner), W, 3cm
⊳ ♮P ◑ ☺ ☹ [+] [~] ≈ ➤ [s] ♂ **photo:** U. Werner

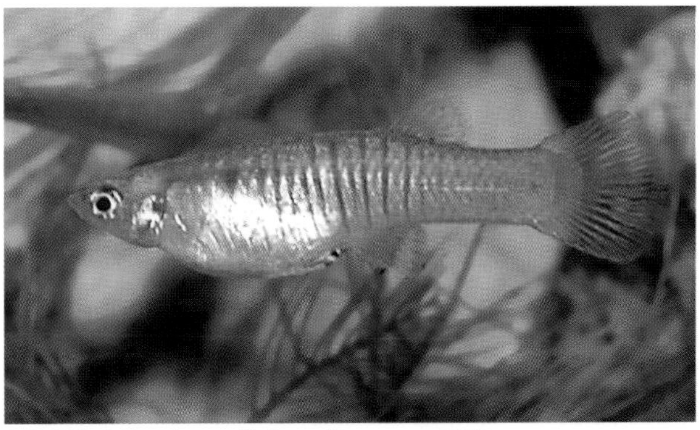

S71033-4 *Pseudopoecilia festae* (Boulenger, 1898)
Festakärpfling / Ecuadorian Flasher
Ecuador (pac. side) (leg. Werner), W, 4,5 cm
⊳ ♮P ◑ ☺ ☹ [+] [~] ≈ ➤ [s] ♀ **photo:** U. Werner

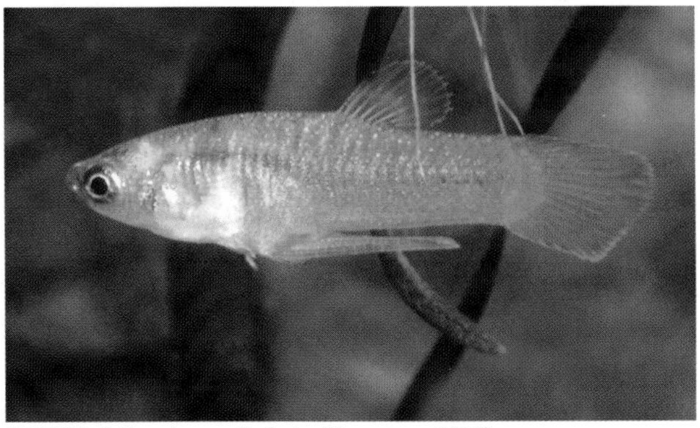

S71034-4 *Pseudopoecilia festae* (Boulenger, 1898)
Festakärpfling / Ecuadorian Flasher
Ecuador, B, 3cm
⊳ ♮P ◑ ☺ ☹ [+] [~] ≈ ➤ [s] ♂ **photo:** J. C. Merino

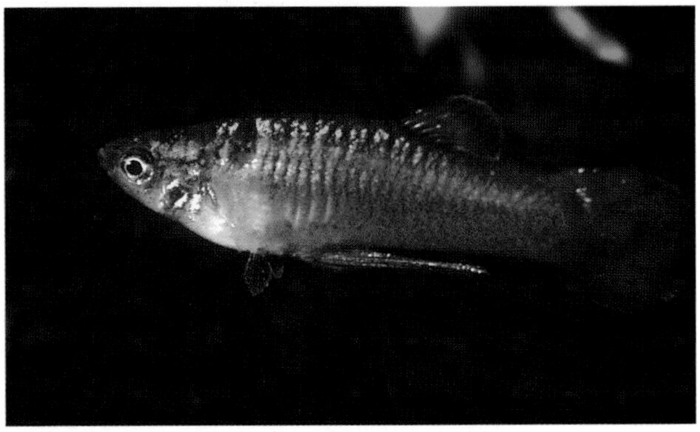

S71035-4 *Pseudopoecilia festae* (Boulenger, 1898)
Festakärpfling / Ecuadorian Flasher
Ecuador, B, 3cm
⊳ ♮P ◑ ☺ ☹ [+] [~] ≈ ➤ [s] ♂ **photo:** D. Barrett

S71036-4 *Pseudopoecilia festae* (Boulenger, 1898)
Festakärpfling / Ecuadorian Flasher
Ecuador, B, 3cm

▷ ⲓP ◑ ☺ ☺ ⊞ 🐟 ⇌ ⚓ 🅂 ♂   photo: O. Böhm

S71037-4 *Pseudopoecilia panamensis* (Meek & Hildebrand, 1916)
Panama-Zwergkärpfling / Panamian Flasher (= *P. fria*?)
Costa Rica (leg. Dost), W, 4 cm (?)

▷ ⲓP ◑ ☺ ☺ ⊞ 🐟 ⇌ ⚓ 🅂 ♀   photo: U. Dost

S71300-4 *Pseudoxiphophorus anzuetoi* (Rosen & Bailey in Rosen, 1979)
Variabler Zweifleckkärpfling / Anzueto´s Twin Spot Livebearer
Guatemala (leg. Meyer), W, 7 cm

▷ ⲓP ◯ ☺ ☺ ⊞ 🐟 ⇌ ⚓ 🅻 ♀   photo: M. K. Meyer

S71301-4 *Pseudoxiphophorus anzuetoi* (Rosen & Bailey in Rosen, 1979)
Variabler Zweifleckkärpfling / Anzueto´s Twin Spot Livebearer
Guatemala (atl. side) (leg. Sosna), W, 7 cm

▷ ⲓP ◯ ☺ ☺ ⊞ 🐟 ⇌ ⚓ 🅻 ♀   photo: E. Sosna

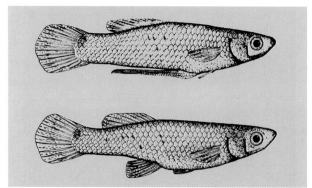

S71305   *Pseudoxiphophorus attenuata* (Rosen & Bailey in Rosen, 1979)
Gestreckter Zweifleckkärpfling / Slender Twin Spot Livebearer
Rio Candelaria, Guatemala, 4 + 7 cm

♂ ♀   zeichnung: M. K. Meyer

S71308-4 *Pseudoxiphophorus bimaculatus* (Heckel, 1848)
Zweifleckkärpfling / Common Twin Spot Livebearer
Aquarienstamm / Aquarium strain, B, 7 + 15 cm

▷ ⲓB ◯ ☺ ☺ ⊞ 🐟 ⇌ ⚓ 🅻 ♂ ♀   photo: O. Böhm

S71309-4 *Pseudoxiphophorus bimaculatus* (Heckel, 1848)
Zweifleckkärpfling / Common Twin Spot Livebearer
Mexiko (leg. Dost), W, 7 cm

▷ ⲓB ◯ ☺ ☺ ⊞ 🐟 ⇌ ⚓ 🅻 ♂   photo: U. Dost

S71309-4 *Pseudoxiphophorus bimaculatus* (Heckel, 1848)
Zweifleckkärpfling / Common Twin Spot Livebearer
Mexiko (leg. Dost), W, 15 cm

▷ ⲓB ◯ ☺ ☺ ⊞ 🐟 ⇌ ⚓ 🅻 ♀   photo: U. Dost

1. **Papaloapan /Tuxtpex in Mexiko, Fundort von *Xiphophorus maculatus, Pseudoxiphophorus bimaculatus, Poecilia mexicana, Rivulus tenuis, Thorichthys ellioti, Nandopsis octofasciatum* und kleinen Welsen.**
Papaloapan/Tuxtpex in Mexico, locality of *Xiphophorus maculatus, Pseudoxiphophorus bimaculatus, Poecilia mexicana, Rivulus tenuis, Thorichthys ellioti, Nandopsis octofasciatum* and small catfish.

2. **Dieser kleine Bach nahe des Catemaco-Sees in Mexiko ist Lebensraum von *Xiphophorus helleri, Pseudoxiphophorus bimaculatus, Xiphophorus milleri, Poeciliopsis catemaco, Poecilia catemaconis*, Cichliden und Welsen.**
This small brook near Lake Catemaco in Mexico is the habitat of *Xiphophorus helleri, Pseudoxiphophorus bimaculatus, Xiphophorus milleri, Poeciliopsis catemaco, Poecilia catemaconis*, cichlids and catfish.

photos: C. M. de Jong

S71310-4 *Pseudoxiphophorus bimaculatus* (HECKEL, 1848)
Zweifleckkärpfling / Common Twin Spot Livebearer
Rio Otapa (leg. MERINO), B, 7 cm

▷ ♫ ○ ☺ ☹ ⊞ ▥ ⇌ ⇗ 🔟 ♂   **photo:** J. C. Merino

S71310-4 *Pseudoxiphophorus bimaculatus* (HECKEL, 1848)
Zweifleckkärpfling / Common Twin Spot Livebearer
Rio Otapa (leg. MERINO), B, 15 cm

▷ ♫ ○ ☺ ☹ ⊞ ▥ ⇌ ⇗ 🔟 ♀   **photo:** J. C. Merino

S71311-4 *Pseudoxiphophorus bimaculatus* (HECKEL, 1848)
Zweifleckkärpfling / Common Twin Spot Livebearer
Aquarienstamm / Aquarium strain, B, 7 cm

▷ ♫ ○ ☺ ☹ ⊞ ▥ ⇌ ⇗ 🔟 ♂   **photo:** E. Pürzl

S71312-4 *Pseudoxiphophorus bimaculatus* (HECKEL, 1848)
Zweifleckkärpfling / Common Twin Spot Livebearer
Aquarienstamm / Aquarium strain, B, 15 cm

▷ ♫ ○ ☺ ☹ ⊞ ▥ ⇌ ⇗ 🔟 ♀   **photo:** E. Schraml

S71313-4 *Pseudoxiphophorus bimaculatus* (HECKEL, 1848)
Zweifleckkärpfling / Common Twin Spot Livebearer
Guatemala (leg. WERNER), W, 7 cm

▷ ♫ ○ ☺ ☹ ⊞ ▥ ⇌ ⇗ 🔟 ♂   **photo:** U. Werner

S71313-4 *Pseudoxiphophorus bimaculatus* (HECKEL, 1848)
Zweifleckkärpfling / Common Twin Spot Livebearer
Guatemala (leg. WERNER), W, 15 cm

▷ ♫ ○ ☺ ☹ ⊞ ▥ ⇌ ⇗ 🔟 ♀   **photo:** U. Werner

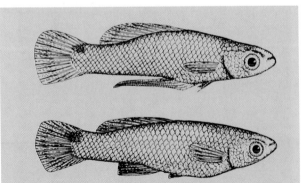

S71315 *Pseudoxiphophorus cataractae* (ROSEN, 1979)
Stromschnellenkärpfling / Cataract Twin Spot Livebearer
Arroyo Sachicha, Guatemala, 4,5 + 6,5 cm

♂ ♀   **zeichnung:** M. K. Meyer

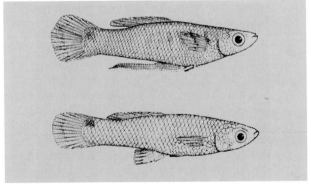

S71318 *Pseudoxiphophorus diremptus* (ROSEN, 1979)
Chajmaic-Kärpfling / Chajmaic Twin Spot Livebearer
Rio Chajmaic, Guatemala, 4 + 7 cm

♂ ♀   **zeichnung:** M. K. Meyer

S71320-4 *Pseudoxiphophorus jonesii* (GÜNTHER, 1874)
Netzzahn-Kärpfling / Nothern Twin Spot Livebearer
Rio Atoyac, Mexiko (leg. MEYER), W, 4,5 cm

▷♫○☺☻⊞🖼⚓🐟 🔳 ♂   photo: M. K. Meyer

S71320-4 *Pseudoxiphophorus jonesii* (GÜNTHER, 1874)
Netzzahn-Kärpfling / Nothern Twin Spot Livebearer
Rio Atoyac, Mexiko (leg. MEYER), W, 6 cm

▷♫○☺☻⊞🖼⚓🐟 🔳 ♀   photo: M. K. Meyer

S71321-4 *Pseudoxiphophorus jonesii* (GÜNTHER, 1874)
Netzzahn-Kärpfling / Nothern Twin Spot Livebearer
Rio Amacuzac, Mexico (leg. HIERONIMUS), B, 4,5 cm

▷♫○☺☻⊞🖼⚓🐟 🔳 ♂   photo: H. Hieronimus

S71321-4 *Pseudoxiphophorus jonesii* (GÜNTHER, 1874)
Netzzahn-Kärpfling / Nothern Twin Spot Livebearer
Rio Amacuzac, Mexico (leg. HIERONIMUS), B, 6 cm

▷♫○☺☻⊞🖼⚓🐟 🔳 ♀   photo: H. Hieronimus

S71322-4 *Pseudoxiphophorus jonesii* (GÜNTHER, 1874)
Netzzahn-Kärpfling / Nothern Twin Spot Livebearer
Rio Atoyac, Mexiko (leg. MERINO), B, 4,5 cm

▷♫○☺☻⊞🖼⚓🐟 🔳 ♂   photo: J. C. Merino

S71323-4 *Pseudoxiphophorus* cf. *jonesii* (GÜNTHER, 1874)
Netzzahn-Kärpfling / Nothern Twin Spot Livebearer
Tampico, Mexiko (leg. MEYER), W, 4,5 cm

▷♫○☺☻⊞🖼⚓🐟 🔳 ♂   photo: M. K. Meyer

S71325 *Pseudoxiphophorus litoperas* (ROSEN & BAILEY in ROSEN, 1979)
Segelflossen-Zweifleckkärpfling / Sailfin Twin Spot Livebearer
Tribute of Rio Cahabon, Guatemala, 4,5 + 7 cm

♂ ♀   zeichnung: M. K. Meyer

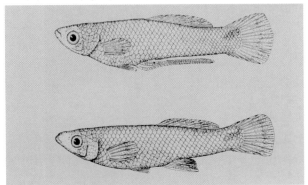

S71328 *Pseudoxiphophorus obliquus* (ROSEN, 1979)
Doloris-Kärpfling / Doloris Twin Spot Livebearer
Upper Rio San Ramon basin, Guatemala, 4,5 + 6,5 cm

♂ ♀   zeichnung: M. K. Meyer

S77605-4 *Quintana atrizona* Hubbs, 1934
Glaskärpfling / Barred Topminnow
Cuba, B, 2,5 cm

▷ ⇑P ○ ☺ ☺ ⊞ 🖼 ⤢ ➹ Ⓢ♂

photo: M. K. Meyer

S77605-4 *Quintana atrizona* Hubbs, 1934
Glaskärpfling / Barred Topminnow
Cuba, B, 4 cm

▷ ⇑P ○ ☺ ☺ ⊞ 🖼 ⤢ ➹ Ⓢ♀

photo: M. K. Meyer

S77606-4 *Quintana atrizona* Hubbs, 1934
Glaskärpfling / Barred Topminnow
Cuba, B, 2,5 cm

▷ ⇑P ○ ☺ ☺ ⊞ 🖼 ⤢ ➹ Ⓢ♂

photo: U. Dost

S77606-4 *Quintana atrizona* Hubbs, 1934
Glaskärpfling / Barred Topminnow
Cuba, B, 4 cm

▷ ⇑P ○ ☺ ☺ ⊞ 🖼 ⤢ ➹ Ⓢ♀

photo: U. Dost

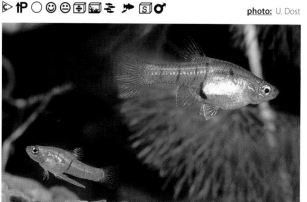

S77607-4 *Quintana atrizona* Hubbs, 1934
Glaskärpfling / Barred Topminnow
Cuba, B, 2,5 + 4 cm

▷ ⇑P ○ ☺ ☺ ⊞ 🖼 ⤢ ➹ Ⓢ♂ ♀

photo: E. Pürzl

S77608-4 *Quintana atrizona* Hubbs, 1934
Glaskärpfling / Barred Topminnow
Cuba, B, 4 cm

▷ ⇑P ○ ☺ ☺ ⊞ 🖼 ⤢ ➹ Ⓢ♀

photo: E. Pürzl

S77610-4 *Quintana atrizona* Hubbs, 1934
Glaskärpfling / Barred Topminnow
Cuba, B, 2,5 + 4 cm

▷ ⇑P ○ ☺ ☺ ⊞ 🖼 ⤢ ➹ Ⓢ♂

photo: D. Barrett

S77610-4 *Quintana atrizona* Hubbs, 1934
Glaskärpfling / Barred Topminnow
Cuba, B, 4 cm

▷ ⇑P ○ ☺ ☺ ⊞ 🖼 ⤢ ➹ Ⓢ♀

photo: D. Barrett

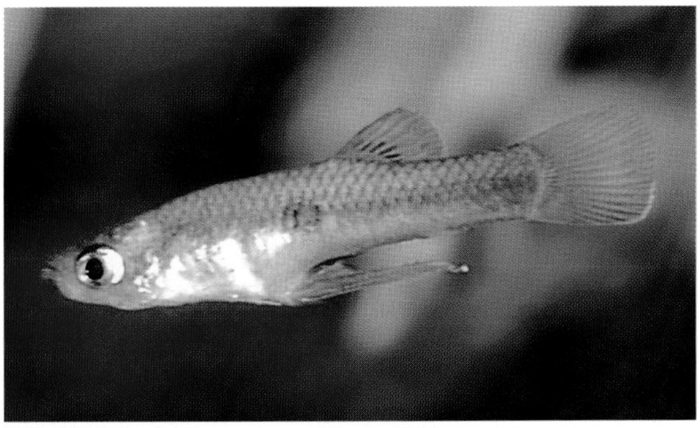

S86055-4 *Scolichthys greenwayi* Rosen, 1967
Greenways Kärpfling / Greenways Livebearer
Guatemala, B, 3,5 cm
▷ B ○ ☺ 😐 [+] ⛆ ≋ 🐟 [S] ♂ **photo:** M. K. Meyer

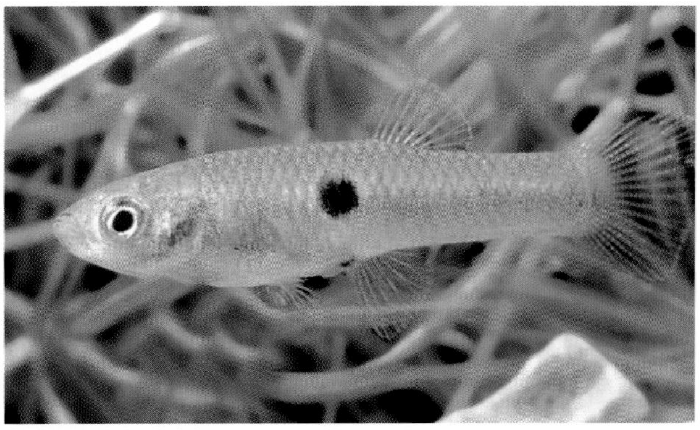

S86055-4 *Scolichthys greenwayi* Rosen, 1967
Greenways Kärpfling / Greenways Livebearer
Guatemala, B, 5 cm
▷ B ○ ☺ 😐 [+] ⛆ ≋ 🐟 [S] ♀ **photo:** O. Böhm

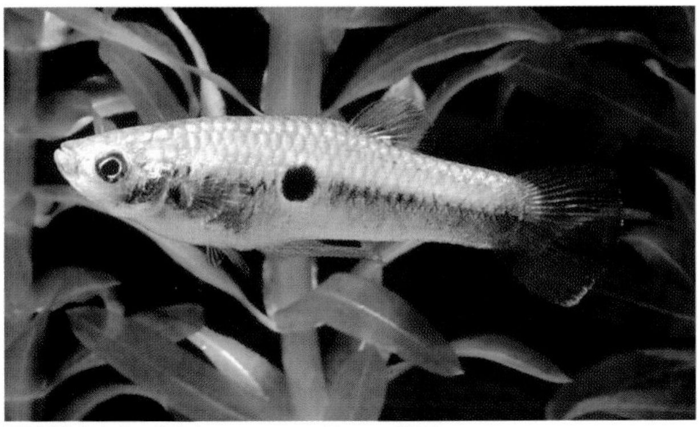

S86056-4 *Scolichthys greenwayi* Rosen, 1967
Greenways Kärpfling / Greenways Livebearer
Guatemala, B, 3,5 cm
▷ B ○ ☺ 😐 [+] ⛆ ≋ 🐟 [S] ♂ **photo:** O. Böhm

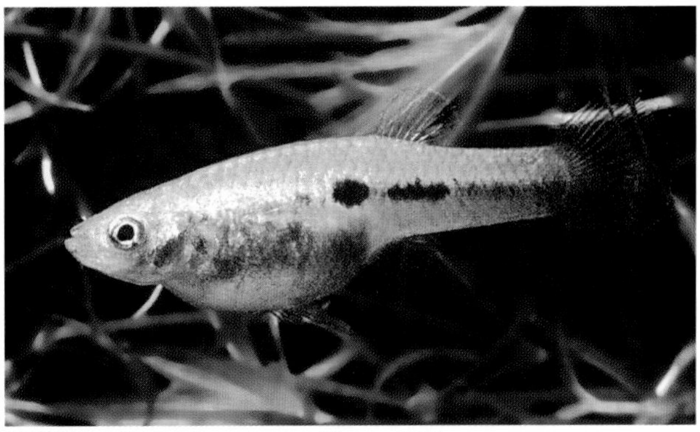

S86056-4 *Scolichthys greenwayi* Rosen, 1967
Greenways Kärpfling / Greenways Livebearer
Guatemala, B, 5 cm
▷ B ○ ☺ 😐 [+] ⛆ ≋ 🐟 [S] ♀ **photo:** O. Böhm

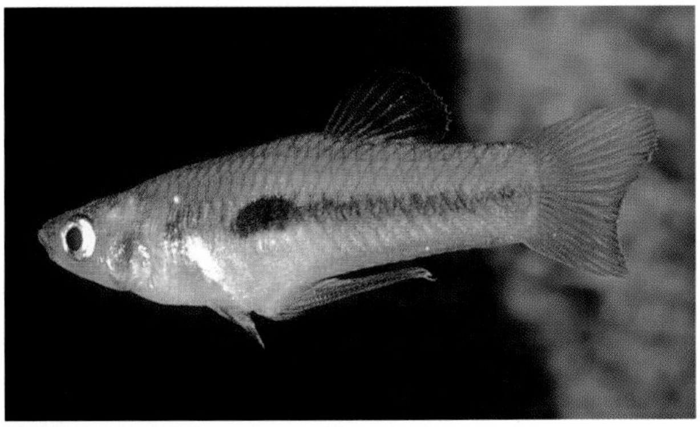

S86057-4 *Scolichthys greenwayi* Rosen, 1967
Greenways Kärpfling / Greenways Livebearer
Guatemala, B, 3,5 cm
▷ B ○ ☺ 😐 [+] ⛆ ≋ 🐟 [S] ♂ **photo:** J. C. Merino

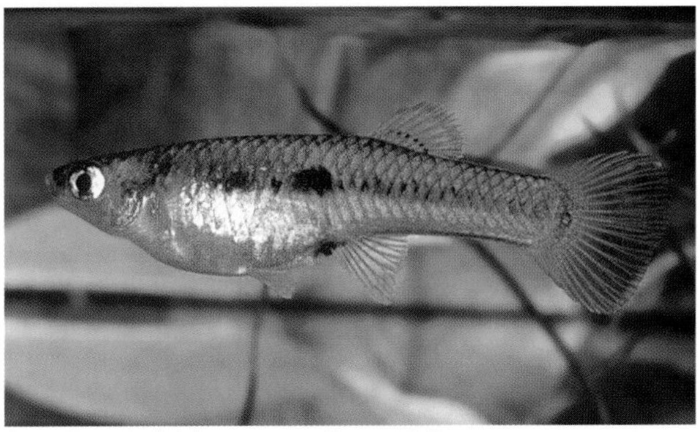

S86057-4 *Scolichthys greenwayi* Rosen, 1967
Greenways Kärpfling / Greenways Livebearer
Guatemala, B, 5 cm
▷ B ○ ☺ 😐 [+] ⛆ ≋ 🐟 [S] ♀ **photo:** J. C. Merino

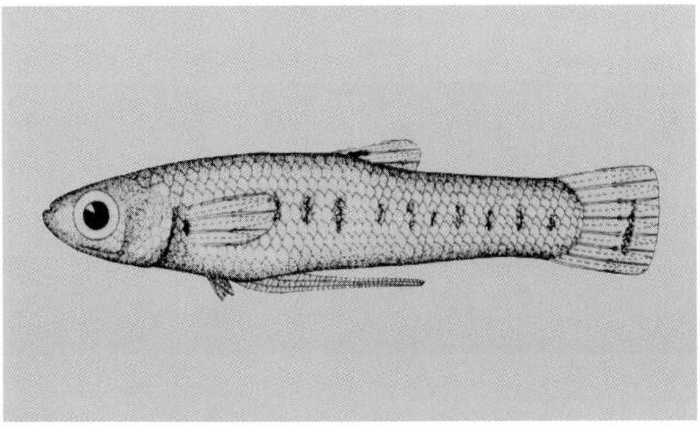

S86060 *Scolichthys iota* Rosen, 1967
Iota-Kärpfling / Iota Livebearer
Tiny creek emtying into Rio Chajmayic, Guatemala, 2,5 cm
♂ **zeichnung:** M. K. Meyer

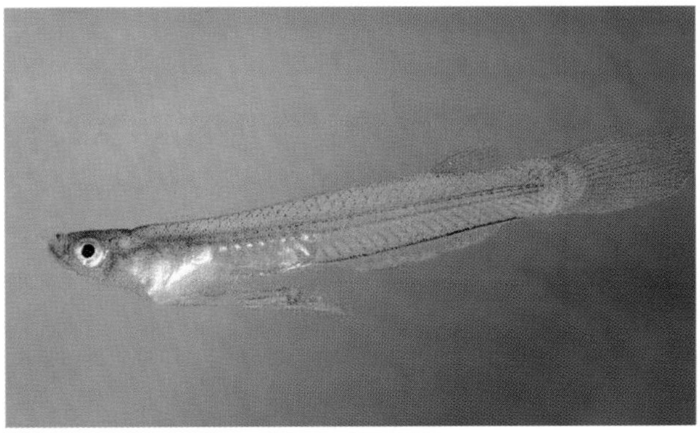

S95375-4 *Tomeurus gracilis* Eigenmann, 1909
Der Tommy / The Tommy
Essequibo River, Guyana (leg. Staeck), W, 7 cm
▷ P ◑ ☺ 😐 [+] ⛆ ≋ 🐟 [m] ♂ **photo:** W. Staeck

S95376-4 *Tomeurus gracilis* EIGENMANN, 1909
Der Tommy / The Tommy
Rio Comptae, Guyana (leg. BORK), W, 7 cm

▷ ⱵP ◑ ☺ ☺ ⊞ 🖾 ⪪ ➤ 🅜 ♂   photo: D. Bork

S95376-4 *Tomeurus gracilis* EIGENMANN, 1909
Der Tommy / The Tommy
Rio Comptae, Guyana (leg. BORK), W, 7 cm

▷ ⱵP ◑ ☺ ☺ ⊞ 🖾 ⪪ ➤ 🅜 ♀   photo: D. Bork

S86100-4 *Xenodexia ctenolepis* HUBBS, 1950
Kammschuppen-Kärpfling / Comb Scaled Livebearer
Alta Verapaz, Guatemala (leg. MEYER), B, 4 cm

▷ Ɑ ◑ ☺ ☺ ⊞ 🖾 ⪪ ➤ 🅜 ♂   photo: M. K. Meyer

S86105-4 *Xenophallus umbratilis* (MEEK, 1912)
Schattenkärpfling / Golden Teddy
Costa Rica, B, 4 + 6 cm

▷ Ɑ ◑ ☺ ☺ ⊞ 🖾 ⪪ ➤ ◈ 🅜 ♂ ♀   photo: J. C. Merino

S86106-4 *Xenophallus umbratilis* (MEEK, 1912)
Schattenkärpfling / Golden Teddy
Costa Rica, B, 4 cm

▷ Ɑ ◑ ☺ ☺ ⊞ 🖾 ⪪ ➤ ◈ 🅜 ♂ ♂   photo: O. Böhm

S86106-4 *Xenophallus umbratilis* (MEEK, 1912)
Schattenkärpfling / Golden Teddy
Costa Rica, B, 6 cm

▷ Ɑ ◑ ☺ ☺ ⊞ 🖾 ⪪ ➤ ◈ 🅜 ♀   photo: O. Böhm

S86107-4 *Xenophallus umbratilis* (MEEK, 1912)
Schattenkärpfling / Golden Teddy
Costa Rica, B, 4 cm

▷ Ɑ ◑ ☺ ☺ ⊞ 🖾 ⪪ ➤ ◈ 🅜 ♂   photo: H. J. Mayland

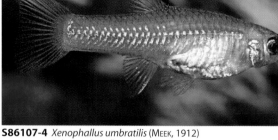

S86107-4 *Xenophallus umbratilis* (MEEK, 1912)
Schattenkärpfling / Golden Teddy
Costa Rica, B, 6 cm

▷ Ɑ ◑ ☺ ☺ ⊞ 🖾 ⪪ ➤ ◈ 🅜 ♀   photo: H. J. Mayland

S86121-4 *Xiphophorus alvarezi* Rosen, 1960
Blauer Schwertträger / Upland Swordtail
S-Mexiko, B, 6 cm

▷ ⇑P ○ ☺ ☺ ⊞ 🖼 ⇟ ⇥ ◈ 🔳 ♂   photo: D. Barrett

S86120-4 *Xiphophorus helleri* Heckel, 1848, eine Variante, die oft mit *X. alvarezi*
verwechselt wird / a variety that is often confused with *X. alvarezi*
Chiapas, Mexiko (leg. Werner), W, 6 cm

▷ ⇑P ○ ☺ ☺ ⊞ 🖼 ⇟ ⇥ ◈ 🔳 ♂   photo: U. Werner

S86125-4 *Xiphophorus andersi* Meyer & Schartl, 1980
Atoyac-Schwertplaty / Anders´Platyfish
Rio Atoyac, Mexiko, B, 4,5 cm

▷ ⇑P ○ ☺ ☺ ⊞ 🖼 ⇟ ⇥ 🔳 ♂   photo: J. C. Merino

S86126-4 *Xiphophorus andersi* Meyer & Schartl, 1980
Atoyac-Schwertplaty / Anders´Platyfish
Rio Atoyac, Mexiko, B, 4,5 cm

▷ ⇑P ○ ☺ ☺ ⊞ 🖼 ⇟ ⇥ 🔳 ♂   photo: H. Linke

S86127-4 *Xiphophorus andersi* Meyer & Schartl, 1980
Atoyac-Schwertplaty / Anders´Platyfish
Rio Atoyac, Mexiko, B, 4,5 cm

▷ ⇑P ○ ☺ ☺ ⊞ 🖼 ⇟ ⇥ 🔳 ♂   photo: H. Hieronimus

S86127-4 *Xiphophorus andersi* Meyer & Schartl, 1980
Atoyac-Schwertplaty / Anders´Platyfish
Rio Atoyac, Mexiko, B, 5,5 cm

▷ ⇑P ○ ☺ ☺ ⊞ 🖼 ⇟ ⇥ 🔳 ♀   photo: H. Hieronimus

S86133-4 *Xiphophorus birchmanni* Lechner & Radda, 1987
Schafskopf-Schwertträger / Sheepshead Swordtail
Rio San Pedro system, Mexiko (leg. Meyer), B, 6 cm

▷ ⇑P ○ ☺ ☺ ⊞ 🖼 ⇟ ⇥ 🔳 ♂   photo: M. K. Meyer

S86133-4 *Xiphophorus birchmanni* Lechner & Radda, 1987
Schafskopf-Schwertträger / Sheepshead Swordtail
Rio San Pedro system, Mexiko (leg. Meyer), B, 7 cm

▷ ⇑P ○ ☺ ☺ ⊞ 🖼 ⇟ ⇥ 🔳 ♀   photo: M. K. Meyer

S86134-4 *Xiphophorus birchmanni* LECHNER & RADDA, 1987
Schafskopf-Schwertträger / Sheepshead Swordtail
Rio Montezuma, Mexiko (leg. PÜRZL), W, 6 cm

▷ ⇡P ◯ ☺ ☺ ⊞ 🖼 ⇄ ➹ 🔟 ♂
photo: E. Pürzl

S86135-4 *Xiphophorus birchmanni* LECHNER & RADDA, 1987
Schafskopf-Schwertträger / Sheepshead Swordtail
Aquarienstamm / Aquarium strain, B, 6 cm

▷ ⇡P ◯ ☺ ☺ ⊞ 🖼 ⇄ ➹ 🔟 ♂
photo: H. Hieronimus

S86136-4 *Xiphophorus birchmanni* LECHNER & RADDA, 1987
Schafskopf-Schwertträger / Sheepshead Swordtail
Aquarienstamm / Aquarium strain, B, 6 cm

▷ ⇡P ◯ ☺ ☺ ⊞ 🖼 ⇄ ➹ 🔟 ♂
photo: O. Böhm

S86136-4 *Xiphophorus birchmanni* LECHNER & RADDA, 1987
Schafskopf-Schwertträger / Sheepshead Swordtail
Aquarienstamm / Aquarium strain, B, 7 cm

▷ ⇡P ◯ ☺ ☺ ⊞ 🖼 ⇄ ➹ 🔟 ♀
photo: O. Böhm

S86140-4 *Xiphophorus clemenciae* ALVAREZ, 1959
Gelber Schwertträger / Yellow Swordtail
Puente Cino Luiz, Oaxaca, Mexiko (leg. MERINO), W, 4 + 5,5 cm

▷ ⇡P ◯ ☺ ☺ ⊞ 🖼 ⇄ ➹ ⚠ 🔟 ♂ ♀
photo: J. C. Merino

S86140-4 *Xiphophorus clemenciae* ALVAREZ, 1959
Gelber Schwertträger / Yellow Swordtail
Puente Cino Luiz, Oaxaca, Mexiko (leg. MERINO), W, 4 + 5,5 cm

▷ ⇡P ◯ ☺ ☺ ⊞ 🖼 ⇄ ➹ ⚠ 🔟 ♂ ♀
photo: J. C. Merino

S86145-4 *Xiphophorus continens* RAUCHENBERGER, KALLMANN & MARIZOT, 1990
El Quince Schwertträger / El Quince Swordtail
Rio Frio, Mexiko (leg. MEYER), W, 3,5 cm

▷ ⇡P ◯ ☺ ☺ ⊞ 🖼 ⇄ ➹ ⚠ 🔟 ♂
photo: M. K. Meyer

S86160-4 *Xiphophorus cortezi* ROSEN, 1960
Cortez-Schwertträger / Cortes Swordtail
Rio Axtla, Mexiko (leg. MEYER), B, 5 cm

▷ ⇡P ◯ ☺ ☺ ⊞ 🖼 ⇄ ➹ 🔟 ♂
photo: M. K. Meyer

S86150-4 *Xiphophorus cortezi* ROSEN, 1960
Cortez-Schwertträger / Cortez´Swordtail
Huichihuayan, Mexiko (leg. MERINO), W, 5 cm

▷ ⇑P ○ ☺ ☺ ⊞ ▦ ⇗ ⇗ ▥ ♂
photo: J. C. Merino

S86151-4 *Xiphophorus cortezi* ROSEN, 1960
Cortez-Schwertträger / Cortez´Swordtail
Rio Axtla, Mexiko (leg. RADDA), B (F₃), 5 cm

▷ ⇑P ○ ☺ ☺ ⊞ ▦ ⇗ ⇗ ▥ ♂
photo: E. Pürzl

S86152-4 *Xiphophorus cortezi* ROSEN, 1960
Cortez-Schwertträger / Cortez´Swordtail
Aquarienstamm / Aquarium strain, B, 5 cm

▷ ⇑P ○ ☺ ☺ ⊞ ▦ ⇗ ⇗ ▥ ♂
photo: O. Böhm

S86153-4 *Xiphophorus cortezi* ROSEN, 1960
Cortez-Schwertträger / Cortez´Swordtail
Aquarienstamm / Aquarium strain, B, 5 cm

▷ ⇑P ○ ☺ ☺ ⊞ ▦ ⇗ ⇗ ▥ ♂
photo: D. Barrett

S86154-4 *Xiphophorus cortezi* ROSEN, 1960
Cortez-Schwertträger / Cortez´Swordtail
Aquarienstamm / Aquarium strain, B, 5 cm

▷ ⇑P ○ ☺ ☺ ⊞ ▦ ⇗ ⇗ ▥ ♂
photo: H. Linke

S86155-4 *Xiphophorus* cf. *cortezi* ROSEN, 1960
Cortez-Schwertträger / Cortez´Swordtail
Herkunft unbekannt / Origin unknown, W (?), 5 cm

▷ ⇑P ○ ☺ ☺ ⊞ ▦ ⇗ ⇗ ▥ ♀
photo: H. Linke

S86156-4 *Xiphophorus cortezi* ROSEN, 1960
Cortez-Schwertträger / Cortez´Swordtail
Aquarienstamm / Aquarium strain, B, 5 cm

▷ ⇑P ○ ☺ ☺ ⊞ ▦ ⇗ ⇗ ▥ ♂
photo: H. J. Mayland

S86158-4 *Xiphophorus cortezi* ROSEN, 1960
Cortez-Schwertträger / Cortez´Swordtail
Aquarienstamm / Aquarium strain, B, 5 cm

▷ ⇑P ○ ☺ ☺ ⊞ ▦ ⇗ ⇗ ▥ ♂
photo: O. Böhm

S86159-4 *Xiphophorus cortezi* Rosen, 1960
Cortez-Schwertträger / Cortez´Swordtail
Aquarienstamm / Aquarium strain, B, 5 + 6 cm
▷ ⇡P ○ ☺ ☹ ⊞ 🖾 ⥺ ⤟ 🖩 ♂ ♀   photo: H. Hieronimus

S86167-4 *Xiphophorus couchianus* (Girard, 1859) „Apodaca"
Monterrey-Platy / Monterrey-Platy
Apodaca, Nuevo Leon, Mexiko, B, 5 cm
⚠ ⇡P ○ ☺ ☹ ⊞ 🖾 ⥺ ⤟ ⚠ 🖩 ♂   photo: J. C. Merino

S86166-4 *Xiphophorus couchianus* (Girard, 1859) „Apodaca"
Monterrey-Platy / Monterrey-Platy
Apodaca, Nuevo Leon, Mexiko (leg. Meyer), W, 5 cm
⚠ ⇡P ○ ☺ ☹ ⊞ 🖾 ⥺ ⤟ ⚠ 🖩 ♂   photo: M. K. Meyer

S86166-4 *Xiphophorus couchianus* (Girard, 1859) „Apodaca"
Monterrey-Platy / Monterrey-Platy
Apodaca, Nuevo Leon, Mexiko (leg. Meyer), W, 6 cm
⚠ ⇡P ○ ☺ ☹ ⊞ 🖾 ⥺ ⤟ ⚠ 🖩 ♀   photo: M. K. Meyer

S86165-4 *Xiphophorus couchianus* (Girard, 1859)
Monterrey-Platy / Monterrey-Platy
Rio Grande Becken, Mexiko, B, 5 cm
⚠ ⇡P ○ ☺ ☹ ⊞ 🖾 ⥺ ⤟ ⚠ 🖩 ♂   photo: H. Hieronimus

S86165-4 *Xiphophorus couchianus* (Girard, 1859)
Monterrey-Platy / Monterrey-Platy
Rio Grande Becken, Mexiko, B, 6 cm
⚠ ⇡P ○ ☺ ☹ ⊞ 🖾 ⥺ ⤟ ⚠ 🖩 ♀   photo: H. Hieronimus

S86170-4 *Xiphophorus evelynae* Rosen, 1960
Hochlandplaty / Puebla Platy
Necaxa, Mexiko (leg. Meyer), B, 4,5 cm
▷ ⇡P ○ ☺ ☹ ⊞ 🖾 ⥺ ⤟ 🖩 ♂   photo: M. K. Meyer

S86171-4 *Xiphophorus evelynae* Rosen, 1960
Hochlandplaty / Puebla Platy
Rio Teculutla-system, Mexiko, B, 4,5 cm
▷ ⇡P ○ ☺ ☹ ⊞ 🖾 ⥺ ⤟ 🖩 ♂   photo: D. Barrett

S86172-4 *Xiphophorus evelynae* ROSEN, 1960
Hochlandplaty / Puebla Platy
Rio Teculutla-system, Mexiko, B, 4,5 cm

▷ ⑪P ○ ☺ ☺ ⊞ 🖼 ⮑ ⮕ 🔟 ♂   photo: J. C. Merino

S86175-4 *Xiphophorus gordoni* MILLER & MINCKLEY, 1963
Nordplaty / Quatrocienegas Platy
Santa Tecla, Mexiko (leg. MEYER), B, 3,5 cm

⚠ ⑪P ○ ☺ ☺ ⊞ 🖼 ⮑ ⮕ ⚠ 🔟 ♂   photo: M. K. Meyer

S09165-4 *Xiphophorus helleri* HECKEL, 1848
Grüner Catemaco-Schwertträger / Green Catemaco Swordtail
Laguna Catemaco, Mexiko (leg. MEYER), W, 10 cm

▷ ⑪P ○ ☺ ☺ ⊞ 🖼 ⮑ ⮕ 🔟 ♂   photo: M. K. Meyer

S92600-4 *Xiphophorus helleri* HECKEL, 1848
Grüner Schwertträger / Green Swordtail
Belize (leg. WERNER), W, 10 cm

▷ ⑪P ○ ☺ ☺ ⊞ 🖼 ⮑ ⮕ ◈ 🔟 ♂   photo: U. Werner

S92601-4 *Xiphophorus helleri* HECKEL, 1848
Grüner Schwertträger / Green Swordtail
Papaloapán, Mexiko (leg. WERNER), W, 10 cm

▷ ⑪P ○ ☺ ☺ ⊞ 🖼 ⮑ ⮕ ◈ 🔟 ♂ ♀   photo: U. Werner

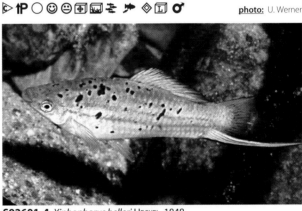

S92601-4 *Xiphophorus helleri* HECKEL, 1848
Grüner Schwertträger / Green Swordtail
Papaloapán, Mexiko (leg. WERNER), W, 10 cm

▷ ⑪P ○ ☺ ☺ ⊞ 🖼 ⮑ ⮕ ◈ 🔟 ♂   photo: U. Werner

S92602-4 *Xiphophorus helleri* HECKEL, 1848
Grüner Schwertträger / Green Swordtail
Catemaco-See, Mexiko (leg. WERNER), W, 10 cm

▷ ⑪P ○ ☺ ☺ ⊞ 🖼 ⮑ ⮕ ◈ 🔟 ♂   photo: U. Werner

S92602-4 *Xiphophorus helleri* HECKEL, 1848
Grüner Schwertträger / Green Swordtail
Catemaco-See, Mexiko (leg. WERNER), W, 10 cm

▷ ⑪P ○ ☺ ☺ ⊞ 🖼 ⮑ ⮕ ◈ 🔟 ♀   photo: U. Werner

S92603-4 *Xiphophorus helleri* HECKEL, 1848
Grüner Schwertträger / Green Swordtail
Catemaco-See, Mexiko (leg. WERNER), W, 10 cm

▷ ⇑P ○ ☺ ☻ ⊞ 🖾 ☲ ✈ ◈ 🗔 ♂   photo: U. Werner

S92603-4 *Xiphophorus helleri* HECKEL, 1848
Grüner Schwertträger / Green Swordtail
Catemaco-See, Mexiko (leg. WERNER), W, 10 cm

▷ ⇑P ○ ☺ ☻ ⊞ 🖾 ☲ ✈ ◈ 🗔 ♀   photo: U. Werner

S92604-4 *Xiphophorus helleri* HECKEL, 1848
Grüner Schwertträger / Green Swordtail
Catemaco-See, Mexiko (leg. STAECK), W, 10 cm

▷ ⇑P ○ ☺ ☻ ⊞ 🖾 ☲ ✈ ◈ 🗔 ♂   photo: W. Staeck

S92605-4 *Xiphophorus helleri* HECKEL, 1848
Grüner Schwertträger / Green Swordtail
Catemaco-See, Mexiko (leg. DOST), B, 10 cm

▷ ⇑P ○ ☺ ☻ ⊞ 🖾 ☲ ✈ ◈ 🗔 ♀   photo: U. Dost

S92606-4 *Xiphophorus helleri* HECKEL, 1848
Grüner Schwertträger / Green Swordtail
Catemaco-See, Mexiko (leg. BÖHM), B, 10 cm

▷ ⇑P ○ ☺ ☻ ⊞ 🖾 ☲ ✈ ◈ 🗔 ♂   photo: O. Böhm

S92606-4 *Xiphophorus helleri* HECKEL, 1848
Grüner Schwertträger / Green Swordtail
Catemaco-See, Mexiko (leg. BÖHM), B, 10 cm

▷ ⇑P ○ ☺ ☻ ⊞ 🖾 ☲ ✈ ◈ 🗔 ♀   photo: O. Böhm

S92607-4 *Xiphophorus helleri* HECKEL, 1848
Grüner Schwertträger / Green Swordtail
Catemaco-See, Mexiko, B, 10 cm

▷ ⇑P ○ ☺ ☻ ⊞ 🖾 ☲ ✈ ◈ 🗔 ♂   photo: H. Linke

S92607-4 *Xiphophorus helleri* HECKEL, 1848
Grüner Schwertträger / Green Swordtail
Catemaco-See, Mexiko, B, 10 cm

▷ ⇑P ○ ☺ ☻ ⊞ 🖾 ☲ ✈ ◈ 🗔 ♀   photo: H. Linke

S92608-4 *Xiphophorus helleri* HECKEL, 1848
  Grüner Schwertträger / Green Swordtail (= *X. h. strigatus*)
Jalapa, Veracruz, Mexiko (leg. MEYER), B, 10 cm
▷ ⚇ ○ ☺ ☻ ⊞ 🖼 ⇌ ➤ ◈ 🔲 ♂   photo: M. K. Meyer

S92608-4 *Xiphophorus helleri* HECKEL, 1848
  Grüner Schwertträger / Green Swordtail (= *X. h. strigatus*)
Jalapa, Veracruz, Mexiko (leg. MEYER), B, 10 cm
▷ ⚇ ○ ☺ ☻ ⊞ 🖼 ⇌ ➤ ◈ 🔲 ♀   photo: M. K. Meyer

S92609-4 *Xiphophorus helleri* HECKEL, 1848
  Grüner Schwertträger / Green Swordtail (= *X. h. strigatus*)
Aquarienstamm / Aquarium strain, B, 10 cm
▷ ⚇ ○ ☺ ☻ ⊞ 🖼 ⇌ ➤ ◈ 🔲 ♂   photo: H. J. Mayland

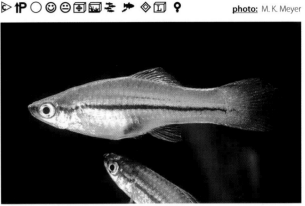

S92610-4 *Xiphophorus helleri* HECKEL, 1848
  Grüner Schwertträger / Green Swordtail (= *X. h. strigatus*)
Aquarienstamm / Aquarium strain, B, 10 cm
▷ ⚇ ○ ☺ ☻ ⊞ 🖼 ⇌ ➤ ◈ 🔲 ♀   photo: H. Linke

S92611-4 *Xiphophorus helleri* HECKEL, 1848
  Grüner Schwertträger / Green Swordtail (= *X. h. güntheri*)
Wildfang unbekannter Herkunft / Wildcaught, origin unknown, 10 cm
▷ ⚇ ○ ☺ ☻ ⊞ 🖼 ⇌ ➤ ◈ 🔲 ♂   photo: H. Linke

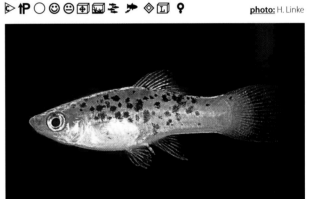

S92611-4 *Xiphophorus helleri* HECKEL, 1848
  Grüner Schwertträger / Green Swordtail (= *X. h. güntheri*)
Wildfang unbekannter Herkunft / Wildcaught, origin unknown, 10 cm
▷ ⚇ ○ ☺ ☻ ⊞ 🖼 ⇌ ➤ ◈ 🔲 ♀   photo: H. Linke

S92612-4 *Xiphophorus helleri* HECKEL, 1848
  Grüner Schwertträger / Green Swordtail
Rio Nautla, Mexiko (leg. DOST), W, 10 cm
▷ ⚇ ○ ☺ ☻ ⊞ 🖼 ⇌ ➤ ◈ 🔲 ♂   photo: U. Dost

S92612-4 *Xiphophorus helleri* HECKEL, 1848
  Grüner Schwertträger / Green Swordtail
Rio Nautla, Mexiko (leg. DOST), W, 10 cm
▷ ⚇ ○ ☺ ☻ ⊞ 🖼 ⇌ ➤ ◈ 🔲 ♀   photo: U. Dost

S92613-4 *Xiphophorus* cf. *helleri* HECKEL, 1848
Fünfstreifen Schwertträger / Fivestripe Swordtail
Aquarienstamm / Aquarium strain, B, 10 cm

▷ ⇑P ○ ☺ ☹ ⊞ 🖼 ⇌ ⤳ ◈ 🔲 ♂   photo: U. Dost

S92613-4 *Xiphophorus* cf. *helleri* HECKEL, 1848
Fünfstreifen Schwertträger / Fivestripe Swordtail
Aquarienstamm / Aquarium strain, B, 10 cm

▷ ⇑P ○ ☺ ☹ ⊞ 🖼 ⇌ ⤳ ◈ 🔲 ♀   photo: U. Dost

S92614-4 *Xiphophorus helleri* HECKEL, 1848
Fünfstreifen Schwertträger / Fivestripe Swordtail
Rio Santecomapan, Mexiko (leg. LINKE), 10 cm

▷ ⇑P ○ ☺ ☹ ⊞ 🖼 ⇌ ⤳ ◈ 🔲 ♂   photo: H. Linke

S92614-4 *Xiphophorus helleri* HECKEL, 1848
Fünfstreifen Schwertträger / Fivestripe Swordtail
Rio Santecomapan, Mexiko (leg. LINKE), 12 cm

▷ ⇑P ○ ☺ ☹ ⊞ 🖼 ⇌ ⤳ ◈ 🔲 ♀   photo: H. Linke

S92615-4 *Xiphophorus helleri* HECKEL, 1848
Grüner Schwertträger / Green Swordtail (= *X. h. güntheri*)
Belize (leg. MEYER), B, 10 cm

▷ ⇑P ○ ☺ ☹ ⊞ 🖼 ⇌ ⤳ ◈ 🔲 ♂   photo: M. K. Meyer

S92615-4 *Xiphophorus helleri* HECKEL, 1848
Grüner Schwertträger / Green Swordtail (= *X. h. güntheri*)
Belize (leg. MEYER), B, 10 cm

▷ ⇑P ○ ☺ ☹ ⊞ 🖼 ⇌ ⤳ ◈ 🔲 ♀   photo: M. K. Meyer

S92616-4 *Xiphophorus helleri* HECKEL, 1848
Grüner Schwertträger / Green Swordtail
S-Kolumbien (leg. LINKE), W, 10 cm

▷ ⇑P ○ ☺ ☹ ⊞ 🖼 ⇌ ⤳ ◈ 🔲 ♂   photo: H. Linke

S92617-4 *Xiphophorus helleri* HECKEL, 1848
Grüner Schwertträger / Green Swordtail
Yucatan, Mexiko, B, 10 cm

▷ ⇑P ○ ☺ ☹ ⊞ 🖼 ⇌ ⤳ ◈ 🔲 ♂ ♀   photo: H. Linke

S92618-4 *Xiphophorus helleri* Heckel, 1848
Grüner Schwertträger / Green Swordtail
Yucatan, Mexiko, B, 10 cm

▷ ⇑P ○ ☺ ☻ ⊞ 🖼 ≋ ➷ ◈ 🔲 ♂ ♀   photo: H. Linke

S92619-4 *Xiphophorus helleri* Heckel, 1848
Grüner Schwertträger / Green Swordtail
Yucatan, Mexiko (leg. Böhm), W, 10 cm

▷ ⇑P ○ ☺ ☻ ⊞ 🖼 ≋ ➷ ◈ 🔲 ♂   photo: O. Böhm

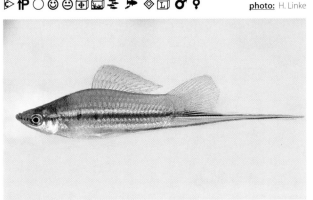

S92620-4 *Xiphophorus helleri* Heckel, 1848
Grüner Schwertträger / Green Swordtail
Rio Tomala, Mexiko (leg. Keijman), W, 10 cm

▷ ⇑P ○ ☺ ☻ ⊞ 🖼 ≋ ➷ ◈ 🔲 ♂   photo: M. Keijman

S92620-4 *Xiphophorus helleri* Heckel, 1848
Grüner Schwertträger / Green Swordtail
Rio Tomala, Mexiko (leg. Keijman), W, 10 cm

▷ ⇑P ○ ☺ ☻ ⊞ 🖼 ≋ ➷ ◈ 🔲 ♀   photo: M. Keijman

S92621-4 *Xiphophorus helleri* Heckel, 1848
Grüner Schwertträger / Green Swordtail
Guadeloupe (leg. Piednoir), W, 10 cm

▷ ⇑P ○ ☺ ☻ ⊞ 🖼 ≋ ➷ ◈ 🔲 ♂ ♂   photo: M.P. & Ch. Piednoir

S92622-4 *Xiphophorus helleri* Heckel, 1848
Grüner Schwertträger / Green Swordtail
Baja California (leg. Merino), W, 10 cm

▷ ⇑P ○ ☺ ☻ ⊞ 🖼 ≋ ➷ ◈ 🔲 ♂ ♀   photo: J. C. Merino

S92622-4 *Xiphophorus helleri* Heckel, 1848
Grüner Schwertträger / Green Swordtail
Baja California (leg. Merino), W, 10 cm

▷ ⇑P ○ ☺ ☻ ⊞ 🖼 ≋ ➷ ◈ 🔲 ♂   photo: J. C. Merino

S92623-4 *Xiphophorus helleri* Heckel, 1848
Grüner Schwertträger / Green Swordtail
Baja California (leg. Merino), W, 10 cm

▷ ⇑P ○ ☺ ☻ ⊞ 🖼 ≋ ➷ ◈ 🔲 ♂   photo: J. C. Merino

S92625-4 *Xiphophorus helleri* HECKEL, 1848
Grüner Schwertträger / Green Swordtail (= *X. h. güntheri*)
Rio Lancetilla, Honduras (leg. MERINO), W, 10 cm

▷ ⫙P ○ ☺ ☹ ⊞ 🖼 ⇌ ➹ ◈ 🗔 ♂   **photo:** J. C. Merino

S92625-4 *Xiphophorus helleri* HECKEL, 1848
Grüner Schwertträger / Green Swordtail (= *X. h. güntheri*)
Rio Lancetilla, Honduras (leg. MERINO), W, 10 cm

▷ ⫙P ○ ☺ ☹ ⊞ 🖼 ⇌ ➹ ◈ 🗔 ♂   **photo:** J. C. Merino

S92628-4 *Xiphophorus helleri* HECKEL, 1848
Grüner Schwertträger / Green Swordtail (= *X. h. güntheri*)
Rio Atoyac, Mexiko (leg. MERINO), W, 10 cm

▷ ⫙P ○ ☺ ☹ ⊞ 🖼 ⇌ ➹ ◈ 🗔 ♂   **photo:** J. C. Merino

S92629-4 *Xiphophorus helleri* HECKEL, 1848
Grüner Schwertträger / Green Swordtail (= *X. h. güntheri*)
Wildfangnachzucht / Ex- wild stock, B, 10 cm

▷ ⫙P ○ ☺ ☹ ⊞ 🖼 ⇌ ➹ ◈ 🗔 ♂   **photo:** J. Dawes

S92700-4 *Xiphophorus* hybr. „*kosszanderi*" MEYER & WISCHNATH, 1981
Hybrid-Schwertplaty / Hybrid Swordplaty
Rio Soto la Marina, Mexiko (leg. MEYER), W, 5 cm

▷ ⫙P ○ ☺ ☹ ⊞ 🖼 ⇌ ➹ ◈ 🔳 ♂   **photo:** M. K. Meyer

S92701-4 *Xiphophorus* hybr. „*kosszanderi*" MEYER & WISCHNATH, 1981
Hybrid-Schwertplaty / Hybrid Swordplaty
Aquarienstamm / Aquarium strain, B, 5 + 6 cm

▷ ⫙P ○ ☺ ☹ ⊞ 🖼 ⇌ ➹ ◈ 🔳 ♂ ♀   **photo:** F. Teigler / A.C.S

S92735-4 *Xiphophorus maculatus* (GÜNTHER, 1866)
Platy / Southern Platy
Veracruz, Mexiko (leg. PÜRZL), B, 4 cm

▷ ⫙P ○ ☺ ☹ ⊞ 🖼 ⇌ ➹ ◈ 🔳 ♂   **photo:** E. Pürzl

S92736-4 *Xiphophorus maculatus* (GÜNTHER, 1866)
Platy / Southern Platy
Veracruz, Mexiko (leg. BÖHM), B, 5 cm

▷ ⫙P ○ ☺ ☹ ⊞ 🖼 ⇌ ➹ ◈ 🔳 ♀   **photo:** O. Böhm

S92737-4 *Xiphophorus maculatus* (Günther, 1866)
Platy / Southern Platy
Pichucalco, Grijalva, Mexiko (leg. Werner), W, 3 cm
▷ ⇑P ○ ☺ ☺ ⊞ 🖼 ⇌ ➼ ◈ 🅼 ♂   photo: U. Werner

S92737-4 *Xiphophorus maculatus* (Günther, 1866)
Platy / Southern Platy
Pichucalco, Grijalva, Mexiko (leg. Werner), W, 4 cm
▷ ⇑P ○ ☺ ☺ ⊞ 🖼 ⇌ ➼ ◈ 🅼 ♀   photo: U. Werner

S92738-4 *Xiphophorus maculatus* (Günther, 1866)
Platy / Southern Platy
Rio Tomala (leg. Keijman), W, 4 cm
▷ ⇑P ○ ☺ ☺ ⊞ 🖼 ⇌ ➼ ◈ 🅼 ♂   photo: M. Keijman

S92739-4 *Xiphophorus maculatus* (Günther, 1866)
Platy / Southern Platy
Rio Tomala (leg. Keijman), W, 4 cm
▷ ⇑P ○ ☺ ☺ ⊞ 🖼 ⇌ ➼ ◈ 🅼 ♂   photo: M. Keijman

S92740-4 *Xiphophorus maculatus* (Günther, 1866)
Platy / Southern Platy
Guyana (leg. Piednoir), W, 4 cm
▷ ⇑P ○ ☺ ☺ ⊞ 🖼 ⇌ ➼ ◈ 🅼 ♂   photo: M.P. & Ch. Piednoir

S92741-4 *Xiphophorus maculatus* (Günther, 1866)
Platy / Southern Platy
Guyana (leg. Piednoir), W, 5 cm
▷ ⇑P ○ ☺ ☺ ⊞ 🖼 ⇌ ➼ ◈ 🅼 ♀   photo: M.P. & Ch. Piednoir

S92742-4 *Xiphophorus maculatus* (Günther, 1866)
Platy / Southern Platy
Rio Coatzacoalcos (leg. Barrett), W, 4 cm
▷ ⇑P ○ ☺ ☺ ⊞ 🖼 ⇌ ➼ ◈ 🅼 ♂   photo: D. Barrett

S92743-4 *Xiphophorus maculatus* (Günther, 1866)
Platy / Southern Platy
Wildfang unbkannter Herkunft / Wildcaught, origin unknown, 4 cm
▷ ⇑P ○ ☺ ☺ ⊞ 🖼 ⇌ ➼ ◈ 🅼 ♀   photo: F. Teigler / A.C.S.

S92744-4 *Xiphophorus maculatus* (GÜNTHER, 1866)
Platy / Southern Platy
Rio Jamapa, Veracruz, Mexiko (leg. MERINO), B, 4 cm
▷ ⇑P ○ ☺ ☻ ⊞ 🔊 ⇶ 🐟 ◈ m ♂   photo: J. C. Merino

S92744-4 *Xiphophorus maculatus* (GÜNTHER, 1866)
Platy / Southern Platy
Rio Jamapa, Veracruz, Mexiko (leg. MERINO), B, 5,5 cm
▷ ⇑P ○ ☺ ☻ ⊞ 🔊 ⇶ 🐟 ◈ m ♀   photo: J. C. Merino

S92746-4 *Xiphophorus maculatus* (GÜNTHER, 1866)
Platy / Southern Platy
Rio Papaloapan, Mexiko (leg. MERINO), B, 4 cm
▷ ⇑P ○ ☺ ☻ ⊞ 🔊 ⇶ 🐟 ◈ m ♂   photo: J. C. Merino

S92747-4 *Xiphophorus maculatus* (GÜNTHER, 1866)
Platy / Southern Platy
Rio Papaloapan, Mexiko (leg. HIERONIMUS), B, 4 cm
▷ ⇑P ○ ☺ ☻ ⊞ 🔊 ⇶ 🐟 ◈ m ♂   photo: H. Hieronimus

S92748-4 *Xiphophorus maculatus* (GÜNTHER, 1866)
Platy / Southern Platy
Juan Rodriguez Clara (leg. MERINO), B, 4 cm
▷ ⇑P ○ ☺ ☻ ⊞ 🔊 ⇶ 🐟 ◈ m ♂   photo: J. C. Merino

S92748-4 *Xiphophorus maculatus* (GÜNTHER, 1866)
Platy / Southern Platy
Juan Rodriguez Clara (leg. MERINO), B, 4 cm
▷ ⇑P ○ ☺ ☻ ⊞ 🔊 ⇶ 🐟 ◈ m ♂   photo: J. C. Merino

S92755-4 *Xiphophorus maculatus* (GÜNTHER, 1866)
Platy / Southern Platy
Catazaja (leg. HIERONIMUS), B, 4 + 6 cm
▷ ⇑P ○ ☺ ☻ ⊞ 🔊 ⇶ 🐟 ◈ m ♂ ♀   photo: H. Hieronimus

S92749-4 *Xiphophorus maculatus* (GÜNTHER, 1866)
Platy / Southern Platy
Wildfang unbekannter Herkunft / Wildcaught, origin unknown, 6 cm
▷ ⇑P ○ ☺ ☻ ⊞ 🔊 ⇶ 🐟 ◈ m ♀   photo: O. Böhm

S92756-4 *Xiphophorus maculatus* (GÜNTHER, 1866)
Platy / Southern Platy
Rio Belize (leg. MEYER), W, 3 cm

▷ ⚥P ○ ☺ ☹ ⊞ 🖼 ⇌ ⤳ ◈ 🅜 ♂   photo: M. K. Meyer

S92756-4 *Xiphophorus maculatus* (GÜNTHER, 1866)
Platy / Southern Platy
Rio Belize (leg. MEYER), W, 3 cm

▷ ⚥P ○ ☺ ☹ ⊞ 🖼 ⇌ ⤳ ◈ 🅜 ♀   photo: M. K. Meyer

S92757-4 *Xiphophorus maculatus* (GÜNTHER, 1866)
Platy / Southern Platy
Rio Belize (leg. MEYER), W, 3 cm

▷ ⚥P ○ ☺ ☹ ⊞ 🖼 ⇌ ⤳ ⚠ 🅜 ♂   photo: M. K. Meyer

S92757-4 *Xiphophorus maculatus* (GÜNTHER, 1866)
Platy / Southern Platy
Rio Belize (leg. MEYER), W, 3 cm

▷ ⚥P ○ ☺ ☹ ⊞ 🖼 ⇌ ⤳ ⚠ 🅜 ♀   photo: M. K. Meyer

S86180-4 *Xiphophorus malinche* RAUCHENBERGER, KALLMAN & MARIZOT, 1990
Hochland-Schwertträger / Highland Swordtail
Rio Claro, Hidalgo, Mexiko (leg. DIBBLE), B, 5 cm

◁ ⚥P ○ ☺ ☹ ⊞ 🖼 ⇌ ⤳ 🅜 ♂   photo: M. K. Meyer

S86185-4 *Xiphophorus meyeri* SCHARTL & SCHRÖDER, 1988
Muzquiz-Platy / Muzquiz Platy
Muzquiz, Coahuila, Mexiko (leg. MEYER), W, 3 + 4 cm

▷ ⚥P ○ ☺ ☹ ⊞ 🖼 ⇌ ⤳ 🅜 ♂ ♀   photo: M. K. Meyer

S86190-4 *Xiphophorus milleri* ROSEN, 1960
Catemaco-Platy / Catemaco Swordtail
Laguna Catemaco, Veracruz, Mexiko, B, 2,5 cm

▷ ⚥P ○ ☺ ☹ ⊞ 🖼 ⇌ ⤳ ⚠ 🅜 ♂   photo: U. Dost

S86190-4 *Xiphophorus milleri* ROSEN, 1960
Catemaco-Platy / Catemaco Swordtail
Laguna Catemaco, Veracruz, Mexiko, B, 4,5 cm

▷ ⚥P ○ ☺ ☹ ⊞ 🖼 ⇌ ⤳ ⚠ 🅜 ♀   photo: U. Dost

S86191-4 *Xiphophorus milleri* Rosen, 1960
Catemaco-Platy / Catemaco Swordtail
Laguna Catemaco, Papaloapan, Mexiko (leg. Werner), W, 2,5 cm

▷ ⇅P ○ ☺ ☹ ⊞ 🖾 ⇌ ✈ ⚠ 🔲 ♂   photo: U. Werner

S86191-4 *Xiphophorus milleri* Rosen, 1960
Catemaco-Platy / Catemaco Swordtail
Laguna Catemaco, Papaloapan, Mexiko (leg. Werner), W, 4,5 cm

▷ ⇅P ○ ☺ ☹ ⊞ 🖾 ⇌ ✈ ⚠ 🔲 ♀   photo: U. Werner

S86193-4 *Xiphophorus milleri* Rosen, 1960
Catemaco-Platy / Catemaco Swordtail
Laguna Catemaco, Papaloapan, Mexiko (leg. Werner), W, 2,5 cm

▷ ⇅P ○ ☺ ☹ ⊞ 🖾 ⇌ ✈ ⚠ 🔲 ♂   photo: U. Werner

S86193-4 *Xiphophorus milleri* Rosen, 1960
Catemaco-Platy / Catemaco Swordtail
Laguna Catemaco, Papaloapan, Mexiko (leg. Werner), W, 4,5 cm

▷ ⇅P ○ ☺ ☹ ⊞ 🖾 ⇌ ✈ ⚠ 🔲 ♀   photo: U. Werner

S86195-4 *Xiphophorus milleri* Rosen, 1960
Catemaco-Platy / Catemaco Swordtail
Laguna Catemaco, Mexiko, B, 2,5 cm

▷ ⇅P ○ ☺ ☹ ⊞ 🖾 ⇌ ✈ ⚠ 🔲 ♂   photo: J. C. Merino

S86195-4 *Xiphophorus milleri* Rosen, 1960
Catemaco-Platy / Catemaco Swordtail
Laguna Catemaco, Mexiko, B, 4,5 cm

▷ ⇅P ○ ☺ ☹ ⊞ 🖾 ⇌ ✈ ⚠ 🔲 ♀   photo: J. C. Merino

S86197-4 *Xiphophorus milleri* Rosen, 1960 „Black"
Catemaco-Platy / Catemaco Swordtail
Laguna Catemaco, Papaloapan, Mexiko (leg. Werner), W, 2,5 cm

▷ ⇅P ○ ☺ ☹ ⊞ 🖾 ⇌ ✈ ⚠ 🔲 ♂   photo: U. Werner

S86198-4 *Xiphophorus milleri* Rosen, 1960 „Black"
Catemaco-Platy / Catemaco Swordtail
Laguna Catemaco, Mexiko, B, 2,5 + 4,5 cm

▷ ⇅P ○ ☺ ☹ ⊞ 🖾 ⇌ ✈ ⚠ 🔲 ♂ ♀   photo: H. Hieronimus

S86199-4 *Xiphophorus milleri* ROSEN, 1960 „Unspotted"
Catemaco-Platy / Catemaco Swordtail
Laguna Catemaco, Mexiko, B, 2,5 cm

▷ ⚑ ○ ☺ ☹ ⊞ 🖼 ⚖ 🗡 ⚠ 🔲 ♂   photo: M. K. Meyer

S86200-4 *Xiphophorus milleri* ROSEN, 1960 „Unspotted"
Catemaco-Platy / Catemaco Swordtail
Laguna Catemaco, Mexiko, B, 4,5 cm

▷ ⚑ ○ ☺ ☹ ⊞ 🖼 ⚖ 🗡 ⚠ 🔲 ♀   photo: E. Pürzl

S86205-4 *Xiphophorus montezumae* JORDAN & SNYDER, 1899
Montezuma-Schwertträger / Montezuma Swordtail
Rio Tamesi, Tamasopo, Mexiko (leg. WERNER), W, 10 cm

▷ ⚑ ○ ☺ ☹ ⊞ 🖼 ⚖ 🗡 🔲 ♂   photo: U. Werner

S86206-4 *Xiphophorus montezumae* JORDAN & SNYDER, 1899
Montezuma-Schwertträger / Montezuma Swordtail
Rio Tamesi, Tamasopo, Mexiko (leg. WERNER), W, 10 cm

▷ ⚑ ○ ☺ ☹ ⊞ 🖼 ⚖ 🗡 🔲 ♂   photo: U. Werner

S86207-4 *Xiphophorus montezumae* JORDAN & SNYDER, 1899
Montezuma-Schwertträger / Montezuma Swordtail
Tamasopo, Mexiko (leg. MEYER), W, 10 cm

▷ ⚑ ○ ☺ ☹ ⊞ 🖼 ⚖ 🗡 🔲 ♂   photo: M. K. Meyer

S86208-4 *Xiphophorus montezumae* JORDAN & SNYDER, 1899
Montezuma-Schwertträger / Montezuma Swordtail
Tamasopo, Mexiko (leg. PIEDNOIR), W, 10 cm

▷ ⚑ ○ ☺ ☹ ⊞ 🖼 ⚖ 🗡 🔲 ♂ ♀   photo: M.P. & Ch. Piednoir

S86209-4 *Xiphophorus montezumae* JORDAN & SNYDER, 1899
Montezuma-Schwertträger / Montezuma Swordtail
Aquarienstamm / Aquarium strain, B, 10 cm

▷ ⚑ ○ ☺ ☹ ⊞ 🖼 ⚖ 🗡 🔲 ♂   photo: O. Böhm

S86210-4 *Xiphophorus montezumae* JORDAN & SNYDER, 1899
Montezuma-Schwertträger / Montezuma Swordtail
Aquarienstamm / Aquarium strain, B, 6 cm

▷ ⚑ ○ ☺ ☹ ⊞ 🖼 ⚖ 🗡 🔲 ♀   photo: D. Barrett

S86211-4 *Xiphophorus montezumae* Jordan & Snyder, 1899
Montezuma-Schwertträger / Montezuma Swordtail
Aquarienstamm / Aquarium strain, B, 10 cm
▷ ⫯P ○ ☺ ☻ ⊞ 🖼 ⧎ ⤜ 🔛 ♂   photo: H. Hieronimus

S86212-4 *Xiphophorus montezumae* Jordan & Snyder, 1899
Montezuma-Schwertträger / Montezuma Swordtail
Aquarienstamm / Aquarium strain, B, 6 cm
▷ ⫯P ○ ☺ ☻ ⊞ 🖼 ⧎ ⤜ 🔛 ♀   photo: H. Hieronimus

S86213-4 *Xiphophorus montezumae* Jordan & Snyder, 1899
Montezuma-Schwertträger / Montezuma Swordtail
Aquarienstamm / Aquarium strain, B, 10 cm
▷ ⫯P ○ ☺ ☻ ⊞ 🖼 ⧎ ⤜ 🔛 ♂   photo: H. J. Mayland

S86214-4 *Xiphophorus montezumae* Jordan & Snyder, 1899
Montezuma-Schwertträger / Montezuma Swordtail
San Luis Potosi, Tamasopo, Mexiko (leg. Merino), B, 10 cm
▷ ⫯P ○ ☺ ☻ ⊞ 🖼 ⧎ ⤜ 🔛 ♂   photo: J. C. Merino

S86220-4 *Xiphophorus multilineatus* Rauchenberger, Kallmann & Morizot, 1990
Gebänderter Schwertträger / High-backed Pygmy Swordtail
Rio Coy, San Luis Potosi, Mexiko (leg. Pürzl), B, 5 cm „Blue"
▷ ⌿P ○ ☺ ☻ ⊞ 🖼 ⧎ ⤜ m ♂   photo: E. Pürzl

S86221-4 *Xiphophorus multilineatus* Rauchenberger, Kallmann & Morizot, 1990
Gebänderter Schwertträger / High-backed Pygmy Swordtail
Rio Coy, San Luis Potosi, Mexiko, B, 5 + 3,5 cm „Blue"
▷ ⌿P ○ ☺ ☻ ⊞ 🖼 ⧎ ⤜ m ♂ ♀   photo: H. Hieronimus

S86222-4 *Xiphophorus multilineatus* Rauchenberger, Kallmann & Morizot, 1990
Gebänderter Schwertträger / High-backed Pygmy Swordtail
Rio Coy, San Luis Potosi, Mexiko, B, 5 cm „Blue"
▷ ⌿P ○ ☺ ☻ ⊞ 🖼 ⧎ ⤜ m ♂   photo: H. J. Mayland

S86223-4 *Xiphophorus multilineatus* Rauchenberger, Kallmann & Morizot, 1990
Gebänderter Schwertträger / High-backed Pygmy Swordtail
Rio Coy, San Luis Potosi, Mexiko (leg. Meyer), B, 3,5 cm „Yellow"
▷ ⌿P ○ ☺ ☻ ⊞ 🖼 ⧎ ⤜ m ♂   photo: M. K. Meyer

S86224-4 *Xiphophorus multilineatus* RAUCHENBERGER, KALLMANN & MORIZOT, 1990
Gebänderter Schwertträger / High-backed Pygmy Swordtail
Aquarienstamm / Aquarium strain, B, 5 cm „Blue"

▷ ♫ ○ ☺ ☻ ⊞ 🖾 ⯐ ⤴ m ♂   **photo:** D. Barrett

S86225-4 *Xiphophorus multilineatus* RAUCHENBERGER, KALLMANN & MORIZOT, 1990
Gebänderter Schwertträger / High-backed Pygmy Swordtail
Rio Coy, San Luis Potosi, Mexiko, B, 5 cm „Blue"

▷ ♫ ○ ☺ ☻ ⊞ 🖾 ⯐ ⤴ m ♂   **photo:** J. C. Merino

S86215-4 *Xiphophorus nezahualcoyotl* RAUCHENBERGER, KALLMANN & MORIZOT, 1990
Nördlicher Bergschwertträger / Northern Mountain Swordtail
Aquarienstamm „Hamburg"/ Aquarium strain „Hamburg", B, 6 cm

▷ ⯑P ○ ☺ ☻ ⊞ 🖾 ⯐ ⤴ 🗓 ♂   **photo:** E. Pürzl

S86216-4 *Xiphophorus nezahualcoyotl* RAUCHENBERGER, KALLMANN & MORIZOT, 1990
Nördlicher Bergschwertträger / Northern Mountain Swordtail
Aquarienstamm / Aquarium strain, B, 6 cm

▷ ⯑P ○ ☺ ☻ ⊞ 🖾 ⯐ ⤴ 🗓 ♂   **photo:** O. Böhm

S86230-4 *Xiphophorus nezahualcoyotl* RAUCHENBERGER, KALLMANN & MORIZOT, 1990
Nördlicher Bergschwertträger / Northern Mountain Swordtail
Rio St. Maria de Guadelupe, Mexiko (leg. MEYER), W, 6 cm

▷ ♫ ○ ☺ ☻ ⊞ 🖾 ⯐ ⤴ m ♂   **photo:** M. K. Meyer

S86231-4 *Xiphophorus nezahualcoyotl* RAUCHENBERGER, KALLMANN & MORIZOT, 1990
Nördlicher Bergschwertträger / Northern Mountain Swordtail
Rio St. Maria de Guadelupe, Mexiko (leg. MEYER), W, 6 cm

▷ ♫ ○ ☺ ☻ ⊞ 🖾 ⯐ ⤴ m ♀   **photo:** M. K. Meyer

S86232-4 *Xiphophorus nezahualcoyotl* RAUCHENBERGER, KALLMANN & MORIZOT, 1990
Nördlicher Bergschwertträger / Northern Mountain Swordtail
Wildfang unbekannter Herkunft / Wildcaught, origin unknown, Mexiko , W, 6 cm

▷ ♫ ○ ☺ ☻ ⊞ 🖾 ⯐ ⤴ m ♂   **photo:** M.P. & Ch. Piednoir

S86233-4 *Xiphophorus nezahualcoyotl* RAUCHENBERGER, KALLMANN & MORIZOT, 1990
Nördlicher Bergschwertträger / Northern Mountain Swordtail
Rio El Salto, Mexiko (leg. MERINO), W, 6 cm

▷ ♫ ○ ☺ ☻ ⊞ 🖾 ⯐ ⤴ 🗓 ♂   **photo:** J. C. Merino

S86234-4 *Xiphophorus nezahualcoyotl* RAUCHENBERGER, KALLMANN & MORIZOT, 1990
Nördlicher Bergschwerträger / Northern Mountain Swordtail
Rio El Salto, Mexiko (leg. MERINO), W, 6 cm

▷🦜○☺😑⊞🖼⇌➳m♂♀   **photo:** J. C. Merino

S86235-4 *Xiphophorus nezahualcoyotl* RAUCHENBERGER, KALLMANN & MORIZOT, 1990
Nördlicher Bergschwerträger / Northern Mountain Swordtail
Aquarienstamm / Aquarium strain, B, 6 cm

▷🦜○☺😑⊞🖼⇌➳m♂♀   **photo:** F. P. Müllenholz

S86236-4 *Xiphophorus nezahualcoyotl* RAUCHENBERGER, KALLMANN & MORIZOT, 1990
Nördlicher Bergschwerträger / Northern Mountain Swordtail
Aquarienstamm / Aquarium strain, B, 6 cm

▷🦜○☺😑⊞🖼⇌➳m♂   **photo:** O. Böhm

S86237-4 *Xiphophorus nezahualcoyotl* RAUCHENBERGER, KALLMANN & MORIZOT, 1990
Nördlicher Bergschwerträger / Northern Mountain Swordtail
Rio El Salto, Mexiko (leg. HIERONIMUS), B, 6 cm

▷🦜○☺😑⊞🖼⇌➳m♂   **photo:** H. Hieronimus

S86157-4 *Xiphophorus nezahualcoyotl* RAUCHENBERGER, KALLMANN & MORIZOT, 1990
Nördlicher Bergschwerträger / Northern Mountain Swordtail
Rio Panuco-Einzug, Mexiko (leg. WERNER), W, 5 cm

▷⇑P○☺😑⊞🖼⇌➳m♀   **photo:** U. Werner

S86247-4 *Xiphophorus nigrensis* ROSEN, 1960 „Yellow"
Kleinschwertträger / El Abra Pygmy Swordtail
Aquarienstamm / Aquarium strain, B, 5,5 cm

▷⇑P○☺😑⊞🖼⇌➳⚠m♂   **photo:** E. Pürzl

S86245-4 *Xiphophorus nigrensis* ROSEN, 1960 „Longsword"
Kleinschwertträger / El Abra Pygmy Swordtail
Rio Coy, Mexiko (leg. MEYER), W, 7 cm

▷⇑P○☺😑⊞🖼⇌➳⚠m♂   **photo:** M. K. Meyer

S86245-4 *Xiphophorus nigrensis* ROSEN, 1960 „Longsword"
Kleinschwertträger / El Abra Pygmy Swordtail
Rio Coy, Mexiko (leg. MEYER), W, 5,5 cm

▷⇑P○☺😑⊞🖼⇌➳⚠m♀   **photo:** M. K. Meyer

S86246-4 *Xiphophorus nigrensis* ROSEN, 1960 „Yellow"
Kleinschwertträger / El Abra Pygmy Swordtail
Aquarienstamm / Aquarium strain, B, 5,5 cm

▷ ⇡P ○ ☺ ☻ ⊞ 🔲 ⇌ 🐟 ⚠ 🔲 ♂   **photo:** O. Böhm

S86246-4 *Xiphophorus nigrensis* ROSEN, 1960 „Yellow"
Kleinschwertträger / El Abra Pygmy Swordtail
Aquarienstamm / Aquarium strain, B, 5,5 cm

▷ ⇡P ○ ☺ ☻ ⊞ 🔲 ⇌ 🐟 ⚠ 🔲 ♀   **photo:** O. Böhm

S86248-4 *Xiphophorus nigrensis* ROSEN, 1960 „Blue"
Kleinschwertträger / El Abra Pygmy Swordtail
Rio Coy, Mexiko (leg. PÜRZL), B, 5,5 cm

▷ ⇡P ○ ☺ ☻ ⊞ 🔲 ⇌ 🐟 ⚠ 🔲 ♂   **photo:** E. Pürzl

S86258-4 *Xiphophorus pymaeus* HUBBS & GORDON, 1943
Zwergschwertträger / Slender Pygmy Swordtail
Aquarienstamm / Aquarium strain, B, 3,5 cm

▷ ⇡P ○ ☺ ☻ ⊞ 🔲 ⇌ 🐟 ⚠ 🔲 ♂   **photo:** H. Linke

S86255-4 *Xiphophorus pymaeus* HUBBS & GORDON, 1943
Zwergschwertträger / Slender Pygmy Swordtail
Huichihuayan, Mexiko (leg. MERINO), B, 3,5 cm

▷ ⇡P ○ ☺ ☻ ⊞ 🔲 ⇌ 🐟 ⚠ 🔲 ♂   **photo:** J. C. Merino

S86255-4 *Xiphophorus pymaeus* HUBBS & GORDON, 1943
Zwergschwertträger / Slender Pygmy Swordtail
Huichihuayan, Mexiko (leg. MERINO), B, 4 cm

▷ ⇡P ○ ☺ ☻ ⊞ 🔲 ⇌ 🐟 ⚠ 🔲 ♀   **photo:** J. C. Merino

S86256-4 *Xiphophorus pymaeus* HUBBS & GORDON, 1943 „Yellow"
Zwergschwertträger / Slender Pygmy Swordtail
Aquarienstamm / Aquarium strain, B, 3,5 cm

▷ ⇡P ○ ☺ ☻ ⊞ 🔲 ⇌ 🐟 ⚠ 🔲 ♂   **photo:** E. Schraml

S86257-4 *Xiphophorus pymaeus* HUBBS & GORDON, 1943
Zwergschwertträger / Slender Pygmy Swordtail
Aquarienstamm / Aquarium strain, B, 4 cm

▷ ⇡P ○ ☺ ☻ ⊞ 🔲 ⇌ 🐟 ⚠ 🔲 ♀   **photo:** E. Schraml

S86261-4 *Xiphophorus pymaeus* Hubbs & Gordon, 1943 „Yellow"
Zwergschwertträger / Slender Pygmy Swordtail
Aquarienstamm / Aquarium strain, B, 3,5 cm
▷ ⇡P ○ ☺ ☻ 🖽 🗺 ⇌ ⇗ ⚠ 🔟 ♂   photo: F. Teigler / A.C.S.

S86261-4 *Xiphophorus pymaeus* Hubbs & Gordon, 1943
Zwergschwertträger / Slender Pygmy Swordtail
Aquarienstamm / Aquarium strain, B, 4 cm
▷ ⇡P ○ ☺ ☻ 🖽 🗺 ⇌ ⇗ ⚠ 🔟 ♀   photo: F. Teigler / A.C.S.

S86259-4 *Xiphophorus pymaeus* Hubbs & Gordon, 1943 „Yellow"
Zwergschwertträger / Slender Pygmy Swordtail
Aquarienstamm / Aquarium strain, B, 3,5 cm
▷ ⇡P ○ ☺ ☻ 🖽 🗺 ⇌ ⇗ ⚠ 🔟 ♂   photo: D. Barrett

S86265-4 *Xiphophorus* hybr. „*roseni*" Meyer & Wischnath, 1981
Rosens Hybridplaty / Rosen´s Hybrid Platy
Aquarienstamm / Aquarium strain, B, 4 cm
▷ ⇡P ○ ☺ ☻ 🖽 🗺 ⇌ ⇗ 🔟 ♂   photo: H. Hieronimus

S86271-4 *Xiphophorus signum* Rosen & Kallmann, 1969
Komma-Schwertträger / Comma Swordtail
Rio de la Pasion, Guatemala (leg. Werner), W, 8 cm
▷ ⇡P ○ ☺ ☻ 🖽 🗺 ⇌ ⇗ ⚠ 🔟 ♂   photo: U. Werner

S86271-4 *Xiphophorus signum* Rosen & Kallmann, 1969
Komma-Schwertträger / Comma Swordtail
Rio de la Pasion, Guatemala (leg. Werner), W, 8 cm
▷ ⇡P ○ ☺ ☻ 🖽 🗺 ⇌ ⇗ ⚠ 🔟 ♀   photo: U. Werner

S86272-4 *Xiphophorus signum* Rosen & Kallmann, 1969
Komma-Schwertträger / Comma Swordtail
Aquarienstamm / Aquarium strain, B, 8 cm
▷ ⇡P ○ ☺ ☻ 🖽 🗺 ⇌ ⇗ ⚠ 🔟 ♂   photo: J. C. Merino

S86272-4 *Xiphophorus signum* Rosen & Kallmann, 1969
Komma-Schwertträger / Comma Swordtail
Aquarienstamm / Aquarium strain, B, 8 cm
▷ ⇡P ○ ☺ ☻ 🖽 🗺 ⇌ ⇗ ⚠ 🔟 ♀   photo: J. C. Merino

S86273-4 *Xiphophorus signum* Rosen & Kallmann, 1969
Komma-Schwertträger / Comma Swordtail
Aquarienstamm / Aquarium strain, B, 8 cm

▷ ⚦P ○ ☺ 😐 ⊞ 🖼 ⇌ 🐟 ⚠ 🔟 ♂

photo: H. J. Mayland

S86270-4 *Xiphophorus signum* Rosen & Kallmann, 1969
Komma-Schwertträger / Comma Swordtail
Rio Semococh, Guatemala (leg. Meyer), W, 8 cm

▷ ⚦P ○ ☺ 😐 ⊞ 🖼 ⇌ 🐟 ⚠ 🔟 ♀

photo: M. K. Meyer

S86274-4 *Xiphophorus signum* Rosen & Kallmann, 1969
Komma-Schwertträger / Comma Swordtail
Aquarienstamm / Aquarium strain, B, 8 cm

▷ ⚦P ○ ☺ 😐 ⊞ 🖼 ⇌ 🐟 ⚠ 🔟 ♀

photo: D. Barrett

S09168-4 *Xiphophorus* sp. „PMH" (see Rosen, 1979)
PMH-Schwertträger / PMH Swordtail
Rio Polochic, Rio Motagua, Guatemala, Honduras, B, 10 cm

▷ ⚦P ○ ☺ 😐 ⊞ 🖼 ⇌ 🐟 🔟 ♂

photo: J. C. Merino

S86280-4 *Xiphophorus variatus* (Meek, 1904)
Veränderlicher Spiegelkärpfling / Variable Platy
Rio Tancochin, Mexiko (leg. Meyer), W, 6 cm

◁ ▷ ⚦P ○ ☺ 😐 ⊞ 🖼 ⇌ 🐟 ◈ 🔟 ♂

photo: M. K. Meyer

S86281-4 *Xiphophorus variatus* (Meek, 1904)
Veränderlicher Spiegelkärpfling / Variable Platy
Rio Panuco, Mexiko (leg. Meyer), W, 7 cm

◁ ▷ ⚦P ○ ☺ 😐 ⊞ 🖼 ⇌ 🐟 ◈ 🔟 ♀

photo: M. K. Meyer

S86282-4 *Xiphophorus variatus* (Meek, 1904)
Veränderlicher Spiegelkärpfling / Variable Platy
Rio Coy, Mexiko (leg. Meyer), W, 6 cm

◁ ▷ ⚦P ○ ☺ 😐 ⊞ 🖼 ⇌ 🐟 ◈ 🔟 ♂

photo: M. K. Meyer

S86283-4 *Xiphophorus variatus* (Meek, 1904)
Veränderlicher Spiegelkärpfling / Variable Platy
Rio Coy, Mexiko (leg. Merino), W, 6 cm

◁ ▷ ⚦P ○ ☺ 😐 ⊞ 🖼 ⇌ 🐟 ◈ 🔟 ♂

photo: J. C. Merino

S86284-5 *Xiphophorus variatus* (MEEK, 1904)
Veränderlicher Spiegelkärpfling / Variable Platy
Rio Axtla, Mexiko (leg. MEYER), W, 6 cm

◁ ▷ ⇑P ○ ☺ ☹ ⊞ 🖼 ⇌ ➹ ◈ ⊞ ♂   **photo:** M. K. Meyer

S86285-4 *Xiphophorus variatus* (MEEK, 1904)
Veränderlicher Spiegelkärpfling / Variable Platy
Rio Axtla, Mexiko (leg. MEYER), W, 7 cm

◁ ▷ ⇑P ○ ☺ ☹ ⊞ 🖼 ⇌ ➹ ◈ ⊞ ♀   **photo:** M. K. Meyer

S86286-4 *Xiphophorus variatus* (MEEK, 1904)
Veränderlicher Spiegelkärpfling / Variable Platy
Rio Axtla, Mexiko (leg. BÖHM), W, 6 cm

◁ ▷ ⇑P ○ ☺ ☹ ⊞ 🖼 ⇌ ➹ ◈ ⊞ ♂   **photo:** O. Böhm

S86287-4 *Xiphophorus variatus* (MEEK, 1904)
Veränderlicher Spiegelkärpfling / Variable Platy
Rio Nautla, Mexiko (leg. PRESTON), B, 6 cm

◁ ▷ ⇑P ○ ☺ ☹ ⊞ 🖼 ⇌ ➹ ◈ ⊞ ♂   **photo:** E. Pürzl

S86288-5 *Xiphophorus variatus* (MEEK, 1904)
Veränderlicher Spiegelkärpfling / Variable Platy
Rio Nautla, Misantla, Mexiko (leg. WERNER), W, 6 cm

◁ ▷ ⇑P ○ ☺ ☹ ⊞ 🖼 ⇌ ➹ ◈ ⊞ ♂   **photo:** U. Werner

S86289-4 *Xiphophorus variatus* (MEEK, 1904)
Veränderlicher Spiegelkärpfling / Variable Platy
Rio Nautla, Misantla, Mexiko (leg. WERNER), W, 6 cm

◁ ▷ ⇑P ○ ☺ ☹ ⊞ 🖼 ⇌ ➹ ◈ ⊞ ♂   **photo:** U. Werner

S86290-4 *Xiphophorus variatus* (MEEK, 1904)
Veränderlicher Spiegelkärpfling / Variable Platy
Rio Nautla, Misantla, Mexiko (leg. WERNER), W, 6 cm

◁ ▷ ⇑P ○ ☺ ☹ ⊞ 🖼 ⇌ ➹ ◈ ⊞ ♂   **photo:** U. Werner

S86291-4 *Xiphophorus variatus* (MEEK, 1904)
Veränderlicher Spiegelkärpfling / Variable Platy
Rio Nautla, Misantla, Mexiko (leg. WERNER), W, 6 cm

◁ ▷ ⇑P ○ ☺ ☹ ⊞ 🖼 ⇌ ➹ ◈ ⊞ ♂   **photo:** U. Werner

S86292-4 *Xiphophorus variatus* (Meek, 1904) (cf. *evelynae*)
Veränderlicher Spiegelkärpfling / Variable Platy
S-Mexiko (leg. Sosna), W, 6 cm

◁ ▷ ⇧P ○ ☺ ☺ ⊞ 🖼 ⇌ ✈ ◈ 🅜 ♂

photo: E. Sosna

S09150-4 *Xiphophorus xiphidium* (Gordon, 1932) (cf. *variatus*)
Schwertplaty / Spiketail Platy
Rio Soto la Marina, Mexiko (leg. Werner), W, 3 cm

▷ ⇧P ○ ☺ ☺ ⊞ 🖼 ⇌ ✈ ◈ 🅜 ♂

photo: U. Werner

S09151-4 *Xiphophorus xiphidium* (Gordon, 1932) „One Spot"
Schwertplaty / Spiketail Platy
Santa Engracia, Mexiko, B, 3 cm

▷ ⇧P ○ ☺ ☺ ⊞ 🖼 ⇌ ✈ ◈ 🅜 ♂

photo: O. Böhm

S09152-4 *Xiphophorus xiphidium* (Gordon, 1932) „One Spot"
Schwertplaty / Spiketail Platy
Santa Engracia, Mexiko, B, 4 cm

▷ ⇧P ○ ☺ ☺ ⊞ 🖼 ⇌ ✈ ◈ 🅜 ♀

photo: P. Müller

S09153-4 *Xiphophorus xiphidium* (Gordon, 1932) „Crescent"
Schwertplaty / Spiketail Platy
Aquarienstamm / Aquarium strain, B, 3 + 4 cm

▷ ⇧P ○ ☺ ☺ ⊞ 🖼 ⇌ ✈ ◈ 🅜 ♂ ♀

photo: J. C. Merino

S09154-4 *Xiphophorus xiphidium* (Gordon, 1932)
Schwertplaty / Spiketail Platy
Rio Purificacion, Mexiko, B, 3 + 4 cm

▷ ⇧P ○ ☺ ☺ ⊞ 🖼 ⇌ ✈ ◈ 🅜 ♂ ♀

photo: O. Böhm

S09155-4 *Xiphophorus xiphidium* (Gordon, 1932)
Schwertplaty / Spiketail Platy
Rio Purificacion, Mexiko (leg. Dost), B, 3 cm

▷ ⇧P ○ ☺ ☺ ⊞ 🖼 ⇌ ✈ ◈ 🅜 ♂

photo: U. Dost

S09155-4 *Xiphophorus xiphidium* (Gordon, 1932)
Schwertplaty / Spiketail Platy
Rio Purificacion, Mexiko (leg. Dost), B, 4 cm

▷ ⇧P ○ ☺ ☺ ⊞ 🖼 ⇌ ✈ ◈ 🅜 ♀

photo: U. Dost

S09156-4 *Xiphophorus xiphidium* (Gordon, 1932) „Dark Moon"
Schwertplaty / Spiketail Platy   (cf. hybr. *„kosszanderi"*)
Aquarienstamm / Aquarium strain, B, 3 cm

▷ ⇈P ○ ☺ ☹ ⊞ 🖾 ⇄ ➶ ◈ m ♂   **photo:** U. Dost

S09156-4 *Xiphophorus xiphidium* (Gordon, 1932) „Dark Moon"
Schwertplaty / Spiketail Platy   (cf. hybr. *„kosszanderi"*)
Aquarienstamm / Aquarium strain, B, 4 cm

▷ ⇈P ○ ☺ ☹ ⊞ 🖾 ⇄ ➶ ◈ m ♀   **photo:** U. Dost

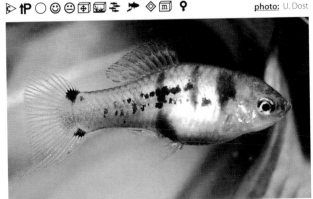

S09157-4 *Xiphophorus xiphidium* (Gordon, 1932) „Dark Moon"
Schwertplaty / Spiketail Platy   (cf. hybr. *„kosszanderi"*)
Aquarienstamm / Aquarium strain, B, 3 cm

▷ ⇈P ○ ☺ ☹ ⊞ 🖾 ⇄ ➶ ◈ m ♂   **photo:** E. Pürzl

S09158-4 *Xiphophorus xiphidium* (Gordon, 1932) „Spotted"
Schwertplaty / Spiketail Platy
Aquarienstamm / Aquarium strain, B, 3 cm

▷ ⇈P ○ ☺ ☹ ⊞ 🖾 ⇄ ➶ ◈ m ♂   **photo:** D. Barrett

S09170-4 Hybride
Xiphophorus xiphidium x *X. alvarezi*

▷ ⇈P ○ ☺ ☹ ⊞ 🖾 ⇄ ➶ ◈ m ♀   **photo:** D. Barrett

S09172-4 Hybride
Xiphophorus xiphidium x *X. nigrensis*

▷ ⇈P ○ ☺ ☹ ⊞ 🖾 ⇄ ➶ ◈ m ♂   **photo:** J. C. Merino

S09174-4 Hybride F_1
Xiphophorus xiphidium x *X. maculatus* (red)

▷ ⇈P ○ ☺ ☹ ⊞ 🖾 ⇄ ➶ ◈ m ♂   **photo:** J. C. Merino

S09176-4 Hybride F_1
Xiphophorus xiphidium x *X. maculatus* (red)

▷ ⇈P ○ ☺ ☹ ⊞ 🖾 ⇄ ➶ ◈ m ♂   **photo:** J. C. Merino

S09176-4 Hybride F$_1$
Xiphophorus xiphidium x *X. maculatus* (red)

S09177-4 Hybride F$_2$
Xiphophorus xiphidium x *X. maculatus* (red)

Endlers Guppy ist eine besonders schöne, im Rahmen eines genetischen Experimentes entdeckte, Naturform des Guppy. Besonderes Kennzeichen dieser Form ist sehr weitgehende Reinerbigkeit. Die oben abgebildeten Fische sind demnach wohl keine reinblütigen Endlers Guppys mehr.

Endler's Guppy is an especially pretty wild form of the guppy that was discovered during a genetic experiment. The most special characteristic of this form is that it can be purebred for decades. The guppies shown in the pictures above are, therefore, obviously no pure Endler's Guppies.

Photos: M.P. & Ch. Piednoir

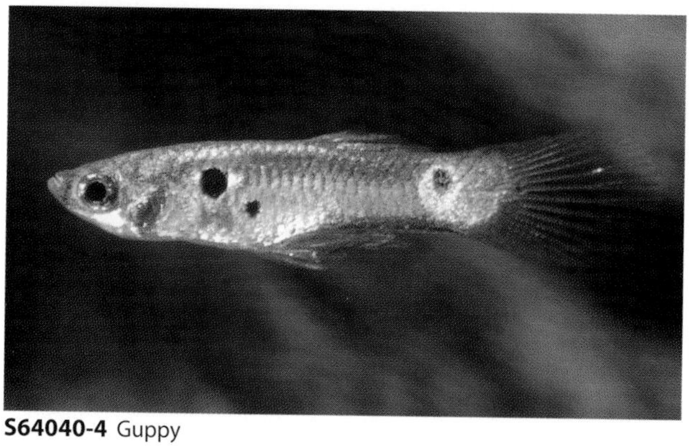

S64040-4 Guppy

Wildfarben / Wildcoloured, B, 3,5 cm

▷ ₽ ○ ☺ ⊞ ▣ ≋ ➤ [S] ◈ ♂ **photo:** Nakano / Archiv A.C.S.

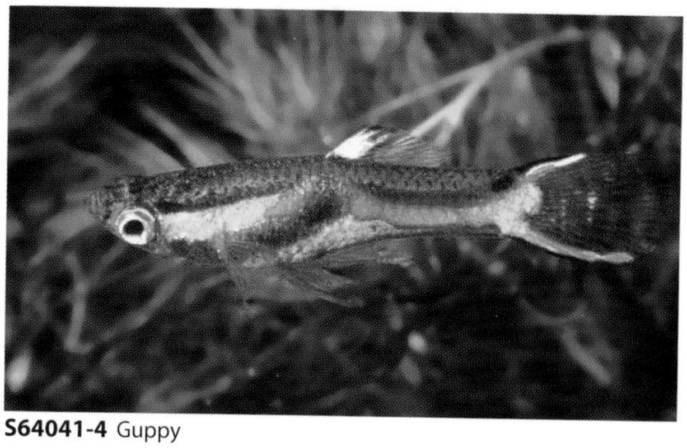

S64041-4 Guppy

Endlers Guppy / Endler´s Livebearer, B, 3,5 cm

▷ ₽ ○ ☺ ⊞ ▣ ≋ ➤ [S] ◈ ♂ **photo:** M. Smith

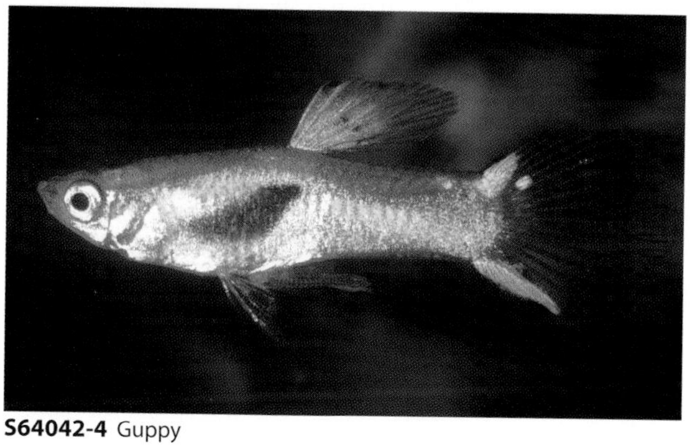

S64042-4 Guppy

Endlers Guppy / Endler´s Livebearer, B, 3,5 cm

▷ ₽ ○ ☺ ⊞ ▣ ≋ ➤ [S] ◈ ♂ **photo:** J. C. Merino

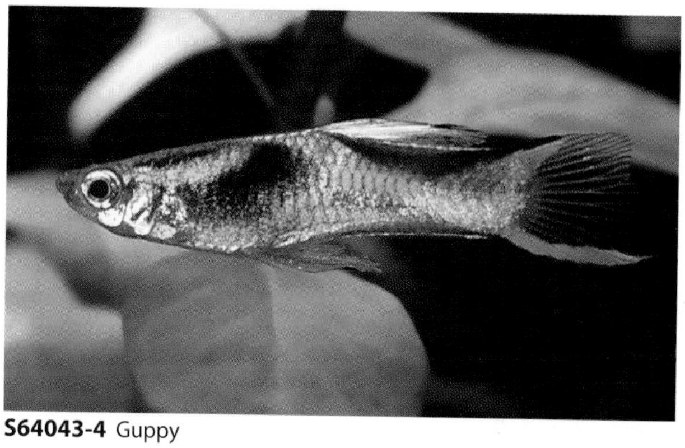

S64043-4 Guppy

Endlers Guppy / Endler´s Livebearer, B, 3,5 cm

▷ ₽ ○ ☺ ⊞ ▣ ≋ ➤ [S] ◈ ♂ **photo:** M.P. & Ch. Piednoir

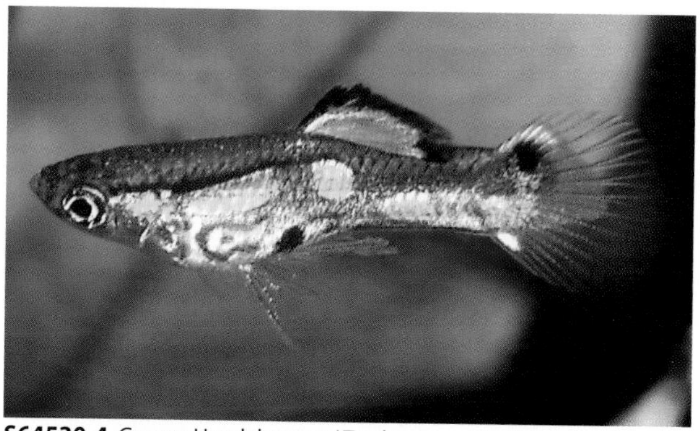

S64530-4 Guppy, Handelsname / Tradename „Rio Negro"
Rundschwanz / Round Tail
grau-bunt / grey multicoloured, B, 3,5 cm

▷ ₽ ○ ☺ ⊞ ▣ ≋ ➤ [S] ◈ ♂ **photo:** F. Teigler / A.C.S.

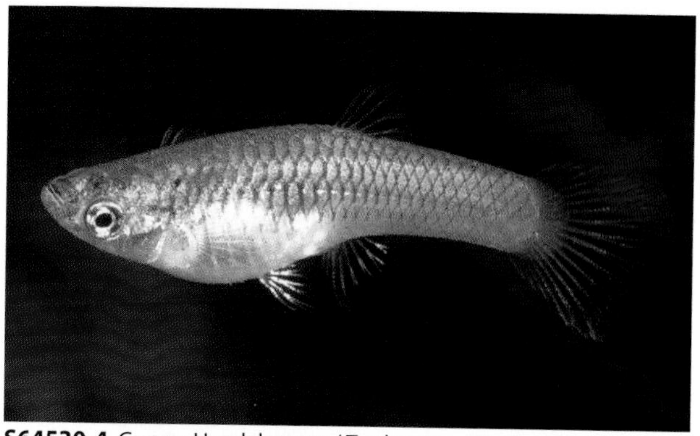

S64530-4 Guppy, Handelsname / Tradename „Rio Negro"
Rundschwanz / Round Tail
grau-bunt / grey multicoloured, B, 5 cm

▷ ₽ ○ ☺ ⊞ ▣ ≋ ➤ [S] ◈ ♀ **photo:** F. Teigler / A.C.S.

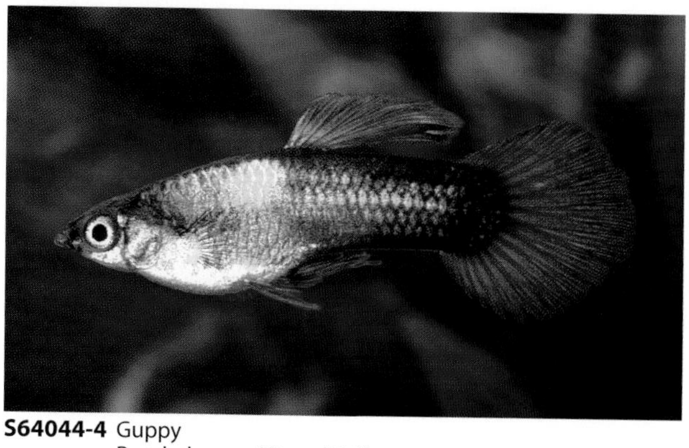

S64044-4 Guppy
Rundschwanz / Round Tail
grau-bunt-metall / grey multicoloured metal, B, 3,5 cm

▷ ₽ ○ ☺ ⊞ ▣ ≋ ➤ [S] ◈ ♂ **photo:** J. C. Merino

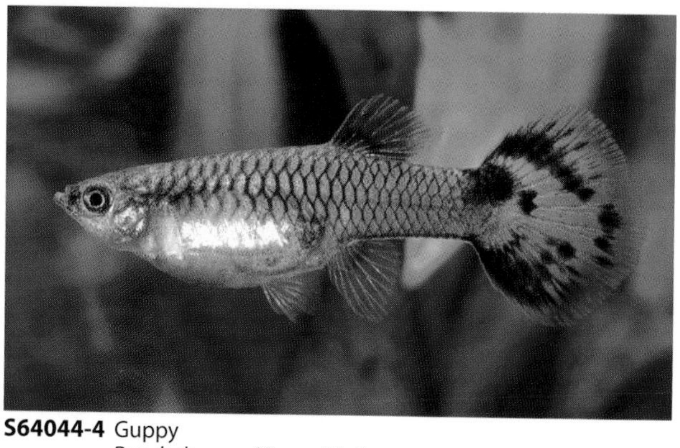

S64044-4 Guppy
Rundschwanz / Round Tail
grau-bunt / grey multicoloured, B, 5 cm

▷ ₽ ○ ☺ ⊞ ▣ ≋ ➤ [S] ◈ ♀ **photo:** J. C. Merino

S64045-4 Guppy
Rundschwanz / Round Tail
grau-bunt / grey multicoloured, B, 3,5 cm
photo: H. Hieronimus

S64046-4 Guppy
Rundschwanz / Round Tail
grau-bunt / grey multicoloured, B, 3,5 cm
photo: H. Hieronimus

S64047-4 Guppy
Rundschwanz / Round Tail
grau filigran-gelb / grey filigran-yellow, B, 3,5 cm
photo: J. C. Merino

S64048-4 Guppy
Rundschwanz / Round Tail
grau snakeskin / grey snakeskin, B, 3,5 cm
photo: F.P. Müllenholz

S64049-4 Guppy
Rundschwanz / Round Tail
grau filigran-rot / grey filigran-red, B, 3,5 cm
photo: J. C. Merino

S64050-4 Guppy
Rundschwanz / Round Tail
grau filigranmetallic / grey filigran metallic, B, 3,5 cm
photo: J. C. Merino

S64051-4 Guppy
Spatenschwanz / Spadetail
metallic-gelb /metallic-yellow, B, 3,5 cm
photo: M. K. Meyer

S64052-4 Guppy
Spatenschwanz / Spadetail
grau metallic bunt / grey metallic multicoloured, B, 3,5 cm
photo: J. C. Merino

S64053-4 Guppy
Spatenschwanz / Spadetail
grau filigran-rot / grey filigran-red, B, 3,5 cm

▷ ⚡○☺⊞🖼⇶ ➤ Ⓢ◈♂

photo: J. C. Merino

S64054-4 Guppy
Spatenschwanz / Spadetail
grau blau / grey blue, B, 3,5 cm

▷ ⚡○☺⊞🖼⇶ ➤ Ⓢ◈♂

photo: E. Schraml

S64055-4 Guppy
Spatenschwanz / Spadetail
grau filigran bunt / grey filigran multicoloured, B, 3,5 cm

▷ ⚡○☺⊞🖼⇶ ➤ Ⓢ◈♂

photo: E. Schraml

S64056-4 Guppy
Spatenschwanz / Spadetail
grau bunt / grey multicoloured, B, 3,5 cm

▷ ⚡○☺⊞🖼⇶ ➤ Ⓢ◈♂

photo: F.P. Müllenholz

S64057-4 Guppy
Spatenschwanz / Spadetail
grau filigran / grey filigran, B, 3,5 cm

▷ ⚡○☺⊞🖼⇶ ➤ Ⓢ◈♂

photo: J. C. Merino

S64058-4 Guppy
Spatenschwanz / Spadetail
grau bunt metallic / grey multicoloured metallic, B, 3,5 cm

▷ ⚡○☺⊞🖼⇶ ➤ Ⓢ◈♂

photo: J. C. Merino

S64059-4 Guppy
Spatenschwanz / Spadetail
grau bunt metallic / grey multicoloured metallic, B, 3,5 cm

▷ ⚡○☺⊞🖼⇶ ➤ Ⓢ◈♂

photo: H. Hieronimus

S64060-4 Guppy
Spatenschwanz / Spadetail
grau bunt filigran / grey multicoloured filigran, B, 3,5 cm

▷ ⚡○☺⊞🖼⇶ ➤ Ⓢ◈♂

photo: E. Schraml

S64061-4 Guppy
Speerschwanz / Speartail
grau bunt snakeskin / grey multicoloured snakeskin, B, 3,5 cm

▷♫○☺⊞🖼🗲⤳⑤◈♂   **photo:** J. C. Merino

S64062-4 Guppy
Speerschwanz / Speartail
grau bunt snakeskin / grey multicoloured snakeskin, B, 5 cm

▷♫○☺⊞🖼🗲⤳⑤◈♀   **photo:** J. C. Merino

S64063-4 Guppy
Speerschwanz / Speartail
blond bunt / blond multicoloured, B, 3,5 cm

▷♫○☺⊞🖼🗲⤳⑤◈♂   **photo:** J. C. Merino

S64064-4 Guppy
Speerschwanz / Speartail
blond halbschwarz rot / blond halfblack red , B, 3,5 cm

▷♫○☺⊞🖼🗲⤳⑤◈♂   **photo:** H. Hieronimus

S64065-4 Guppy
Speerschwanz / Speartail
„nigrocaudatus", blond halbschwarz-rot / blond halfblack-red , B, 3,5 cm

▷♫○☺⊞🖼🗲⤳⑤◈♂   **photo:** F.P. Müllenholz

S64066-4 Guppy
Speerschwanz / Speartail
grau bunt / grey multicoloured , B, 3,5 cm

▷♫○☺⊞🖼🗲⤳⑤◈♂   **photo:** H. Hieronimus

S64067-4 Guppy
Speerschwanz / Speartail
„nigrocaudatus", grau halbschwarz-bunt / grey halfblack-multicoloured , B, 3,5 cm

▷♫○☺⊞🖼🗲⤳⑤◈♂   **photo:** H. Hieronimus

S64068-4 Guppy
Nadelschwanz / Pintail
grau bunt / grey multicoloured

▷♫○☺⊞🖼🗲⤳⑤◈♂   **photo:** F.P. Müllenholz

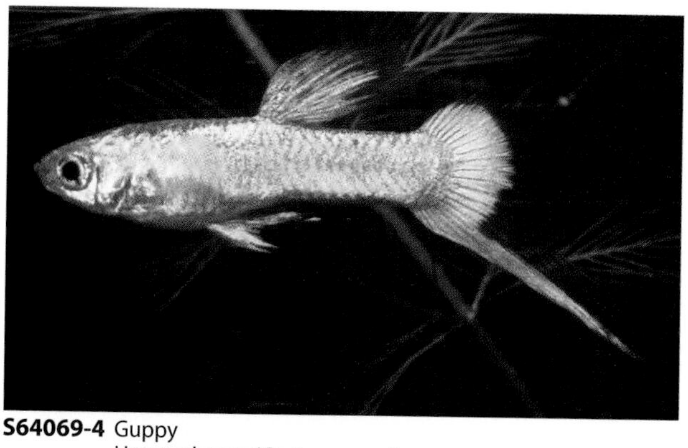

S64069-4 Guppy
Untenschwert / Bottomsword
grau Stoerzbach metall / grey Stoerzbach metal, B, 3,5 cm
▷ ♣ ○ ☺ [+] ▣ ≋ ➤ [S] ◈ ♂
photo: F.P. Müllenholz

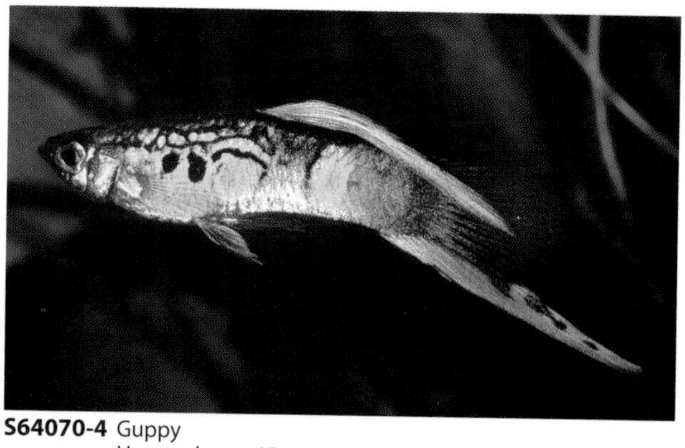

S64070-4 Guppy
Untenschwert / Bottomsword
„armatus", grau bunt / grey multicoloured, B, 3,5 cm
▷ ♣ ○ ☺ [+] ▣ ≋ ➤ [S] ◈ ♂
photo: J. C. Merino

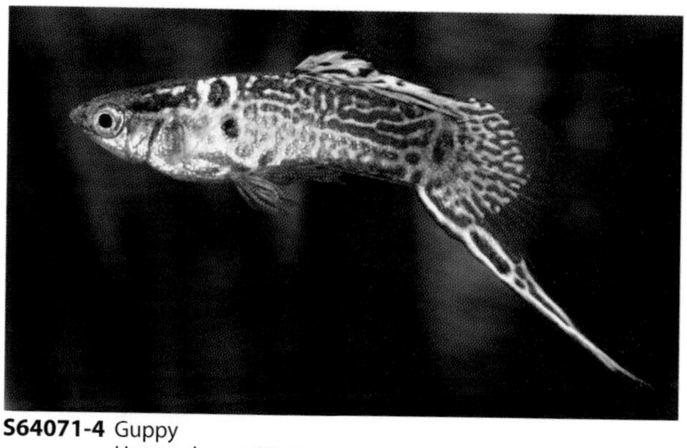

S64071-4 Guppy
Untenschwert / Bottomsword
grau snakeskin / grey snaeskin, B, 3,5 cm
▷ ♣ ○ ☺ [+] ▣ ≋ ➤ [S] ◈ ♂
photo: J. C. Merino

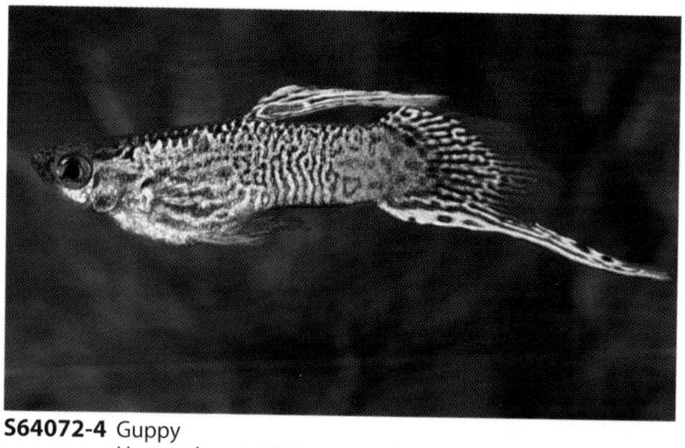

S64072-4 Guppy
Untenschwert / Bottomsword
grau filigran / grey filigran, B, 3,5 cm
▷ ♣ ○ ☺ [+] ▣ ≋ ➤ [S] ◈ ♂
photo: J. C. Merino

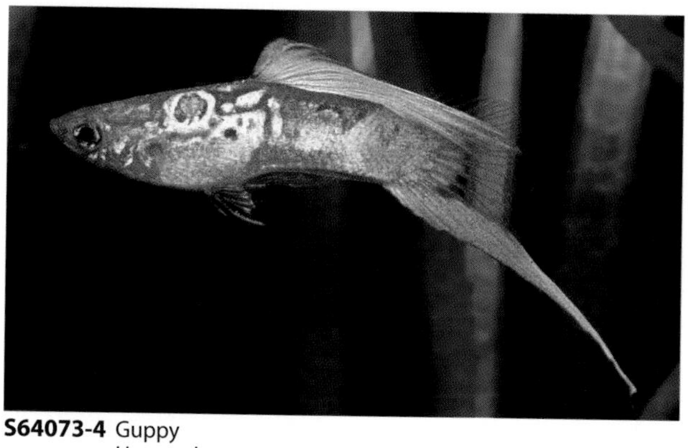

S64073-4 Guppy
Untenschwert / Bottomsword
grau bunt / grey multicoloured, B, 3,5 cm
▷ ♣ ○ ☺ [+] ▣ ≋ ➤ [S] ◈ ♂
photo: F.P. Müllenholz

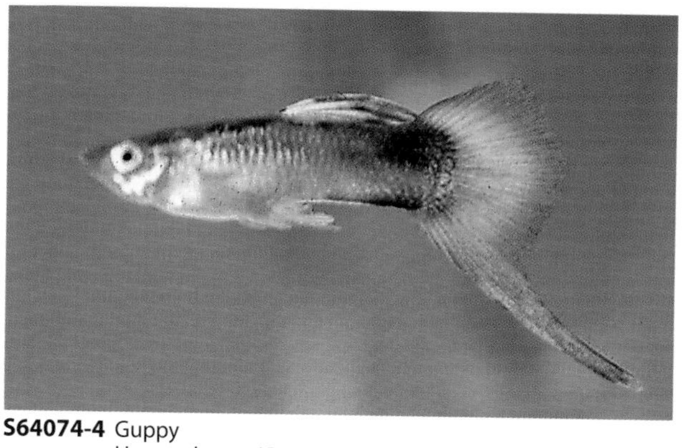

S64074-4 Guppy
Untenschwert / Bottomsword
grau bunt / grey multicoloured, B, 3,5 cm
▷ ♣ ○ ☺ [+] ▣ ≋ ➤ [S] ◈ ♂
photo: J. Dawes

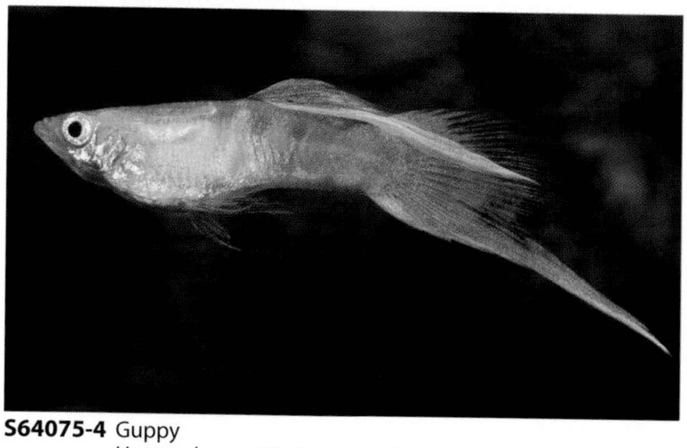

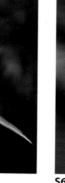

S64075-4 Guppy
Untenschwert / Bottomsword
blond bunt / blond multicoloured, B, 3,5 cm
▷ ♣ ○ ☺ [+] ▣ ≋ ➤ [S] ◈ ♂
photo: J. C. Merino

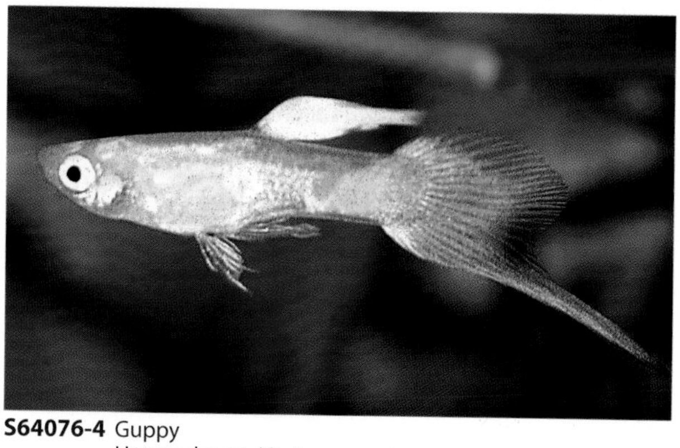

S64076-4 Guppy
Untenschwert / Bottomsword
blond bunt / blond multicoloured, B, 3,5 cm
▷ ♣ ○ ☺ [+] ▣ ≋ ➤ [S] ◈ ♂
photo: H. Hieronimus

S64077-4 Guppy
Obenschwert / Topsword
„lineatus", grau bunt / grey multicoloured, B, 3,5 cm

▷ ₿ ○ ☺ ⊞ 🖼 ⇶ ➽ Ⓢ ◈ ♂   **photo:** F. Teigler / A.C.S.

S64078-4 Guppy
Obenschwert / Topsword
grau / grey, B, 5 cm

▷ ₿ ○ ☺ ⊞ 🖼 ⇶ ➽ Ⓢ ◈ ♀   **photo:** F. Teigler / A.C.S.

S64079-4 Guppy
Obenschwert / Topsword
blond filigran, B, 3,5 cm

▷ ₿ ○ ☺ ⊞ 🖼 ⇶ ➽ Ⓢ ◈ ♂   **photo:** F.P. Müllenholz

S64080-4 Guppy
Obenschwert / Topsword
grau snakeskin / grey snakeskin, B, 3,5 cm

▷ ₿ ○ ☺ ⊞ 🖼 ⇶ ➽ Ⓢ ◈ ♂   **photo:** J. C. Merino

S64081-4 Guppy
Obenschwert / Topsword
grau filigran / grey filigran, B, 3,5 cm

▷ ₿ ○ ☺ ⊞ 🖼 ⇶ ➽ Ⓢ ◈ ♂   **photo:** J. C. Merino

S64082-4 Guppy
Obenschwert / Topsword
grau filigran / grey filigran, B, 3,5 cm

▷ ₿ ○ ☺ ⊞ 🖼 ⇶ ➽ Ⓢ ◈ ♂   **photo:** J. C. Merino

S64083-4 Guppy
Doppelschwert / Doublesword
grau bunt / grey multicoloured, B, 3,5 cm

▷ ₿ ○ ☺ ⊞ 🖼 ⇶ ➽ Ⓢ ◈ ♂   **photo:** D. Bork

S64084-4 Guppy
Doppelschwert / Doublesword
grau bunt / grey multicoloured, B, 3,5 cm

▷ ₿ ○ ☺ ⊞ 🖼 ⇶ ➽ Ⓢ ◈ ♂   **photo:** Nakano/ A.C.S.

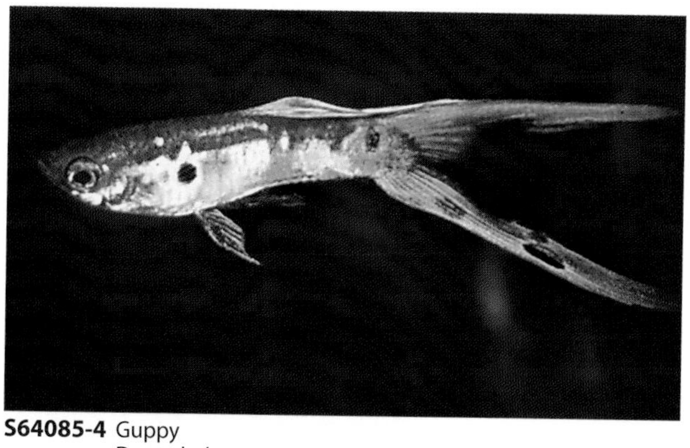

S64085-4 Guppy
Doppelschwert / Doublesword
grau bunt / grey multicoloured, B, 3,5 cm
▷ ⚘ ○ ☺ ⊞ ▦ ≋ 🐟 [S] ◇ ♂ **photo:** F. Teigler / A.C.S.

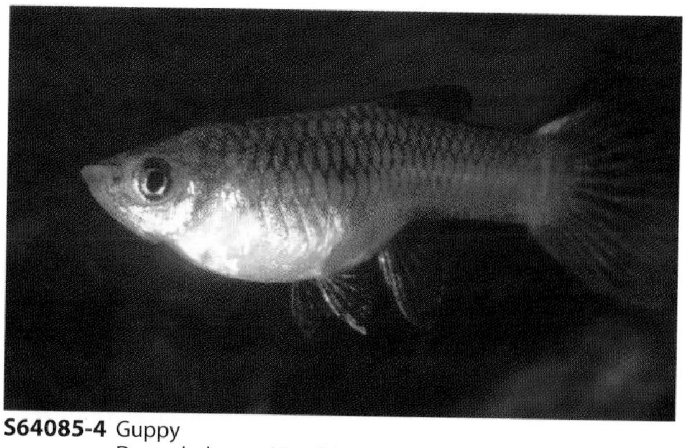

S64085-4 Guppy
Doppelschwert / Doublesword
grau bunt / grey multicoloured, B, 5 cm
▷ ⚘ ○ ☺ ⊞ ▦ ≋ 🐟 [S] ◇ ♀ **photo:** F. Teigler / A.C.S.

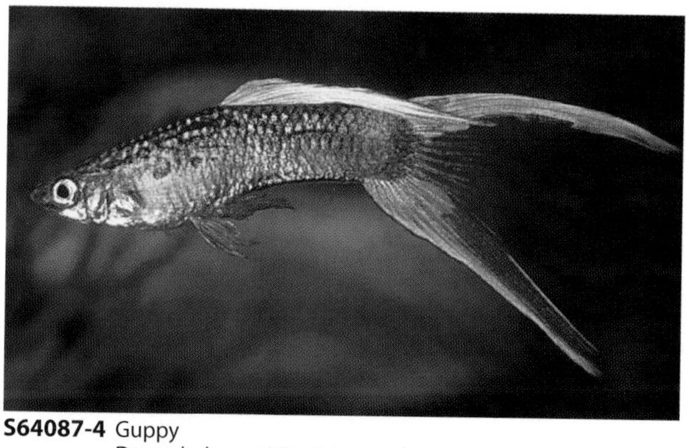

S64087-4 Guppy
Doppelschwert / Doublesword
grau bunt / grey multicoloured, B, 3,5 cm
▷ ⚘ ○ ☺ ⊞ ▦ ≋ 🐟 [S] ◇ ♂ **photo:** J. C. Merino

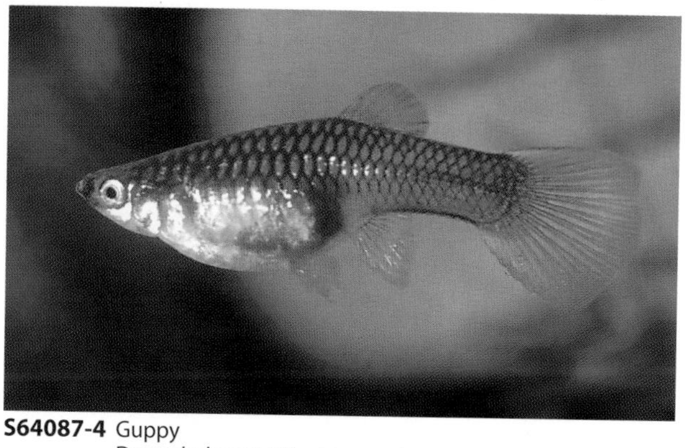

S64087-4 Guppy
Doppelschwert / Doublesword
grau bunt / grey multicoloured, B, 3,5 cm
▷ ⚘ ○ ☺ ⊞ ▦ ≋ 🐟 [S] ◇ ♀ **photo:** J. C. Merino

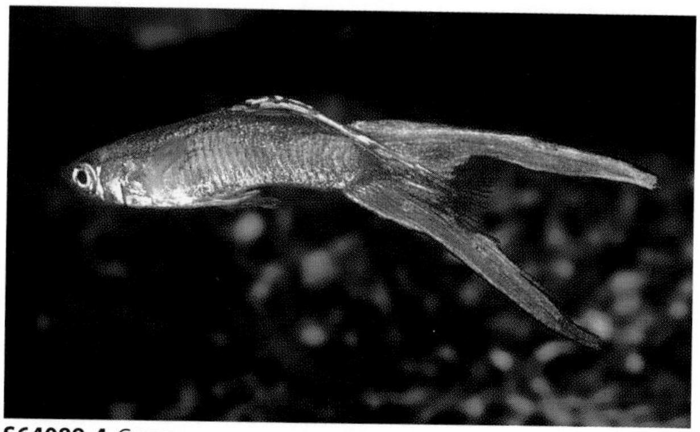

S64089-4 Guppy
Doppelschwert / Doublesword
grau bunt rot / grey multicoloured red, B, 3,5 cm
▷ ⚘ ○ ☺ ⊞ ▦ ≋ 🐟 [S] ◇ ♂ **photo:** J. C. Merino

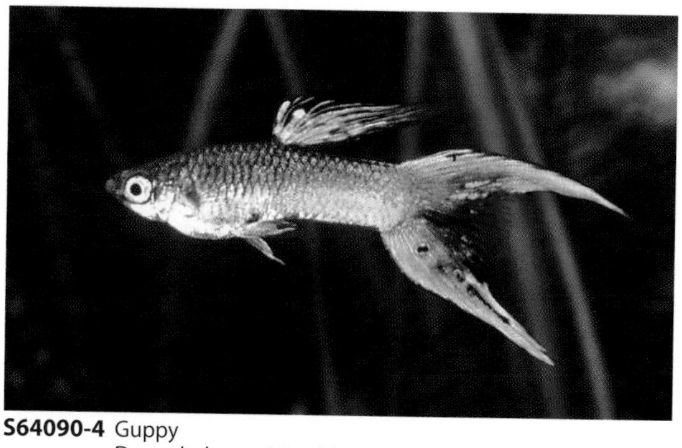

S64090-4 Guppy
Doppelschwert / Doublesword
grau rot metallic / grey red metallic, B, 3,5 cm
▷ ⚘ ○ ☺ ⊞ ▦ ≋ 🐟 [S] ◇ ♂ **photo:** J. C. Merino

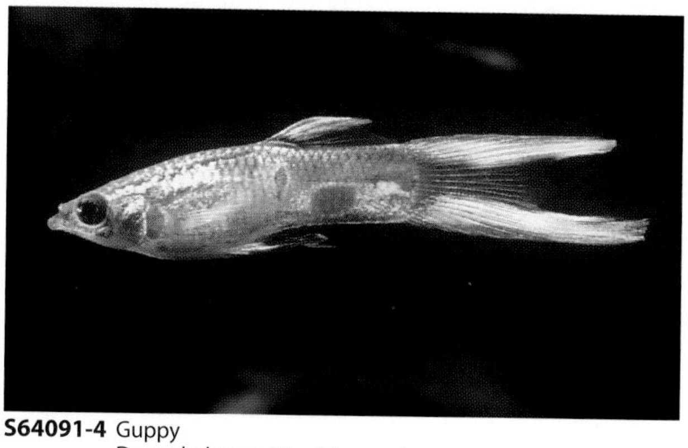

S64091-4 Guppy
Doppelschwert / Doublesword
grau bunt / grey multicoloured, B, 3,5 cm
▷ ⚘ ○ ☺ ⊞ ▦ ≋ 🐟 [S] ◇ ♂ **photo:** A. Canovas

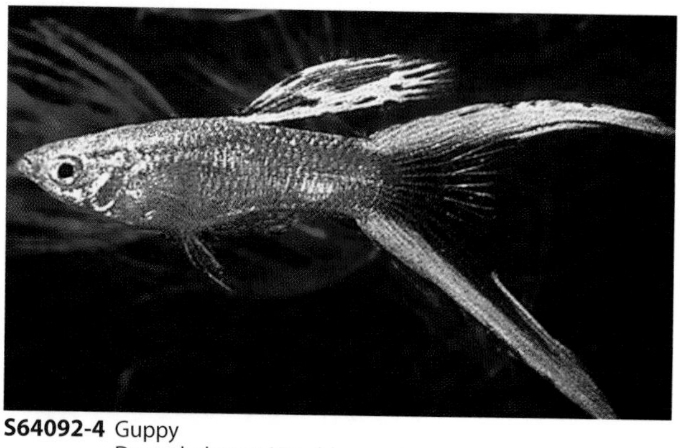

S64092-4 Guppy
Doppelschwert / Doublesword
grau bunt / grey multicoloured, B, 3,5 cm
▷ ⚘ ○ ☺ ⊞ ▦ ≋ 🐟 [S] ◇ ♂ **photo:** F. P. Müllenholz

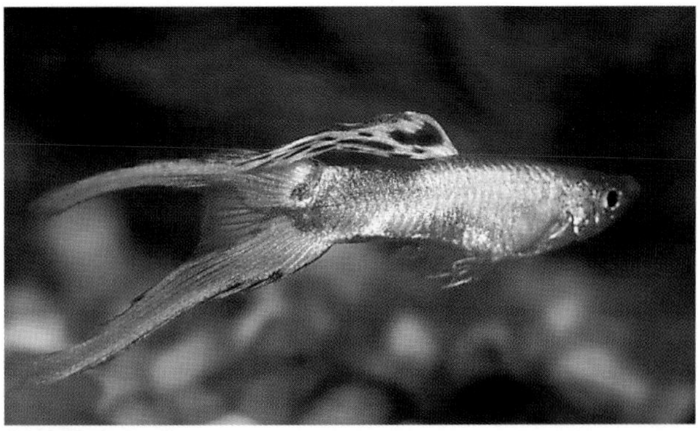

S64088-4 Guppy
Doppelschwert / Doublesword
grau metallic / grey metallic, B, 3,5 cm
▷ ₽ ○ ☺ ⊞ ▣ ≷ ➤ [S] ◈ ♂ **photo:** H. Hieronimus

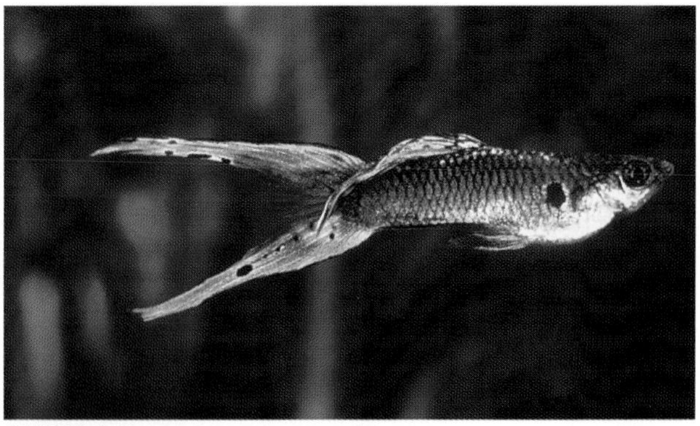

S64093-4 Guppy
Doppelschwert / Doublesword
grau metallic / grey metallic, B, 3,5 cm
▷ ₽ ○ ☺ ⊞ ▣ ≷ ➤ [S] ◈ ♂ **photo:** J. C. Merino

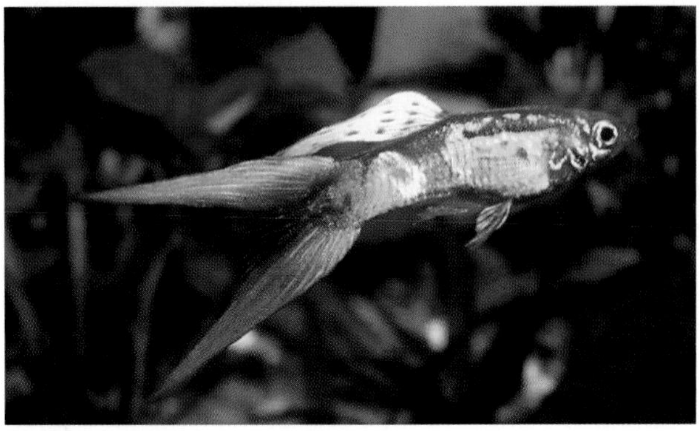

S64094-4 Guppy
Doppelschwert / Doublesword
blond bunt / blond multicoloured, B, 3,5 cm
▷ ₽ ○ ☺ ⊞ ▣ ≷ ➤ [S] ◈ ♂ **photo:** U. Werner

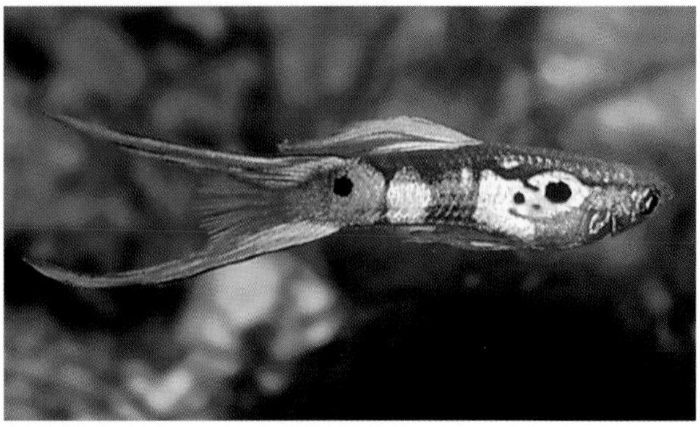

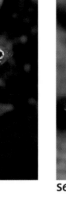

S64095-4 Guppy
Doppelschwert / Doublesword
grau bunt / grey multicoloured, B, 3,5 cm
▷ ₽ ○ ☺ ⊞ ▣ ≷ ➤ [S] ◈ ♂ **photo:** U. Werner

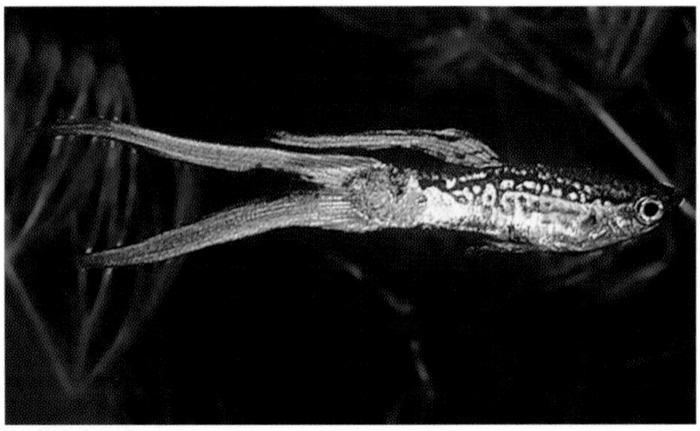

S94096-4 Guppy
Doppelschwert / Doublesword
grau bunt / grey multicoloured, B, 3,5 cm
▷ ₽ ○ ☺ ⊞ ▣ ≷ ➤ [S] ◈ ♂ **photo:** F. P. Müllenholz

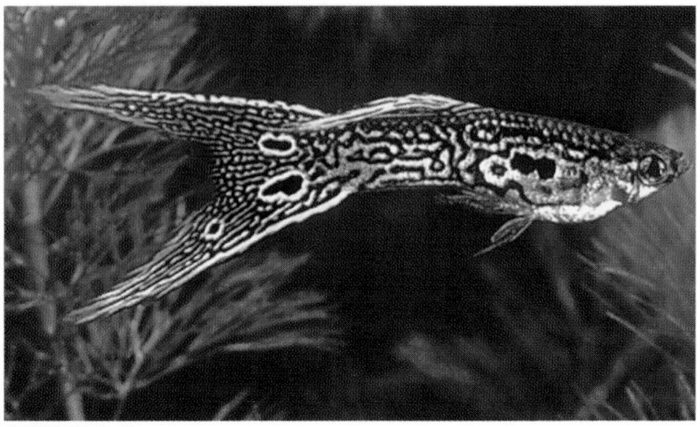

S64097-4 Guppy
Doppelschwert / Doublesword
grau filigran / grey filigran, B, 3,5 cm
▷ ₽ ○ ☺ ⊞ ▣ ≷ ➤ [S] ◈ ♂ **photo:** J. C. Merino

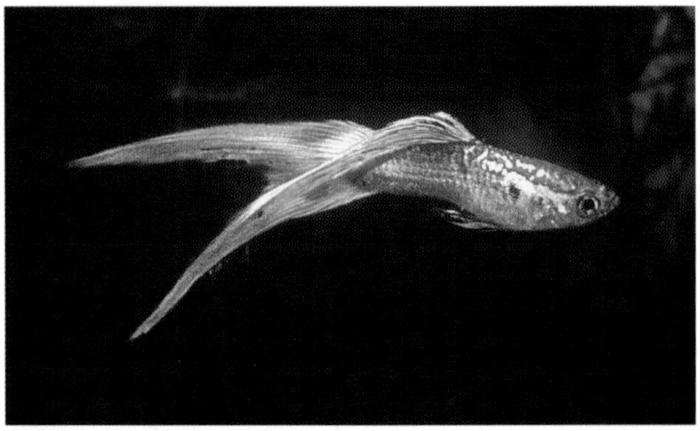

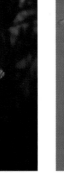

S64098-4 Guppy
Doppelschwert / Doublesword
grau bunt / grey multicoloured, B, 3,5 cm
▷ ₽ ○ ☺ ⊞ ▣ ≷ ➤ [S] ◈ ♂ **photo:** F. P. Müllenholz

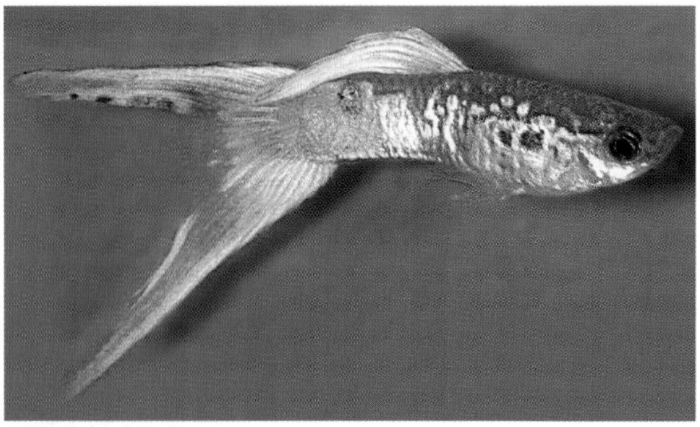

S64099-4 Guppy
Doppelschwert / Doublesword
grau bunt / grey multicoloured, B, 3,5 cm
▷ ₽ ○ ☺ ⊞ ▣ ≷ ➤ [S] ◈ ♂ **photo:** E. Schraml

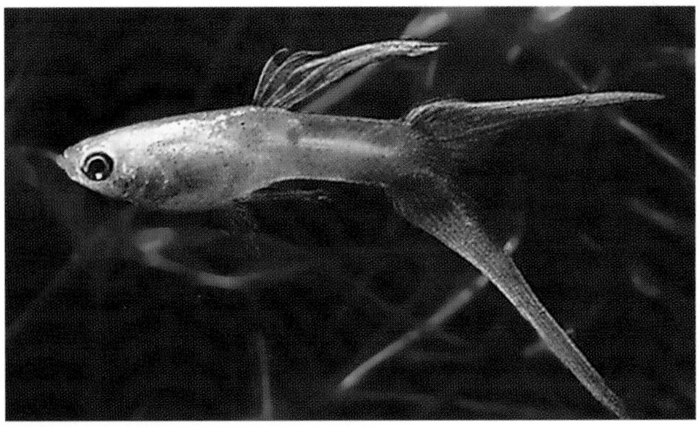

S64100-4 Guppy
Doppelschwert / Doublesword
blond bunt / blond multicoloured, B, 3,5 cm
▷ ⚓ ○ ☺ ⊞ ▣ ≢ ➤ [S] ◈ ♂ **photo:** O. Böhm

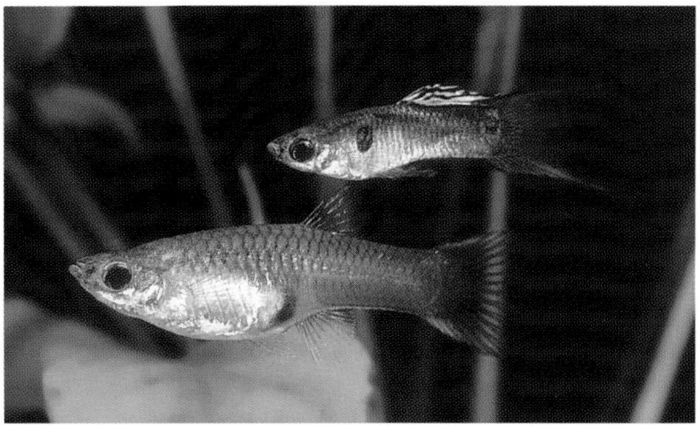

S64101-4 Guppy
Leierschwanz / Lyratail
grau bunt / grey multicoloured, B, 3,5 + 5 cm
▷ ⚓ ○ ☺ ⊞ ▣ ≢ ➤ [S] ◈ ♂ ♀ **photo:** J. Glaser

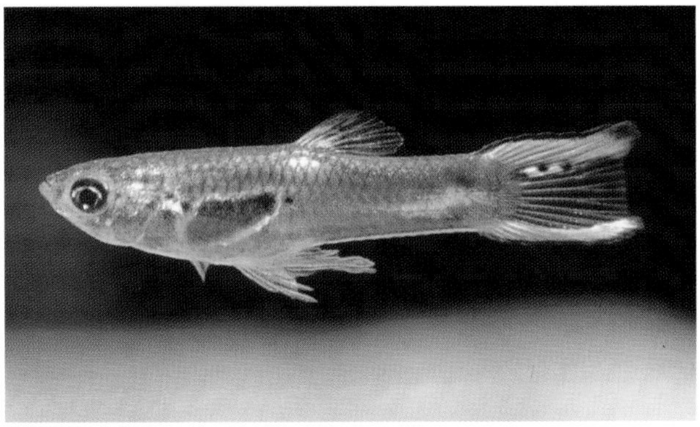

S64102-4 Guppy
Leierschwanz / Lyratail
grau bunt / grey multicoloured, B, 3,5 cm
▷ ⚓ ○ ☺ ⊞ ▣ ≢ ➤ [S] ◈ ♂ **photo:** Nakano /A.C.S.

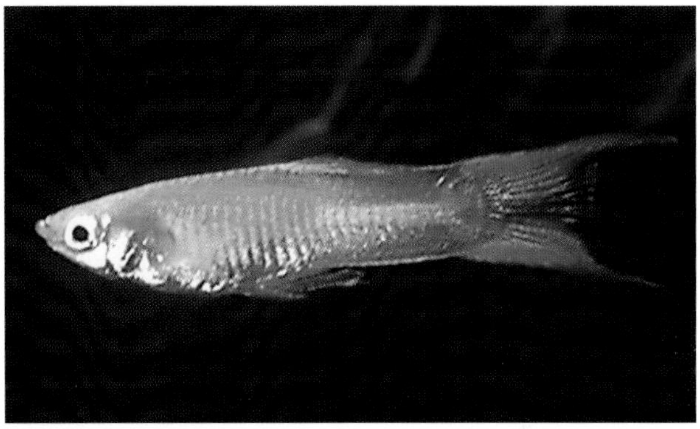

S64103-4 Guppy
Leierschwanz / Lyratail
blond bunt rot / blond multicoloured red, B, 3,5 cm
▷ ⚓ ○ ☺ ⊞ ▣ ≢ ➤ [S] ◈ ♂ **photo:** M.P. & Ch. Piednoir

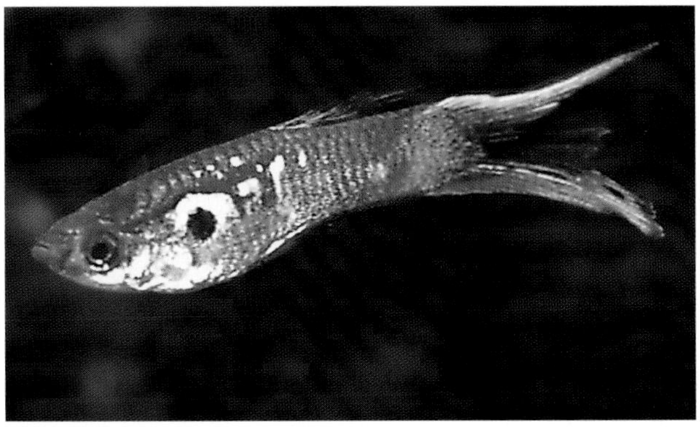

S64104-4 Guppy
Leierschwanz / Lyratail
grau bunt / grey multicoloured, B, 3,5 cm
▷ ⚓ ○ ☺ ⊞ ▣ ≢ ➤ [S] ◈ ♂ **photo:** A. Canovas

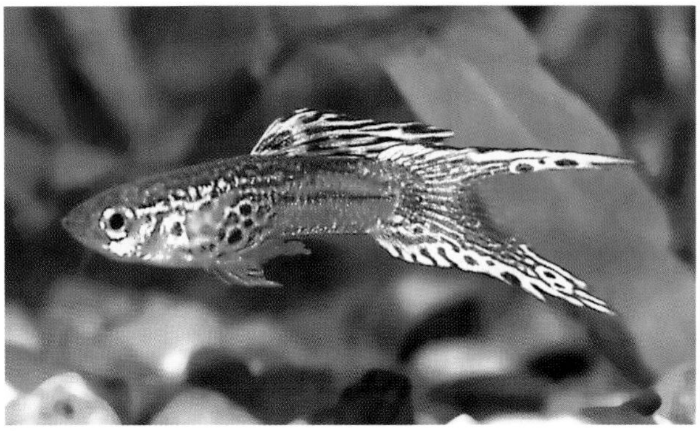

S64105-4 Guppy
Leierschwanz / Lyratail
grau filigran / grey filigran, B, 3,5 cm
▷ ⚓ ○ ☺ ⊞ ▣ ≢ ➤ [S] ◈ ♂ **photo:** H. Hieronimus

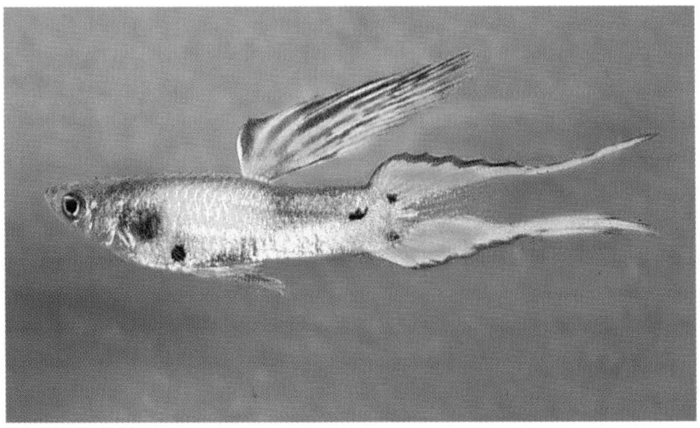

S64106-4 Guppy
Leierschwanz / Lyratail
grau metallic / grey metallic, B, 3,5 cm
▷ ⚓ ○ ☺ ⊞ ▣ ≢ ➤ [S] ◈ ♂ **photo:** E. Schraml

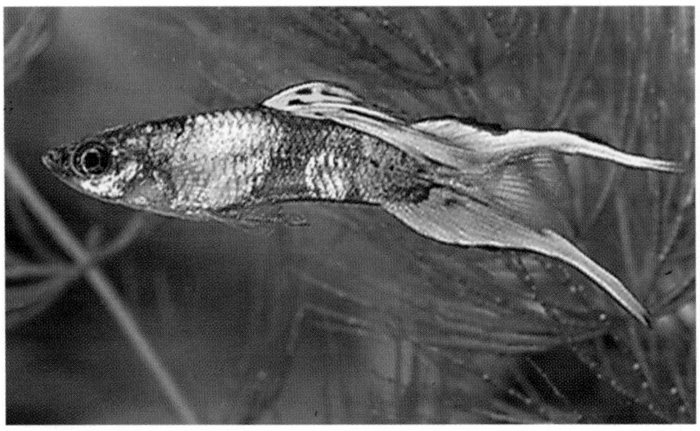

S64107-4 Guppy
Leierschwanz / Lyratail
grau metallic bunt / grey metallic multicoloured, B, 3,5 cm
▷ ⚓ ○ ☺ ⊞ ▣ ≢ ➤ [S] ◈ ♂ **photo:** J. C. Merino

S64108-4 Guppy
Triangel / Triangletail
„Nigrocaudatus", grau halbschwarz schwarz / grey halfblack black, B, 5 cm

photo: A. Canovas

S64109-4 Guppy
Triangel / Triangletail
„Nigrocaudatus", grau halbschwarz / grey halfblack, B, 5 cm

photo: F. P. Müllenholz

S64110-4 Guppy
Triangel / Triangletail
„Nigrocaudatus", grau halbschwarz blau / grey halfblack blue, B, 5 cm

photo: F. P. Müllenholz

S64110-4 Guppy
Triangel / Triangletail
„Nigrocaudatus", grau halbschwarz / grey halfblack, B, 6 cm

photo: H. Hieronimus

S64112-4 Guppy
Triangel / Triangletail
„Nigrocaudatus", grau halbschwarz weiß / grey halfblack white, B, 5 cm

photo: E. Schraml

S64113-4 Guppy
Triangel / Triangletail
„Nigrocaudatus", grau halbschwarz weiß / grey halfblack white, B, 5 cm

photo: F. Teigler / A.C.S.

S64114-4 Guppy
Triangel / Triangletail
„Nigrocaudatus", grau halbschwarz bunt / grey halfblack multicoloured, B, 5 cm

photo: J. C. Merino

S64114-4 Guppy
Triangel / Triangletail
„Nigrocaudatus", grau halbschwarz bunt / grey halfblack multicoloured, B, 6 cm

photo: J. C. Merino

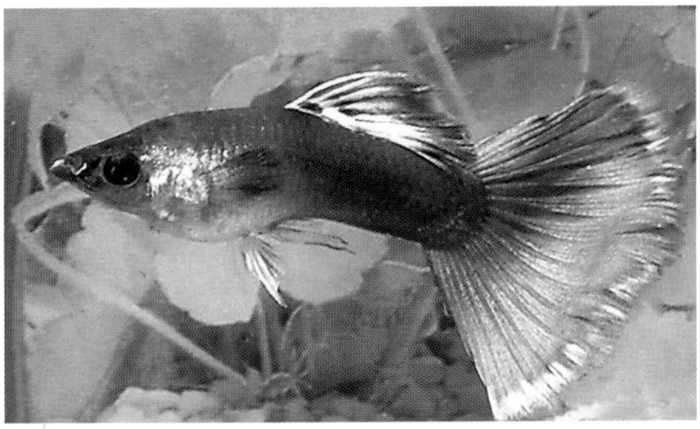

S64116-4 Guppy
Triangel / Triangletail
„Nigrocaudatus", B, 5 cm
⊳ ₽ ○ ☺ [⊕] [▭] ≡ ➤ [S] ◈ ♂ **photo:** B. Teichfischer

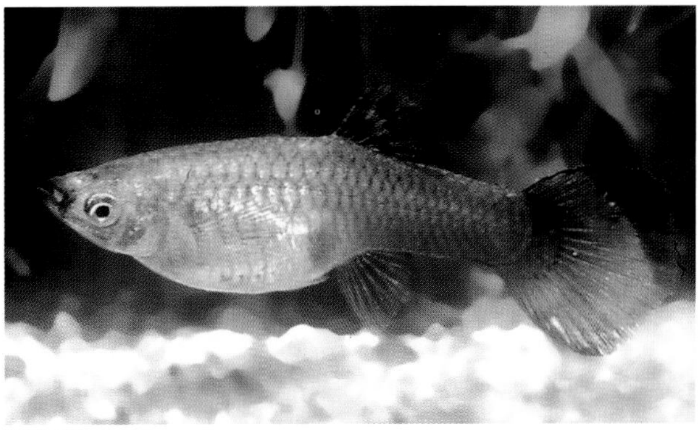

S64116-4 Guppy
Triangel / Triangletail
„Nigrocaudatus", B, 6 cm
⊳ ₽ ○ ☺ [⊕] [▭] ≡ ➤ [S] ◈ ♀ **photo:** B. Teichfischer

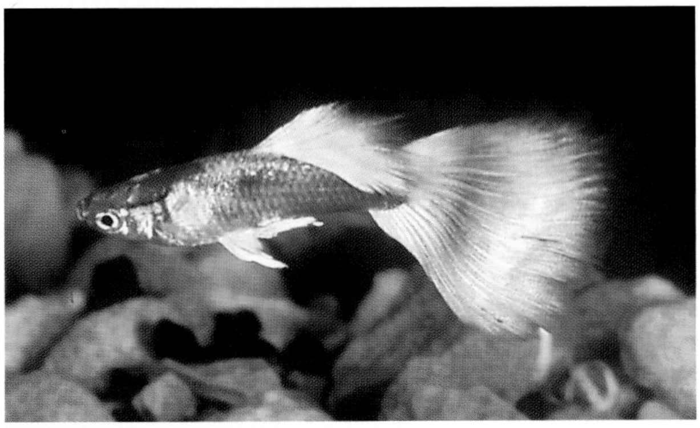

S64118-4 Guppy
Triangel / Triangletail
„Nigrocaudatus", B, 5 cm
⊳ ₽ ○ ☺ [⊕] [▭] ≡ ➤ [S] ◈ ♂ **photo:** F. Teigler / A.C.S.

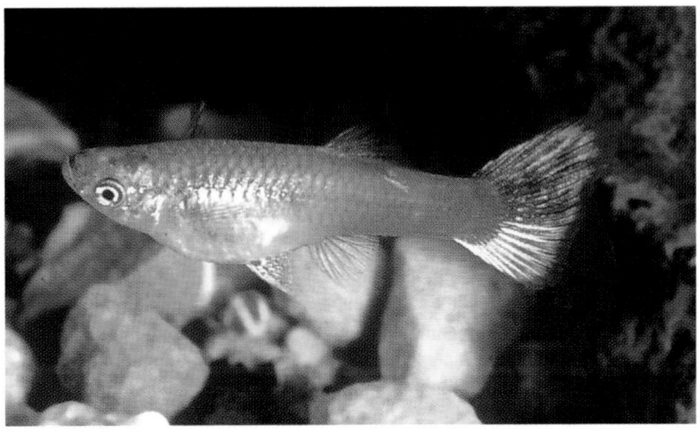

S64118-4 Guppy
Triangel / Triangletail
„Nigrocaudatus", B, 6 cm
⊳ ₽ ○ ☺ [⊕] [▭] ≡ ➤ [S] ◈ ♀ **photo:** F. Teigler / A.C.S.

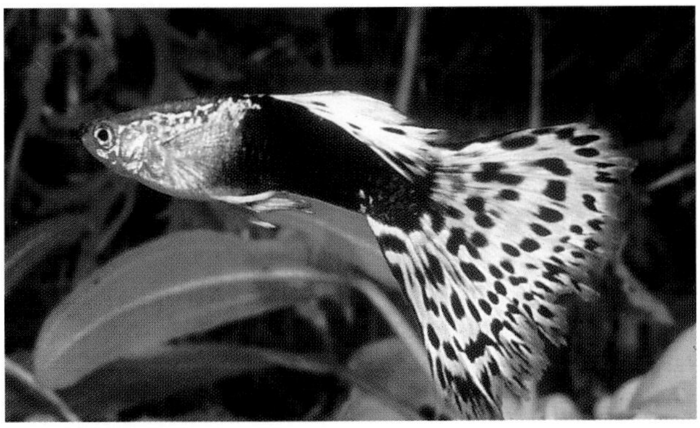

S64119-4 Guppy
Triangel / Triangletail
„Nigrocaudatus", B, 5 cm
⊳ ₽ ○ ☺ [⊕] [▭] ≡ ➤ [S] ◈ ♂ **photo:** F. P. Müllenholz

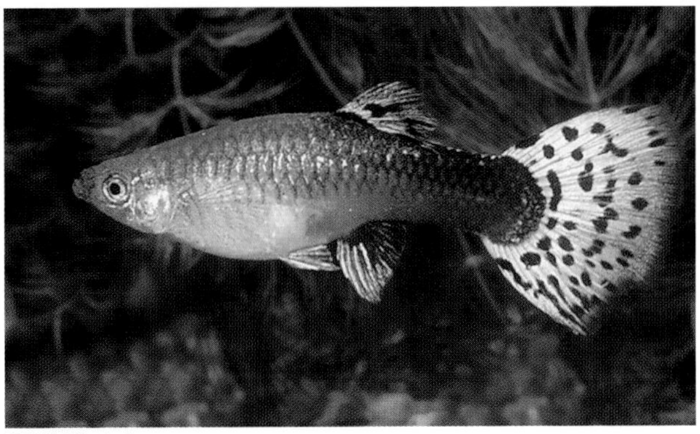

S64119-4 Guppy
Triangel / Triangletail
„Nigrocaudatus", B, 6 cm
⊳ ₽ ○ ☺ [⊕] [▭] ≡ ➤ [S] ◈ ♀ **photo:** F. P. Müllenholz

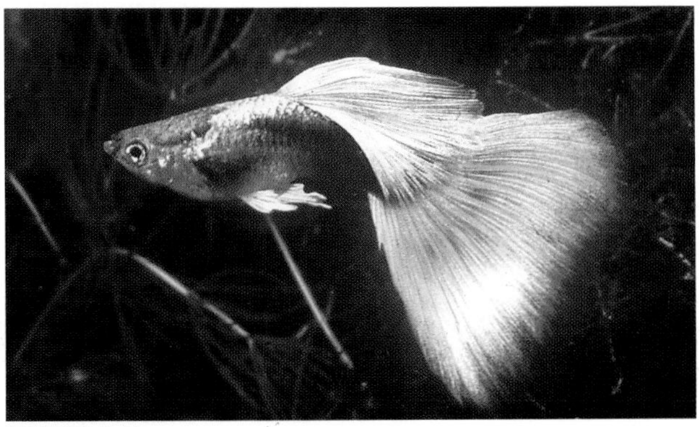

S64120-4 Guppy
Triangel / Triangletail
„Nigrocaudatus", grau halbschwarz weiß / grey halfblack white, B, 5 cm
⊳ ₽ ○ ☺ [⊕] [▭] ≡ ➤ [S] ◈ ♂ **photo:** F. P. Müllenholz

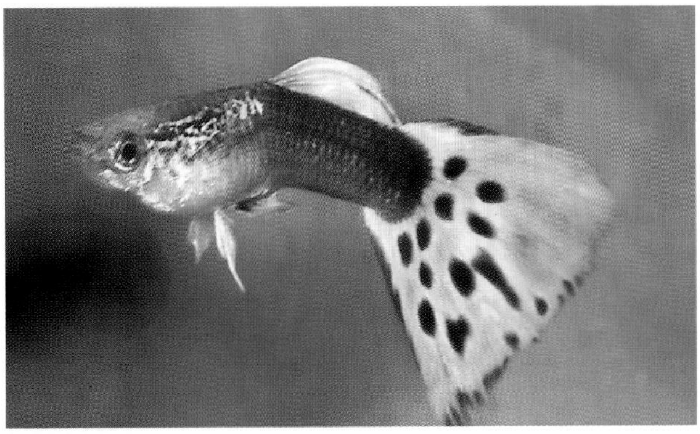

S64123-4 Guppy
Triangel / Triangletail
„Nigrocaudatus", B, 5 cm
⊳ ₽ ○ ☺ [⊕] [▭] ≡ ➤ [S] ◈ ♂ **photo:** E. Schraml

S64124-4 Guppy
Triangel / Triangletail
„Nigrocaudatus", grau halbschwarz bunt / grey halfblack multicoloured, B, 5 cm

▷ ♫ ○ ☺ ⊞ 🖾 ⇄ ⤳ Ⓢ ◈ ♂   **photo:** F. Teigler / A.C.S.

S64125-4 Guppy
Triangel / Triangletail
„Nigrocaudatus", grau halbschwarz rot / grey halfblack red, B, 5 cm

▷ ♫ ○ ☺ ⊞ 🖾 ⇄ ⤳ Ⓢ ◈ ♂   **photo:** E. Schraml

S64126-4 Guppy
Triangel / Triangletail
„Nigrocaudatus", grau halbschwarz rot / grey halfblack red, B, 5 + 6 cm

▷ ♫ ○ ☺ ⊞ 🖾 ⇄ ⤳ Ⓢ ◈ ♂ ♀   **photo:** M.P. & Ch. Piednoir

S64127-4 Guppy
Triangel / Triangletail
„Nigrocaudatus", grau halbschwarz bunt / grey halfblack multicoloured, B, 5 cm

▷ ♫ ○ ☺ ⊞ 🖾 ⇄ ⤳ Ⓢ ◈ ♂   **photo:** H.J. Mayland

S64128-4 Guppy
Triangel / Triangletail
„Nigrocaudatus", B, 5 cm

▷ ♫ ○ ☺ ⊞ 🖾 ⇄ ⤳ Ⓢ ◈ ♂   **photo:** J. Glaser

S64128-4 Guppy
Triangel / Triangletail
„Nigrocaudatus", B, 6 cm

▷ ♫ ○ ☺ ⊞ 🖾 ⇄ ⤳ Ⓢ ◈ ♀   **photo:** J. Glaser

S64130-4 Guppy
Triangel / Triangletail
„Nigrocaudatus", B, 5 cm

▷ ♫ ○ ☺ ⊞ 🖾 ⇄ ⤳ Ⓢ ◈ ♂   **photo:** J. Glaser

S64130-4 Guppy
Triangel / Triangletail
„Nigrocaudatus", B, 6 cm

▷ ♫ ○ ☺ ⊞ 🖾 ⇄ ⤳ Ⓢ ◈ ♀   **photo:** J. Glaser

S64132-4 Guppy
Triangel / Triangletail
„Nigrocaudatus", grau / grey, B, 5 cm
▷ ♫ ○ ☺ ⊞ 🖼 ⇌ ⤳ Ⓢ ◈ ♂
photo: J. Glaser

S64133-4 Guppy
Triangel / Triangletail
„Nigrocaudatus", grau / grey, B, 6 cm
▷ ♫ ○ ☺ ⊞ 🖼 ⇌ ⤳ Ⓢ ◈ ♀
photo: U. Werner

S64134-4 Guppy
Triangel / Triangletail
Moskau / Moskow, grau / grey, B, 5 cm
▷ ♫ ○ ☺ ⊞ 🖼 ⇌ ⤳ Ⓢ ◈ ♂
photo: B. Teichfischer

S64135-4 Guppy
Triangel / Triangletail
Moskau / Moskow, B, 5 cm
▷ ♫ ○ ☺ ⊞ 🖼 ⇌ ⤳ Ⓢ ◈ ♂
photo: M. K. Meyer

S64136-4 Guppy
Triangel / Triangletail
Moskau / Moskow, grau / grey, B, 5 cm
▷ ♫ ○ ☺ ⊞ 🖼 ⇌ ⤳ Ⓢ ◈ ♂
photo: J. C. Merino

S64137-4 Guppy
Triangel / Triangletail
Moskau / Moskow, grau / grey, B, 5 cm
▷ ♫ ○ ☺ ⊞ 🖼 ⇌ ⤳ Ⓢ ◈ ♂
photo: J. C. Merino

S64138-4 Guppy
Triangel / Triangletail
Moskau / Moskow, grau / grey, B, 5 cm
▷ ♫ ○ ☺ ⊞ 🖼 ⇌ ⤳ Ⓢ ◈ ♂
photo: F. Teigler / A.C.S.

S64138-4 Guppy
Triangel / Triangletail
Moskau / Moskow, grau / grey, B, 6 cm
▷ ♫ ○ ☺ ⊞ 🖼 ⇌ ⤳ Ⓢ ◈ ♀
photo: F. Teigler / A.C.S.

S64137-4 Guppy
Triangel / Triangletail
Moskau / Moskow, B, 5 + 6 cm

photo: J. C. Merino

all Livebearers and Halfbeaks **alle Lébéndgebärenden** © **Verlag A.C.S. GmbH**

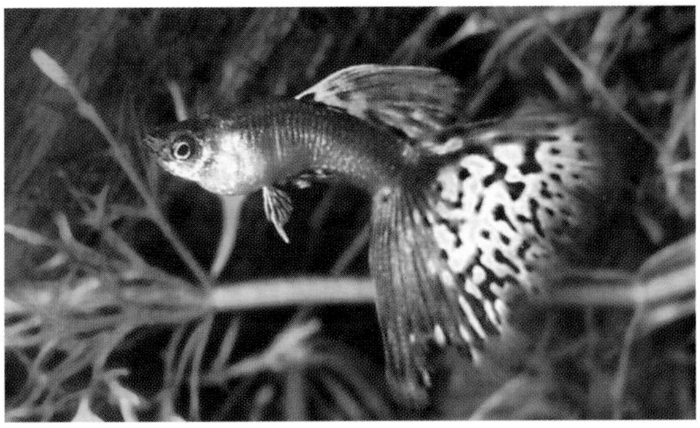

S64141-4 Guppy
Triangel / Triangletail
Moskau / Moskow, grau bunt / grey multicoloured, B, 5 cm
▷ ♇ ○ ☺ ⊞ ▣ ≋ 🐟 [S] ◈ ♂ photo: F. Teigler / A.C.S.

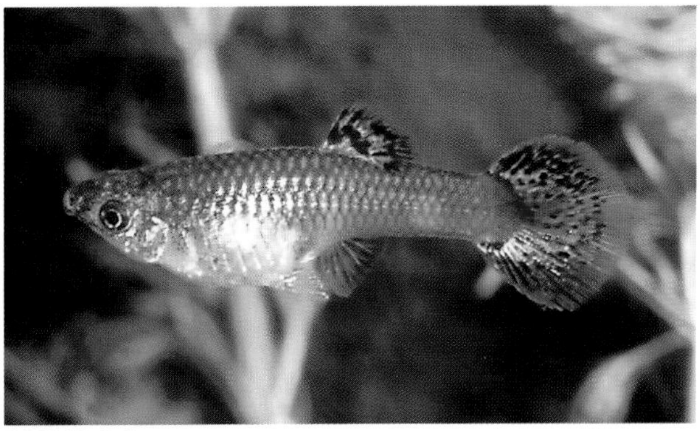

S64141-4 Guppy
Triangel / Triangletail
Moskau / Moskow, grau bunt / grey multicoloured, B, 6 cm
▷ ♇ ○ ☺ ⊞ ▣ ≋ 🐟 [S] ◈ ♀ photo: F. Teigler / A.C.S.

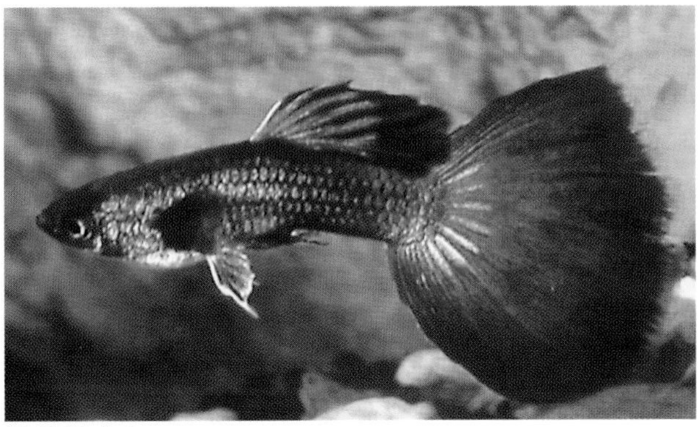

S64142-4 Guppy
Triangel / Triangletail
Moskau / Moskow, grau blau / grey blue, B, 5 cm
▷ ♇ ○ ☺ ⊞ ▣ ≋ 🐟 [S] ◈ ♂ photo: F. Teigler / A.C.S.

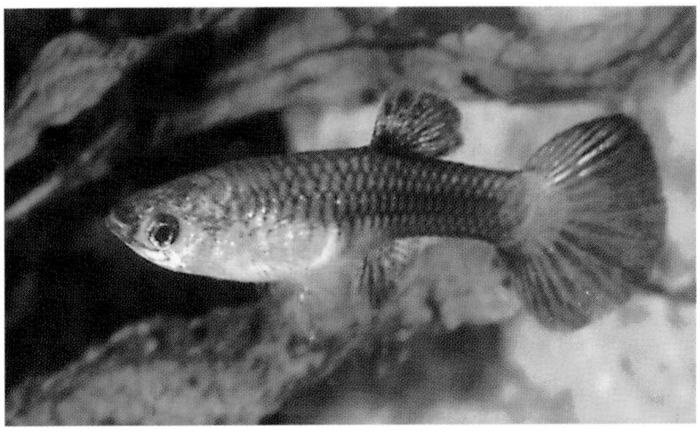

S64142-4 Guppy
Triangel / Triangletail
Moskau / Moskow, grau blau / grey blue, B, 6 cm
▷ ♇ ○ ☺ ⊞ ▣ ≋ 🐟 [S] ◈ ♀ photo: F. Teigler / A.C.S.

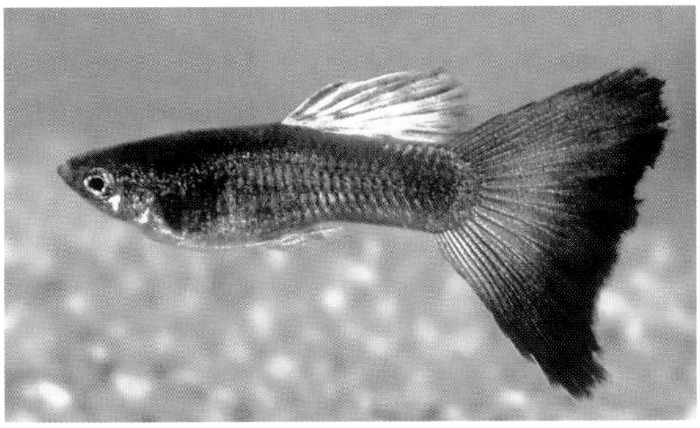

S64143-4 Guppy
Triangel / Triangletail
Moskau / Moskow, grau blau / grey blue, B, 5 cm
▷ ♇ ○ ☺ ⊞ ▣ ≋ 🐟 [S] ◈ ♂ photo: E. Schraml

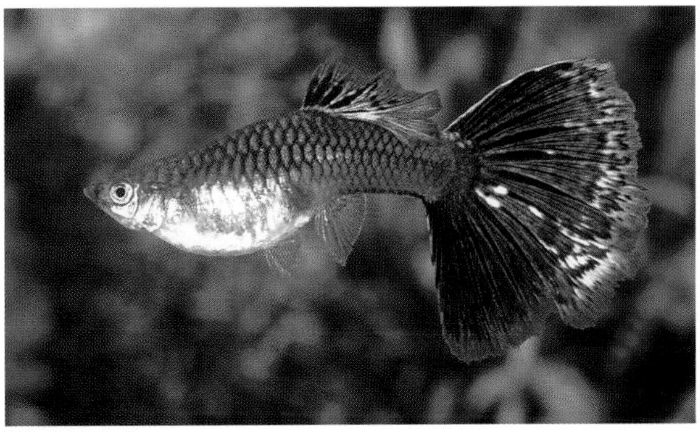

S64144-4 Guppy
Triangel / Triangletail
Moskau / Moskow, grau blau / grey blue, B, 6 cm
▷ ♇ ○ ☺ ⊞ ▣ ≋ 🐟 [S] ◈ ♀ photo: J. C. Merino

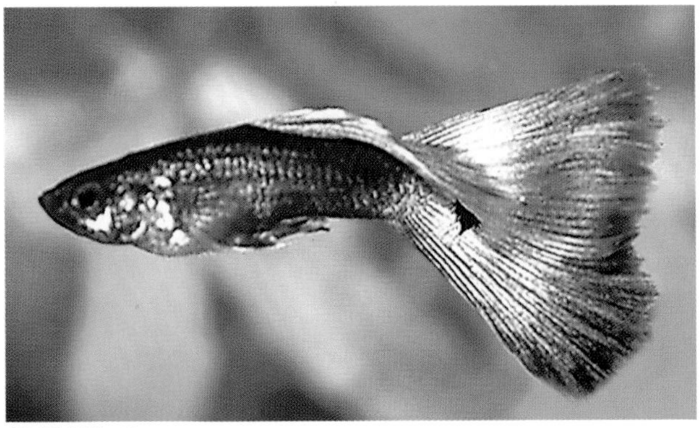

S641454 Guppy
Triangel / Triangletail
Moskau / Moskow, grau blau / grey blue, B, 5 cm
▷ ♇ ○ ☺ ⊞ ▣ ≋ 🐟 [S] ◈ ♂ photo: H. Hieronimus

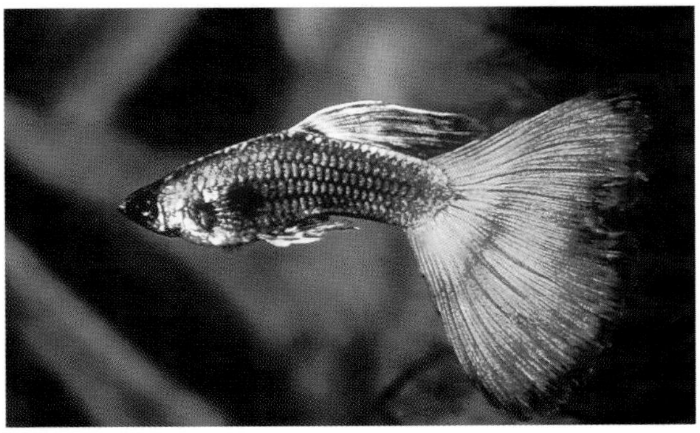

S64146-4 Guppy
Triangel / Triangletail
grau halbschwarz blau / grey halfblack blue, B, 5 cm
▷ ♇ ○ ☺ ⊞ ▣ ≋ 🐟 [S] ◈ ♂ photo: J. C. Merino

S64147-4 Guppy
Triangel / Triangletail
grau bunt snakeskin / grey multicoloured snakeskin, B, 5 cm

▷ 🏦 ○ ☺ ⊞ 🖼 ⩲ ➤ 🆂 ◈ ♂   photo: J. C. Merino

S64148-4 Guppy
Triangel / Triangletail
grau filigran / grey filigran, B, 5 cm

▷ 🏦 ○ ☺ ⊞ 🖼 ⩲ ➤ 🆂 ◈ ♂   photo: F. P. Müllenholz

S64149-4 Guppy
Triangel / Triangletail
grau snakeskin / grey snakeskin, B, 5 cm

▷ 🏦 ○ ☺ ⊞ 🖼 ⩲ ➤ 🆂 ◈ ♂   photo: H. Hieronimus

S64149-4 Guppy
Triangel / Triangletail
grau snakeskin / grey snakeskin, B, 6 cm

▷ 🏦 ○ ☺ ⊞ 🖼 ⩲ ➤ 🆂 ◈ ♀   photo: H. Hieronimus

S64151-4 Guppy
Triangel / Triangletail
Snakeskin, B, 5 cm

▷ 🏦 ○ ☺ ⊞ 🖼 ⩲ ➤ 🆂 ◈ ♂   photo: H. Hieronimus

S64378-4 Guppy
Triangel / Triangletail
grau filigran / grey filigran, B, 5 cm

▷ 🏦 ○ ☺ ⊞ 🖼 ⩲ ➤ 🆂 ◈ ♂   photo: F. Teigler / A.C.S.

S64378-4 Guppy
Triangel / Triangletail
grau filigran / grey filigran, B, 5 cm

▷ 🏦 ○ ☺ ⊞ 🖼 ⩲ ➤ 🆂 ◈ ♂   photo: F. Teigler / A.C.S.

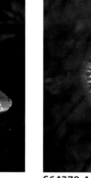

S64378-4 Guppy
Triangel / Triangletail
grau filigran / grey filigran, B, 6 cm

▷ 🏦 ○ ☺ ⊞ 🖼 ⩲ ➤ 🆂 ◈ ♀   photo: F. Teigler / A.C.S.

S64154-4 Guppy
Triangel / Triangletail
grau filigran bunt / grey filigran multicoloured, B, 5 cm

▷ 🐟 ○ ☺ ⊞ 🖼 ⇌ 🐟 ⑤ ◇ ♂
photo: J. Glaser

S64154-4 Guppy
Triangel / Triangletail
grau filigran bunt / grey filigran multicoloured, B, 6 cm

▷ 🐟 ○ ☺ ⊞ 🖼 ⇌ 🐟 ⑤ ◇ ♀
photo: J. Glaser

S64155-4 Guppy
Triangel / Triangletail
grau filigran bunt / grey filigran multicoloured, B, 5 cm

▷ 🐟 ○ ☺ ⊞ 🖼 ⇌ 🐟 ⑤ ◇ ♂
photo: A. Canovas

S64156-4 Guppy
Triangel / Triangletail
grau filigran bunt / grey filigran multicoloured, B, 5 cm

▷ 🐟 ○ ☺ ⊞ 🖼 ⇌ 🐟 ⑤ ◇ ♂
photo: A. Canovas

S64157-4 Guppy
Triangel / Triangletail
grau filigran bunt / grey filigran multicoloured, B, 5 cm

▷ 🐟 ○ ☺ ⊞ 🖼 ⇌ 🐟 ⑤ ◇ ♂
photo: F. P. Müllenholz

S64158-4 Guppy
Triangel / Triangletail
grau filigran bunt / grey filigran multicoloured, B, 5 cm

▷ 🐟 ○ ☺ ⊞ 🖼 ⇌ 🐟 ⑤ ◇ ♂
photo: U. Werner

S64159-4 Guppy
Triangel / Triangletail
grau filigran bunt / grey filigran multicoloured, B, 5 cm

▷ 🐟 ○ ☺ ⊞ 🖼 ⇌ 🐟 ⑤ ◇ ♂
photo: F. Teigler / A.C.S.

S64159-4 Guppy
Triangel / Triangletail
grau bunt / grey multicoloured, B, 5 cm

▷ 🐟 ○ ☺ ⊞ 🖼 ⇌ 🐟 ⑤ ◇ ♀
photo: F. Teigler / A.C.S.

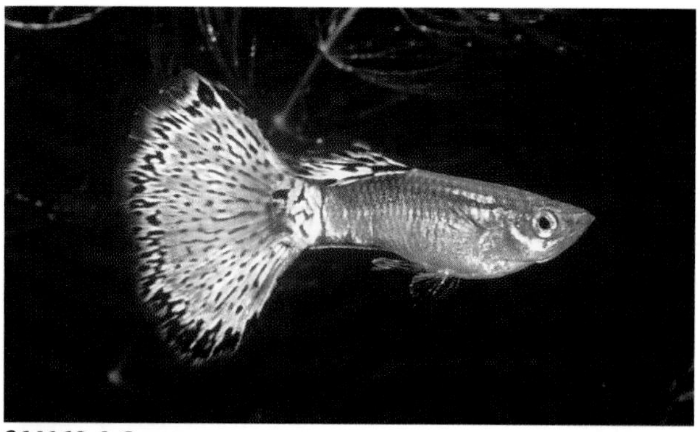

S64160-4 Guppy
Triangel / Triangletail
grau bunt / grey multicoloured, B, 5 cm
▷ ⚲ ○ ☺ ⊞ ▣ ≋ 🐟 [S] ◈ ♂ **photo:** M.P. & Ch. Piednoir

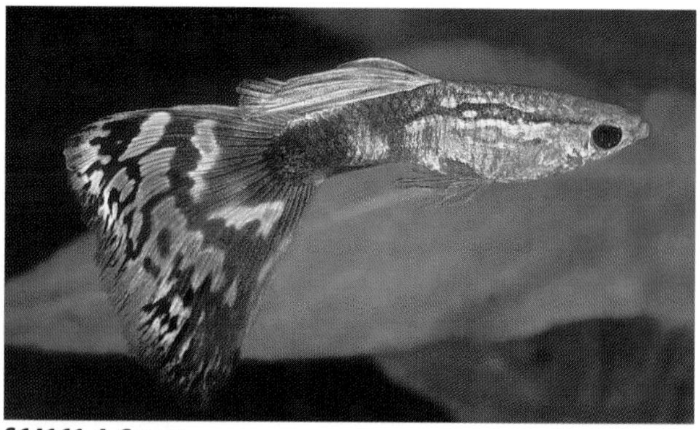

S64161-4 Guppy
Triangel / Triangletail
grau bunt / grey multicoloured, B, 5 cm
▷ ⚲ ○ ☺ ⊞ ▣ ≋ 🐟 [S] ◈ ♂ **photo:** J. Glaser

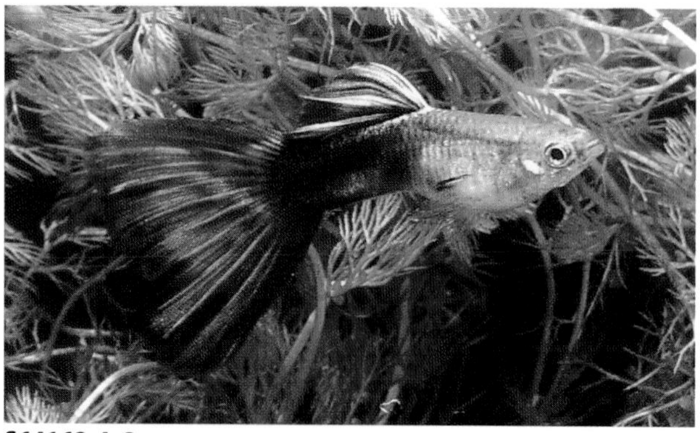

S64162-4 Guppy
Triangel / Triangletail
grau bunt / grey multicoloured, B, 5 cm
▷ ⚲ ○ ☺ ⊞ ▣ ≋ 🐟 [S] ◈ ♂ **photo:** O. Böhm

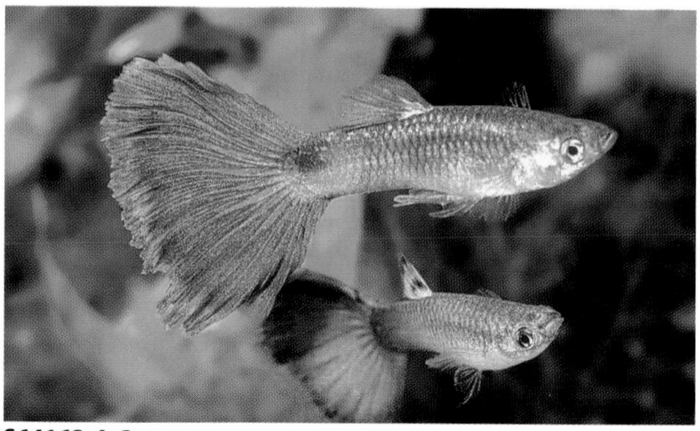

S64163-4 Guppy
Triangel / Triangletail
grau bunt / grey multicoloured, B, 5 cm
▷ ⚲ ○ ☺ ⊞ ▣ ≋ 🐟 [S] ◈ ♂ **photo:** H.J. Mayland

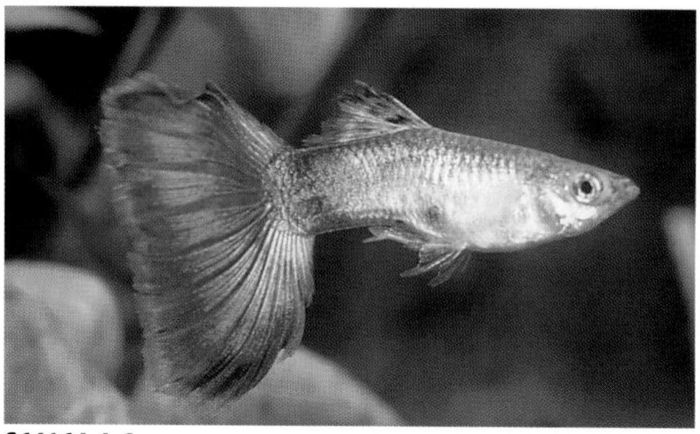

S64164-4 Guppy
Triangel / Triangletail
grau bunt / grey multicoloured, B, 5 cm
▷ ⚲ ○ ☺ ⊞ ▣ ≋ 🐟 [S] ◈ ♂ **photo:** H.J. Mayland

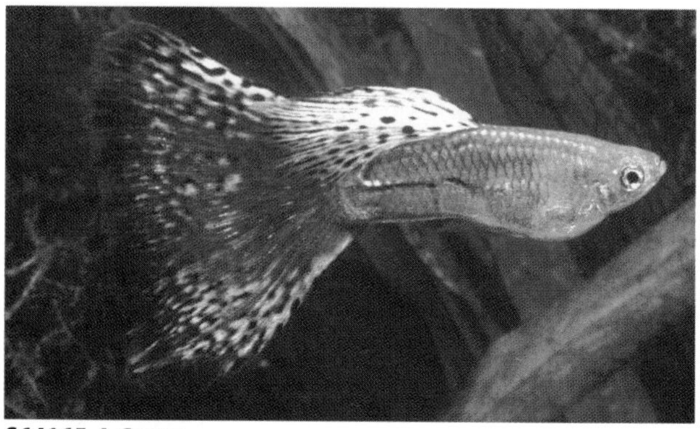

S64165-4 Guppy
Triangel / Triangletail
gold bunt / gold multicoloured, B, 5 cm
▷ ⚲ ○ ☺ ⊞ ▣ ≋ 🐟 [S] ◈ ♂ **photo:** F.P. Müllenholz

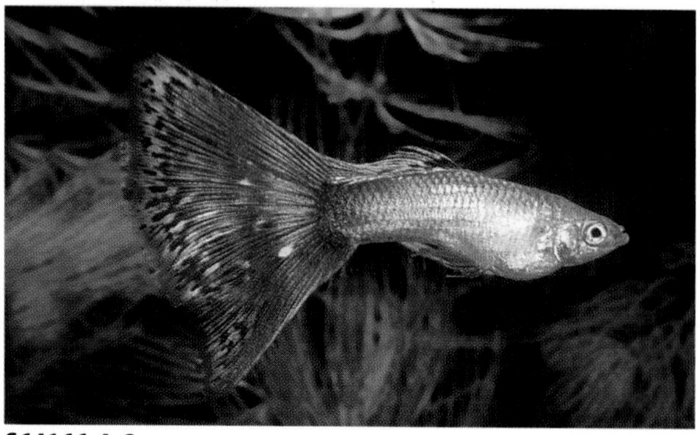

S64166-4 Guppy
Triangel / Triangletail
grau bunt / grey multicoloured, B, 5 cm
▷ ⚲ ○ ☺ ⊞ ▣ ≋ 🐟 [S] ◈ ♂ **photo:** F.P. Müllenholz

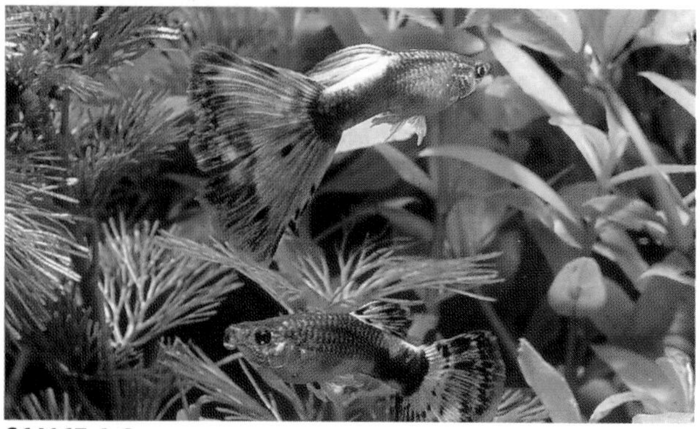

S64167-4 Guppy
Triangel / Triangletail
grau bunt / grey multicoloured, B, 5 + 6 cm
▷ ⚲ ○ ☺ ⊞ ▣ ≋ 🐟 [S] ◈ ♂ ♀ **photo:** M.P. & Ch. Piednoir

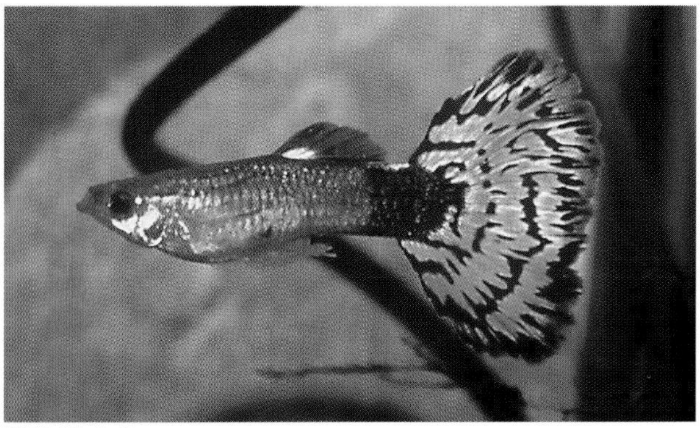

S64168-4 Guppy
Triangel / Triangletail
grau bunt / grey multicoloured, B, 5 cm
⊳ ⚲ ○ ☺ ⊞ ▣ ≋ ➔ [S] ◈ ♂ **photo:** U. Werner

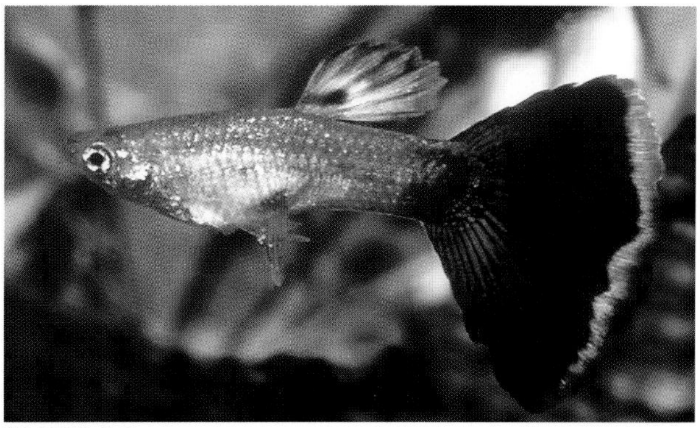

S64129-4 Guppy
Triangel / Triangletail
grau bunt / grey multicoloured, B, 5 cm
⊳ ⚲ ○ ☺ ⊞ ▣ ≋ ➔ [S] ◈ ♂ **photo:** U. Werner

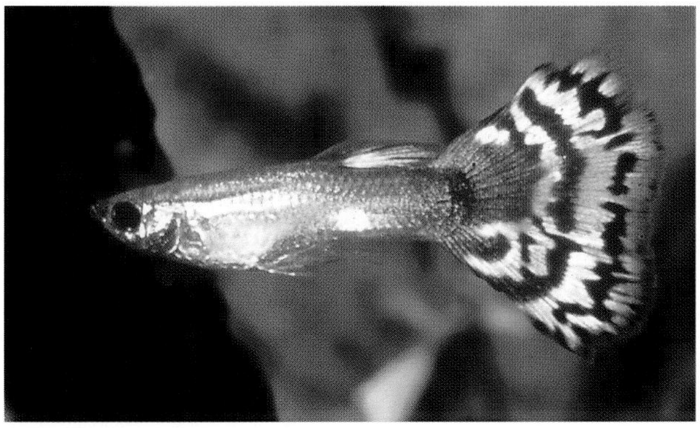

S64169-4 Guppy
Triangel / Triangletail
grau bunt / grey multicoloured, B, 5 cm
⊳ ⚲ ○ ☺ ⊞ ▣ ≋ ➔ [S] ◈ ♂ **photo:** U. Werner

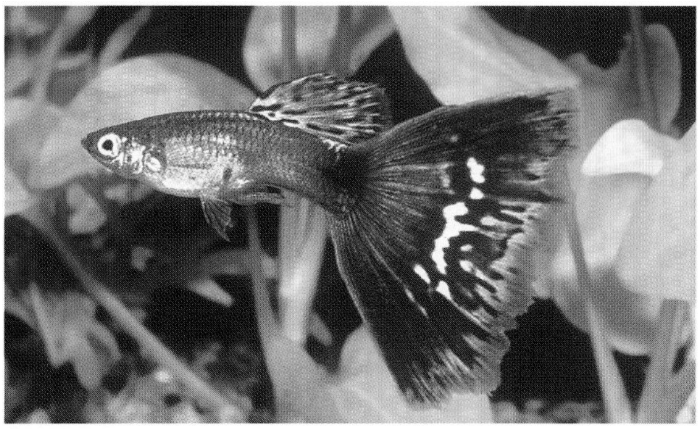

S64170-4 Guppy
Triangel / Triangletail
grau bunt / grey multicoloured, B, 5 cm
⊳ ⚲ ○ ☺ ⊞ ▣ ≋ ➔ [S] ◈ ♂ **photo:** F.P. Müllenholz

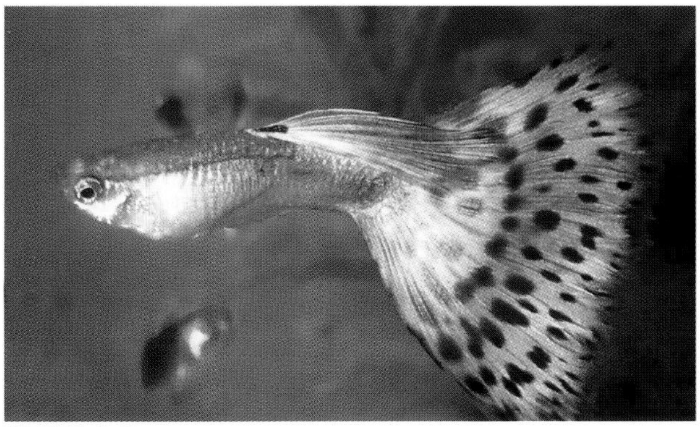

S64171-4 Guppy
Triangel / Triangletail
grau bunt / grey multicoloured, B, 5 cm
⊳ ⚲ ○ ☺ ⊞ ▣ ≋ ➔ [S] ◈ ♂ **photo:** E. Schraml

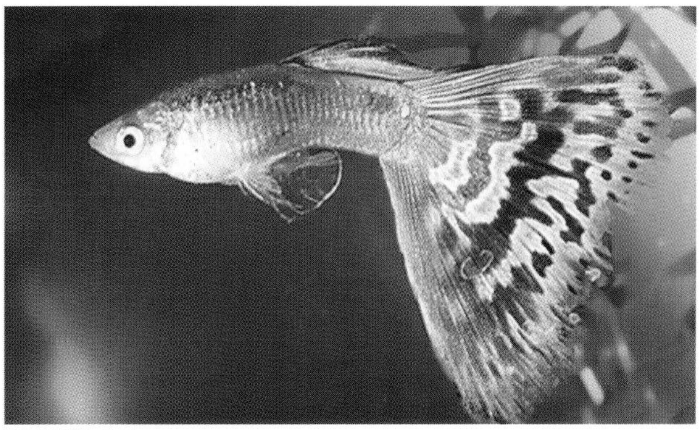

S64172-4 Guppy
Triangel / Triangletail
grau bunt / grey multicoloured, B, 5 cm
⊳ ⚲ ○ ☺ ⊞ ▣ ≋ ➔ [S] ◈ ♂ **photo:** B. Teichfischer

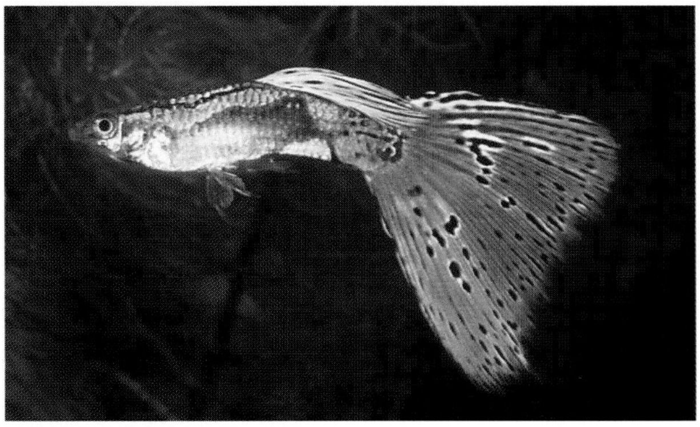

S64173-4 Guppy
Triangel / Triangletail
grau bunt / grey multicoloured, B, 5 cm
⊳ ⚲ ○ ☺ ⊞ ▣ ≋ ➔ [S] ◈ ♂ **photo:** J. C. Merino

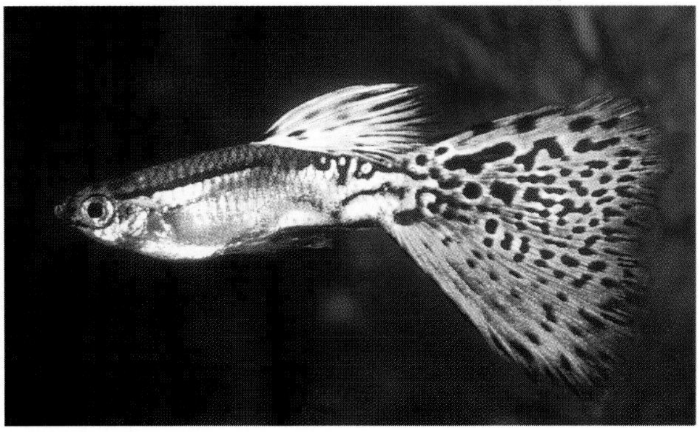

S64174-4 Guppy
Triangel / Triangletail
grau bunt / grey multicoloured, B, 5 cm
⊳ ⚲ ○ ☺ ⊞ ▣ ≋ ➔ [S] ◈ ♂ **photo:** J. C. Merino

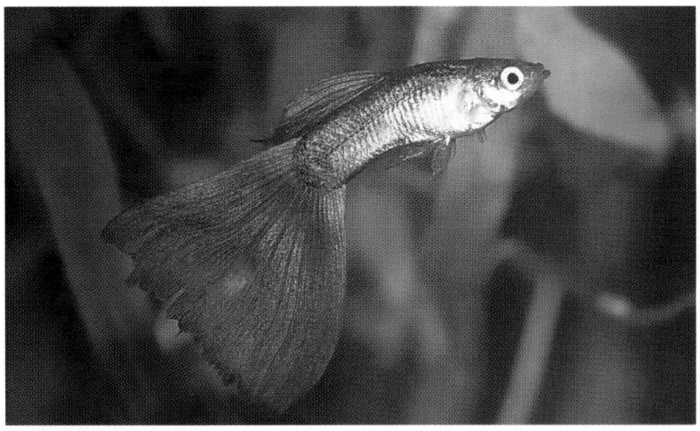

S64175-4 Guppy
Triangel / Triangletail
„Nigrocaudatus", blond halbschwarz / blond halfblack, B, 5 cm
⊳ ⚘ ○ ☺ ⊞ ▣ ≋ ➤ [S] ◈ ♂ **photo:** H. Hieronimus

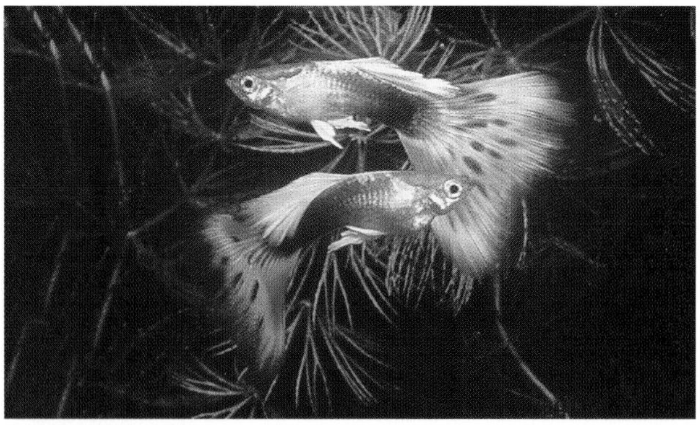

S64176-4 Guppy
Triangel / Triangletail
„Nigrocaudatus", blond halbschwarz bunt / blond halfblack multicoloured, B, 5 cm
⊳ ⚘ ○ ☺ ⊞ ▣ ≋ ➤ [S] ◈ ♂ **photo:** F.P. Müllenholz

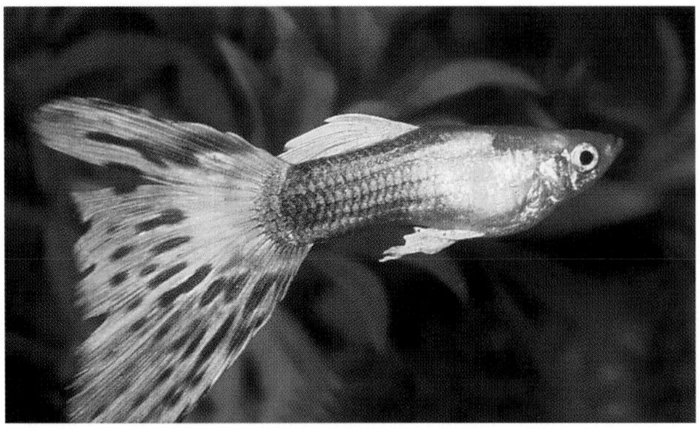

S64177-4 Guppy
Triangel / Triangletail
„Nigrocaudatus", blond halbschwarz bunt / blond halfblack multicoloured, B, 5 cm
⊳ ⚘ ○ ☺ ⊞ ▣ ≋ ➤ [S] ◈ ♂ **photo:** E. Schraml

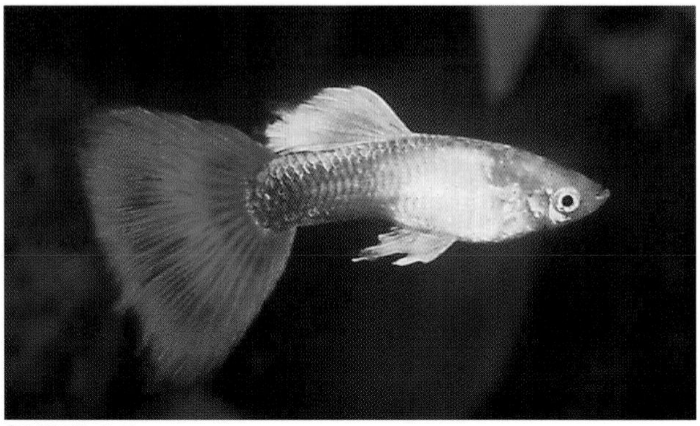

S64178-4 Guppy
Triangel / Triangletail
„Nigrocaudatus", blond halbschwarz rot / blond halfblack red, B, 5 cm
⊳ ⚘ ○ ☺ ⊞ ▣ ≋ ➤ [S] ◈ ♂ **photo:** F. Teigler / A.C.S.

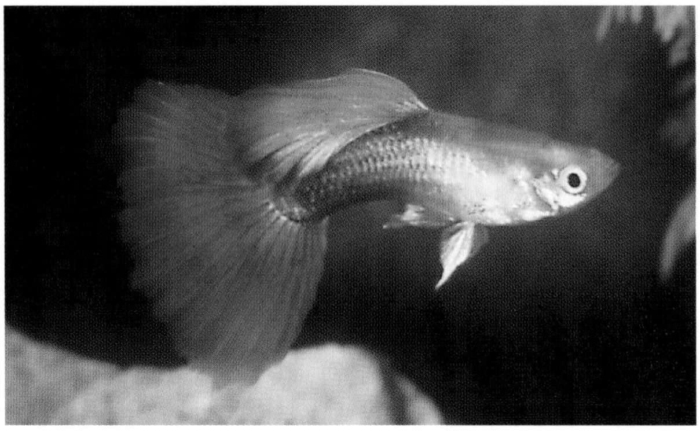

S64179-4 Guppy
Triangel / Triangletail
„Nigrocaudatus", blond halbschwarz rot / blond halfblack red, B, 5 cm
⊳ ⚘ ○ ☺ ⊞ ▣ ≋ ➤ [S] ◈ ♂ **photo:** F. Teigler / A.C.S.

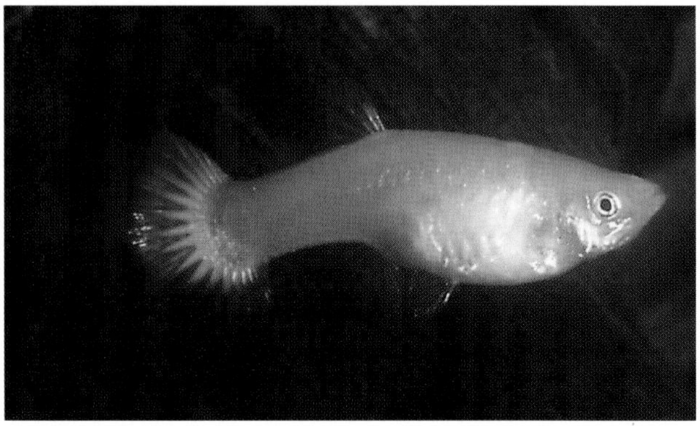

S64179-4 Guppy
Triangel / Triangletail
„Nigrocaudatus", blond halbschwarz rot / blond halfblack red, B, 6 cm
⊳ ⚘ ○ ☺ ⊞ ▣ ≋ ➤ [S] ◈ ♀ **photo:** F. Teigler / A.C.S.

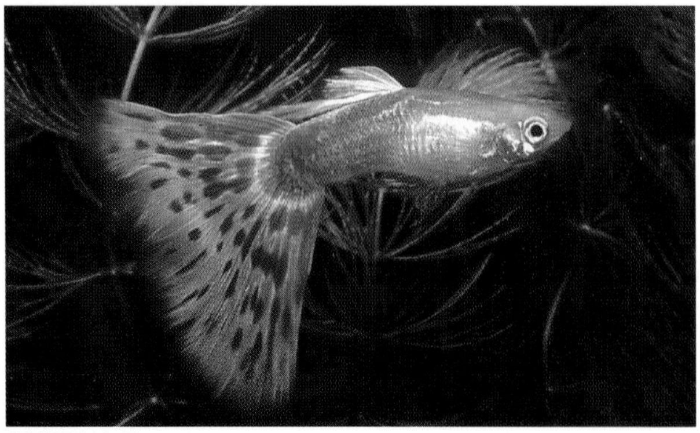

S64181-4 Guppy
Triangel / Triangletail
„Nigrocaudatus", blond halbschwarz bunt / blond halfblack multicoloured, B, 5 cm
⊳ ⚘ ○ ☺ ⊞ ▣ ≋ ➤ [S] ◈ ♂ **photo:** F.P. Müllenholz

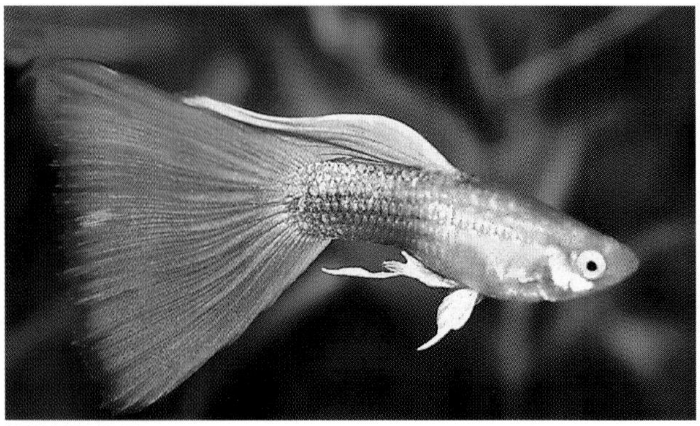

S64182-4 Guppy
Triangel / Triangletail
„Nigrocaudatus", blond halbschwarz rot / blond halfblack red, B, 5 cm
⊳ ⚘ ○ ☺ ⊞ ▣ ≋ ➤ [S] ◈ ♂ **photo:** H. Hieronimus

S64183-4 Guppy
Triangel / Triangletail
blond rot / blond red, B, 5 cm

▷♫○☺✚🖼🏊🐟🆂◈♂   photo: A. Canovas

S64184-4 Guppy
Triangel / Triangletail
blond rot / blond red, B, 5 cm

▷♫○☺✚🖼🏊🐟🆂◈♂   photo: M.P. & Ch. Piednoir

S64185-4 Guppy
Triangel / Triangletail
„Nigrocaudatus", blond halbschwarz gelb / blond halfblack yellow, B, 5 cm

▷♫○☺✚🖼🏊🐟🆂◈♂   photo: M.P. & Ch. Piednoir

S64186-4 Guppy
Triangel / Triangletail
blond rot / blond red, B, 5 cm

▷♫○☺✚🖼🏊🐟🆂◈♂   photo: E. Schraml

S64187-4 Guppy
Triangel / Triangletail
blond rot / blond red, B, 5 cm

▷♫○☺✚🖼🏊🐟🆂◈♂   photo: F. Teigler / A.C.S.

S64187-4 Guppy
Triangel / Triangletail
blond rot / blond red, B, 6 cm

▷♫○☺✚🖼🏊🐟🆂◈♀   photo: F. Teigler / A.C.S.

S64189-4 Guppy
Triangel / Triangletail
blond bunt metallic / blond multicoloured metallic, B, 5 cm

▷♫○☺✚🖼🏊🐟🆂◈♂   photo: Nakano / A.C.S.

S64190-4 Guppy
Triangel / Triangletail
blond bunt / blond multicoloured, B, 5 cm

▷♫○☺✚🖼🏊🐟🆂◈♂   photo: F.P. Müllenholz

S64188-4 Guppy
Triangel / Triangletail   blond bunt / blond multicoloured, B, 5 cm

photo: E. Schraml

S64180-4 Guppy
Triangel / Triangletail   blond halbschwarz rot / blond halfblack red, B, 5 cm

photo: F. Teigler / A.C.S.

S64191-4 Guppy
Triangel / Triangletail
blond rot / blond red, B, 5 cm

▷ ♫ ○ ☺ 🎴 🖼 ⇶ ⤚ 🅂 ◈ ♂   **photo:** F. Teigler / A.C.S.

S64192-4 Guppy
Triangel / Triangletail
blond rot / blond red, B, 5 cm

▷ ♫ ○ ☺ 🎴 🖼 ⇶ ⤚ 🅂 ◈ ♂   **photo:** J. C. Merino

S64193-4 Guppy
Triangel / Triangletail
blond rot / blond red, B, 5 cm

▷ ♫ ○ ☺ 🎴 🖼 ⇶ ⤚ 🅂 ◈ ♂   **photo:** H. Hieronimus

S64194-4 Guppy
Triangel / Triangletail
„Nigrocaudatus", blond halbschwarz rot / blond halfblack red, B, 5 cm

▷ ♫ ○ ☺ 🎴 🖼 ⇶ ⤚ 🅂 ◈ ♂   **photo:** B. Teichfischer

S64195-4 Guppy
Triangel / Triangletail
Moskau / Moskow, blond, B, 5 cm

▷ ♫ ○ ☺ 🎴 🖼 ⇶ ⤚ 🅂 ◈ ♂   **photo:** J. C. Merino

S64196-4 Guppy
Triangel / Triangletail
blond filigran bunt / blond filigran multicoloured, B, 5 cm

▷ ♫ ○ ☺ 🎴 🖼 ⇶ ⤚ 🅂 ◈ ♂   **photo:** F. Teigler / A.C.S.

S64197-4 Guppy
Triangel / Triangletail
blond bunt / blond multicoloured, B, 6 cm

▷ ♫ ○ ☺ 🎴 🖼 ⇶ ⤚ 🅂 ◈ ♀   **photo:** F. Teigler / A.C.S.

S64152-4 Guppy
Triangel / Triangletail
blond bunt / blond multicoloured, B, 6 cm

▷ ♫ ○ ☺ 🎴 🖼 ⇶ ⤚ 🅂 ◈ ♀   **photo:** F. Teigler / A.C.S.

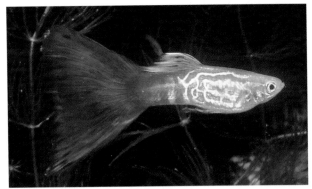

S64198-4 Guppy
Triangel / Triangletail
blond filigran bunt / blond filigran multicoloured, B, 5 cm

▷ ♫ ○ ☺ ⊞ 🖼 ≆ ≯ Ⓢ ◈ ♂   photo: F.P. Müllenholz

S64199- Guppy
Triangel / Triangletail
blond filigran albino / blond filigran albino, B, 5 cm

▷ ♫ ○ ☺ ⊞ 🖼 ≆ ≯ Ⓢ ◈ ♂   photo: H. Hieronimus

S64200-4 Guppy
Triangel / Triangletail
albino bunt / albino multicoloured, B, 5 cm

▷ ♫ ○ ☺ ⊞ 🖼 ≆ ≯ Ⓢ ◈ ♂   photo: F.P. Müllenholz

S64201-4 Guppy
Triangel / Triangletail
albino rot bunt / albino red multicoloured, B, 5 cm

▷ ♫ ○ ☺ ⊞ 🖼 ≆ ≯ Ⓢ ◈ ♂   photo: H. Hieronimus

S64202-4 Guppy
Triangel / Triangletail
lutino metallic bunt/ lutino metallic multicoloured, B, 5 cm

photo: J. C. Merino

S64203-4 Guppy
Triangel / Triangletail
„Nigrocaudatus", blau halbschwarz / blue halfblack, B, 5 cm

▷♬○☺⊞🖼🐟🗡🆂◇♂

S64203-4 Guppy
Triangel / Triangletail
„Nigrocaudatus", blau halbschwarz / blue halfblack, B, 6 cm

▷♬○☺⊞🖼🐟🗡🆂◇♀

S64204-4 Guppy
Triangel / Triangletail
blau blau / blue blue, B, 5 cm

▷♬○☺⊞🖼🐟🗡🆂◇♂

S64204-4 Guppy
Triangel / Triangletail
blau blau / blue blue, B, 6 cm

▷♬○☺⊞🖼🐟🗡🆂◇♀

S64205-4 Guppy
Triangel / Triangletail
„Nigrocaudatus", blau blau / blue blue, B, 5 cm

S64206-4 Guppy
Triangel / Triangletail
grau metallic bunt / grey matallic multicoloured, B, 5 cm
▷ ⚘ ○ ☺ ⊞ ▣ ≡ ➤ [S] ◈ ♂ **photo:** A. Canovas

S64207-4 Guppy
Triangel / Triangletail
grau metallic bunt / grey matallic multicoloured, B, 5 cm
▷ ⚘ ○ ☺ ⊞ ▣ ≡ ➤ [S] ◈ ♂ **photo:** J. C. Merino

S64208-4 Guppy
Triangel / Triangletail
grau metallic / grey metallic, B, 5 cm
▷ ⚘ ○ ☺ ⊞ ▣ ≡ ➤ [S] ◈ ♂ **photo:** H. Hieronimus

S64209-4 Guppy
Triangel / Triangletail
grau metallic / grey metallic, B, 5 cm
▷ ⚘ ○ ☺ ⊞ ▣ ≡ ➤ [S] ◈ ♂ **photo:** F. Teigler / A.C.S.

S64210-4 Guppy
Triangel / Triangletail
grau bunt / grey multicoloured, B, 6 cm
▷ ⚘ ○ ☺ ⊞ ▣ ≡ ➤ [S] ◈ ♀ **photo:** F. Teigler / A.C.S.

S64211-4 Guppy
Triangel / Triangletail
grau bunt / grey multicoloured, B, 6 cm
▷ ⚘ ○ ☺ ⊞ ▣ ≡ ➤ [S] ◈ ♀ **photo:** F. Teigler / A.C.S.

S64253-4 Guppy
Triangel / Triangletail
grau bunt / grey multicoloured, B, 6 cm
▷ ⚘ ○ ☺ ⊞ ▣ ≡ ➤ [S] ◈ ♀ **photo:** F. Teigler / A.C.S.

S64150-4 Guppy
Triangel / Triangletail
grau gelb / grey multicoloured, B, 6 cm
▷ ⚘ ○ ☺ ⊞ ▣ ≡ ➤ [S] ◈ ♀ **photo:** F. Teigler / A.C.S.

S64212-4 Guppy
Triangel / Triangletail
gold bunt / gold multicoloured, B, 5 cm

▷♫○☺⊞🖼️🐟➤ⓢ◈♂   photo: F.P. Müllenholz

S64212-4 Guppy
Triangel / Triangletail
gold bunt / gold multicoloured, B, 6 cm

▷♫○☺⊞🖼️🐟➤ⓢ◈♀   photo: F.P. Müllenholz

S64213-4 Guppy
Triangel / Triangletail
Pink, B, 5 cm

▷♫○☺⊞🖼️🐟➤ⓢ◈♂   photo: F. Teigler / A.C.S.

S64213-4 Guppy
Triangel / Triangletail
Pink, B, 6 cm

▷♫○☺⊞🖼️🐟➤ⓢ◈♀   photo: F. Teigler / A.C.S.

S64214-4 Guppy
Triangel / Triangletail
weiß bunt / white multicoloured, B, 5 cm

photo: F.P. Müllenholz

S64215-4 Guppy
Fächerschwanz / Fantail
„Nigrocaudatus", blau / blue, B, 5 cm

▷ ♫ ○ ☺ ⊞ 🖼 ⚖ ↬ 🆂 ◈ ♂   photo: F. Teigler/ A.C.S.

S64216-4 Guppy
Fächerschwanz / Fantail
„Nigrocaudatus", blond halbschwarz weiß / blond halfblack white, B, 5 cm

▷ ♫ ○ ☺ ⊞ 🖼 ⚖ ↬ 🆂 ◈ ♂   photo: F.P. Müllenholz

S64217-4 Guppy
Fächerschwanz / Fantail   „Nigrocaudatus",
grau halbschwarz weiß metallic / blond halfblack white metallic, B, 5 cm

▷ ♫ ○ ☺ ⊞ 🖼 ⚖ ↬ 🆂 ◈ ♂   photo: Nakano / A.C.S.

S64218-4 Guppy
Fächerschwanz / Fantail
grau metallic bunt / grey metallic multicoloured, B, 5 cm

▷ ♫ ○ ☺ ⊞ 🖼 ⚖ ↬ 🆂 ◈ ♂   photo: Nakano / A.C.S.

S64219-4 Guppy
Fächerschwanz / Fantail
grau metallic bunt / grey metallic multicoloured, B, 5 cm

▷ ♫ ○ ☺ ⊞ 🖼 ⚖ ↬ 🆂 ◈ ♂   photo: F. Teigler/ A.C.S.

S64220-4 Guppy
Fächerschwanz / Fantail
grau metallic bunt / grey metallic multicoloured, B, 5 cm

▷ ♫ ○ ☺ ⊞ 🖼 ⚖ ↬ 🆂 ◈ ♂   photo: F. Teigler/ A.C.S.

S64221-4 Guppy
Fächerschwanz / Fantail
grau bunt / grey multicoloured, B, 5 + 6 cm

▷ ♫ ○ ☺ ⊞ 🖼 ⚖ ↬ 🆂 ◈ ♂ ♀   photo: B. Teichfischer

S64222-4 Guppy
Fächerschwanz / Fantail
grau snakeskin / grey snakeskin, B, 5 cm

▷ ♫ ○ ☺ ⊞ 🖼 ⚖ ↬ 🆂 ◈ ♂   photo: F. Teigler/ A.C.S.

S64228-4 Guppy
Fächerschwanz / Fantail   grau bunt / grey multicoloured, B, 5 cm

photo: F. Teigler/ A.C.S.

S64229-4 Guppy
Fächerschwanz / Fantail   „Nigrocaudatus", grau halbschwarz blau / grey halfblack blue, B, 5 cm

photo: F. Teigler/ A.C.S.

S64223-4 Guppy Handelsname / Trade name „Eldorado"
Triangel / Triangletail
grau metallic bunt / grey metallic multicoloured, B, 5 cm
▷ ⚘ ○ ☺ ⊞ ▣ ≋ ➤ [S] ◈ ♂ **photo:** F. Teigler/ A.C.S.

S64223-4 Guppy Handelsname / Trade name „Eldorado"
Triangel / Triangletail
grau metallic bunt / grey metallic multicoloured, B, 6 cm
▷ ⚘ ○ ☺ ⊞ ▣ ≋ ➤ [S] ◈ ♀ **photo:** F. Teigler/ A.C.S.

S64224-4 Guppy Handelsname / Trade name „Lemon"
Triangel / Triangletail
grau metallic gelb / grey metallic yellow, B, 5 cm
▷ ⚘ ○ ☺ ⊞ ▣ ≋ ➤ [S] ◈ ♂ **photo:** F. Teigler/ A.C.S.

S64225-4 Guppy
Triangel / Triangletail
grau metallic bunt / grey metallic multicoloured, B, 5 cm
▷ ⚘ ○ ☺ ⊞ ▣ ≋ ➤ [S] ◈ ♂ **photo:** U. Werner

S64226-3 Guppy Handelsname / Trade name „Sunset Pink"
kein Standard / no standard
blond bunt / blond multicoloured, B, 5 cm
▷ ⚘ ○ ☺ ⊞ ▣ ≋ ➤ [S] ◈ ♂ **photo:** F. Teigler/ A.C.S.

S64226-4 Guppy Handelsname / Trade name „Sunset Pink"
kein Standard / no standard
blond bunt / blond multicoloured, B, 5 cm
▷ ⚘ ○ ☺ ⊞ ▣ ≋ ➤ [S] ◈ ♂ **photo:** F. Teigler/ A.C.S.

S64227-3 Guppy Handelsname / Trade name „Sunset"
Triangel / Triangletail
blond metallic, B, 5 cm
▷ ⚘ ○ ☺ ⊞ ▣ ≋ ➤ [S] ◈ ♂ **photo:** F. Teigler/ A.C.S.

S64227-4 Guppy Handelsname / Trade name „Sunset"
Triangel / Triangletail
blond metallic, B, 5 cm
▷ ⚘ ○ ☺ ⊞ ▣ ≋ ➤ [S] ◈ ♂ **photo:** F. Teigler/ A.C.S.

S64900-4 Sphenops-Molly
Normal-Flosser / Normal finned
Wildfarbig / Wild-coloured, B, 6 cm

⚠ ⇈P ○ ☺ ⊕ 🈧 🖾 ⌇ ⤳ ⅿ ◈ ♂   **photo:** J. Glaser

S64900-4 Sphenops-Molly
Normal-Flosser / Normal finned
Wildfarbig / Wild-coloured, B, 8 cm

⚠ ⇈P ○ ☺ ⊕ 🈧 🖾 ⌇ ⤳ ⅿ ◈ ♀   **photo:** J. Glaser

S64904-4 Sphenops-Molly
Normal-Flosser / Normal finned
Liberty-Molly, B, 6 cm

⚠ ⇈P ○ ☺ ⊕ 🈧 🖾 ⌇ ⤳ ⅿ ◈ ♂   **photo:** H.J. Mayland

S64905-4 Sphenops-Molly
Normal-Flosser / Normal finned
Liberty-Molly, B, 6 cm

⚠ ⇈P ○ ☺ ⊕ 🈧 🖾 ⌇ ⤳ ⅿ ◈ ♂   **photo:** O. Böhm

S64906-4 Sphenops-Molly
Normal-Flosser / Normal finned
Black Molly, B, 6 cm

⚠ ⇈P ○ ☺ ⊕ 🈧 🖾 ⌇ ⤳ ⅿ ◈ ♂   **photo:** H. Hieronimus

S64907-4 Sphenops-Molly
Normal-Flosser / Normal finned
Black Molly, B, 6 cm

⚠ ⇈P ○ ☺ ⊕ 🈧 🖾 ⌇ ⤳ ⅿ ◈ ♂ ♀   **photo:** H. Hieronimus

S64908-4 Sphenops-Molly
Normal-Flosser / Normal finned
Black Molly, B, 6 cm

⚠ ⇈P ○ ☺ ⊕ 🈧 🖾 ⌇ ⤳ ⅿ ◈ ♂   **photo:** J. C. Merino

S64908-4 Sphenops-Molly
Normal-Flosser / Normal finned
Black Molly, B, 6 cm

⚠ ⇈P ○ ☺ ⊕ 🈧 🖾 ⌇ ⤳ ⅿ ◈ ♀   **photo:** J. C. Merino

S64910-4 Sphenops-Molly
Normal-Flosser / Normal finned
Gold Dust Molly, B, 6 cm

⚠ �↑P ○ ☺ ⊕ ⊞ ▦ ⇌ ✈ ⓜ ◈ ♂   **photo:** F. Teigler/ A.C.S.

S64910-4 Sphenops-Molly
Normal-Flosser / Normal finned
Gold Dust Molly, B, 8 cm

⚠ �↑P ○ ☺ ⊕ ⊞ ▦ ⇌ ✈ ⓜ ◈ ♀   **photo:** F. Teigler/ A.C.S.

S64911-4 Sphenops-Molly
Normal-Flosser / Normal finned
Gold Dust Molly, B, 6 cm

⚠ �↑P ○ ☺ ⊕ ⊞ ▦ ⇌ ✈ ⓜ ◈ ♂   **photo:** A. Canovas

S64912-4 Sphenops-Molly
Normal-Flosser / Normal finned
Gold Dust Molly, B, 6 cm

⚠ �↑P ○ ☺ ⊕ ⊞ ▦ ⇌ ✈ ⓜ ◈ ♂   **photo:** J. C. Merino

S64913-4 Sphenops-Molly
Normal-Flosser / Normal finned
Gold Dust Molly, B, 6 cm

⚠ �↑P ○ ☺ ⊕ ⊞ ▦ ⇌ ✈ ⓜ ◈ ♂   **photo:** F. Teigler/ A.C.S.

S64914-4 Sphenops-Molly
Normal-Flosser / Normal finned
Marbled Molly, B, 6 cm

⚠ �↑P ○ ☺ ⊕ ⊞ ▦ ⇌ ✈ ⓜ ◈ ♂   **photo:** B. Teichfischer

S64915-4 Sphenops-Molly
Normal-Flosser / Normal finned
Golden Molly, B, 6 cm

⚠ �↑P ○ ☺ ⊕ ⊞ ▦ ⇌ ✈ ⓜ ◈ ♂   **photo:** M. K. Meyer

S64915-4 Sphenops-Molly
Normal-Flosser / Normal finned
Golden Molly, B, 6 cm

⚠ �↑P ○ ☺ ⊕ ⊞ ▦ ⇌ ✈ ⓜ ◈ ♀   **photo:** F. Teigler/ A.C.S.

S63700-3 Latipinna-Molly
Guppy-Schwanz / Guppy tailed
Albino Molly, B, 8 cm

⚠ ⇡P ○ ☺ ⊕ 🔲 🖼 ⇌ ✈ 🔲 ◈ ♂ photo: E. Schraml

S63700-3 Latipinna-Molly
Guppy-Schwanz / Guppy tailed
Albino Molly, B, 9 cm

⚠ ⇡P ○ ☺ ⊕ 🔲 🖼 ⇌ ✈ 🔲 ◈ ♀ photo: E Schraml

S63703-4 Latipinna-Molly
Normal-Flosser / Normal finned
Black Molly, B, 8 cm

⚠ ⇡P ○ ☺ ⊕ 🔲 🖼 ⇌ ✈ 🔲 ◈ ♂ photo: A. Canovas

S63703-4 Latipinna-Molly
Normal-Flosser / Normal finned
Black Molly, B, 9 cm

⚠ ⇡P ○ ☺ ⊕ 🔲 🖼 ⇌ ✈ 🔲 ◈ ♀ photo: A. Canovas

S63705-4 Latipinna-Molly
Normal-Flosser / Normal finned
Black Molly, B, 8 cm

⚠ ⇡P ○ ☺ ⊕ 🔲 🖼 ⇌ ✈ 🔲 ◈ ♂ photo: F. Teigler/ A.C.S.

S63705-4 Latipinna-Molly
Normal-Flosser / Normal finned
Black Molly, B, 9 cm

⚠ ⇡P ○ ☺ ⊕ 🔲 🖼 ⇌ ✈ 🔲 ◈ ♀ photo: F. Teigler/ A.C.S.

S63707-4 Latipinna-Molly
Normal-Flosser / Normal finned
Silver Molly, B, 8 cm

⚠ ⇡P ○ ☺ ⊕ 🔲 🖼 ⇌ ✈ 🔲 ◈ ♂ photo: O. Böhm

S63707-4 Latipinna-Molly
Normal-Flosser / Normal finned
Silver Molly, B, 9 cm

⚠ ⇡P ○ ☺ ⊕ 🔲 🖼 ⇌ ✈ 🔲 ◈ ♀ photo: F. Teigler/ A.C.S.

S63709-4 Latipinna-Molly
Normal-Flosser / Normal finned
Marbled Molly, B, 8 cm
⚠ ⇑P ○ ☺ ⊕ ⊞ 🔄 ⇌ ⤔ m̄ ◈ ♂

S63709-4 Latipinna-Molly
Normal-Flosser / Normal finned
Marbled Molly, B, 9 cm
⚠ ⇑P ○ ☺ ⊕ ⊞ 🔄 ⇌ ⤔ m̄ ◈ ♀

S63711-4 Latipinna-Molly
Normal-Flosser / Normal finned
Marbled Molly, B, 8 cm
⚠ ⇑P ○ ☺ ⊕ ⊞ 🔄 ⇌ ⤔ m̄ ◈ ♂

S63711-4 Latipinna-Molly
Normal-Flosser / Normal finned
Marbled Molly, B, 9 cm
⚠ ⇑P ○ ☺ ⊕ ⊞ 🔄 ⇌ ⤔ m̄ ◈ ♀

S63713-4 Latipinna-Molly
Normal-Flosser / Normal finned
Marbled Molly, B, 8 cm
⚠ ⇑P ○ ☺ ⊕ ⊞ 🔄 ⇌ ⤔ m̄ ◈ ♂

S63713-4 Latipinna-Molly
Normal-Flosser / Normal finned
Marbled Molly, B, 9 cm
⚠ ⇑P ○ ☺ ⊕ ⊞ 🔄 ⇌ ⤔ m̄ ◈ ♀

S63714-5 Latipinna-Molly
Normal-Flosser / Normal finned
Marbled Molly, B, 8 cm
⚠ ⇑P ○ ☺ ⊕ ⊞ 🔄 ⇌ ⤔ m̄ ◈ ♂

S63714-5 Latipinna-Molly
Normal-Flosser / Normal finned
Marbled Molly, B, 9 cm
⚠ ⇑P ○ ☺ ⊕ ⊞ 🔄 ⇌ ⤔ m̄ ◈ ♀

S63716-4 Latipinna-Molly
Normal-Flosser / Normal finned
Marbled Molly, B, 9 cm

⚠ ⇑P ○ ☺ ⊕ ⊞ ▩ ≢ ⤳ ▥ ◈ ♀   photo: A. Canovas

S63717-4 Latipinna-Molly
Normal-Flosser / Normal finned
Gold Dust Molly, B, 8 cm

⚠ ⇑P ○ ☺ ⊕ ⊞ ▩ ≢ ⤳ ▥ ◈ ♂   photo: M. K. Meyer

S63718-4 Latipinna-Molly
Normal-Flosser / Normal finned
Gold Dust Molly, B, 8 cm

⚠ ⇑P ○ ☺ ⊕ ⊞ ▩ ≢ ⤳ ▥ ◈ ♂   photo: M. Smith

S63718-4 Latipinna-Molly
Normal-Flosser / Normal finned
Gold Dust Molly, B, 9 cm

⚠ ⇑P ○ ☺ ⊕ ⊞ ▩ ≢ ⤳ ▥ ◈ ♀   photo: M. Smith

S63720-4 Latipinna-Molly
Normal-Flosser / Normal finned
Gold Dust Molly, B, 8 cm

⚠ ⇑P ○ ☺ ⊕ ⊞ ▩ ≢ ⤳ ▥ ◈ ♂   photo: M. Smith

S63720-4 Latipinna-Molly
Normal-Flosser / Normal finned
Gold Dust Molly, B, 9 cm

⚠ ⇑P ○ ☺ ⊕ ⊞ ▩ ≢ ⤳ ▥ ◈ ♀   photo: M. Smith

S63722-4 Latipinna-Molly
Normal-Flosser / Normal finned
Gold Dust Molly, B, 8 cm

⚠ ⇑P ○ ☺ ⊕ ⊞ ▩ ≢ ⤳ ▥ ◈ ♂   photo: F. Teigler/ A.C.S.

S63722-4 Latipinna-Molly
Normal-Flosser / Normal finned
Gold Dust Molly, B, 9 cm

⚠ ⇑P ○ ☺ ⊕ ⊞ ▩ ≢ ⤳ ▥ ◈ ♀   photo: F. Teigler/ A.C.S.

S63724-4 Latipinna-Molly
Normal-Flosser / Normal finned
Golden Molly, B, 8 cm

⚠ �↑P ○ ☺ ⊕ ⊞ ▥ ☱ ⤳ ▣ ◈ ♂   photo: F. Teigler/ A.C.S.

S63724-4 Latipinna-Molly
Normal-Flosser / Normal finned
Golden Molly, B, 9 cm

⚠ �↑P ○ ☺ ⊕ ⊞ ▥ ☱ ⤳ ▣ ◈ ♀   photo: F. Teigler/ A.C.S.

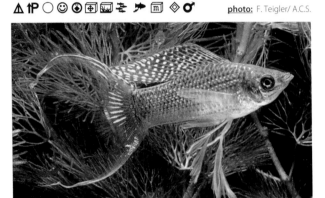

S63726-4 Latipinna-Molly
Lyra-Flosser / Lyre finned
Wildfarben / Wild coloured, B, 8 cm

⚠ ↑P ○ ☺ ⊕ ⊞ ▥ ☱ ⤳ ▣ ◈ ♂   photo: O. Böhm

S63726-4 Latipinna-Molly
Lyra-Flosser / Lyre finned
Wildfarben / Wild coloured, B, 9 cm

⚠ ↑P ○ ☺ ⊕ ⊞ ▥ ☱ ⤳ ▣ ◈ ♀   photo: F. Teigler/ A.C.S.

S63728-4 Latipinna-Molly
Lyra-Flosser / Lyre finned
Wildfarben / Wild coloured, B, 8 cm

⚠ ↑P ○ ☺ ⊕ ⊞ ▥ ☱ ⤳ ▣ ◈ ♂   photo: Migge-Reinhard / A.C.S.

S63729-4 Latipinna-Molly
Lyra-Flosser / Lyre finned
Wildfarben / Wild coloured, B, 9 cm

⚠ ↑P ○ ☺ ⊕ ⊞ ▥ ☱ ⤳ ▣ ◈ ♀   photo: F. Teigler/ A.C.S.

S63730-3 Latipinna-Molly
Lyra-Flosser / Lyre finned
Albino, B, 8 cm

⚠ ↑P ○ ☺ ⊕ ⊞ ▥ ☱ ⤳ ▣ ◈ ♂   photo: F. Teigler/ A.C.S.

S63730-3 Latipinna-Molly
Lyra-Flosser / Lyre finned
Albino, B, 9 cm

⚠ ↑P ○ ☺ ⊕ ⊞ ▥ ☱ ⤳ ▣ ◈ ♀   photo: F. Teigler/ A.C.S.

S64920-4 Latipinna-Molly
Lyra-Flosser / Lyre finned
Black Molly, B, 8 cm

photo: F. Teigler/ A.C.S.

S64920-4 Latipinna-Molly
Lyra-Flosser / Lyre finned
Black Molly, B, 9 cm

photo: F. Teigler/ A.C.S.

S63733-4 Latipinna-Molly
Lyra-Flosser / Lyre finned
Black Molly, B, 8 cm

photo: A. Canovas

S63734-4 Latipinna-Molly
Lyra-Flosser / Lyre finned
Black Molly, B, 9 cm

photo: H. Hieronimus

S63735-4 Latipinna-Molly
Lyra-Flosser / Lyre finned
Black Molly, B, 8 cm

photo: H.J. Mayland

S63736-4 Latipinna-Molly
Lyra-Flosser / Lyre finned
Marbled Molly, B, 8 cm

photo: H.J. Mayland

S63737-4 Latipinna-Molly
Lyra-Flosser / Lyre finned
Marbled Molly, B, 9 cm

photo: M. Smith

S63738-4 Latipinna-Molly
Lyra-Flosser / Lyre finned
Gold Dust Molly, B, 8 cm

photo: M.P. & Ch. Piednoir

S63739-4 Latipinna-Molly
Lyra-Flosser / Lyre finned
Golden Molly, B, 8 cm

⚠ ↑P ○ ☺ ✦ ⊞ 🖼 ⫩ ➤ m ◈ ♂   photo: H. Hieronimus

S63740-4 Latipinna-Molly
Lyra-Flosser / Lyre finned
Golden Molly, B, 8 cm

⚠ ↑P ○ ☺ ✦ ⊞ 🖼 ⫩ ➤ m ◈ ♂   photo: E. Schraml

S63741-4 Latipinna-Molly
Lyra-Flosser / Lyre finned
Golden Molly, B, 8 cm

⚠ ↑P ○ ☺ ✦ ⊞ 🖼 ⫩ ➤ m ◈ ♂   photo: A. Canovas

S63742-4 Latipinna-Molly
Lyra-Flosser / Lyre finned
Golden Molly, B, 9 cm

⚠ ↑P ○ ☺ ✦ ⊞ 🖼 ⫩ ➤ m ◈ ♀   photo: J. C. Merino

S63743-4 Latipinna-Molly
Lyra-Flosser / Lyre finned
GoldenAlbino Molly, B, 8 cm

⚠ ↑P ○ ☺ ✦ ⊞ 🖼 ⫩ ➤ m ◈ ♂   photo: B. Teichfischer

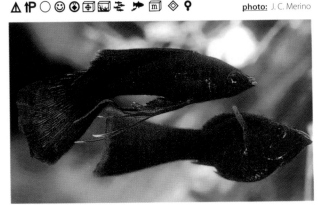

S63744-4 Latipinna-Molly
Lyra-Guppy-Flosser / Lyre & guppy finned
Black Molly, B, 8 +9 cm

⚠ ↑P ○ ☺ ✦ ⊞ 🖼 ⫩ ➤ m ◈ ♂ ♀   photo: Migge-Reinhard / A.C.S.

S63765-4 Velifera-Molly
Segelkärpfling, Lyraschwanz /Sailfin Molly, Lyretail
Gold Dust Molly, B, 10 cm

⚠ ↑P ○ ☺ ✦ ⊞ 🖼 ⫩ ➤ L ◈ ♂   photo: M.P. & Ch. Piednoir

S63766-4 Velifera-Molly
Segelkärpfling, Lyraschwanz /Sailfin Molly, Lyretail
Grün / Green, B, 10 cm

⚠ ↑P ○ ☺ ✦ ⊞ 🖼 ⫩ ➤ L ◈ ♂   photo: M.P. & Ch. Piednoir

S63740-4 Latipinna-Molly
Lyra-Flosser / Lyre finned   Golden Molly, B, 8 cm

photo: F. Teigler/ A.C.S.

S63733-4 Latipinna-Molly
Lyra-Flosser / Lyre finned   Black Molly, B, 8 cm

photo: M.P. & Ch. Piednoir

S65105-4 Velifera-Molly
Segelkärpfling / Sailfin Molly
Grün / Green, B, 10 cm

⚠ ⇡P ○ ☺ ⊕ ⊞ 🖼 ⇌ ⇒ 🗓 ◈ ♂   photo: J. Glaser

S65105-4 Velifera-Molly
Segelkärpfling / Sailfin Molly
Grün / Green, B, 12 cm

⚠ ⇡P ○ ☺ ⊕ ⊞ 🖼 ⇌ ⇒ 🗓 ◈ ♀   photo: F. Teigler/ A.C.S.

S63768-4 Velifera-Molly
Segelkärpfling / Sailfin Molly
Grün / Green, B, 10 cm

⚠ ⇡P ○ ☺ ⊕ ⊞ 🖼 ⇌ ⇒ 🗓 ◈ ♂   photo: F. Teigler/ A.C.S.

S63768-4 Velifera-Molly
Segelkärpfling / Sailfin Molly
Grün / Green, B, 12 cm

⚠ ⇡P ○ ☺ ⊕ ⊞ 🖼 ⇌ ⇒ 🗓 ◈ ♀   photo: F. Teigler/ A.C.S.

S63770-4 Velifera-Molly
Segelkärpfling / Sailfin Molly
Black Molly, B, 10 cm

⚠ ⇡P ○ ☺ ⊕ ⊞ 🖼 ⇌ ⇒ 🗓 ◈ ♂   photo: J. C. Merino

S63771-4 Velifera-Molly
Segelkärpfling / Sailfin Molly
Black Molly, B, 10 cm

⚠ ⇡P ○ ☺ ⊕ ⊞ 🖼 ⇌ ⇒ 🗓 ◈ ♂   photo: Migge-Reinhard / A.C.S.

S63772-4 Velifera-Molly
Segelkärpfling / Sailfin Molly
Black Molly, B, 10 cm

⚠ ⇡P ○ ☺ ⊕ ⊞ 🖼 ⇌ ⇒ 🗓 ◈ ♂   photo: B. Teichfischer

S63772-4 Velifera-Molly
Segelkärpfling / Sailfin Molly
Black Molly, B, 12 cm

⚠ ⇡P ○ ☺ ⊕ ⊞ 🖼 ⇌ ⇒ 🗓 ◈ ♀   photo: B. Teichfischer

S63773-4 Velifera-Molly
Segelkärpfling / Sailfin Molly
Black Molly, B, 10 cm

⚠ ⇑P ○ ☺ ⊕ ⊞ ⌷ ⇌ ⤛ 🔲 ◈ ♂   photo: F. Teigler / A.C.S.

S63773-4 Velifera-Molly
Segelkärpfling / Sailfin Molly
Black Molly, B, 12 cm

⚠ ⇑P ○ ☺ ⊕ ⊞ ⌷ ⇌ ⤛ 🔲 ◈ ♀   photo: F. Teigler / A.C.S.

S63775-4 Velifera-Molly
Segelkärpfling / Sailfin Molly
Silver Molly, B, 10 cm

⚠ ⇑P ○ ☺ ⊕ ⊞ ⌷ ⇌ ⤛ 🔲 ◈ ♂   photo: Nakano / A.C.S.

S63776-4 Velifera-Molly
Segelkärpfling / Sailfin Molly
Silver Molly, B, 10 + 12 cm

⚠ ⇑P ○ ☺ ⊕ ⊞ ⌷ ⇌ 🔲 ◈ ♂ ♀   photo: F. Teigler / A.C.S.

S63777-4 Velifera-Molly
Segelkärpfling / Sailfin Molly
Marbled Molly, B, 10 + 12 cm

⚠ ⇑P ○ ☺ ⊕ ⊞ ⌷ ⇌ ⤛ 🔲 ◈ ♂ ♀   photo: Migge-Reinhard / A.C.S.

S63777-4 Velifera-Molly
Segelkärpfling / Sailfin Molly
Marbled Molly, B, 12 cm

⚠ ⇑P ○ ☺ ⊕ ⊞ ⌷ ⇌ ⤛ 🔲 ◈ ♀   photo: B. Teichfischer

S63778-4 Velifera-Molly
Segelkärpfling / Sailfin Molly
Marbled Molly, B, 10 cm

⚠ ⇑P ○ ☺ ⊕ ⊞ ⌷ ⇌ ⤛ 🔲 ◈ ♂   photo: F. Teigler / A.C.S.

S63778-4 Velifera-Molly
Segelkärpfling / Sailfin Molly
Marbled Molly, B, 12 cm

⚠ ⇑P ○ ☺ ⊕ ⊞ ⌷ ⇌ ⤛ 🔲 ◈ ♀   photo: F. Teigler / A.C.S.

S63779-4 Velifera-Molly
Segelkärpfling / Sailfin Molly
Marbled Molly, Albino, B, 10 cm

⚠ ⇡P ○ ☺ ⊕ ⊞ 🖼 ⇌ ⤚ 🔟 ◈ ♂   **photo:** Migge-Reinhard / A.C.S.

S63779-4 Velifera-Molly
Segelkärpfling / Sailfin Molly
Marbled Molly, Albino, B, 12 cm

⚠ ⇡P ○ ☺ ⊕ ⊞ 🖼 ⇌ ⤚ 🔟 ◈ ♀   **photo:** F. Teigler / A.C.S.

S63781-4 Velifera-Molly
Segelkärpfling / Sailfin Molly
Marbled Molly, Albino, B, 10 cm

⚠ ⇡P ○ ☺ ⊕ ⊞ 🖼 ⇌ ⤚ 🔟 ◈ ♂   **photo:** F. Teigler / A.C.S.

S63781-4 Velifera-Molly
Segelkärpfling / Sailfin Molly
Marbled Molly, Albino, B, 12 cm

⚠ ⇡P ○ ☺ ⊕ ⊞ 🖼 ⇌ ⤚ 🔟 ◈ ♀   **photo:** F. Teigler / A.C.S.

S63783-4 Velifera-Molly
Segelkärpfling / Sailfin Molly
Gold Dust Molly, B, 10 cm

⚠ ⇡P ○ ☺ ⊕ ⊞ 🖼 ⇌ ⤚ 🔟 ◈ ♂   **photo:** F. Teigler / A.C.S.

S63783-4 Velifera-Molly
Segelkärpfling / Sailfin Molly
Gold Dust Molly, B, 12 cm

⚠ ⇡P ○ ☺ ⊕ ⊞ 🖼 ⇌ ⤚ 🔟 ◈ ♀   **photo:** F. Teigler / A.C.S.

S63785-4 Velifera-Molly
Segelkärpfling / Sailfin Molly
Gold Dust Molly, B, 10 cm

⚠ ⇡P ○ ☺ ⊕ ⊞ 🖼 ⇌ ⤚ 🔟 ◈ ♂   **photo:** E. Schraml

S63786-4 Velifera-Molly
Segelkärpfling / Sailfin Molly
Gold Dust Molly, Albino, B, 10 cm

⚠ ⇡P ○ ☺ ⊕ ⊞ 🖼 ⇌ ⤚ 🔟 ◈ ♂   **photo:** Nakano / A.C.S.

S63787-4 Velifera-Molly
Segelkärpfling / Sailfin Molly
Bronce Molly, B, 10 cm

⚠ ⇈P ○ ☺ ◉ ⊞ ▦ ⇌ ⤳ ⬜ ◈ ♂   photo: F. Teigler / A.C.S.

S63787-4 Velifera-Molly
Segelkärpfling / Sailfin Molly
Bronce Molly, B, 10 + 12 cm

⚠ ⇈P ○ ☺ ◉ ⊞ ▦ ⇌ ⤳ ⬜ ◈ ♂ ♀   photo: F. Teigler / A.C.S.

S63789-4 Velifera-Molly
Segelkärpfling / Sailfin Molly
Golden Molly, B, 10 cm

⚠ ⇈P ○ ☺ ◉ ⊞ ▦ ⇌ ⤳ ⬜ ◈ ♂   photo: F. Teigler / A.C.S.

S63789-4 Velifera-Molly
Segelkärpfling / Sailfin Molly
Golden Molly, B, 12 cm

⚠ ⇈P ○ ☺ ◉ ⊞ ▦ ⇌ ⤳ ⬜ ◈ ♀   photo: F. Teigler / A.C.S.

S63790-4 Velifera-Molly
Segelkärpfling / Sailfin Molly
Golden Molly, Albino, B, 10 cm

⚠ ⇈P ○ ☺ ◉ ⊞ ▦ ⇌ ⤳ ⬜ ◈ ♂   photo: F. Teigler / A.C.S.

S63790-4 Velifera-Molly
Segelkärpfling / Sailfin Molly
Golden Molly, Albino, B, 12 cm

⚠ ⇈P ○ ☺ ◉ ⊞ ▦ ⇌ ⤳ ⬜ ◈ ♀   photo: F. Teigler / A.C.S.

S63791-4 Velifera-Molly
Segelkärpfling / Sailfin Molly
Golden Molly, Albino, B, 10 cm

⚠ ⇈P ○ ☺ ◉ ⊞ ▦ ⇌ ⤳ ⬜ ◈ ♂   photo: M.P. & Ch. Piednoir

S63791-4 Velifera-Molly
Segelkärpfling / Sailfin Molly
Golden Molly, Albino, B, 12 cm

⚠ ⇈P ○ ☺ ◉ ⊞ ▦ ⇌ ⤳ ⬜ ◈ ♀   photo: M.P. & Ch. Piednoir

Velifera-Mollys sind wundervolle Blickfänge im Aquarium.
Velifera-mollies are wonderful eye-catchers in every community tank.

photos: M.P. & Ch. Piednoir

S63800-4 Velifera-Molly
Balloon-Molly
Black Molly, B, 6 cm

⚠ �🅟 ○ ☺ ⊕ 🎴 🔲 ⛆ 🐟 🔲 ◈ ♂   photo: E. Schraml

S63800-4 Velifera-Molly
Balloon-Molly
Black Molly, B, 6 cm

⚠ �🅟 ○ ☺ ⊕ 🎴 🔲 ⛆ 🐟 🔲 ◈ ♀   photo: F. Teigler / A.C.S.

S63802-4 Velifera-Molly
Balloon-Molly
Black Molly, B, 6 cm

⚠ �🅟 ○ ☺ ⊕ 🎴 🔲 ⛆ 🐟 🔲 ◈ ♂   photo: H. Hieronimus

S63802-4 Velifera-Molly
Balloon-Molly
Black Molly, B, 6 cm

⚠ �🅟 ○ ☺ ⊕ 🎴 🔲 ⛆ 🐟 🔲 ◈ ♀   photo: H. Hieronimus

S63803-4 Velifera-Molly
Balloon-Molly
Golden Molly, B, 6 cm

⚠ �🅟 ○ ☺ ⊕ 🎴 🔲 ⛆ 🐟 🔲 ◈ ♂   photo: Nakano / A.C.S.

S63803-4 Velifera-Molly
Balloon-Molly
Golden Molly, B, 6 cm

⚠ �🅟 ○ ☺ ⊕ 🎴 🔲 ⛆ 🐟 🔲 ◈ ♀   photo: E. Schraml

S63806-4 Velifera-Molly
Balloon-Molly
Gold Dust Molly, B, 6 cm

⚠ �🅟 ○ ☺ ⊕ 🎴 🔲 ⛆ 🐟 🔲 ◈ ♂   photo: E. Schraml

S63806-4 Velifera-Molly
Balloon-Molly
Gold Dust Molly, B, 6 cm

⚠ �🅟 ○ ☺ ⊕ 🎴 🔲 ⛆ 🐟 🔲 ◈ ♀   photo: E. Schraml

S63808-4 Velifera-Molly
Balloon-Molly
Silver Molly, B, 6 cm

⚠ ⇧P ○ ☺ ⊕ ⊞ 🖼 ⇌ ⤨ ⊡ ◈ ♂   **photo:** E. Schraml

S63809-4 Velifera-Molly
Balloon-Molly
Silver Molly, B, 6 cm

⚠ ⇧P ○ ☺ ⊕ ⊞ 🖼 ⇌ ⤨ ⊡ ◈ ♀   **photo:** M.P. & Ch. Piednoir

S63812-4 Velifera-Molly   Balloon-Molly   Marbled Molly, B, 6 cm
Die Zuchtform „Balloon-Molly" ist in Liebhaberkreisen umstritten. Viele sind der Meinung, man sollte Tiere mit einem angeborenen Wirbelsäulenschaden, wie sie die Ballon-Mollys darstellen, nicht weiter vermehren. The ornamental form "Ballon Molly" is very much discussed among aquarists. Many aquarists think fishes that are born with a deformed spine shouldn't be bred at all.
photo: M.P. & Ch. Piednoir

S38340-4 Schwertträger / Swordtail   Normal-Flosser / Normal finned   Rot / Red

S38435-5 Schwertträger / Swordtail   Lyra-Flosser / Lyre finned   Schwarz / Black

S38300-4 Schwertträger / Swordtail
Normal-Flosser / Normal finned
Grün / Green, B, 10 cm

▷ ♬ ○ ☺ ☻ ⊞ 🖼 ⇌ ⤚ m ◈ ♂   **photo:** F. Teigler / A.C.S.

S38300-4 Schwertträger / Swordtail
Normal-Flosser / Normal finned
Grün / Green, B, 12 cm

▷ ♬ ○ ☺ ☻ ⊞ 🖼 ⇌ ⤚ m ◈ ♀   **photo:** F. Teigler / A.C.S.

S38302-4 Schwertträger / Swordtail
Normal-Flosser / Normal finned
Grün / Green, B, 10 cm

▷ ♬ ○ ☺ ☻ ⊞ 🖼 ⇌ ⤚ m ◈ ♂   **photo:** F. Teigler / A.C.S.

S38302-4 Schwertträger / Swordtail
Normal-Flosser / Normal finned
Grün / Green, B, 12 cm

▷ ♬ ○ ☺ ☻ ⊞ 🖼 ⇌ ⤚ m ◈ ♀   **photo:** F. Teigler / A.C.S.

S38303-4 Schwertträger / Swordtail
Normal-Flosser / Normal finned
Grün / Green, B, 10 cm

▷ ♬ ○ ☺ ☻ ⊞ 🖼 ⇌ ⤚ m ◈ ♂   **photo:** F. Teigler / A.C.S.

S38303-4 Schwertträger / Swordtail
Normal-Flosser / Normal finned
Grün / Green, B, 12 cm

▷ ♬ ○ ☺ ☻ ⊞ 🖼 ⇌ ⤚ m ◈ ♀   **photo:** F. Teigler / A.C.S.

S38305-4 Schwertträger / Swordtail
Normal-Flosser / Normal finned
Grün / Green; B, 10 cm

▷ ♬ ○ ☺ ☻ ⊞ 🖼 ⇌ ⤚ m ◈ ♂   **photo:** H. Hieronimus

S38306-4 Schwertträger / Swordtail
Normal-Flosser / Normal finned
Grün / Green, B, 10 cm

▷ ♬ ○ ☺ ☻ ⊞ 🖼 ⇌ ⤚ m ◈ ♂   **photo:** M.P. & Ch. Piednoir

S38307-4 Schwertträger / Swordtail
Normal-Flosser / Normal finned
Grün („Guentheri") / Green ("Guentheri), B, 10 cm

▷ ⚲ ○ ☺ ☺ ⊞ 🖼 ⟊ ⤴ 🔲 ◈ ♂   **photo:** F. Teigler / A.C.S.

S38307-4 Schwertträger / Swordtail
Normal-Flosser / Normal finned
Grün („Guentheri") / Green ("Guentheri), B, 12 cm

▷ ⚲ ○ ☺ ☺ ⊞ 🖼 ⟊ ⤴ 🔲 ◈ ♀   **photo:** F. Teigler / A.C.S.

S3830-4 Schwertträger / Swordtail
Normal-Flosser / Normal finned
Grün („Guentheri") / Green ("Guentheri), B, 10 cm

▷ ⚲ ○ ☺ ☺ ⊞ 🖼 ⟊ ⤴ 🔲 ◈ ♂   **photo:** Vogel

S38309-4 Schwertträger / Swordtail
Normal-Flosser / Normal finned
Grün („Guentheri") / Green ("Guentheri), B, 12 cm

▷ ⚲ ○ ☺ ☺ ⊞ 🖼 ⟊ ⤴ 🔲 ◈ ♀   **photo:** F. Teigler / A.C.S.

S38310-4 Schwertträger / Swordtail
Normal-Flosser / Normal finned
Grün / Green, B, 10 + 12 cm

▷ ⚲ ○ ☺ ☺ ⊞ 🖼 ⟊ ⤴ 🔲 ◈ ♂ ♀   **photo:** Migge-Reinhard / A.C.S.

S38311-4 Schwertträger / Swordtail
Simpson-Flosser / Simpson finned
Grün / Green, B, 10 cm

▷ ⚲ ○ ☺ ☺ ⊞ 🖼 ⟊ ⤴ 🔲 ◈ ♂   **photo:** F. Teigler / A.C.S.

S38312-4 Schwertträger / Swordtail
Normal-Flosser / Normal finned
Grün-Wagtail / Green Wagtail, B, 10 cm

▷ ⚲ ○ ☺ ☺ ⊞ 🖼 ⟊ ⤴ 🔲 ◈ ♂   **photo:** F. Teigler / A.C.S.

S38312-4 Schwertträger / Swordtail
Normal-Flosser / Normal finned
Grün-Wagtail / Green Wagtail, B, 12 cm

▷ ⚲ ○ ☺ ☺ ⊞ 🖼 ⟊ ⤴ 🔲 ◈ ♀   **photo:** F. Teigler / A.C.S.

S38314-4 Schwertträger / Swordtail
Normal-Flosser / Normal finned
Rotgrün-Wagtail / Redgreen Wagtail, B, 10 cm

photo: F. Teigler / A.C.S.

S38314-4 Schwertträger / Swordtail
Normal-Flosser / Normal finned
Rotgrün-Wagtail / Redgreen Wagtail, B, 12 cm

photo: F. Teigler / A.C.S.

S38316-4 Schwertträger / Swordtail
Lyra-Flosser / Lyre finned
Rotgrün-Wagtail / Redgreen Wagtail, B, 10 cm

photo: F. Teigler / A.C.S.

S38316-4 Schwertträger / Swordtail
Normal-Flosser / Normal finned
Rotgrün-Wagtail / Redgreen Wagtail, B, 12 cm

photo: Migge-Reinhard / A.C.S.

S38318-4 Schwertträger / Swordtail
Normal-Flosser / Normal finned
Neon, B, 10 cm

photo: Nakano / A.C.S.

S38318-4 Schwertträger / Swordtail
Normal-Flosser / Normal finned
Neon, B, 12 cm

photo: Nakano / A.C.S.

S38320-4 Schwertträger / Swordtail
Normal-Flosser / Normal finned
Neon, B, 10 cm

photo: F. Teigler / A.C.S.

S38320-4 Schwertträger / Swordtail
Normal-Flosser / Normal finned
Neon, B, 12 cm

photo: F. Teigler / A.C.S.

S38321-4 Schwertträger / Swordtail
Normal-Flosser / Normal finned
Neon, B, 10 cm

▷⋒○☺☺⊕⊞▦⇌➳▥◈♂   **photo:** F. Teigler / A.C.S.

S38321-4 Schwertträger / Swordtail
Normal-Flosser / Normal finned
Neon, B, 12 cm

▷⋒○☺☺⊕⊞▦⇌➳▥◈♀   **photo:** F. Teigler / A.C.S.

S38322-4 Schwertträger / Swordtail
Normal-Flosser / Normal finned
Neon, B, 10 cm

▷⋒○☺☺⊕▦⇌➳▥◈♂   **photo:** F. Teigler / A.C.S.

S38322-4 Schwertträger / Swordtail
Normal-Flosser / Normal finned
Neon, B, 12 cm

▷⋒○☺☺⊕▦⇌➳▥◈♀   **photo:** F. Teigler / A.C.S.

S38323-4 Schwertträger / Swordtail
Lyra-Flosser / Lyre finned
Neon, B, 10 cm

▷⋒○☺☺⊕▦⇌➳▥◈♂   **photo:** F. Teigler / A.C.S.

S38323-4 Schwertträger / Swordtail
Lyra-Flosser / Lyre finned
Neon, B, 12 cm

▷⋒○☺☺⊕▦⇌➳▥◈♀   **photo:** F. Teigler / A.C.S.

S38324-4 Schwertträger / Swordtail
Normal-Flosser / Normal finned
Neon, B, 10 cm

▷⋒○☺☺⊕▦⇌➳▥◈♂   **photo:** U. Werner

S38325-4 Schwertträger / Swordtail
Normal-Flosser / Normal finned
Neon, B, 10 + 12 cm

▷⋒○☺☺⊕▦⇌➳▥◈♂♀   **photo:** O. Böhm

S38326-4 Schwertträger / Swordtail
Normal-Flosser / Normal finned
Neon-Wagtail, B, 10 cm

 **photo:** J. Dawes

S38327-4 Schwertträger / Swordtail
Normal-Flosser / Normal finned
Rot-Wagtail / Red Wagtail, B, 10 + 12 cm

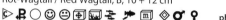 **photo:** F. Teigler / A.C.S.

S38328-4 Schwertträger / Swordtail
Normal-Flosser / Normal finned
Rot-Wagtail / Red Wagtail, B, 10 cm

photo: Migge-Reinhard / A.C.S.

S38329-4 Schwertträger / Swordtail
Lyra-Flosser / Lyre finned
Rot-Wagtail / Red Wagtail, B, 10 cm

photo: Migge-Reinhard / A.C.S.

S38330-4 Schwertträger / Swordtail
Lyra-Flosser / Lyre finned
Rot-Wagtail / Red Wagtail, B, 10 cm

photo: F. Teigler / A.C.S.

S38330-4 Schwertträger / Swordtail
Lyra-Flosser / Lyre finned
Rot-Wagtail / Red Wagtail, B, 12 cm

photo: F. Teigler / A.C.S.

S38332-4 Schwertträger / Swordtail
Lyra-Flosser / Lyre finned
Rot-Wagtail / Red Wagtail, B, 10 + 12 cm

photo: H.J. Mayland

S38333-4 Schwertträger / Swordtail
Lyra-Flosser / Lyre finned
Rot-Wagtail / Red Wagtail, B, 12 cm

photo: F. Teigler / A.C.S.

S38334-4 Schwertträger / Swordtail
Normal-Flosser / Normal finned
Rot / Red, B, 10 + 12 cm

▷ ♫ ○ ☺ ☹ ⊞ 💬 ⇶ ✈ 📧 ◈ ♂ ♀   photo: Migge-Reinhard / A.C.S.

S38335-4 Schwertträger / Swordtail
Normal-Flosser / Normal finned
Rot / Red, B, 10 cm

▷ ♫ ○ ☺ ☹ ⊞ 💬 ⇶ ✈ 📧 ◈ ♂   photo: Migge-Reinhard / A.C.S.

S38336-4 Schwertträger / Swordtail
Normal-Flosser / Normal finned
Rot / Red, B, 10 cm

▷ ♫ ○ ☺ ☹ ⊞ 💬 ⇶ ✈ 📧 ◈ ♂   photo: F. Teigler / A.C.S.

S38336-4 Schwertträger / Swordtail
Normal-Flosser / Normal finned
Rot / Red, B, 12 cm

▷ ♫ ○ ☺ ☹ ⊞ 💬 ⇶ ✈ 📧 ◈ ♀   photo: Nakano / A.C.S.

S38337-4 Schwertträger / Swordtail
Normal-Flosser / Normal finned
Rot / Red, B, 10 cm

▷ ♫ ○ ☺ ☹ ⊞ 💬 ⇶ ✈ 📧 ◈ ♂   photo: F. Teigler / A.C.S.

S38338-4 Schwertträger / Swordtail
Normal-Flosser / Normal finned
Rot-Komet / Red-Comet, B, 12 cm

▷ ♫ ○ ☺ ☹ ⊞ 💬 ⇶ ✈ 📧 ◈ ♀   photo: F. Teigler / A.C.S.

S92605-4 Schwertträger / Swordtail
Normal-Flosser / Normal finned
Rot / Red, B, 10 cm

▷ ♫ ○ ☺ ☹ ⊞ 💬 ⇶ ✈ 📧 ◈ ♂   photo: F. Teigler / A.C.S.

S92605-4 Schwertträger / Swordtail
Normal-Flosser / Normal finned
Rot / Red, B, 12 cm

▷ ♫ ○ ☺ ☹ ⊞ 💬 ⇶ ✈ 📧 ◈ ♀   photo: F. Teigler / A.C.S.

S38340-4 Schwertträger / Swordtail
Normal-Flosser / Normal finned
Rot / Red, B, 10 cm

photo: M.P. & Ch. Piednoir

S38341-4 Schwertträger / Swordtail
Normal-Flosser / Normal finned
Rot / Red, Albino, B, 10 cm

photo: F. Teigler / A.C.S.

S38342-4 Schwertträger / Swordtail
Simpson-Flosser / Simpson finned
Rot-Komet / Red Comet, B, 10 cm

photo: F. Teigler / A.C.S.

S38343-5 Schwertträger / Swordtail
Simpson-Flosser / Simpson finned
Rot / Red, B, 10 cm

photo: D. Bork

S38344-4 Schwertträger / Swordtail
Simpson-Flosser / Simpson finned
Rot / Red, B, 10 cm

photo: F. Teigler / A.C.S.

S38344-4 Schwertträger / Swordtail
Simpson-Flosser / Simpson finned
Rot / Red, B, 12 cm

photo: F. Teigler / A.C.S.

S38345-4 Schwertträger / Swordtail
Simpson-Flosser / Simpson finned
Rot-Komet / Red Comet, B, 10 cm

photo: F. Teigler / A.C.S.

S38345-4 Schwertträger / Swordtail
Simpson-Flosser / Simpson finned
Rot-Komet / Red Comet, B, 10 cm

photo: F. Teigler / A.C.S.

S38347-4 Schwertträger / Swordtail
Simpson-Flosser / Simpson finned
Rot / Red, B, 10 cm

photo: F. Teigler / A.C.S.

S38347-4 Schwertträger / Swordtail
Simpson-Flosser / Simpson finned
Rot / Red, B, 12 cm

photo: F. Teigler / A.C.S.

S38348-4 Schwertträger / Swordtail
Lyra-Flosser / Lyre finned
Rot / Red, B, 10 cm

photo: F. Teigler / A.C.S.

S38348-4 Schwertträger / Swordtail
Lyra-Flosser / Lyre finned
Rot / Red, B, 12 cm

photo: F. Teigler / A.C.S.

S38350-4 Schwertträger / Swordtail
Lyra-Flosser / Lyre finned
Rot / Red, B, 10 cm

photo: F. Teigler / A.C.S.

S38350-4 Schwertträger / Swordtail
Lyra-Flosser / Lyre finned
Rot / Red, B, 12 cm

photo: F. Teigler / A.C.S.

S38351-4 Schwertträger / Swordtail
Lyra-Flosser / Lyre finned
Rot / Red, B, 10 +12 cm

photo: F. Teigler / A.C.S.

S38351-4 Schwertträger / Swordtail
Lyra-Flosser / Lyre finned
Rot / Red, B, 12 cm

photo: F. Teigler / A.C.S.

S38353-4 Schwertträger / Swordtail
Lyra-Flosser / Lyre finned
Rot / Red, B, 10 cm

photo: J. Glaser

S38353-4 Schwertträger / Swordtail
Lyra-Flosser / Lyre finned
Rot / Red, B, 12 cm

photo: J. Glaser

S38355-4 Schwertträger / Swordtail
Lyra-Flosser / Lyre finned
Rot-Komet / Red Comet, B, 10 cm

photo: F. Teigler / A.C.S.

S38355-4 Schwertträger / Swordtail
Lyra-Flosser / Lyre finned
Rot-Komet / Red Comet, B, 12 cm

photo: F. Teigler / A.C.S.

S38357-4 Schwertträger / Swordtail
Lyra-Flosser / Lyre finned
Rot-Komet Wagtail / Red Comet Wagtail, B, 10 cm

photo: B. Teichfischer

S38357-4 Schwertträger / Swordtail
Lyra-Flosser / Lyre finned
Rot-Komet Wagtail / Red Comet Wagtail, B, 12 cm

photo: B. Teichfischer

S38359-4 Schwertträger / Swordtail
Lyra-Flosser / Lyre finned
Rot-Komet / Red Comet, B, 10 cm

photo: B. Teichfischer

S38359-4 Schwertträger / Swordtail
Lyra-Flosser / Lyre finned
Rot-Komet / Red Comet, B, 12 cm

photo: B. Teichfischer

S38361-4 Schwertträger / Swordtail
Lyra-Flosser / Lyre finned
Rot / Red, Albino, B, 12 cm

▷ ♫ ○ ☺ ☹ 田 🖼 ⇶ ≯ Ⓜ ◈ ♀

photo: U. Werner

S38362-4 Schwertträger / Swordtail
Lyra-Flosser / Lyre finned
Rot / Red, B, 12 cm

▷ ♫ ○ ☺ ☹ 田 🖼 ⇶ ≯ Ⓜ ◈ ♀

photo: F. Teigler / A.C.S.

S38363-4 Schwertträger / Swordtail
Simpson-Flosser / Simpson finned
Rot / Red, B, 10 cm

▷ ♫ ○ ☺ ☹ 田 🖼 ⇶ ≯ Ⓜ ◈ ♂

photo: F. Teigler / A.C.S.

S38363-4 Schwertträger / Swordtail
Simpson-Flosser / Simpson finned
Rot / Red, B, 12 cm

▷ ♫ ○ ☺ ☹ 田 🖼 ⇶ ≯ Ⓜ ◈ ♀

photo: F. Teigler / A.C.S.

S38364-4 Schwertträger / Swordtail
Normal-Flosser / Normal finned
Hellrot / Light Red, B, 10 cm

▷ ♫ ○ ☺ ☹ 田 🖼 ⇶ ≯ Ⓜ ◈ ♂

photo: F. Teigler / A.C.S.

S38364-4 Schwertträger / Swordtail
Normal-Flosser / Normal finned
Hellrot / Light Red, B, 12 cm

▷ ♫ ○ ☺ ☹ 田 🖼 ⇶ ≯ Ⓜ ◈ ♀

photo: F. Teigler / A.C.S.

S38366-4 Schwertträger / Swordtail
Normal-Flosser / Normal finned
Bunt / Multicoloured, B, 10 cm

▷ ♫ ○ ☺ ☹ 田 🖼 ⇶ ≯ Ⓜ ◈ ♂

photo: J. Glaser

S38366-4 Schwertträger / Swordtail
Normal-Flosser / Normal finned
Bunt / Multicoloured, B, 10 cm

▷ ♫ ○ ☺ ☹ 田 🖼 ⇶ ≯ Ⓜ ◈ ♂

photo: J. Glaser

S38367-4 Schwertträger / Swordtail
Normal-Flosser / Normal finned
Liniert / Striped, B, 10 + 12 cm

 photo: H.J. Mayland

S38368-4 Schwertträger / Swordtail
Normal-Flosser / Normal finned
Liniert / Striped, B, 12 cm

 photo: J. Glaser

S38369-4 Schwertträger / Swordtail
Normal-Flosser / Normal finned
Liniert / Striped, B, 10 cm

 photo: B. Teichfischer

S38370-4 Schwertträger / Swordtail
Normal-Flosser / Normal finned
Liniert / Striped, B, 12 cm

 photo: B. Teichfischer

S38371-4 Schwertträger / Swordtail
Normal-Flosser / Normal finned
mit *X. pygmaeus* gekreuzt / crossbred with *X. pygmaeus*, B, 5 cm

photo: F. Teigler / A.C.S.

S38371-4 Schwertträger / Swordtail
Normal-Flosser / Normal finned
mit *X. pygmaeus* gekreuzt / crossbred with *X. pygmaeus*, B, 6 cm

photo: F. Teigler / A.C.S.

S38373-4 Schwertträger / Swordtail
Normal-Flosser / Normal finned
Liniert / Striped, B, 10 cm

 photo: F. Teigler / A.C.S.

S38373-4 Schwertträger / Swordtail
Normal-Flosser / Normal finned
Liniert / Striped, B, 12 cm

photo: B. Teichfischer

S38375-4 Schwertträger / Swordtail
Normal-Flosser / Normal finned
Liniert / Striped, Albino, B, 10 cm

▷ 🏦 ○ ☺ ☹ ⊞ 🖼 ⟆ ✈ m̄ ◈ ♂   photo: B. Teichfischer

S38375-4 Schwertträger / Swordtail
Normal-Flosser / Normal finned
Liniert / Striped, Albino, B, 12 cm

▷ 🏦 ○ ☺ ☹ ⊞ 🖼 ⟆ ✈ m̄ ◈ ♀   photo: B. Teichfischer

S38377-4 Schwertträger / Swordtail
Normal-Flosser / Normal finned
Albino, B, 10 cm

▷ 🏦 ○ ☺ ☹ ⊞ 🖼 ⟆ ✈ m̄ ◈ ♂   photo: F. Teigler / A.C.S.

S38377-4 Schwertträger / Swordtail
Normal-Flosser / Normal finned
Albino, B, 12 cm

▷ 🏦 ○ ☺ ☹ ⊞ 🖼 ⟆ ✈ m̄ ◈ ♀   photo: F. Teigler / A.C.S.

S38379-4 Schwertträger / Swordtail
Normal-Flosser / Normal finned
Albino, B, 10 cm

▷ 🏦 ○ ☺ ☹ ⊞ 🖼 ⟆ ✈ m̄ ◈ ♂   photo: H. Hieronimus

S38379-4 Schwertträger / Swordtail
Normal-Flosser / Normal finned
Albino, B, 12 cm

▷ 🏦 ○ ☺ ☹ ⊞ 🖼 ⟆ ✈ m̄ ◈ ♀   photo: Nakano / A.C.S.

S38381-4 Schwertträger / Swordtail
Normal-Flosser / Normal finned
Gelb / Yellow, B, 10 cm

▷ 🏦 ○ ☺ ☹ ⊞ 🖼 ⟆ ✈ m̄ ◈ ♂   photo: F. Teigler / A.C.S.

S38381-4 Schwertträger / Swordtail
Normal-Flosser / Normal finned
Gelb / Yellow, B, 12 cm

▷ 🏦 ○ ☺ ☹ ⊞ 🖼 ⟆ ✈ m̄ ◈ ♀   photo: F. Teigler / A.C.S.

S38383-4 Schwertträger / Swordtail
Normal-Flosser / Normal finned
Albino, B, 10 + 12 cm

▷ 𝔅 ○ ☺ 😐 ⊞ 🖼 ≛ ➹ 🔲 ◈ ♂ ♀   **photo:** B. Teichfischer

S38384-4 Schwertträger / Swordtail
Normal-Flosser / Normal finned
Mariegold, B, 10 cm

▷ 𝔅 ○ ☺ 😐 ⊞ 🖼 ≛ ➹ 🔲 ◈ ♂   **photo:** J. C. Merino

S38385-4 Schwertträger / Swordtail
Normal-Flosser / Normal finned
Mariegold Wagtail, B, 10 cm

▷ 𝔅 ○ ☺ 😐 ⊞ 🖼 ≛ ➹ 🔲 ◈ ♂   **photo:** F. Teigler / A.C.S.

S38385-4 Schwertträger / Swordtail
Normal-Flosser / Normal finned
Mariegold Wagtail, B, 12 cm

▷ 𝔅 ○ ☺ 😐 ⊞ 🖼 ≛ ➹ 🔲 ◈ ♀   **photo:** F. Teigler / A.C.S.

S92645-4 Schwertträger / Swordtail
Normal-Flosser / Normal finned
Mariegold, B, 10 cm

▷ 𝔅 ○ ☺ 😐 ⊞ 🖼 ≛ ➹ 🔲 ◈ ♂   **photo:** E. Schraml

S92645-4 Schwertträger / Swordtail
Normal-Flosser / Normal finned
Mariegold, B, 12 cm

▷ 𝔅 ○ ☺ 😐 ⊞ 🖼 ≛ ➹ 🔲 ◈ ♀   **photo:** E. Schraml

S38389-4 Schwertträger / Swordtail
Normal-Flosser / Normal finned
Mariegold Comet, B, 10 cm

▷ 𝔅 ○ ☺ 😐 ⊞ 🖼 ≛ ➹ 🔲 ◈ ♂   **photo:** F. Teigler / A.C.S.

S38386-4 Schwertträger / Swordtail
Lyra-Flosser / Lyre finned
Mariegold Comet, B, 12 cm

▷ 𝔅 ○ ☺ 😐 ⊞ 🖼 ≛ ➹ 🔲 ◈ ♀   **photo:** F. Teigler / A.C.S.

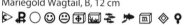

S38390-4 Schwertträger / Swordtail
Normal-Flosser / Normal finned
Mariegold Comet, B, 10 cm

▷♫○☺☻⊞▥⇌⤳▥◇♂   photo: F. Teigler / A.C.S.

S38390-4 Schwertträger / Swordtail
Normal-Flosser / Normal finned
Mariegold Comet, B, 12 cm

▷♫○☺☻⊞▥⇌⤳▥◇♀   photo: F. Teigler / A.C.S.

S38391-4 Schwertträger / Swordtail
Normal-Flosser / Normal finned
Schecke Weiß-Rot / Marbled white red, B, 10 cm

▷♫○☺☻⊞▥⇌⤳▥◇♂   photo: H. Hieronimus

S38392-4 Schwertträger / Swordtail
Normal-Flosser / Normal finned
Schecke Weiß-Rot / Marbled white red, Wagtail, B, 10 cm

▷♫○☺☻⊞▥⇌⤳▥◇♀   photo: F. Teigler / A.C.S.

S38393-4 Schwertträger / Swordtail
Normal-Flosser / Normal finned
Schecke Schwarz-Grün / Marbled green black, B, 10 cm

▷♫○☺☻⊞▥⇌⤳▥◇♂   photo: H. Hieronimus

S38393-4 Schwertträger / Swordtail
Normal-Flosser / Normal finned
Schecke Schwarz-Grün / Marbled green black, B, 12 cm

▷♫○☺☻⊞▥⇌⤳▥◇♀   photo: H. Hieronimus

S38395-4 Schwertträger / Swordtail
Normal-Flosser / Normal finned
Schecke Schwarz-Rot / Marbled red black, B, 10 cm

▷♫○☺☻⊞▥⇌⤳▥◇♂   photo: M.P. & Ch. Piednoir

S38395-4 Schwertträger / Swordtail
Normal-Flosser / Normal finned
Schecke Schwarz-Rot / Marbled red black, B, 12 cm

▷♫○☺☻⊞▥⇌⤳▥◇♂   photo: M.P. & Ch. Piednoir

S38397-4 Schwertträger / Swordtail
Normal-Flosser / Normal finned
Schecke Schwarz-Weiß / Marbled white black, B, 10 cm

▷ ♫ ○ ☺ ☹ ⊞ 🖳 ≢ ✈ �🔲 ◈ ♂   **photo:** F. Teigler / A.C.S.

S38397-4 Schwertträger / Swordtail
Normal-Flosser / Normal finned
Schecke Schwarz-Weiß / Marbled white black, B, 12 cm

▷ ♫ ○ ☺ ☹ ⊞ 🖳 ≢ ✈ �🔲 ◈ ♀   **photo:** F. Teigler / A.C.S.

S38399-4 Schwertträger / Swordtail
Normal-Flosser / Normal finned
Schecke Schwarz-Rot / Marbled red black, B, 10 cm

▷ ♫ ○ ☺ ☹ ⊞ 🖳 ≢ ✈ �🔲 ◈ ♂   **photo:** Migge-Reinhard / A.C.S.

S38399-4 Schwertträger / Swordtail
Normal-Flosser / Normal finned
Schecke Schwarz-Rot / Marbled red black, B, 12 cm

▷ ♫ ○ ☺ ☹ ⊞ 🖳 ≢ ✈ �🔲 ◈ ♀   **photo:** Migge-Reinhard / A.C.S.

S38401-4 Schwertträger / Swordtail
Normal-Flosser / Normal finned
Berliner, B, 10 cm

▷ ♫ ○ ☺ ☹ ⊞ 🖳 ≢ ✈ �🔲 ◈ ♂   **photo:** F. Teigler / A.C.S.

S38401-4 Schwertträger / Swordtail
Normal-Flosser / Normal finned
Berliner, B, 12 cm

▷ ♫ ○ ☺ ☹ ⊞ 🖳 ≢ ✈ �🔲 ◈ ♀   **photo:** F. Teigler / A.C.S.

S38403-4 Schwertträger / Swordtail
Normal-Flosser / Normal finned
Berliner, B, 10 cm

▷ ♫ ○ ☺ ☹ ⊞ 🖳 ≢ ✈ �🔲 ◈ ♂   **photo:** F. Teigler / A.C.S.

S38403-4 Schwertträger / Swordtail
Normal-Flosser / Normal finned
Berliner, B, 12 cm

▷ ♫ ○ ☺ ☹ ⊞ 🖳 ≢ ✈ �🔲 ◈ ♀   **photo:** F. Teigler / A.C.S.

S38405-4 Schwertträger / Swordtail
Normal-Flosser / Normal finned
Berliner, B, 10 cm

▷ ♫ ○ ☺ ☺ 田 🖼 ≩ ≯ 𝕞 ◈ ♂   photo: F. Teigler / A.C.S.

S38405-4 Schwertträger / Swordtail
Normal-Flosser / Normal finned
Berliner, B, 12 cm

▷ ♫ ○ ☺ ☺ 田 🖼 ≩ ≯ 𝕞 ◈ ♀   photo: F. Teigler / A.C.S.

S38407-4 Schwertträger / Swordtail
Lyra-Flosser / Lyre finned
Berliner, B, 10 cm

▷ ♫ ○ ☺ ☺ 田 🖼 ≩ ≯ 𝕞 ◈ ♂   photo: F. Teigler / A.C.S.

S38407-4 Schwertträger / Swordtail
Lyra-Flosser / Lyre finned
Berliner, B, 12 cm

▷ ♫ ○ ☺ ☺ 田 🖼 ≩ ≯ 𝕞 ◈ ♀   photo: F. Teigler / A.C.S.

S38409-4 Schwertträger / Swordtail
Normal-Flosser / Normal finned
Tuxedo red, Wagtail, B, 10 cm

▷ ♫ ○ ☺ ☺ 田 🖼 ≩ ≯ 𝕞 ◈ ♂   photo: F. Teigler / A.C.S.

S38409-4 Schwertträger / Swordtail
Normal-Flosser / Normal finned
Tuxedo red, Wagtail, B, 12 cm

▷ ♫ ○ ☺ ☺ 田 🖼 ≩ ≯ 𝕞 ◈ ♀   photo: F. Teigler / A.C.S.

S38411-4 Schwertträger / Swordtail
Normal-Flosser / Normal finned
Tuxedo red, B, 10 cm

▷ ♫ ○ ☺ ☺ 田 🖼 ≩ ≯ 𝕞 ◈ ♂   photo: H. Linke

S38411-4 Schwertträger / Swordtail
Normal-Flosser / Normal finned
Tuxedo red, B, 12 cm

▷ ♫ ○ ☺ ☺ 田 🖼 ≩ ≯ 𝕞 ◈ ♀   photo: F. Teigler / A.C.S.

S38413-4 Schwertträger / Swordtail
Lyra-Flosser / Lyre finned
Tuxedo red, B, 10 cm
▷ ♫ ○ ☺ ☺ ⊞ 🖼 ≋ ⤳ 🅜 ◈ ♂   photo: M. Smith

S38413-4 Schwertträger / Swordtail
Lyra-Flosser / Lyre finned
Tuxedo red, B, 12 cm
▷ ♫ ○ ☺ ☺ ⊞ 🖼 ≋ ⤳ 🅜 ◈ ♀   photo: F. Teigler / A.C.S.

S38415-4 Schwertträger / Swordtail
Lyra-Flosser / Lyre finned
Tuxedo red, Wagtail, B, 10 cm
▷ ♫ ○ ☺ ☺ ⊞ 🖼 ≋ ⤳ 🅜 ◈ ♂   photo: B. Teichfischer

S38415-4 Schwertträger / Swordtail
Lyra-Flosser / Lyre finned
Tuxedo red, Wagtail, B, 12 cm
▷ ♫ ○ ☺ ☺ ⊞ 🖼 ≋ ⤳ 🅜 ◈ ♀   photo: B. Teichfischer

S38417-4 Schwertträger / Swordtail
Lyra-Flosser / Lyre finned
Tuxedo yellow, Wagtail, B, 10 cm
▷ ♫ ○ ☺ ☺ ⊞ 🖼 ≋ ⤳ 🅜 ◈ ♂   photo: B. Teichfischer

S38417-4 Schwertträger / Swordtail
Lyra-Flosser / Lyre finned
Tuxedo yellow, Wagtail, B, 12 cm
▷ ♫ ○ ☺ ☺ ⊞ 🖼 ≋ ⤳ 🅜 ◈ ♀   photo: B. Teichfischer

S38419-4 Schwertträger / Swordtail
Simpson-Flosser / Simpson finned
Tuxedo red, B, 10 cm
▷ ♫ ○ ☺ ☺ ⊞ 🖼 ≋ ⤳ 🅜 ◈ ♂   photo: F. Teigler / A.C.S.

S38419-5 Schwertträger / Swordtail
Simpson-Flosser / Simpson finned
Tuxedo red, B, 12 cm
▷ ♫ ○ ☺ ☺ ⊞ 🖼 ≋ ⤳ 🅜 ◈ ♀   photo: F. Teigler / A.C.S.

S38419-4 Schwertträger / Swordtail
Simpson-Flosser / Simpson finned   Tuxedo red, B, 10 cm

photo: Nakano / A.C.S.

S38416-4 Schwertträger / Swordtail
Normal-Flosser / Normal finned   Tuxedo red, B, 10 cm

photo: B. Teichfischer

S38421-4 Schwertträger / Swordtail
Normal-Flosser / Normal finned
Tuxedo green, B, 10 cm

▷ ♫ ○ ☺ ☹ ⊞ 🖼 ⇶ ⤜ ⊞ ◈ ♂
photo: F. Teigler / A.C.S.

S38421-4 Schwertträger / Swordtail
Normal-Flosser / Normal finned
Tuxedo green, B, 12 cm

▷ ♫ ○ ☺ ☹ ⊞ 🖼 ⇶ ⤜ ⊞ ◈ ♀
photo: F. Teigler / A.C.S.

S38423-4 Schwertträger / Swordtail
Normal-Flosser / Normal finned
Tuxedo mariegold, B, 10 cm

▷ ♫ ○ ☺ ☹ ⊞ 🖼 ⇶ ⤜ ⊞ ◈ ♂
photo: M. Smith

S38423-4 Schwertträger / Swordtail
Normal-Flosser / Normal finned
Tuxedo mariegold, B, 12 cm

▷ ♫ ○ ☺ ☹ ⊞ 🖼 ⇶ ⤜ ⊞ ◈ ♀
photo: B. Teichfischer

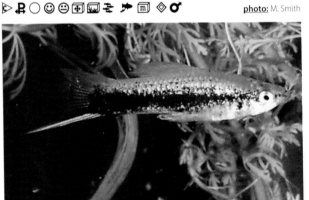

S38425-4 Schwertträger / Swordtail
Normal-Flosser / Normal finned
Wiesbadener, B, 10 cm

▷ ♫ ○ ☺ ☹ ⊞ 🖼 ⇶ ⤜ ⊞ ◈ ♂
photo: F. Teigler / A.C.S.

S38425-4 Schwertträger / Swordtail
Normal-Flosser / Normal finned
Wiesbadener, B, 12 cm

▷ ♫ ○ ☺ ☹ ⊞ 🖼 ⇶ ⤜ ⊞ ♀
photo: B. Teichfischer

S38427-5 Schwertträger / Swordtail
Lyra-Flosser / Lyre finned
Hamburger red, B, 10 + 12 cm

▷ ♫ ○ ☺ ☹ ⊞ 🖼 ⇶ ⤜ ⊞ ◈ ♂ ♀
photo: P.D. Sicka

S38427-5 Schwertträger / Swordtail
Lyra-Flosser / Lyre finned
Hamburger red, B, 12 cm

▷ ♫ ○ ☺ ☹ ⊞ 🖼 ⇶ ⤜ ⊞ ◈ ♀
photo: P.D. Sicka

S38430-4 Schwertträger / Swordtail
Normal-Flosser / Normal finned
Hamburger, B, 10 cm

▷ ♫ ○ ☺ ☻ ⊞ 🖼 ⇶ ⤜ 🔟 ◇ ♂   photo: F. Teigler / A.C.S.

S38430-4 Schwertträger / Swordtail
Normal-Flosser / Normal finned
Hamburger, B, 10 cm

▷ ♫ ○ ☺ ☻ ⊞ 🖼 ⇶ ⤜ 🔟 ◇ ♀   photo: F. Teigler / A.C.S.

S38432-4 Schwertträger / Swordtail
Lyra-Flosser / Lyre finned
Hamburger, B, 10 cm

▷ ♫ ○ ☺ ☻ ⊞ 🖼 ⇶ ⤜ 🔟 ◇ ♂   photo: H.J. Mayland

S38432-4 Schwertträger / Swordtail
Lyra-Flosser / Lyre finned
Hamburger, B, 12 cm

▷ ♫ ○ ☺ ☻ ⊞ 🖼 ⇶ ⤜ 🔟 ◇ ♀   photo: J. Glaser

S38434-4 Schwertträger / Swordtail
Normal-Flosser / Normal finned
Hamburger, B, 10 cm

▷ ♫ ○ ☺ ☻ ⊞ 🖼 ⇶ ⤜ 🔟 ◇ ♂   photo: Migge-Reinhard / A.C.S.

S38435-4 Schwertträger / Swordtail
Lyra-Flosser / Lyre finned
Hamburger, B, 10 + 12 cm

▷ ♫ ○ ☺ ☻ ⊞ 🖼 ⇶ ⤜ 🔟 ◇ ♂ ♀   photo: A. Canovas

S38436-4 Schwertträger / Swordtail
Normal-Flosser / Normal finned
Hamburger, Albino, B, 10 cm

▷ ♫ ○ ☺ ☻ ⊞ 🖼 ⇶ ⤜ 🔟 ◇ ♂   photo: M. K. Meyer

S38436-4 Schwertträger / Swordtail
Normal-Flosser / Normal finned
Hamburger, Albino, B, 12 cm

▷ ♫ ○ ☺ ☻ ⊞ 🖼 ⇶ ⤜ 🔟 ◇ ♀   photo: F. Teigler / A.C.S.

photo: M.P. & Ch. Piednoir

1. **Ein sehr dekoratives, nur mit Platys besetztes Aquarium**
A very decorative tank with platies as the only inhabitants.

2. **Zu Recht sind Züchter stolz, wenn es ihnen gelingt, solch vitale Platys heranzuziehen**
A breeder can be really proud when he succeeds to breed such beautiful, lively platies.

photo: E. Schraml

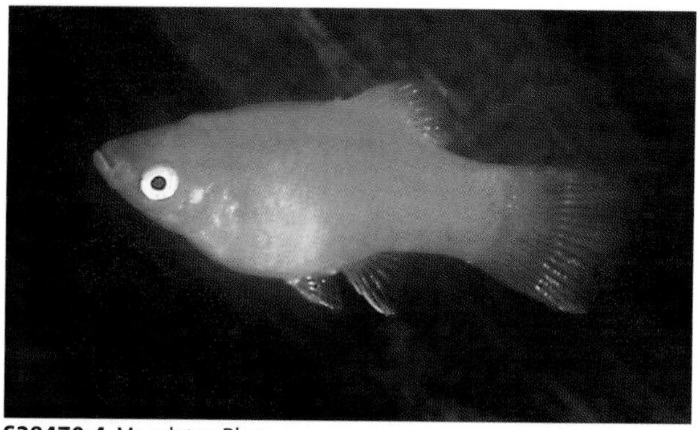

S38470-4 Maculatus-Platy
Normal-Flosser / Normal finned
Rot / Red, B, 4 cm
▷ ₽ ○ ☺ 😐 ⊞ ⊡ ≛ ➤ [S] ◈ ♂ **photo:** F. Teigler / A.C.S.

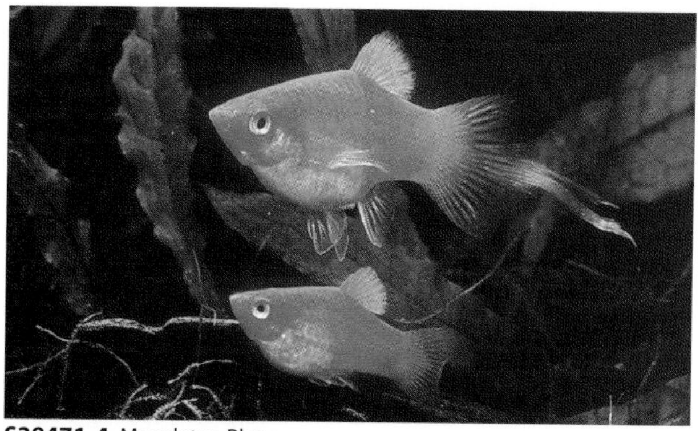

S38471-4 Maculatus-Platy
Pinsel-Flosser / Plume finned
Rot / Red, B, 4 + 6 cm
▷ ₽ ○ ☺ 😐 ⊞ ⊡ ≛ ➤ [S] ◈ ♂ ♀ **photo:** H. Linke

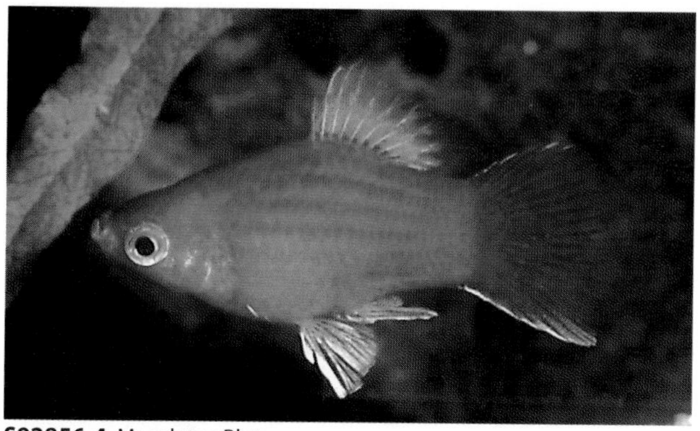

S92856-4 Maculatus-Platy
Normal-Flosser / Normal finned
Coral (moderne Blutlinie / Modern stock), B, 4 cm
▷ ₽ ○ ☺ 😐 ⊞ ⊡ ≛ ➤ [S] ◈ ♂ **photo:** F. Teigler / A.C.S.

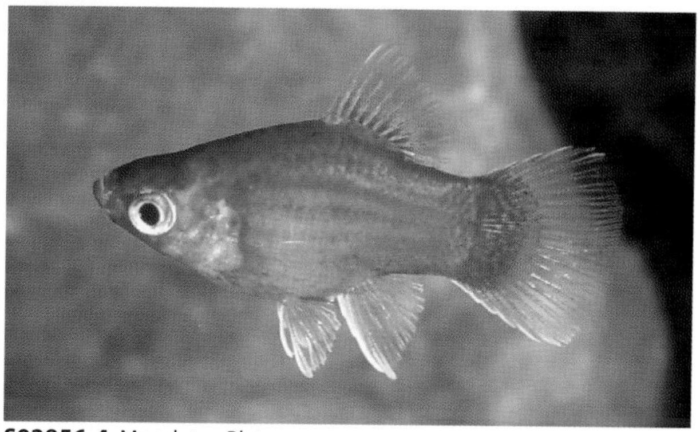

S92856-4 Maculatus-Platy
Normal-Flosser / Normal finned
Coral (moderne Blutlinie / Modern stock), B, 6 cm
▷ ₽ ○ ☺ 😐 ⊞ ⊡ ≛ ➤ [S] ◈ ♀ **photo:** F. Teigler / A.C.S.

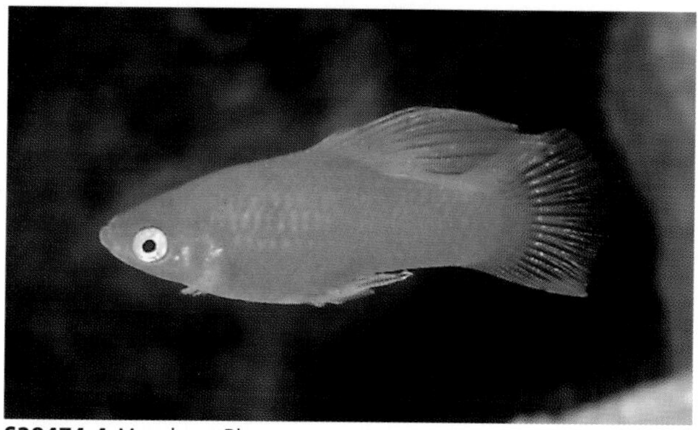

S38474-4 Maculatus-Platy
Simpson-Flosser / Simpson finned
Rot / Red, B, 4 cm
▷ ₽ ○ ☺ 😐 ⊞ ⊡ ≛ ➤ [S] ◈ ♂ **photo:** F. Teigler / A.C.S.

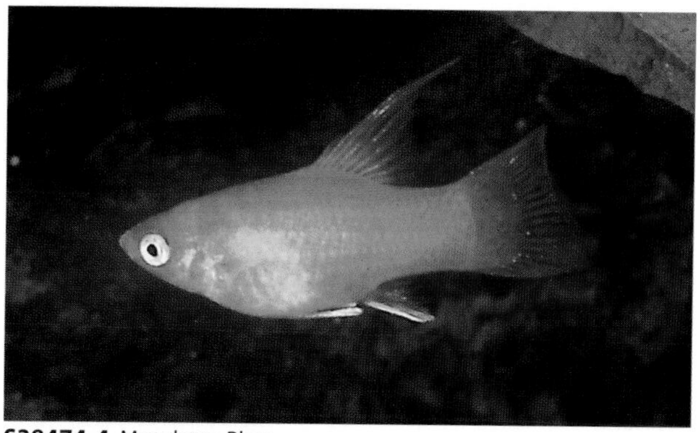

S38474-4 Maculatus-Platy
Simpson-Flosser / Simpson finned
Rot / Red, B, 6 cm
▷ ₽ ○ ☺ 😐 ⊞ ⊡ ≛ ➤ [S] ◈ ♀ **photo:** F. Teigler / A.C.S.

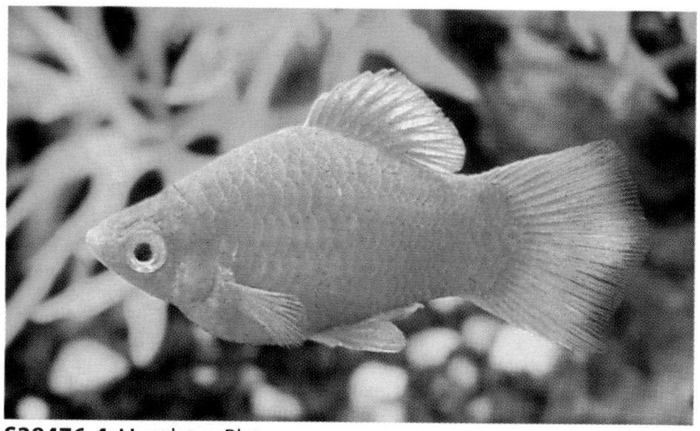

S38476-4 Maculatus-Platy
Normal-Flosser / Normal finned
Coral (Alte Blutlinie / Ancestral stock), B, 4 cm
▷ ₽ ○ ☺ 😐 ⊞ ⊡ ≛ ➤ [S] ◈ ♂ **photo:** J. Glaser

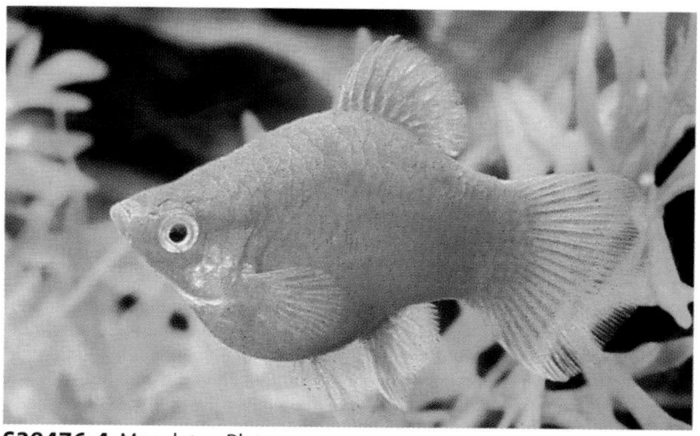

S38476-4 Maculatus-Platy
Normal-Flosser / Normal finned
Coral (Alte Blutlinie / Ancestral stock), B, 6 cm
▷ ₽ ○ ☺ 😐 ⊞ ⊡ ≛ ➤ [S] ◈ ♀ **photo:** J. Glaser

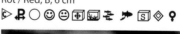

S38478-4 Maculatus-Platy
Simpson-Flosser / Simpson finned
Coral (moderne Blutlinie / Modern stock), B, 4 cm

▷ ⏣ ○ ☺ ☻ ⊞ 🖼 ⇌ ⚓ Ⓢ ◈ ♂   photo: J. C. Merino

S38479-4 Maculatus-Platy
Lyra-Flosser / Lyre finned
Rot / Red, Wagtail, B, 4 cm

▷ ⏣ ○ ☺ ☻ ⊞ 🖼 ⇌ ⚓ Ⓢ ◈ ♂   photo: J. C. Merino

S38480-4 Maculatus-Platy
Normal-Flosser / Normal finned
Rot / Red, Wagtail, B, 4 cm

▷ ⏣ ○ ☺ ☻ ⊞ 🖼 ⇌ ⚓ Ⓢ ◈ ♂   photo: F. Teigler / A.C.S.

S38480-4 Maculatus-Platy
Normal-Flosser / Normal finned
Rot / Red, Wagtail, B, 6 cm

▷ ⏣ ○ ☺ ☻ ⊞ 🖼 ⇌ ⚓ Ⓢ ◈ ♀   photo: F. Teigler / A.C.S.

S38482-4 Maculatus-Platy
Pinsel-Flosser / Plume finned
Rot / Red, Wagtail, B, 4 cm

▷ ⏣ ○ ☺ ☻ ⊞ 🖼 ⇌ ⚓ Ⓢ ◈ ♂   photo: F. Teigler / A.C.S.

S38482-4 Maculatus-Platy
Pinsel-Flosser / Plume finned
Rot / Red, Wagtail, B, 6 cm

▷ ⏣ ○ ☺ ☻ ⊞ 🖼 ⇌ ⚓ Ⓢ ◈ ♀   photo: F. Teigler / A.C.S.

S38484-4 Maculatus-Platy
Normal-Flosser / Normal finned
Tuxedo red, B, 4 cm

▷ ⏣ ○ ☺ ☻ ⊞ 🖼 ⇌ ⚓ Ⓢ ◈ ♂   photo: F. Teigler / A.C.S.

S38484-4 Maculatus-Platy
Normal-Flosser / Normal finned
Tuxedo red, B, 6 cm

▷ ⏣ ○ ☺ ☻ ⊞ 🖼 ⇌ ⚓ Ⓢ ◈ ♀   photo: F. Teigler / A.C.S.

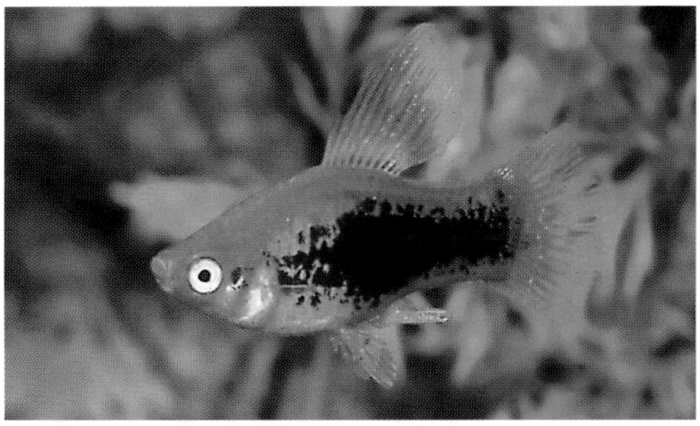

S38486-4 Maculatus-Platy
Simpson-Flosser / Simpson finned
Tuxedo red, B, 4 cm
▷ ⚘ ○ ☺ ☹ ⊞ ▭ ≋ ➤ [S] ◈ ♂ **photo:** F. Teigler / A.C.S.

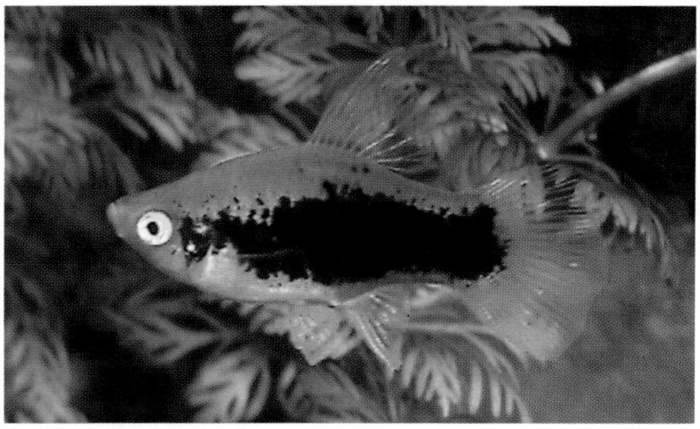

S38486-4 Maculatus-Platy
Simpson-Flosser / Simpson finned
Tuxedo red, B, 4 cm
▷ ⚘ ○ ☺ ☹ ⊞ ▭ ≋ ➤ [S] ◈ ♀ **photo:** F. Teigler / A.C.S.

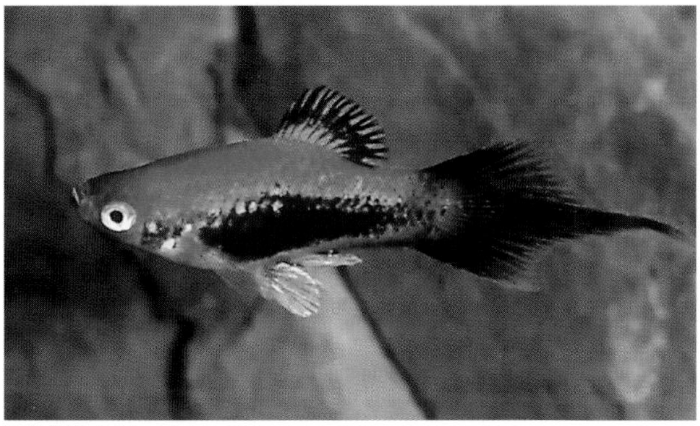

S38488-4 Maculatus-Platy
Pinsel-Flosser / Plume finned
Tuxedo red, B, 4 cm
▷ ⚘ ○ ☺ ☹ ⊞ ▭ ≋ ➤ [S] ◈ ♂ **photo:** F. Teigler / A.C.S.

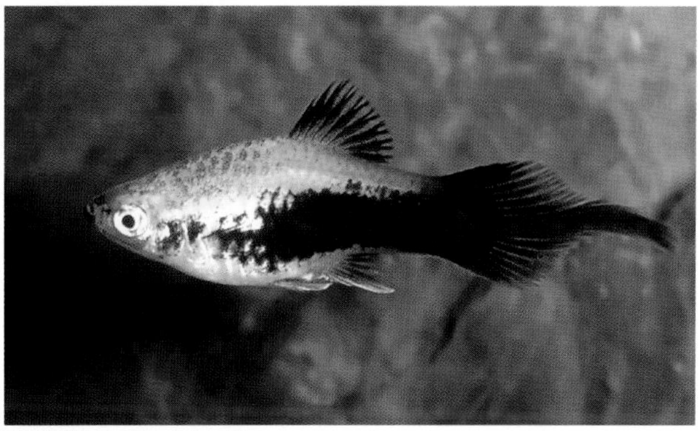

S38489-4 Maculatus-Platy
Pinsel-Flosser / Plume finned
Tuxedo, B, 4 cm
▷ ⚘ ○ ☺ ☹ ⊞ ▭ ≋ ➤ [S] ◈ ♀ **photo:** F. Teigler / A.C.S.

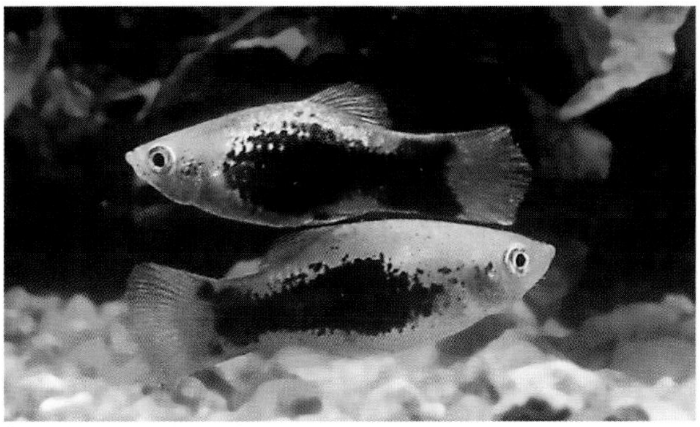

S38490-4 Maculatus-Platy
Normal-Flosser / Normal finned
Tuxedo, B, 4 + 6 cm
▷ ⚘ ○ ☺ ☹ ⊞ ▭ ≋ ➤ [S] ◈ ♂ ♀ **photo:** B. Teichfischer

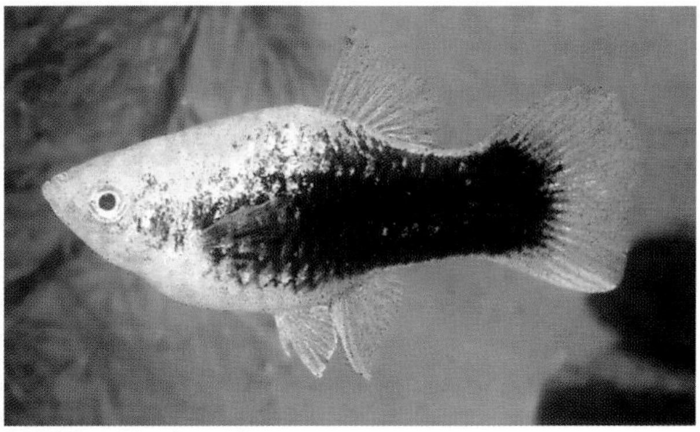

S38491-4 Maculatus-Platy
Normal-Flosser / Normal finned
Tuxedo, B, 6 cm
▷ ⚘ ○ ☺ ☹ ⊞ ▭ ≋ ➤ [S] ◈ ♀ **photo:** B. Teichfischer

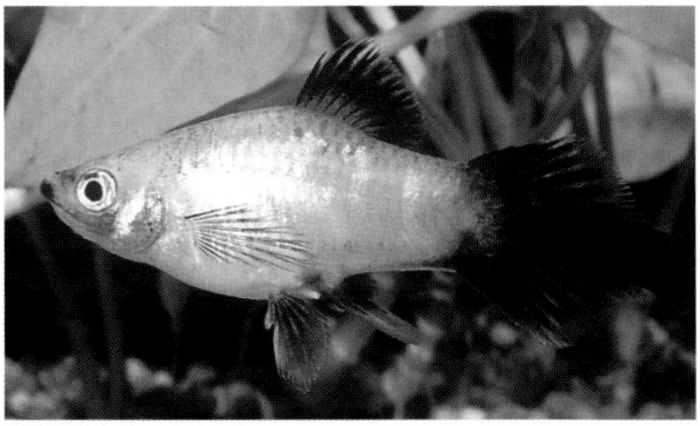

S38492-4 Maculatus-Platy
Pinsel-Flosser / Plume finned
Gelb / Yellow, Wagtail, B, 4 cm
▷ ⚘ ○ ☺ ☹ ⊞ ▭ ≋ ➤ [S] ◈ ♂ **photo:** F. P. Müllenholz

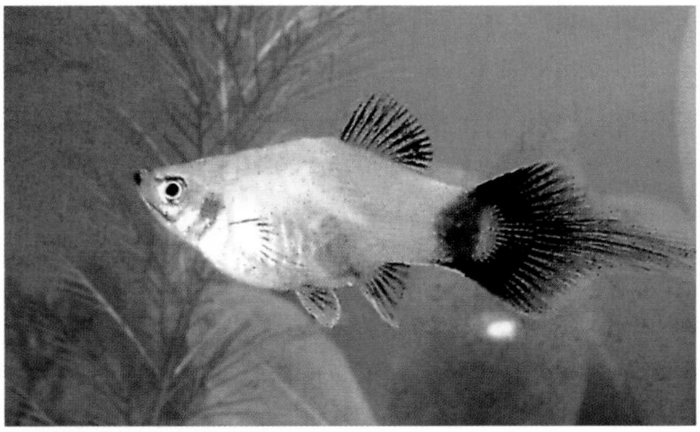

S38492-4 Maculatus-Platy
Pinsel-Flosser / Plume finned
Gelb / Yellow, Wagtail, B, 6 cm
▷ ⚘ ○ ☺ ☹ ⊞ ▭ ≋ ➤ [S] ◈ ♀ **photo:** B. Teichfischer

S38494-4 Maculatus-Platy
Pinsel-Flosser / Plume finned
Tuxedo, Wagtail, B, 4 cm

▷ ♫ ○ ☺ ☻ ⊞ 🖼 � ⋟ Ⓢ ◈ ♂   photo: F. Teigler / A.C.S.

S38494-4 Maculatus-Platy
Pinsel-Flosser / Plume finned
Tuxedo, Wagtail, B, 6 cm

▷ ♫ ○ ☺ ☻ ⊞ 🖼 ⇲ ⋟ Ⓢ ◈ ♀   photo: F. Teigler / A.C.S.

S38496-4 Maculatus-Platy
Normal-Flosser / Normal finned
Bunt / Multicoloured, Wagtail, B, 4 cm

▷ ♫ ○ ☺ ☻ ⊞ 🖼 ⇲ ⋟ Ⓢ ◈ ♂   photo: F. Teigler / A.C.S.

S38496-4 Maculatus-Platy
Normal-Flosser / Normal finned
Bunt / Multicoloured, Wagtail, B, 6 cm

▷ ♫ ○ ☺ ☻ ⊞ 🖼 ⇲ ⋟ Ⓢ ◈ ♀   photo: F. Teigler / A.C.S.

S38498-4 Maculatus-Platy
Normal-Flosser / Normal finned
Bunt / Multicoloured, Wagtail, B, 4 cm

▷ ♫ ○ ☺ ☻ ⊞ 🖼 ⇲ ⋟ Ⓢ ◈ ♂   photo: F. Teigler / A.C.S.

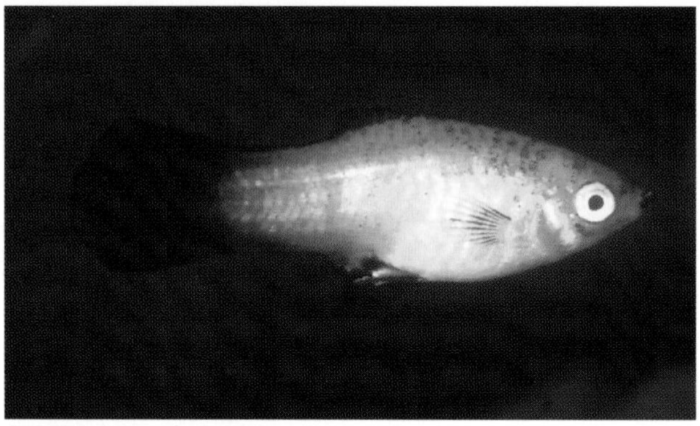

S38498-4 Maculatus-Platy
Normal-Flosser / Normal finned
Bunt / Multicoloured, Wagtail, B, 6 cm

▷ ♫ ○ ☺ ☻ ⊞ 🖼 ⇲ ⋟ Ⓢ ◈ ♀   photo: F. Teigler / A.C.S.

S38500-4 Maculatus-Platy
Simpson-Flosser / Simpson finned
Bunt / Multicoloured, Wagtail, B, 4 cm

▷ ♫ ○ ☺ ☻ ⊞ 🖼 ⇲ ⋟ Ⓢ ◈ ♂   photo: F. Teigler / A.C.S.

S38500-4 Maculatus-Platy
Simpson-Flosser / Simpson finned
Bunt / Multicoloured, Wagtail, B, 6 cm

▷ ♫ ○ ☺ ☻ ⊞ 🖼 ⇲ ⋟ Ⓢ ◈ ♀   photo: F. Teigler / A.C.S.

S38502-4 Maculatus-Platy
Normal-Flosser / Normal finned   Schwarz / Black, B, 4 cm

photo: H. Linke

S38503-4 Maculatus-Platy
Pinsel-Flosser / Plume finned   Gelb-Komet, sog. „Ananas-Färbung" / Yellow comet, so-called "Pineapple", B, 4 cm

photo: H. Linke

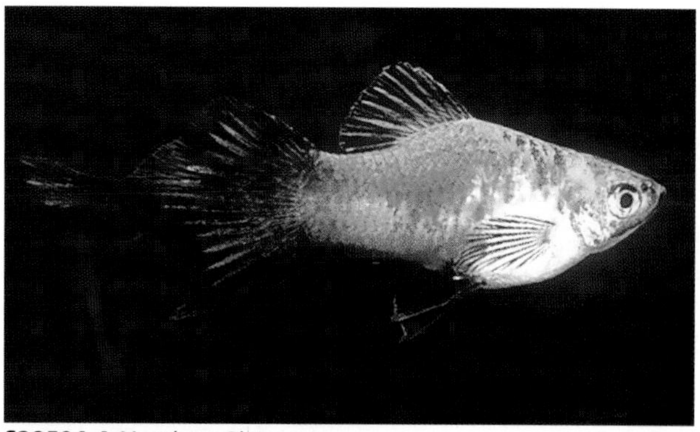

S38504-4 Maculatus-Platy
Pinsel-Flosser / Plume finned
Bunt / Multicoloured, Wagtail, B, 4 cm
▷ R ○ ☺ 😐 ⊞ ▦ ≡ 🐟 [S] ◈ ♂ **photo:** J. Glaser

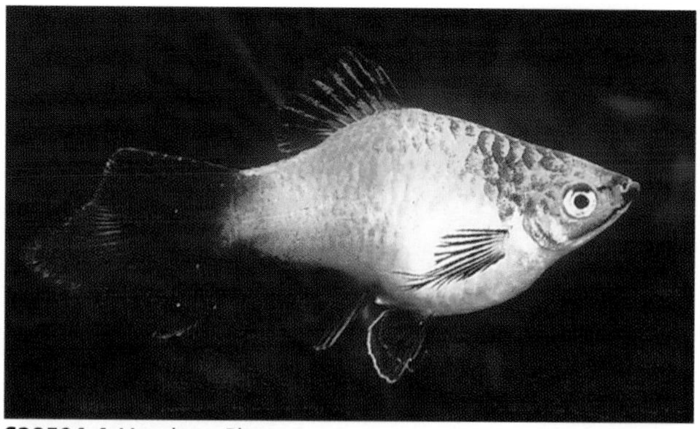

S38504-4 Maculatus-Platy
Pinsel-Flosser / Plume finned
Bunt / Multicoloured, Wagtail, B, 6 cm
▷ R ○ ☺ 😐 ⊞ ▦ ≡ 🐟 [S] ◈ ♀ **photo:** J. Glaser

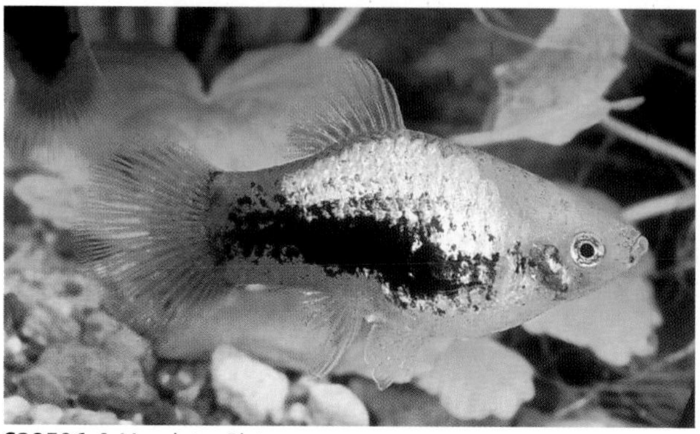

S38506-4 Maculatus-Platy
Normal-Flosser / Normal finned
Bunt / Multicoloured, Tuxedo, B, 4 cm
▷ R ○ ☺ 😐 ⊞ ▦ ≡ 🐟 [S] ◈ ♂ **photo:** J. Glaser

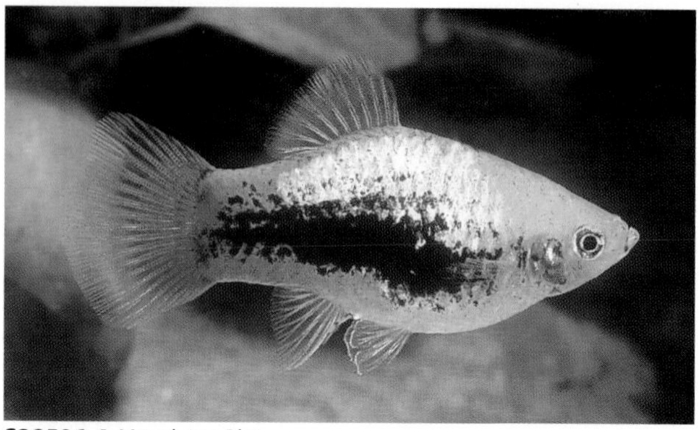

S38506-4 Maculatus-Platy
Normal-Flosser / Normal finned
Bunt / Multicoloured, Tuxedo, B, 6 cm
▷ R ○ ☺ 😐 ⊞ ▦ ≡ 🐟 [S] ◈ ♀ **photo:** J. Glaser

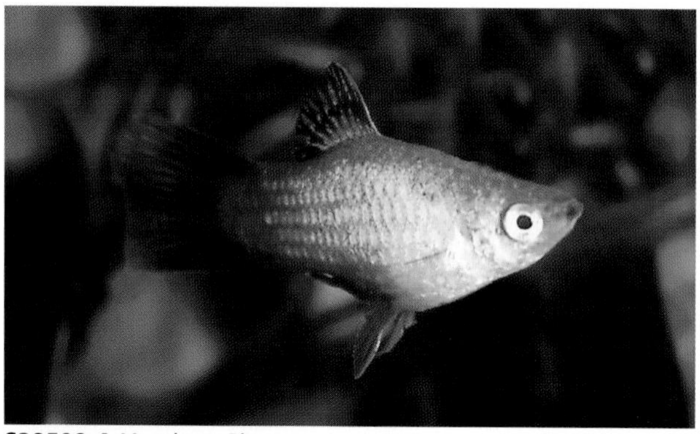

S38508-4 Maculatus-Platy
Normal-Flosser / Normal finned
Blau-Rot / Blue red, Wagtail, B, 4 cm
▷ R ○ ☺ 😐 ⊞ ▦ ≡ 🐟 [S] ◈ ♂ **photo:** F. Teigler / A.C.S.

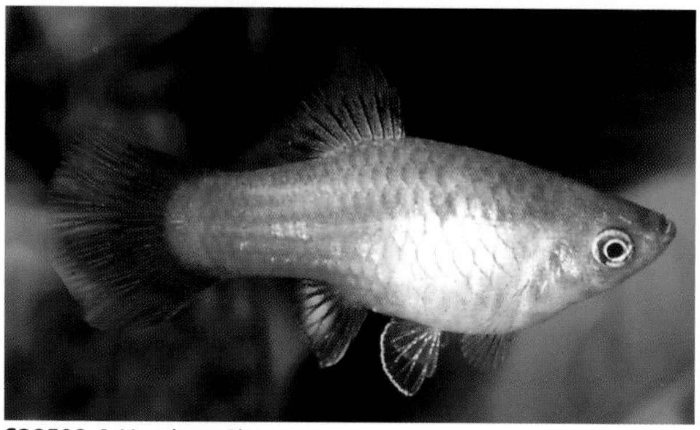

S38508-4 Maculatus-Platy
Normal-Flosser / Normal finned
Blau-Rot / Blue red, Wagtail, B, 6 cm
▷ R ○ ☺ 😐 ⊞ ▦ ≡ 🐟 [S] ◈ ♀ **photo:** F. Teigler / A.C.S.

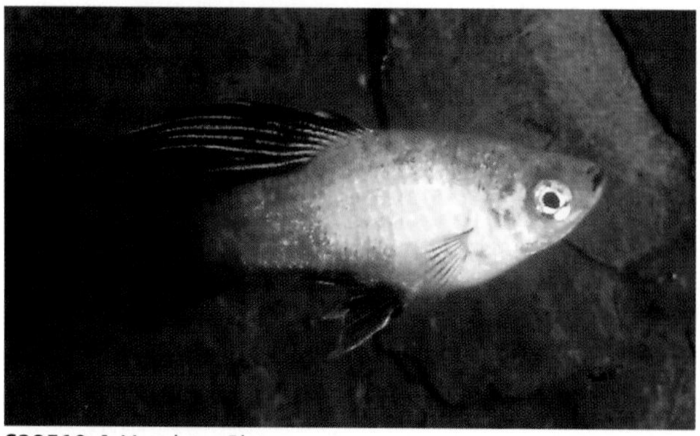

S38510-4 Maculatus-Platy
Simpson-Flosser / Simpson finned
Blau-Rot / Blue red, Wagtail, B, 4 cm
▷ R ○ ☺ 😐 ⊞ ▦ ≡ 🐟 [S] ◈ ♂ **photo:** F. Teigler / A.C.S.

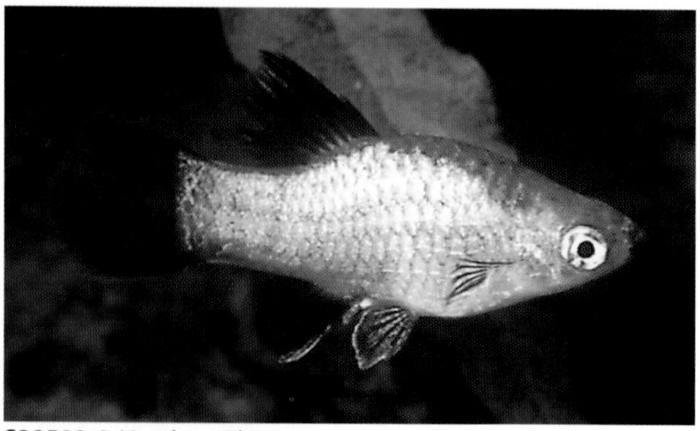

S38510-4 Maculatus-Platy
Simpson-Flosser / Simpson finned
Blau-Rot / Blue red, Wagtail, B, 6 cm
▷ R ○ ☺ 😐 ⊞ ▦ ≡ 🐟 [S] ◈ ♀ **photo:** F. Teigler / A.C.S.

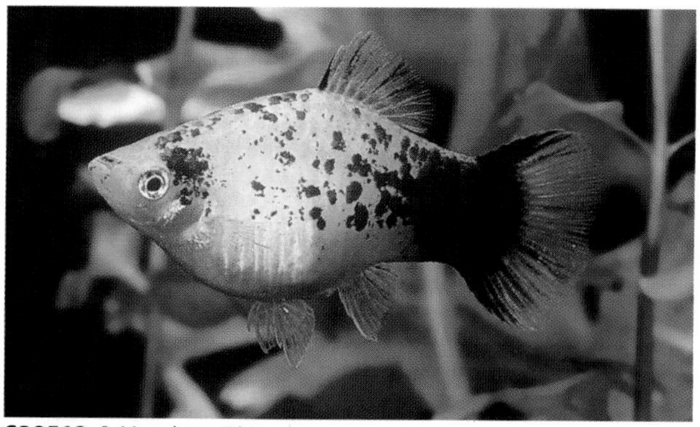

S38512-4 Maculatus-Platy
Normal-Flosser / Normal finned
Orange-Schwarz / Orange black, B, 6 cm
▷ ⚘ ○ ☺ 😐 ⊞ ▣ ≋ ➤ [S] ◈ ♀ **photo:** J. Glaser

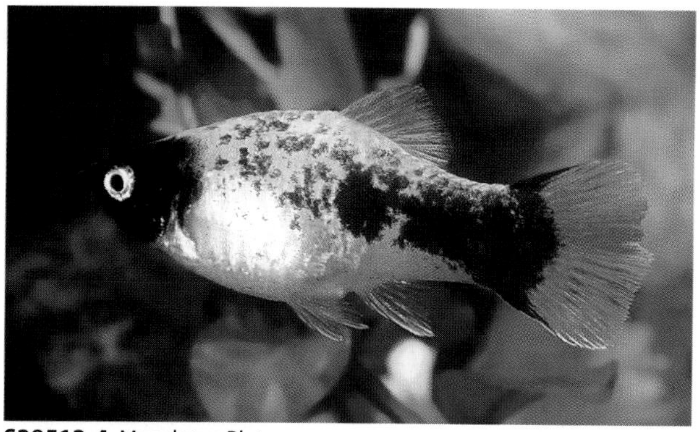

S38513-4 Maculatus-Platy
Normal-Flosser / Normal finned
Orange-Schwarz / Orange black, B, 6 cm
▷ ⚘ ○ ☺ 😐 ⊞ ▣ ≋ ➤ [S] ◈ ♀ **photo:** J. Glaser

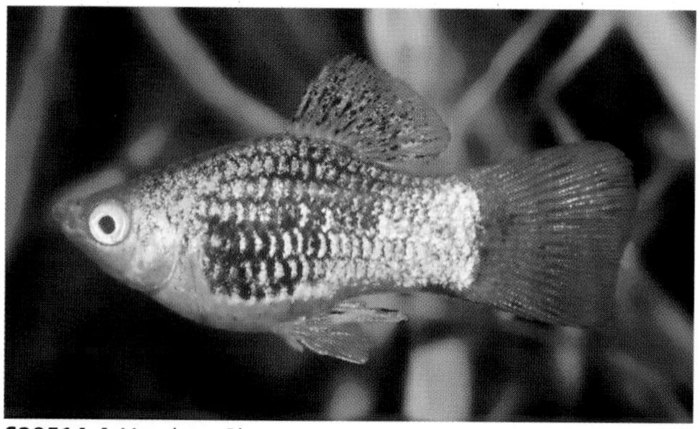

S38514-4 Maculatus-Platy
Normal-Flosser / Normal finned
Hamburger red, B, 4 cm
▷ ⚘ ○ ☺ 😐 ⊞ ▣ ≋ ➤ [S] ◈ ♂ **photo:** U. Werner

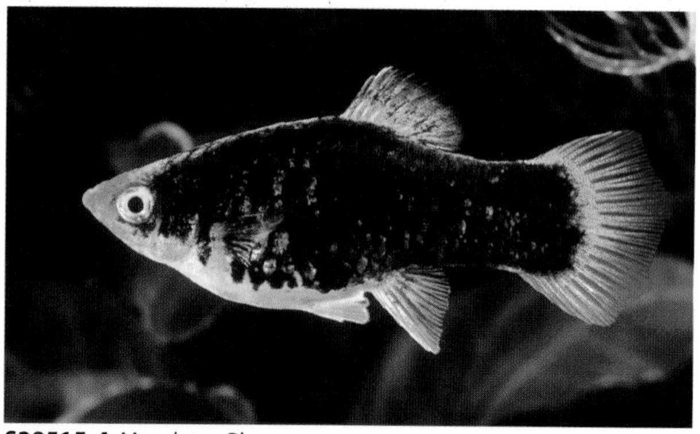

S38515-4 Maculatus-Platy
Normal-Flosser / Normal finned
Hamburger red, B, 6 cm
▷ ⚘ ○ ☺ 😐 ⊞ ▣ ≋ ➤ [S] ◈ ♀ **photo:** M.P. & Ch. Piednoir

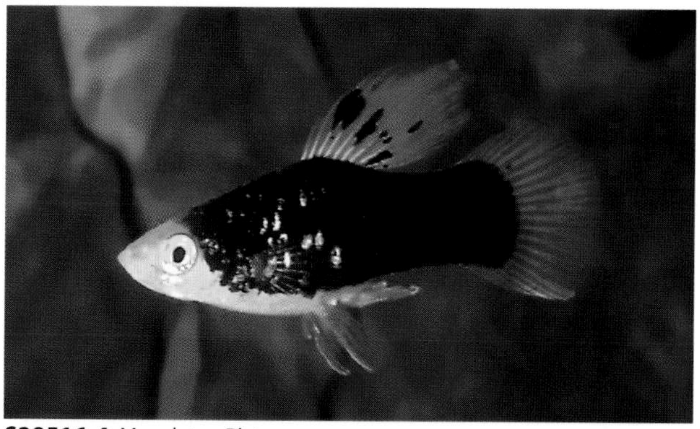

S38516-4 Maculatus-Platy
Simpson-Flosser / Simpson finned
Hamburger red, B, 4 cm
▷ ⚘ ○ ☺ 😐 ⊞ ▣ ≋ ➤ [S] ◈ ♂ **photo:** F. Teigler / A.C.S.

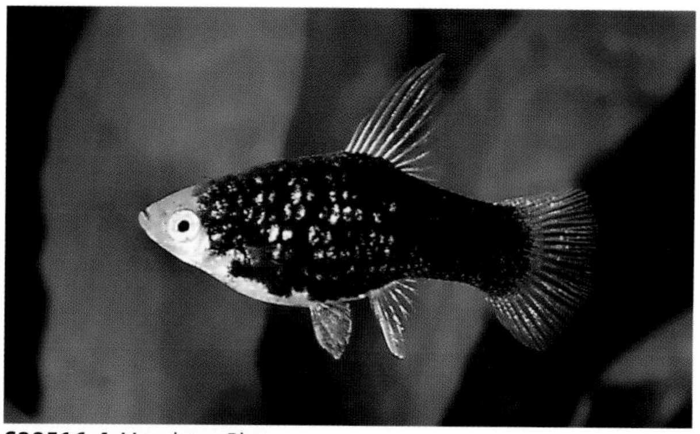

S38516-4 Maculatus-Platy
Simpson-Flosser / Simpson finned
Hamburger red, B, 6 cm
▷ ⚘ ○ ☺ 😐 ⊞ ▣ ≋ ➤ [S] ◈ ♀ **photo:** F. Teigler / A.C.S.

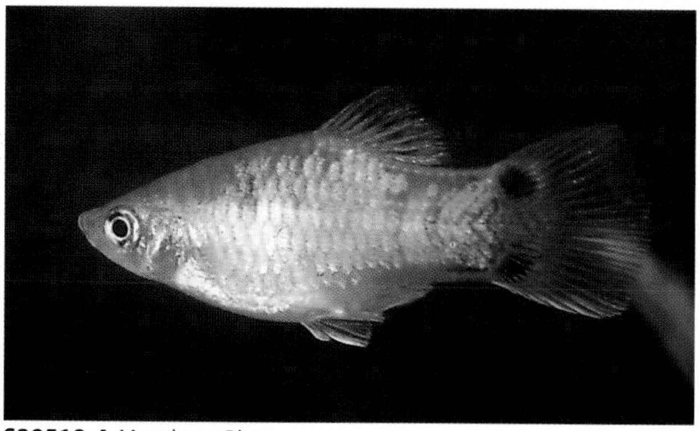

S38518-4 Maculatus-Platy
Normal-Flosser / Normal finned
Grau / Grey, Mickey Mouse, B, 4 cm
▷ ⚘ ○ ☺ 😐 ⊞ ▣ ≋ ➤ [S] ◈ ♂ **photo:** Nakano / A.C.S.

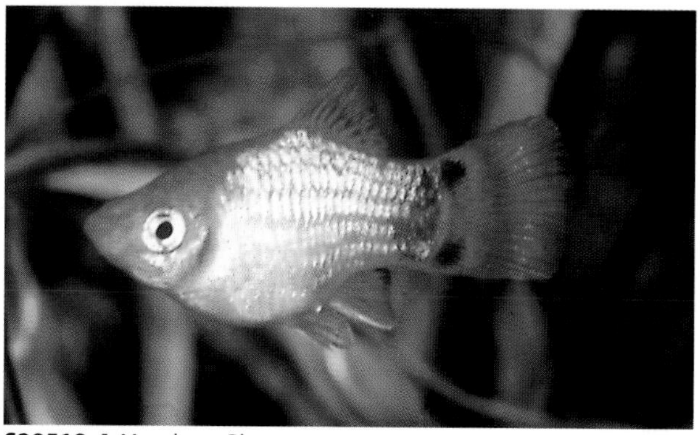

S38518-4 Maculatus-Platy
Normal-Flosser / Normal finned
Grau / Grey, Mickey Mouse, B, 6 cm
▷ ⚘ ○ ☺ 😐 ⊞ ▣ ≋ ➤ [S] ◈ ♀ **photo:** U. Werner

S38520-4 Maculatus-Platy
Normal-Flosser / Normal finned
Rotrücken / Red back, B, 4 cm

▷ ₿ ○ ☺ ☻ ⊞ 🖼 ≋ ✈ Ⓢ ◈ ♂   **photo:** Nakano / A.C.S.

S38521-4 Maculatus-Platy
Normal-Flosser / Normal finned
Bleeding heard (Alter Stamm / Ancestral strain), B, 4 +6 cm

▷ ₿ ○ ☺ ☻ ⊞ 🖼 ≋ ✈ Ⓢ ◈ ♂ ♀   **photo:** B. Teichfischer

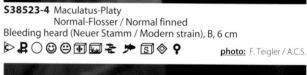

S38522-4 Maculatus-Platy
Normal-Flosser / Normal finned
Bleeding heard (Neuer Stamm / Modern strain), B, 4 cm

▷ ₿ ○ ☺ ☻ ⊞ 🖼 ≋ ✈ Ⓢ ◈ ♂   **photo:** D. Bork

S38523-4 Maculatus-Platy
Normal-Flosser / Normal finned
Bleeding heard (Neuer Stamm / Modern strain), B, 6 cm

▷ ₿ ○ ☺ ☻ ⊞ 🖼 ≋ ✈ Ⓢ ◈ ♀   **photo:** F. Teigler / A.C.S.

S38524-4 Maculatus-Platy
Simpson-Flosser / Simpson finned
Bleeding heard (Neuer Stamm / Modern strain), B, 4 cm

▷ ₿ ○ ☺ ☻ ⊞ 🖼 ≋ ✈ Ⓢ ◈ ♂   **photo:** F. Teigler / A.C.S.

S38524-4 Maculatus-Platy
Simpson-Flosser / Simpson finned
Bleeding heard (Neuer Stamm / Modern strain), B, 6 cm

▷ ₿ ○ ☺ ☻ ⊞ 🖼 ≋ ✈ Ⓢ ◈ ♀   **photo:** F. Teigler / A.C.S.

S38526-4 Maculatus-Platy
Normal-Flosser / Normal finned
Bleeding heard (Neuer Stamm / Modern strain), B, 4 cm

▷ ₿ ○ ☺ ☻ ⊞ 🖼 ≋ ✈ Ⓢ ◈ ♂   **photo:** H. Linke

S38527-4 Maculatus-Platy
Normal-Flosser / Normal finned
Bleeding heard (Neuer Stamm / Modern strain), B, 4 cm

▷ ₿ ○ ☺ ☻ ⊞ 🖼 ≋ ✈ Ⓢ ◈ ♂   **photo:** H. Linke

S38528-4 Maculatus-Platy
Normal-Flosser / Normal finned
Blau / Blue, Mickey Mouse, B, 4 cm

▷ ♬ ○ ☺ ☹ ⊞ 🖼 ⇌ ⤚ Ⓢ ◈ ♂   photo: F. Teigler / A.C.S.

S38528-4 Maculatus-Platy
Normal-Flosser / Normal finned
Blau / Blue, Mickey Mouse, B, 6 cm

▷ ♬ ○ ☺ ☹ ⊞ 🖼 ⇌ ⤚ Ⓢ ◈ ♀   photo: F. Teigler / A.C.S.

S38530-4 Maculatus-Platy
Simpson-Flosser / Simpson finned
Blau / Blue, Mickey Mouse, B, 4 cm

▷ ♬ ○ ☺ ☹ ⊞ 🖼 ⇌ ⤚ Ⓢ ◈ ♂   photo: F. Teigler / A.C.S.

S38530-4 Maculatus-Platy
Simpson-Flosser / Simpson finned
Blau / Blue, Mickey Mouse, B, 6 cm

▷ ♬ ○ ☺ ☹ ⊞ 🖼 ⇌ ⤚ Ⓢ ◈ ♀   photo: F. Teigler / A.C.S.

S92875-5 Maculatus-Platy
Lyra-Flosser / Lyre finned
Blau / Blue, Mickey Mouse, B, 4 cm

▷ ♬ ○ ☺ ☹ ⊞ 🖼 ⇌ ⤚ Ⓢ ◈ ♂   photo: F. Teigler / A.C.S.

S92875-5 Maculatus-Platy
Lyra-Flosser / Lyre finned
Blau / Blue, Mickey Mouse, B, 6 cm

▷ ♬ ○ ☺ ☹ ⊞ 🖼 ⇌ ⤚ Ⓢ ◈ ♀   photo: F. Teigler / A.C.S.

S38534-4 Maculatus-Platy
Normal-Flosser / Normal finned
Bunt / Multicoloured, Mickey Mouse, B, 4 cm

▷ ♬ ○ ☺ ☹ ⊞ 🖼 ⇌ ⤚ Ⓢ ◈ ♂   photo: J. C. Merino

S38534-4 Maculatus-Platy
Normal-Flosser / Normal finned
Bunt / Multicoloured, Mickey Mouse, B, 6 cm

▷ ♬ ○ ☺ ☹ ⊞ 🖼 ⇌ ⤚ Ⓢ ◈ ♀   photo: J. C. Merino

S38536-4 Maculatus-Platy
Normal-Flosser / Normal finned
Bunt / Multicoloured, Mickey Mouse, B, 4 cm

▷ 🐟 ○ 😊 😁 ⊞ 🖼 ⚓ 🐟 [S] ◈ ♂   photo: F. Teigler / A.C.S.

S38536-4 Maculatus-Platy
Normal-Flosser / Normal finned
Bunt / Multicoloured, Mickey Mouse, B, 6 cm

▷ 🐟 ○ 😊 😁 ⊞ 🖼 ⚓ 🐟 [S] ◈ ♀   photo: F. Teigler / A.C.S.

S38538-4 Maculatus-Platy
Normal-Flosser / Normal finned
Bunt / Multicoloured, Mickey Mouse, B, 6 cm

▷ 🐟 ○ 😊 😁 ⊞ 🖼 ⚓ 🐟 [S] ◈ ♀   photo: F. Teigler / A.C.S.

S38538-4 Maculatus-Platy
Normal-Flosser / Normal finned
Bunt / Multicoloured, Mickey Mouse, B, 4 + 6 cm

▷ 🐟 ○ 😊 😁 ⊞ 🖼 ⚓ 🐟 [S] ◈ ♂ ♀   photo: F. Teigler / A.C.S.

S38540-4 Maculatus-Platy
Normal-Flosser / Normal finned
Bunt / Multicoloured, Mickey Mouse, B, 4 cm

▷ 🐟 ○ 😊 😁 ⊞ 🖼 ⚓ 🐟 [S] ◈ ♂   photo: F. Teigler / A.C.S.

S38540-4 Maculatus-Platy
Normal-Flosser / Normal finned
Bunt / Multicoloured, Mickey Mouse, B, 6 cm

▷ 🐟 ○ 😊 😁 ⊞ 🖼 ⚓ 🐟 [S] ◈ ♀   photo: F. Teigler / A.C.S.

S38542-4 Maculatus-Platy
Normal-Flosser / Normal finned
Bunt / Multicoloured, Mickey Mouse, B, 4 cm

▷ 🐟 ○ 😊 😁 ⊞ 🖼 ⚓ 🐟 [S] ◈ ♂   photo: Nakano / A.C.S.

S38543-4 Maculatus-Platy
Normal-Flosser / Normal finned
Rot / Red, Salt´n´Pepper, B, 4 cm

▷ 🐟 ○ 😊 😁 ⊞ 🖼 ⚓ 🐟 [S] ◈ ♂   photo: J. C. Merino

S38544-4 Maculatus-Platy
Normal-Flosser / Normal finned
Rot / Red, Salt´n´Pepper, B, 4 cm

▷🅱○☺☹⊞🖼⇟🐟⟷Ⓢ◈♂   **photo:** J. Glaser

S38545-4 Maculatus-Platy
Normal-Flosser / Normal finned
Rot / Red, Salt´n´Pepper, B, 4 cm

▷🅱○☺☹⊞🖼⇟🐟Ⓢ◈♀   **photo:** J. Glaser

S38546-4 Maculatus-Platy
Simpson-Flosser / Simpson finned
Rot / Red, Salt´n´Pepper, B, 4 cm

▷🅱○☺☹⊞🖼⇟🐟Ⓢ◈♂   **photo:** F. Teigler / A.C.S.

S38546-4 Maculatus-Platy
Simpson-Flosser / Simpson finned
Rot / Red, Salt´n´Pepper, B, 6 cm

▷🅱○☺☹⊞🖼⇟🐟Ⓢ◈♀   **photo:** F. Teigler / A.C.S.

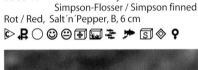

S38548-4 Maculatus-Platy
Normal-Flosser / Normal finned
Rot / Red, Salt´n´Pepper, Wagtail, B, 4 cm

▷🅱○☺☹⊞🖼⇟🐟Ⓢ◈♂   **photo:** F. Teigler / A.C.S.

S38548-4 Maculatus-Platy
Normal-Flosser / Normal finned
Rot / Red, Salt´n´Pepper, Wagtail, B, 6 cm

▷🅱○☺☹⊞🖼⇟🐟Ⓢ◈♀   **photo:** F. Teigler / A.C.S.

S38550-4 Maculatus-Platy
Normal-Flosser / Normal finned
Milchfarben / Milk, Salt´n´Pepper, B, 4 + 6 cm

▷🅱○☺☹⊞🖼⇟🐟Ⓢ◈♂♀   **photo:** Nakano / A.C.S.

S92928-4 Maculatus-Platy
Normal-Flosser / Normal finned
Milchfarben / Milk, Salt´n´Pepper, B, 6 cm

▷🅱○☺☹⊞🖼⇟🐟Ⓢ◈♀   **photo:** Nakano / A.C.S.

S38552-4 Maculatus-Platy
Normal-Flosser / Normal finned
Milchfarben / Milk, Salt´n´Pepper, B, 4 cm

photo: F. Teigler / A.C.S.

S38552-4 Maculatus-Platy
Normal-Flosser / Normal finned
Milchfarben / Milk, Salt´n´Pepper, B, 6 cm

photo: F. Teigler / A.C.S.

S38554-4 Maculatus-Platy
Normal-Flosser / Normal finned
Blau / Blue, Salt´n´Pepper, B, 4 cm

photo: J. C. Merino

S38555-4 Maculatus-Platy
Normal-Flosser / Normal finned
Blau / Blue, Salt´n´Pepper, B, 6 cm

photo: B. Teichfischer

S38556-4 Maculatus-Platy
Simpson-Flosser / Simpson finned
Rot / Red, Salt´n´Pepper, Tuxedo, B, 4 cm

photo: F. Teigler / A.C.S.

S38556-4 Maculatus-Platy
Simpson-Flosser / Simpson finned
Rot / Red, Salt´n´Pepper, Tuxedo, B, 6 cm

photo: F. Teigler / A.C.S.

S38558-4 Maculatus-Platy
Normal-Flosser / Normal finned
Blau / Blue, B, 4 cm

photo: J. C. Merino

S38559-4 Maculatus-Platy
Normal-Flosser / Normal finned
Blau / Blue, Mond / Moon, B, 4 cm

photo: J. C. Merino

S38560-4 Maculatus-Platy
Normal-Flosser / Normal finned
Gelb / Yellow, B, 4 cm
⊳ ♣ ○ ☺ 😐 ⊞ 🐟 ≋ ➤ [S] ◈ ♂ **photo:** B. Teichfischer

S38561-4 Maculatus-Platy
Normal-Flosser / Normal finned
Komet, sog. „Ananas“ / So-called "Pineapple", B, 4+ 6 cm
⊳ ♣ ○ ☺ 😐 ⊞ 🐟 ≋ ➤ [S] ◈ ♂ ♀ **photo:** F.P. Müllenholz

S38562-4 Maculatus-Platy
Normal-Flosser / Normal finned
Komet, sog. „Ananas“ / So-called "Pineapple", B, 4 cm
⊳ ♣ ○ ☺ 😐 ⊞ 🐟 ≋ ➤ [S] ◈ ♂ **photo:** J. C. Merino

S38563-4 Maculatus-Platy
Normal-Flosser / Normal finned
Komet, sog. „Ananas“ / So-called "Pineapple", B, 6 cm
⊳ ♣ ○ ☺ 😐 ⊞ 🐟 ≋ ➤ [S] ◈ ♀ **photo:** Nakano / A.C.S.

S38564-4 Maculatus-Platy
Simpson-Flosser / Simpson finned
Komet, sog. „Ananas“ / So-called "Pineapple", B, 4 cm
⊳ ♣ ○ ☺ 😐 ⊞ 🐟 ≋ ➤ [S] ◈ ♂ **photo:** F. Teigler / A.C.S.

S38564-4 Maculatus-Platy
Simpson-Flosser / Simpson finned
Komet, sog. „Ananas“ / So-called "Pineapple", B, 6 cm
⊳ ♣ ○ ☺ 😐 ⊞ 🐟 ≋ ➤ [S] ◈ ♀ **photo:** F. Teigler / A.C.S.

S38566-4 Maculatus-Platy
Normal-Flosser / Normal finned
Mariegold, B, 4 + 6 cm
⊳ ♣ ○ ☺ 😐 ⊞ 🐟 ≋ ➤ [S] ◈ ♂ ♀ **photo:** J. C. Merino

S38567-4 Maculatus-Platy
Pinsel-Flosser / Plume finned
Mariegold, B, 6 cm
⊳ ♣ ○ ☺ 😐 ⊞ 🐟 ≋ ➤ [S] ◈ ♀ **photo:** M.P. & Ch. Piednoir

S38568-4 Maculatus-Platy
Simpson-Flosser / Simpson finned
Mariegold, B, 4 cm
▷ ♇ ○ ☺ 😐 ⊞ ⊡ ≋ 🐟 [S] ◈ ♂

photo: F. Teigler / A.C.S.

S38568-4 Maculatus-Platy
Simpson-Flosser / Simpson finned
Mariegold, B, 6 cm
▷ ♇ ○ ☺ 😐 ⊞ ⊡ ≋ 🐟 [S] ◈ ♀

photo: F. Teigler / A.C.S.

Der Unterschied in der Körperform zwischen Variatus-Platys (oben) und Maculatus-Platys (unten) ist durch die vielen Kreuzungen oft nur noch undeutlich zu erkennen.
The different body shapes of Variatus-platies (top) and Maculatus-platies (bottom) have become blurred through long interbreeding of the two species.

photo: J. C. Merino

S38600-4 Variatus-Platy
Normal-Flosser / Normal finned
Wildfarben / Wild coloured, B, 4,5 cm
⊳ 🌿 ○ ☺ 😐 [+] 🌱 ≋ 🐟 [S] ◈ ♂ photo: F. Teigler / A.C.S.

S38600-4 Variatus-Platy
Normal-Flosser / Normal finned
Wildfarben / Wild coloured, B, 6 cm
⊳ 🌿 ○ ☺ 😐 [+] 🌱 ≋ 🐟 [S] ◈ ♀ photo: F. Teigler / A.C.S.

S38602-4 Variatus-Platy
Normal-Flosser / Normal finned
Mariegold, B, 4,5 cm
⊳ 🌿 ○ ☺ 😐 [+] 🌱 ≋ 🐟 [S] ◈ ♂ photo: F. Teigler / A.C.S.

S38602-4 Variatus-Platy
Normal-Flosser / Normal finned
Mariegold, B, 6 cm
⊳ 🌿 ○ ☺ 😐 [+] 🌱 ≋ 🐟 [S] ◈ ♀ photo: F. Teigler / A.C.S.

S38604-4 Variatus-Platy
Pinsel-Flosser / Plume finned
Mariegold, B, 4,5 cm
⊳ 🌿 ○ ☺ 😐 [+] 🌱 ≋ 🐟 [S] ◈ ♂ photo: M. K. Meyer

S38605-4 Variatus-Platy
Normal-Flosser / Normal finned
Mariegold, B, 6 cm
⊳ 🌿 ○ ☺ 😐 [+] 🌱 ≋ 🐟 [S] ◈ ♀ photo: B. teichfischer

S38606-4 Variatus-Platy
Normal-Flosser / Normal finned
Papagei / Parrot, B, 4,5 cm
⊳ 🌿 ○ ☺ 😐 [+] 🌱 ≋ 🐟 [S] ◈ ♂ photo: J. C. Merino

S38606-4 Variatus-Platy
Normal-Flosser / Normal finned
Papagei / Parrot, B, 6 cm
⊳ 🌿 ○ ☺ 😐 [+] 🌱 ≋ 🐟 [S] ◈ ♀ photo: J. C. Merino

S38608-4 Variatus-Platy
Normal-Flosser / Normal finned
Papagei / Parrot, B, 4,5 cm
▷ 🌡 ○ ☺ 😐 ⊞ 🌿 ≋ 🐟 [S] ◈ ♂ **photo:** J. Glaser

S38609-4 Variatus-Platy
Normal-Flosser / Normal finned
Papagei / Parrot, B, 4,5 cm
▷ 🌡 ○ ☺ 😐 ⊞ 🌿 ≋ 🐟 [S] ◈ ♂ **photo:** J. Glaser

S38610-4 Variatus-Platy
Simpson-Flosser / Simpson finned
Papagei / Parrot, B, 4,5 cm
▷ 🌡 ○ ☺ 😐 ⊞ 🌿 ≋ 🐟 [S] ◈ ♂ **photo:** F. Teigler / A.C.S.

S38611-4 Variatus-Platy
Simpson-Flosser / Simpson finned
Papagei / Parrot, B, 6 cm
▷ 🌡 ○ ☺ 😐 ⊞ 🌿 ≋ 🐟 [S] ◈ ♀ **photo:** A. Canovas

S38612-4 Variatus-Platy
Simpson-Flosser / Simpson finned
Papagei / Parrot, B, 4,5 cm
▷ 🌡 ○ ☺ 😐 ⊞ 🌿 ≋ 🐟 [S] ◈ ♂ **photo:** B. Teichfischer

S38612-4 Variatus-Platy
Simpson-Flosser / Simpson finned
Papagei / Parrot, B, 6 cm
▷ 🌡 ○ ☺ 😐 ⊞ 🌿 ≋ 🐟 [S] ◈ ♀ **photo:** B. Teichfischer

S38614-4 Variatus-Platy
Normal-Flosser / Normal finned
Bronze / Bronce, B, 4,5 cm
▷ 🌡 ○ ☺ 😐 ⊞ 🌿 ≋ 🐟 [S] ◈ ♂ **photo:** E. Schraml

S38614-4 Variatus-Platy
Normal-Flosser / Normal finned
Bronze / Bronce, B, 6 cm
▷ 🌡 ○ ☺ 😐 ⊞ 🌿 ≋ 🐟 [S] ◈ ♀ **photo:** E. Schraml

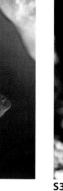

S38616-4 Variatus-Platy
Normal-Flosser / Normal finned
Twin-Spot, B, 4,5 cm
▷ ℞ ○ ☺ 😐 ⊞ ▣ ⇶ ➤ [S] ◇ ♂ **photo:** B. Teichfischer

S38616-4 Variatus-Platy
Normal-Flosser / Normal finned
Twin-Spot, B, 6 cm
▷ ℞ ○ ☺ 😐 ⊞ ▣ ⇶ ➤ [S] ◇ ♀ **photo:** B. Teichfischer

S38618-4 Variatus-Platy
Normal-Flosser / Normal finned
Grün-Rot / Green red, B, 4,5 cm
▷ ℞ ○ ☺ 😐 ⊞ ▣ ⇶ ➤ [S] ◇ ♂ **photo:** F. Teigler / A.C.S.

S38618-4 Variatus-Platy
Normal-Flosser / Normal finned
Grün-Rot / Green red, B, 6 cm
▷ ℞ ○ ☺ 😐 ⊞ ▣ ⇶ ➤ [S] ◇ ♀ **photo:** F. Teigler / A.C.S.

S38620-4 Variatus-Platy
Normal-Flosser / Normal finned
Salt´n´Pepper, B, 4,5 cm
▷ ℞ ○ ☺ 😐 ⊞ ▣ ⇶ ➤ [S] ◇ ♂ **photo:** F. Teigler / A.C.S.

S38620-4 Variatus-Platy
Normal-Flosser / Normal finned
Salt´n´Pepper, B, 6 cm
▷ ℞ ○ ☺ 😐 ⊞ ▣ ⇶ ➤ [S] ◇ ♀ **photo:** F. Teigler / A.C.S.

S38622-4 Variatus-Platy
Simpson-Flosser / Simpson finned
Salt´n´Pepper, B, 4,5 cm
▷ ℞ ○ ☺ 😐 ⊞ ▣ ⇶ ➤ [S] ◇ ♂ **photo:** H.J. Mayland

S38623-4 Variatus-Platy
Simpson-Flosser / Simpson finned
Salt´n´Pepper, B, 6 cm
▷ ℞ ○ ☺ 😐 ⊞ ▣ ⇶ ➤ [S] ◇ ♀ **photo:** B. Teichfischer

S38624-4 Variatus-Platy
Simpson-Flosser / Simpson finned
Salt´n´Pepper, B, 4,5 cm
▷ ⚘ ○ ☺ 😐 ⊞ ▣ ≛ ➤ [S] ◈ ♂ **photo:** J. C. Merino

S38624-4 Variatus-Platy
Simpson-Flosser / Simpson finned
Salt´n´Pepper, B, 6 cm
▷ ⚘ ○ ☺ 😐 ⊞ ▣ ≛ ➤ [S] ◈ ♀ **photo:** J. C. Merino

S38626-4 Variatus-Platy
Simpson-Flosser / Simpson finned
Salt´n´Pepper, B, 4,5 + 6 cm
▷ ⚘ ○ ☺ 😐 ⊞ ▣ ≛ ➤ [S] ◈ ♂ ♀ **photo:** M.P. & Ch. Piednoir

S38627-4 Variatus-Platy
Simpson-Flosser / Simpson finned
Salt´n´Pepper, B, 6 cm
▷ ⚘ ○ ☺ 😐 ⊞ ▣ ≛ ➤ [S] ◈ ♀ **photo:** B. Teichfischer

S38628-4 Variatus-Platy
Normal-Flosser / Normal finned
Salt´n´Pepper, B, 4,5 cm
▷ ⚘ ○ ☺ 😐 ⊞ ▣ ≛ ➤ [S] ◈ ♂ **photo:** B. teichfischer

S38629-4 Variatus-Platy
Normal-Flosser / Normal finned
Rot / Red, Wagtail, B, 4,5 cm
▷ ⚘ ○ ☺ 😐 ⊞ ▣ ≛ ➤ [S] ◈ ♂ **photo:** A. Canovas

S38630-4 Variatus-Platy
Normal-Flosser / Normal finned
Blau / Blue, Mond / Moon, B, 4,5 cm
▷ ⚘ ○ ☺ 😐 ⊞ ▣ ≛ ➤ [S] ◈ ♂ **photo:** U. Werner

S38630-4 Variatus-Platy
Normal-Flosser / Normal finned
Blau / Blue, Mond / Moon, B, 6 cm
▷ ⚘ ○ ☺ 😐 ⊞ ▣ ≛ ➤ [S] ◈ ♀ **photo:** U. Werner

S38632-4 Variatus-Platy
Normal-Flosser / Normal finned
Tuxedo, B, 4,5 cm
⊳ 🌿 ○ ☺ 😐 ⊞ ▣ ≋ 🐟 [S] ◇ ♂ **photo:** F. Teigler / A.C.S.

S38632-4 Variatus-Platy
Normal-Flosser / Normal finned
Tuxedo, B, 6 cm
⊳ 🌿 ○ ☺ 😐 ⊞ ▣ ≋ 🐟 [S] ◇ ♀ **photo:** F. Teigler / A.C.S.

S38634-4 Variatus-Platy
Normal-Flosser / Normal finned
Tuxedo, B, 6 cm
⊳ 🌿 ○ ☺ 😐 ⊞ ▣ ≋ 🐟 [S] ◇ ♀ **photo:** F. Teigler / A.C.S.

S38634-4 Variatus-Platy
Normal-Flosser / Normal finned
Tuxedo, B, 4,5 cm
⊳ 🌿 ○ ☺ 😐 ⊞ ▣ ≋ 🐟 [S] ◇ ♂ **photo:** F. Teigler / A.C.S.

S38636-4 Variatus-Platy
Normal-Flosser / Normal finned
Tuxedo, B, 4,5 cm
⊳ 🌿 ○ ☺ 😐 ⊞ ▣ ≋ 🐟 [S] ◇ ♂ **photo:** F. Teigler / A.C.S.

S38636-4 Variatus-Platy
Normal-Flosser / Normal finned
Tuxedo, B, 6 cm
⊳ 🌿 ○ ☺ 😐 ⊞ ▣ ≋ 🐟 [S] ◇ ♀ **photo:** F. Teigler / A.C.S.

S92927-4 Variatus-Platy Handelsname / Trade name „Black Coral"
Normal-Flosser / Normal finned
Hamburger bunt / Multicoloured, B, 4,5 cm
⊳ 🌿 ○ ☺ 😐 ⊞ ▣ ≋ 🐟 [S] ◇ ♂ **photo:** D. Bork

S92927-4 Variatus-Platy Handelsname / Trade name „Black Coral"
Normal-Flosser / Normal finned
Hamburger bunt / Multicoloured, B, 6 cm
⊳ 🌿 ○ ☺ 😐 ⊞ ▣ ≋ 🐟 [S] ◇ ♀ **photo:** D. Bork

S38640-4 Variatus-Platy
Normal-Flosser / Normal finned
Hawaii, B, 4,5 cm

photo: B. Teichfischer

S38640-4 Variatus-Platy
Normal-Flosser / Normal finned
Hawaii, B, 6 cm

photo: B. Teichfischer

S38642-4 Variatus-Platy
Simpson-Flosser / Simpson finned
Hawaii, B, 4,5 cm

photo: H.J. Mayland

S38643-4 Variatus-Platy
Simpson-Flosser / Simpson finned
Hawaii, B, 4,5 cm

photo: U. Werner

S38644-4 Variatus-Platy
Simpson-Flosser / Simpson finned
Hawaii, B, 6 cm

photo: M.K. Meyer

S38645-4 Variatus-Platy
Pinsel-Flosser / Plume finned
Hawaii, B, 4,5 cm

photo: M. K. Meyer

S38646-4 Variatus-Platy
Lyra-Flosser / Lyre finned
Hawaii, B, 6 cm

photo: B. Teichfischer

S38647-4 Variatus-Platy
Lyra-Flosser / Lyre finned
Rot / Red, B, 6 cm

photo: B. Teichfischer

Hawaii-Platys

photo: M.P. & Ch. Piednoir

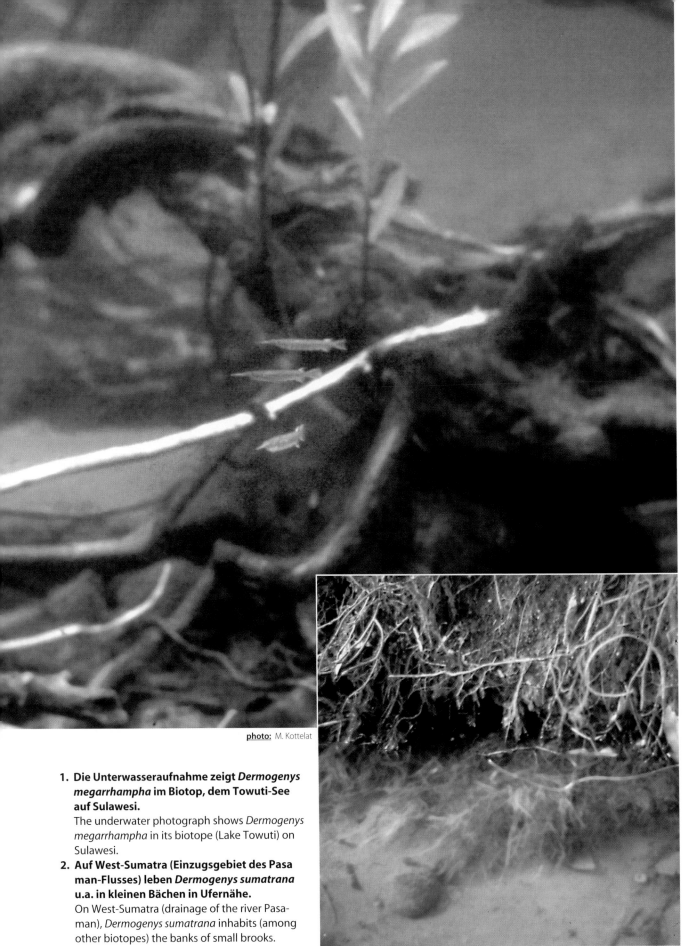

photo: M. Kottelat

1. **Die Unterwasseraufnahme zeigt _Dermogenys megarrhampha_ im Biotop, dem Towuti-See auf Sulawesi.**
   The underwater photograph shows _Dermogenys megarrhampha_ in its biotope (Lake Towuti) on Sulawesi.
2. **Auf West-Sumatra (Einzugsgebiet des Pasa man-Flusses) leben _Dermogenys sumatrana_ u.a. in kleinen Bächen in Ufernähe.**
   On West-Sumatra (drainage of the river Pasa-man), _Dermogenys sumatrana_ inhabits (among other biotopes) the banks of small brooks.

photo: F. Schäfer

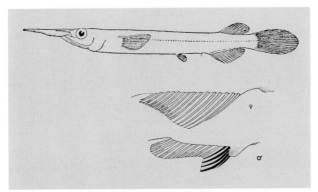

X43200 *Dermogenys burmanica* MUKERJI, 1935
Burma-Halbschnäbler / Burmese Halfbeak
Freshwaters in the Delta district of Burma

from: Mukerji, 1935 (changed)

X43203-4 *Dermogenys ebrardtii* (POPTA, 1912)
Ebrardts Halbschnäbler / Orange Finned Halfbeak
SE-Sulawesi, B, 9 cm

▷ ⇪P ◐ ☺ ☺ ⬆🗔 ➹ m ♂ ♀   photo: U. Werner

X43203-4 *Dermogenys ebrardtii* (POPTA, 1912)
Ebrardts Halbschnäbler / Orange Finned Halfbeak
SE-Sulawesi, B, 9 cm

▷ ⇪P ◐ ☺ ☺ ⬆🗔 ➹ m ♂   photo: H. Hieronimus

X43203-4 *Dermogenys ebrardtii* (POPTA, 1912)
Ebrardts Halbschnäbler / Orange Finned Halfbeak
SE-Sulawesi, B, 9 cm

▷ ⇪P ◐ ☺ ☺ ⬆🗔 ➹ m ♀   photo: H. Hieronimus

X43204-4 *Dermogenys ebrardtii* (POPTA, 1912)
Ebrardts Halbschnäbler / Orange Finned Halfbeak
SE-Sulawesi, B, 9 cm

▷ ⇪P ◐ ☺ ☺ ⬆🗔 ➹ m ♂   photo: O. Böhm

X43206 *Dermogenys megarrhampha* Brembach, 1982
Langschnabel-Halbschnäbler / Long-Jaw Halfbeak
Lake Towoeti, Sulawesi, 7 + 10,5 cm

♀   photo: M. Kottelat

X43208 *Dermogenys montana* BREMBACH, 1982
Berghalbschnäbler / Mountain Halfbeak
Waterfalls of Bantimurung, Sulawesi, 5,5 cm

♂   photo: M. Kottelat

X43208 *Dermogenys montana* BREMBACH, 1982
Berghalbschnäbler / Mountain Halfbeak
Waterfalls of Bantimurung, Sulawesi, 9 cm

♀   photo: M. Kottelat

X43210 *Dermogenys orientalis* (WEBER, 1894)

Luves, Maros River, La Palupa River, Sulawesi, 3,5 + 6 cm

♂ ♀

photo: M. Kottelat

X43212 *Dermogenys philippina* LADIGES, 1972
Philippinen-Halbschnäbler / Philippine Halfbeak
Cebu, Philippines, 5 cm

♂

photo: M. Brembach

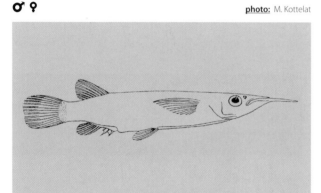

X43214-4 *Dermogenys pectoralis* FOWLER, 1934

Bubucan, Luzon, Philippines

♂

from: Fowler, 1934 (changed)

X43216 *Dermogenys pusilla* VAN HASSELT, 1823
Kampf-Halbschnäbler / Wrestling Halfbeak
Buitenzorg, Java, Indonesia, 3 + 4 cm

▷ ⇈P ◑ ☺ ☹ ⬆ 🖼 ⚓ m ♂ ♀

photo: M. Kottelat

X43217-4 *Dermogenys pusilla borealis* BREMBACH, 1991
Kampf-Halbschnäbler / Wrestling Halfbeak
Aquarienstamm / Aquarium strain, B, 3 cm

▷ ⇈P ◑ ☺ ☹ ⬆ 🖼 ⚓ m ♂

photo: H. Hieronimus

X43217-4 *Dermogenys pusilla borealis* BREMBACH, 1991
Kampf-Halbschnäbler / Wrestling Halfbeak
Aquarienstamm / Aquarium strain, B, 4 cm

▷ ⇈P ◑ ☺ ☹ ⬆ 🖼 ⚓ m ♀

photo: E. Schraml

X43218-4 *Dermogenys pusilla borealis* BREMBACH, 1991
Kampf-Halbschnäbler / Wrestling Halfbeak
Aquarienstamm / Aquarium strain, B, 3 cm

▷ ⇈P ◑ ☺ ☹ ⬆ 🖼 ⚓ m ♂

photo: A. Canovas

X43218-4 *Dermogenys pusilla borealis* BREMBACH, 1991
Kampf-Halbschnäbler / Wrestling Halfbeak
Aquarienstamm / Aquarium strain, B, 4 cm

▷ ⇈P ◑ ☺ ☹ ⬆ 🖼 ⚓ m ♀

photo: G. Kopic

X43219-4 *Dermogenys pusilla borealis* BREMBACH, 1991
Kampf-Halbschnäbler / Wrestling Halfbeak
Aquarienstamm / Aquarium strain, B, 3 cm
▷ ⇈P ◐ ☺ ☻ ⯐ 🖼 ➹ 🔳 ♂   photo: F. Teigler / A.C.S.

X43219-4 *Dermogenys pusilla borealis* BREMBACH, 1991
Kampf-Halbschnäbler / Wrestling Halfbeak
Aquarienstamm / Aquarium strain, B, 4 cm
▷ ⇈P ◐ ☺ ☻ ⯐ 🖼 ➹ 🔳 ♀   photo: F. Teigler / A.C.S.

X43220-4 *Dermogenys pusilla borealis* BREMBACH, 1991
Goldener Kampf-Halbschnäbler / Golden Wrestling Halfbeak
Zuchtform / Breeding form, B, 3 cm
▷ ⇈P ◐ ☺ ☻ ⯐ 🖼 ➹ 🔳 ♂   photo: F. Teigler / A.C.S.

X43220-4 *Dermogenys pusilla borealis* BREMBACH, 1991
Goldener Kampf-Halbschnäbler / Golden Wrestling Halfbeak
Zuchtform / Breeding form, B, 4 cm
▷ ⇈P ◐ ☺ ☻ ⯐ 🖼 ➹ 🔳 ♀   photo: F. Teigler / A.C.S.

X43222-4 *Dermogenys pusilla pusilla* VAN HASSELT, 1823
Kampf-Halbschnäbler / Wrestling Halfbeak
Malaysia (leg. SCHÄFER), W, 3 cm
▷ ⇈P ◐ ☺ ☻ ⯐ 🖼 ➹ 🔳 ♂   photo: F. Teigler / A.C.S.

X43222-4 *Dermogenys pusilla pusilla* VAN HASSELT, 1823
Kampf-Halbschnäbler / Wrestling Halfbeak
Malaysia (leg. SCHÄFER), W, 3 cm
▷ ⇈P ◐ ☺ ☻ ⯐ 🖼 ➹ 🔳 ♂   photo: F. Teigler / A.C.S.

X43224-4 *Dermogenys pusilla pusilla* VAN HASSELT, 1823
Kampf-Halbschnäbler / Wrestling Halfbeak
Aquarienstamm / Aqurium strain, B, 3 cm
▷ ⇈P ◐ ☺ ☻ ⯐ 🖼 ➹ 🔳 ♂   photo: M.P. & Ch. Piednoir

X43224-4 *Dermogenys pusilla pusilla* VAN HASSELT, 1823
Kampf-Halbschnäbler / Wrestling Halfbeak
Aquarienstamm / Aqurium strain, B, 4 cm
▷ ⇈P ◐ ☺ ☻ ⯐ 🖼 ➹ 🔳 ♀   photo: M.P. & Ch. Piednoir

X43226 *Dermogenys siamensis* Fowler, 1934
Siamesischer Halbschnäbler / Siamese Halfbeak
Chieng Mai, N-Thailand, 4 + 5,5 cm
♂ ♀   photo: M. Kottelat

X43228 *Dermogenys sumatrana* (Bleeker, 1853)
Sumatra-Halbschnäbler / Sumatra Halfbeak
Sumatra, Indonesia, 4 + 5,5 cm
♂ ♀   photo: M. Kottelat

X43230 *Dermogenys vivipara* (Peters, 1865)
Blauschwanz-Halbschnäbler / Blue-Tail Halfbeak
Yassot, Luzon, Philippines, 3,5 + 4,5 cm
♂ ♀   photo: M. Kottelat

X43231-4 *Dermogenys* cf. *vivipara* (Peters, 1865)
Blauschwanz-Halbschnäbler / Blue-Tail Halfbeak
Aquarienstamm / Aquarium strain, B, 3,5 cm
▷ ⑰ ◐ ☺ ☺ ⬆ 🖼 ⚓ m ♂   photo: H. Hieronimus

X43233 *Dermogenys vogti* Brembach, 1982
Vogts Halbschnäbler / Vogt´s Halfbeak
Topobulu, SE-Sulawesi, 8 cm
♀   photo: M. Brembach

X43235 *Dermogenys weberi* (Boulenger, 1897)
Webers Halbschnäbler / Weber´s Halfbeak
Lake Matanna, Sulawesi, 7,5 + 9,5 cm
♂ ♀   photo: M. Kottelat

X43237 *Dermogenys* sp. nov. (species in description)

Pare Pare, Sulawesi (leg. Kottelat), W
♂   photo: M. Kottelat

X43239-4 *Dermogenys* sp.

Malaysia (leg. Smith), W, 7 cm
▷ ⑰ ◐ ☺ ☺ ⬆ 🖼 ⚓ m ♀   photo: M. Smith

Beide Photos zeigen Lebensräume von *Hemirhamphodon tengah* und *H. kapuasensis*. Die Aufnahmen entstanden in Kubu, Kalimantan Tengah (einer Provinz des indonesischen Teils von Borneo) und zeigen zwei verschiedene Bäche.

Both photos show habitats of *Hemirhamphodon tengah* and *H. kapuasensis*. The pictures were taken in Kubu, Kalimantan Tengah (a province of the Indonesian part of Borneo) and show two different brooks.

photos: G. Kopic

X43240-4 *Dermogenys* sp. „Bangka"
Bangka-Halbschnäbler / Bangka Halfbeak
Bangka, Indonesia (leg. KOPIC), W, 5 cm (?)

▷ ⚲P ◑ ☺ ☻ ⬆️🖼️ ✈ 🔲 ♂   **photo:** G. Kopic

X43240-4 *Dermogenys* sp. „Bangka"
Bangka-Halbschnäbler / Bangka Halfbeak
Bangka, Indonesia (leg. KOPIC), W, 5 cm (?)

▷ ⚲P ◑ ☺ ☻ ⬆️🖼️ ✈ 🔲 ♀   **photo:** G. Kopic

X51405 *Hemirhamphodon chrysopunctatus* BREMBACH, 1978
Leuchtpunkt-Halbschnäbler / Ornate Halfbeak
Kalimantan Tengah, Indonesia, 8,5 cm

⚠ ⚲P ◑ ☺ ☻ ⬆️🖼️ ⚠ 🔲   **photo:** M. Kottelat

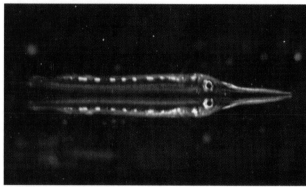

X51406-4 *Hemirhamphodon chrysopunctatus* BREMBACH, 1978
Leuchtpunkt-Halbschnäbler / Ornate Halfbeak
Kalimantan Tengah, Indonesia, 8,5 cm

⚠ ⚲P ◑ ☺ ☻ ⬆️🖼️ ⚠ 🔲   **photo:** M. Brembach

X51408-4 *Hemirhamphodon kapuasensis* COLLETTE in ANDERSON & COLLETTE, 1991
Rotstreifen-Halbschnäbler / Red striped Halfbeak
Kalimantan Barat, Indonesia, W, 10 cm

⚠ ⚲P ◑ ☺ ☻ ⬆️🖼️ ⚠ ✈ 🔲 ♂   **photo:** M. Kottelat

X51409-1 *Hemirhamphodon kapuasensis* COLLETTE in ANDERSON & COLLETTE, 1991
Rotstreifen-Halbschnäbler / Red striped Halfbeak
Kubu, Kalimantan Barat, Indonesia (leg. KOPIC), B, 10 cm

⚠ ⚲P ◑ ☺ ☻ ⬆️🖼️ ⚠ ✈ 🔲   **photo:** G. Kopic

X51409-4 *Hemirhamphodon kapuasensis* COLLETTE in ANDERSON & COLLETTE, 1991
Rotstreifen-Halbschnäbler / Red striped Halfbeak
Kubu, Kalimantan Barat, Indonesia (leg. KOPIC), W, 10 cm

⚠ ⚲P ◑ ☺ ☻ ⬆️🖼️ ⚠ ✈ 🔲 ♂   **photo:** G. Kopic

X51409-4 *Hemirhamphodon kapuasensis* COLLETTE in ANDERSON & COLLETTE, 1991
Rotstreifen-Halbschnäbler / Red striped Halfbeak
Kubu, Kalimantan Barat, Indonesia (leg. KOPIC), W, 10 cm

⚠ ⚲P ◑ ☺ ☻ ⬆️🖼️ ⚠ ✈ 🔲 ♀   **photo:** G. Kopic

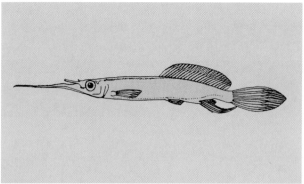

X51412 *Hemirhamphodon kuekenthali* STEINDACHNER, 1901
Kükenthals Halbschnäbler / Kükenthal´s Halfbeak
Baram River, Kalimantan, Indonesia, 6 cm

♂   photo: M. Kottelat

X51414 *Hemirhamphodon phaiosoma* (BLEEKER, 1852)
Langflossen-Halbschnäbler / Long finned Halfbeak
Tjirutjup River, Belitung, Indonesia, 7,5 cm

♂   zeichnung: M. Brembach

X51415-2 *Hemirhamphodon pogonognathus* (BLEEKER, 1853)
Zahnleisten-Halbschnäbler / Thread Jaw Halfbeak
Malaysia (leg. SCHÄFER), W, 9 cm

⚠ ℗ ● ☺ ☻ ⬆️🔲 ⚠ ⤚ 🔲 ♂   photo: F. Teigler / A.C.S.

X51415-2 *Hemirhamphodon pogonognathus* (BLEEKER, 1853)
Zahnleisten-Halbschnäbler / Thread Jaw Halfbeak
Malaysia (leg. SCHÄFER), W, 9 cm

⚠ ℗ ● ☺ ☻ ⬆️🔲 ⚠ ⤚ 🔲 ♀   photo: F. Teigler / A.C.S.

X51417-3 *Hemirhamphodon pogonognathus* (BLEEKER, 1853)
Zahnleisten-Halbschnäbler / Thread Jaw Halfbeak
Bangka, Indonesia (leg. KOPIC), W, 9 cm

⚠ ℗ ● ☺ ☻ ⬆️🔲 ⚠ ⤚ 🔲 ♂   photo: G. Kopic

X51418-4 *Hemirhamphodon pogonognathus* (BLEEKER, 1853)
Zahnleisten-Halbschnäbler / Thread Jaw Halfbeak
Aquarienstamm / Aquarium strain, B, 9 cm

⚠ ℗ ● ☺ ☻ ⬆️🔲 ⚠ ⤚ 🔲 ♂   photo: J. C. Merino

X51419-4 *Hemirhamphodon pogonognathus* (BLEEKER, 1853)
Zahnleisten-Halbschnäbler / Thread Jaw Halfbeak
Malaysia (leg. SCHÄFER), W, 9 cm

⚠ ℗ ● ☺ ☻ ⬆️🔲 ⚠ ⤚ 🔲 ♂   photo: F. Teigler / A.C.S.

X51419-4 *Hemirhamphodon pogonognathus* (BLEEKER, 1853)
Zahnleisten-Halbschnäbler / Thread Jaw Halfbeak
Malaysia (leg. SCHÄFER), W, 9 cm

⚠ ℗ ● ☺ ☻ ⬆️🔲 ⚠ ⤚ 🔲 ♀   photo: F. Teigler / A.C.S.

X51418-4 *Hemirhamphodon pogonognathus* (BLEEKER, 1853)
Zahnleisten-Halbschnäbler / Thread Jaw Halfbeak
Aquarienstamm / Aquarium strain, B, 9 cm

⚠ � ● ☺ ☻ ⊤ ⊠ ⚠ ➤ ⊡ ♂   photo: J. C. Merino

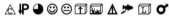

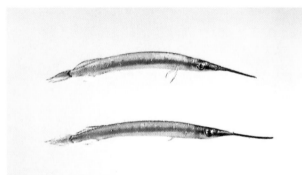

X51422 *Hemirhamphodon tengah* COLLETTE in ANDERSON & COLLETTE, 1991
Eierlegender Halbschnäbler / Oviparous Halfbeak
Kalimantan tengah, Indonesia, 6 cm

⚠ � ● ☺ ☻ ⊤ ⊠ ⚠ ➤ ⊡ ♂ ♀   photo: M. Kottelat

X51423-4 *Hemirhamphodon tengah* COLLETTE in ANDERSON & COLLETTE, 1991
Eierlegender Halbschnäbler / Oviparous Halfbeak
Kubu, Kalimantan tengah, Indonesia (leg. KOPIC), 6 cm

⚠ � ● ☺ ☻ ⊤ ⊠ ⚠ ➤ ⊡ ♂   photo: G. Kopic

X51423-4 *Hemirhamphodon tengah* COLLETTE in ANDERSON & COLLETTE, 1991
Eierlegender Halbschnäbler / Oviparous Halfbeak
Kubu, Kalimantan tengah, Indonesia (leg. KOPIC), 6 cm

⚠ � ● ☺ ☻ ⊤ ⊠ ⚠ ➤ ⊡ ♂   photo: G. Kopic

X51423-4 *Hemirhamphodon tengah* COLLETTE in ANDERSON & COLLETTE, 1991
Eierlegender Halbschnäbler / Oviparous Halfbeak
Kubu, Kalimantan tengah, Indonesia (leg. KOPIC), 6 cm

⚠ ⦃ ● ☺ ☻ ⊤ ⊠ ⚠ ➤ ⊡ ♀   photo: G. Kopic

X67665-4 *Nomorhamphus brembachi* Vogt, 1978
Brembachs Halbschnäbler / Brembach´s Halfbeak
Sulawesi, Indonesia, B, 5 cm

▷ ⇑P ◑ ☺ ☺ ⬆️⬛ ⤵ ⬛ ♂   photo: F. Teigler / A.C.S.

X67665-4 *Nomorhamphus brembachi* Vogt, 1978
Brembachs Halbschnäbler / Brembach´s Halfbeak
Sulawesi, Indonesia, B, 5 cm

▷ ⇑P ◑ ☺ ☺ ⬆️⬛ ⤵ ⬛ ♀   photo: F. Teigler / A.C.S.

X67666-4 *Nomorhamphus brembachi* Vogt, 1978
Brembachs Halbschnäbler / Brembach´s Halfbeak
Sulawesi, Indonesia, B, 5 cm

▷ ⇑P ◑ ☺ ☺ ⬆️⬛ ⤵ ⬛ ♂   photo: F. Teigler / A.C.S.

X67666-4 *Nomorhamphus brembachi* Vogt, 1978
Brembachs Halbschnäbler / Brembach´s Halfbeak
Sulawesi, Indonesia, B, 5 cm

▷ ⇑P ◑ ☺ ☺ ⬆️⬛ ⤵ ⬛ ♀   photo: F. Teigler / A.C.S.

X67668-4 *Nomorhamphus brembachi* Vogt, 1978
Brembachs Halbschnäbler / Brembach´s Halfbeak
Sulawesi, Indonesia, B, 5 cm

▷ ⇑P ◑ ☺ ☺ ⬆️⬛ ⤵ ⬛ ♂   photo: J. Glaser

X67669-4 *Nomorhamphus brembachi* Vogt, 1978
Brembachs Halbschnäbler / Brembach´s Halfbeak
Sulawesi, Indonesia, B, 5 cm

▷ ⇑P ◑ ☺ ☺ ⬆️⬛ ⤵ ⬛ ♀   photo: O. Böhm

X67670-4 *Nomorhamphus cf. brembachi* Vogt, 1978
Brembachs Halbschnäbler / Brembach´s Halfbeak
Sulawesi, Indonesia, B, 5 cm

▷ ⇑P ◑ ☺ ☺ ⬆️⬛ ⤵ ⬛ ♀   photo: H. Hieronimus

X67671-4 *Nomorhamphus brembachi* Vogt, 1978
Brembachs Halbschnäbler / Brembach´s Halfbeak
Sulawesi, Indonesia, B, 5 cm

▷ ⇑P ◑ ☺ ☺ ⬆️⬛ ⤵ ⬛ ♀   photo: H. J. Mayland

X67675-4 *Nomorhamphus celebensis* (WEBER & DE BEAUFORT, 1922)
Celebes-Halbschnäbler / Nothern Harlequin Halfbeak
Lake Posso, Sulawesi, Indonesia, B, 7 cm

▷ ⇑P ◑ ☺ ☺ ⬆ ⬛ ⤜ m ♂   **photo:** O. Böhm

X67675-4 *Nomorhamphus celebensis* (WEBER & DE BEAUFORT, 1922)
Celebes-Halbschnäbler / Nothern Harlequin Halfbeak
Lake Posso, Sulawesi, Indonesia, B, 7 cm

▷ ⇑P ◑ ☺ ☺ ⬆ ⬛ ⤜ m ♀   **photo:** O. Böhm

X67695-4 *Nomorhamphus* cf. *hageni* (POPTA, 1912)
Fischgräten-Halbschnäbler / Hagen´s Halfbeak
Commercial import, W, 6 cm

▷ ⇑P ◑ ☺ ☺ ⬆ ⬛ ⤜ m ♂   **photo:** D. Bork / A.C.S.

X67695-4 *Nomorhamphus* cf. *hageni* (POPTA, 1912)
Fischgräten-Halbschnäbler / Hagen´s Halfbeak
Commercial import, W, 6 cm

▷ ⇑P ◑ ☺ ☺ ⬆ ⬛ ⤜ m ♀   **photo:** D. Bork / A.C.S.

X67705-4 *Nomorhamphus liemi liemi* VOGT, 1978
Liems Halbschnäbler / Southern Harlequin Halfbeak
Aquarienstamm / Aquarium strain, B, 5,5 + 9,5 cm

▷ ⇑P ◑ ☺ ☺ ⬆ ⬛ ⤜ m ♂ ♀   **photo:** F.P. Müllenholz

X67706-4 *Nomorhamphus liemi liemi* VOGT, 1978
Liems Halbschnäbler / Southern Harlequin Halfbeak
Aquarienstamm / Aquarium strain, B, 9,5 cm

▷ ⇑P ◑ ☺ ☺ ⬆ ⬛ ⤜ m ♀   **photo:** U. Werner

X67708-4 *Nomorhamphus liemi liemi* VOGT, 1978
Liems Halbschnäbler / Southern Harlequin Halfbeak
Aquarienstamm / Aquarium strain, B, 5,5 cm

▷ ⇑P ◑ ☺ ☺ ⬆ ⬛ ⤜ m ♂   **photo:** M.P. & Ch. Piednoir

X67708-4 *Nomorhamphus liemi liemi* VOGT, 1978
Liems Halbschnäbler / Southern Harlequin Halfbeak
Aquarienstamm / Aquarium strain, B, 9,5 cm

▷ ⇑P ◑ ☺ ☺ ⬆ ⬛ ⤜ m ♀   **photo:** M.P. & Ch. Piednoir

X67715-4 *Nomorhamphus liemi snijdersi* VOGT, 1978
Snijders Halbschnäbler / Snijder´s Halfbeak
Aquarienstamm / Aquarium strain, B, 5,5 cm
▷ ⇑P ◑ ☺ ☹ ⊞ 🖼 ⤴ m ♂   photo: H. Hieronimus

X67716-4 *Nomorhamphus liemi snijdersi* VOGT, 1978
Snijders Halbschnäbler / Snijder´s Halfbeak
Aquarienstamm / Aquarium strain, B, 5,5 cm
▷ ⇑P ◑ ☺ ☹ ⊞ 🖼 ⤴ m ♂   photo: U. Werner

X67717-4 *Nomorhamphus liemi snijdersi* VOGT, 1978
Snijders Halbschnäbler / Snijder´s Halfbeak
Aquarienstamm / Aquarium strain, B, 5,5 cm
▷ ⇑P ◑ ☺ ☹ ⊞ 🖼 ⤴ m ♂   photo: O. Böhm

X67717-4 *Nomorhamphus liemi snijdersi* VOGT, 1978
Snijders Halbschnäbler / Snijder´s Halfbeak
Aquarienstamm / Aquarium strain, B, 9,5 cm
▷ ⇑P ◑ ☺ ☹ ⊞ 🖼 ⤴ m ♀   photo: O. Böhm

X67719-4 *Nomorhamphus ravnai australe* BREMBACH, 1991
Haken-Halbschnäbler / Hooked Halfbeak
Maros, S-Sulawesi, W, 7,5 cm
▷ ⇑P ◑ ☺ ☹ ⊞ 🖼 ⤴ m ♂   photo: F. Teigler / A.C.S.

X67719-4 *Nomorhamphus ravnai australe* BREMBACH, 1991
Haken-Halbschnäbler / Hooked Halfbeak
Maros, S-Sulawesi, W, 8 cm
▷ ⇑P ◑ ☺ ☹ ⊞ 🖼 ⤴ m ♀   photo: F. Teigler / A.C.S.

X67720-4 *Nomorhamphus ravnai ravnaki* BREMBACH, 1991
Ravnaks Halbschnäbler / Ravnak´s Halfbeak
Maros, S-Sulawesi, W, 7,5 cm
▷ ⇑P ◑ ☺ ☹ ⊞ 🖼 ⤴ m ♂   photo: U. Werner

X67720-4 *Nomorhamphus ravnai ravnaki* BREMBACH, 1991
Ravnaks Halbschnäbler / Ravnak´s Halfbeak
Maros, S-Sulawesi, W, 7,5 cm
▷ ⇑P ◑ ☺ ☹ ⊞ 🖼 ⤴ m ♀   photo: U. Werner

X67722-4 *Nomorhamphus sanussii* BREMBACH, 1991
Sanussis Halbschnäbler / Sanussi´s Halfbeak
Aquarienstamm / Aquarium strain, B, 5,5 cm

▷ ⇑P ◑ ☺ ☻ ⊡ ⊠ ⤚ ▥ ♂   photo: F. Teigler / A.C.S.

X67722-4 *Nomorhamphus sanussii* BREMBACH, 1991
Sanussis Halbschnäbler / Sanussi´s Halfbeak
Aquarienstamm / Aquarium strain, B, 8,5 cm

▷ ⇑P ◑ ☺ ☻ ⊡ ⊠ ⤚ ▥ ♀   photo: F. Teigler / A.C.S.

X67724-4 *Nomorhamphus sanussii* BREMBACH, 1991
Sanussis Halbschnäbler / Sanussi´s Halfbeak
Aquarienstamm / Aquarium strain, B, 5,5 cm

▷ ⇑P ◑ ☺ ☻ ⊡ ⊠ ⤚ ▥ ♂   photo: A. Canovas

X67724-4 *Nomorhamphus sanussii* BREMBACH, 1991
Sanussis Halbschnäbler / Sanussi´s Halfbeak
Aquarienstamm / Aquarium strain, B, 8,5 cm

▷ ⇑P ◑ ☺ ☻ ⊡ ⊠ ⤚ ▥ ♀   photo: A. Canovas

X67726-4 *Nomorhamphus* sp. I „Sentani"
Sentani-Halbschnäbler / Sentani-Halfbeak
Aquarienstamm / Aquarium strain, B, 6 cm

▷ ⇑P ◑ ☺ ☻ ⊡ ⊠ ⤚ ▥ ♂   photo: E. Schraml

X67726-4 *Nomorhamphus* sp. I „Sentani"
Sentani-Halbschnäbler / Sentani-Halfbeak
Aquarienstamm / Aquarium strain, B, 8 cm

▷ ⇑P ◑ ☺ ☻ ⊡ ⊠ ⤚ ▥ ♀   photo: E. Schraml

X67728-4 *Nomorhamphus* sp. II
Orangener Halbschnäbler / Orange Halfbeak
Aquarienstamm / Aquarium strain, B, 6 cm

▷ ⇑P ◑ ☺ ☻ ⊡ ⊠ ⤚ ▥ ♂   photo: A. Canovas

X67728-4 *Nomorhamphus* sp. II
Orangener Halbschnäbler / Orange Halfbeak
Aquarienstamm / Aquarium strain, B, 8 cm

▷ ⇑P ◑ ☺ ☻ ⊡ ⊠ ⤚ ▥ ♀   photo: A. Canovas

X67730 *Nomorhamphus towoetii* Ladiges, 1972
Schwarzer Halbschnäbler / Towoeti Halfbeak
Lake Towoeti, Sulawesi, Indonesia, 5,5 cm

♂ photo: M. Kottelat

X67730 *Nomorhamphus towoetii* Ladiges, 1972
Schwarzer Halbschnäbler / Towoeti Halfbeak
Lake Towoeti, Sulawesi, Indonesia, 7,5 cm

♀ photo: M. Kottelat

X91478 *Tondanichthys kottelati* Collette, 1995
Kottelats Halbschnäbler / Kottelat's Halfbeak
Lake Tondano, Sulawesi, Indonesia, 6,5 cm

♂ photo: M. Kottelat

X97478 *Tondanichthys kottelati* Collette, 1995
Kottelats Halbschnäbler / Kottelat's Halfbeak
Lake Tondano, Sulawesi, Indonesia, 6,5 cm

♀ photo: M. Kottelat

X98100-4 *Zenarchopterus* cf. *beauforti* Mohr, 1926
Beauforts Halbschnäbler / Beaufort's Halfbeak
Sri Lanka (leg. Schäfer), W, 15 cm (enters freshwater)

▷ ⇧P ◑ ☺ ☻ ⬆ 🖼 ⬇ 🔟 ⚠ ♂ photo: F. Teigler / A.C.S.

X98100-4 *Zenarchopterus* cf. *beauforti* Mohr, 1926
Beauforts Halbschnäbler / Beaufort's Halfbeak
Sri Lanka (leg. Schäfer), W, 15 cm (enters freshwater)

▷ ⇧P ◑ ☺ ☻ ⬆ 🖼 ⬇ 🔟 ⚠ ♀ photo: F. Teigler / A.C.S.

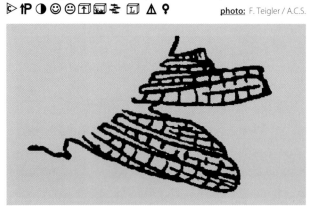

X98100-4 *Zenarchopterus* cf. *beauforti* Mohr, 1926
Beauforts Halbschnäbler / Beaufort's Halfbeak
Sri Lanka (leg. Schäfer), W, 15 cm (enters freshwater)

▷ ⇧P ◑ ☺ ☻ ⬆ 🖼 ⬇ 🔟 ⚠ ♂ photo: F. Teigler / A.C.S.

X98102 *Zenarchopterus beauforti* Mohr, 1926
Beauforts Halbschnäbler / Beaufort's Halfbeak
Muar River, Selangor, Malaysia, 15 cm

♂ from: Mohr, 1926 (changed)

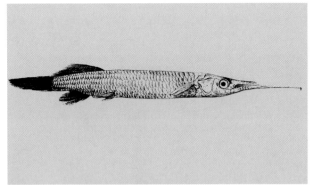

X98103 *Zenarchopterus bleekeri* (Kner, 1860)
Bleekers Halbschnäbler / Bleeker's Halfbeak

♂   from: Kner, 1860 (changed)

X98104 *Zenarchopterus buffonis* (Valenciennes in Cuvier & Valenciennes, 1847)
Buffons Halbschnäbler / Buffon's Halfbeak
Indopacific (marine species, enters freshwater), 15 cm (?)

photo: M. Kottelat

X98106-2 *Zenarchopterus dispar* (Valenciennes in Cuvier & Valenciennes, 1847)
Halbschnabelhecht / Halfbeak
Sri Lanka (leg. Schäfer), W, 15 cm (enters freshwater)

▷ ⛏ ◑ ☺ 😐 🔼 🖼 ⇌ 🔲 ⚠   photo: F. Teigler / A.C.S.

X98106-4 *Zenarchopterus dispar* (Valenciennes in Cuvier & Valenciennes, 1847)
Halbschnabelhecht / Halfbeak
Sri Lanka (leg. Schäfer), W, 15 cm (enters freshwater)

▷ ⛏ ◑ ☺ 😐 🔼 🖼 ⇌ 🔲 ⚠ ♂   photo: F. Teigler / A.C.S.

X98106-4 *Zenarchopterus dispar* (Valenciennes in Cuvier & Valenciennes, 1847)
Halbschnabelhecht / Halfbeak
Sri Lanka (leg. Schäfer), W, 15 cm (enters freshwater)

▷ ⛏ ◑ ☺ 😐 🔼 🖼 ⇌ 🔲 ⚠ ♂   photo: F. Teigler / A.C.S.

X98106-4 *Zenarchopterus dispar* (Valenciennes in Cuvier & Valenciennes, 1847)
Halbschnabelhecht / Halfbeak
Sri Lanka (leg. Schäfer), W, 15 cm (enters freshwater)

▷ ⛏ ◑ ☺ 😐 🔼 🖼 ⇌ 🔲 ⚠ ♀   photo: F. Teigler / A.C.S.

X98112 *Zenarchopterus dux* Seale, 1910

Sandakan, Sabah, Indonesia (freshwater species), 15 cm (?) (from Seal, 1910)

from: Seale, 1910 (changed)

X98114 *Zenarchopterus ectuntio* (Hamilton, 1822)

Gangetic provinces, India (freshwater species), 15 cm (?) (from Day, 1876-78)

from: Day, 1876-78 (changed)

X98115 *Zenarchopterus gilli* Smith, 1945

East Indies, 15 cm (?), (freshwater species)

♂   **photo:** M. Kottelat

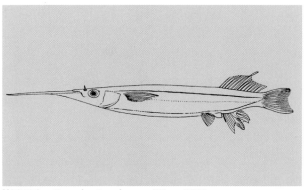

X98116 *Zenarchopterus kampeni* Weber, 1913

New Guinea, 15 cm (?), (freshwater species)

♂   **from:** Fowler, 1934 (changed)

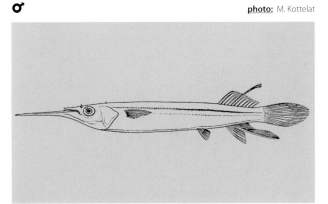

X98117 *Zenarchopterus kneri* Fowler, 1934 (valid species?)

East Indies, 15 cm (?) (freshwater species)

♂   **from:** Fowler, 1934 (changed)

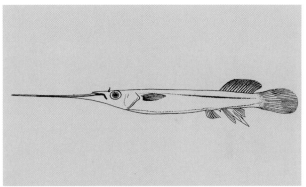

X98119-2 *Zenarchopterus* cf. *novaeguineae* Weber, 1913

New Guinea (freshwater species), W, 15 cm (?)

▷ Ɫ ◐ ☺ ☻ ⬆ 🖼 ⚖ 🔲 ⚠   **photo:** H. Hieronimus

X98120 *Zenarchopterus ornithocephala* Collette, 1985
(freshwater species)
New Guinea: Irian Jaya, Vogelkop Peninsula, stream at Fruata

♂   **from:** Collette, 1985 (changed)

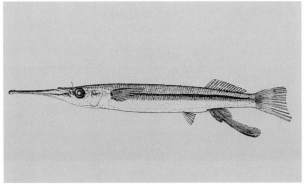

X98121 *Zenarchopterus pappenheimi* Mohr, 1926

Malaysia, Indonesia (freshwater species)

♂   **from:** Fowler, 1934 (changed)

X98122 *Zenarchopterus quadrimaculatus* Mohr, 1926

Malaysia, Indonesia (freshwater species)

♀   **from:** Mohr, 1926 (changed)

X98118 *Zenarchopterus robertsi* Collette, 1982

New Guinea: Papua New Guinea, Kumusi River (freshwater species)

♂   **from:** Collette, 1982 (changed)

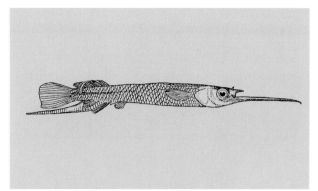

X98123   *Zenarchopterus xiphophorus* MOHR, 1934

Indonesia: Sumatra (freshwater species)

♂   from: Mohr, 1934 (changed)

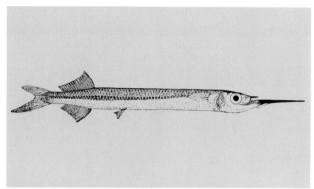

X98150   *Hyporhamphus affinis* (GÜNTHER, 1866)

Tropical Indo-West-Pacific, 28 cm (marine species)

from: Smith, 1933 (changed)

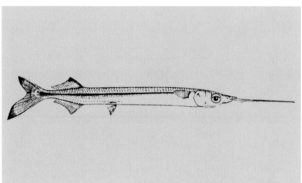

X98151   *Hyporhamphus balinensis* (BLEEKER, 1858-59)

Coasts of tropical Asia, 25 cm (marine species, enters freshwaters?)

from: Parin, Collette & Shcherbachev, 1980 (changed)

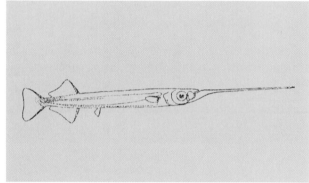

S41785   *Hyporhamphus breederi* (FERNANDEZ-YEPEZ, 1948)

Venezuela, Rio Orinoco, 15 cm (?) (freshwater species)

from: Fernandez-Yepez, 1948 (changed)

A37945   *Hyporhamphus capensis* (THOMINOT, 1886)

South African coast, 20 cm (?) (marine species)

from: Smith, 1933 (changed)

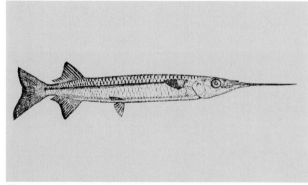

A37946   *Hyporhamphus delagoae* (BANARD, 1925)

Coasts of East Africa, 20 cm (?) (marine species)

from: Parin, Collette & Shcherbachev, 1980 (changed)

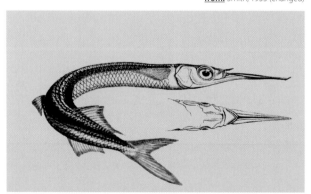

X98152   *Hyporhamphus dussumieri* (VALENCIENNES in
CUVIER & VALENCIENNES, 1847)
Western Pacific and Indian Oceans, 30 cm (marine species)

from: Cuvier & Valenciennes, 1847 (changed)

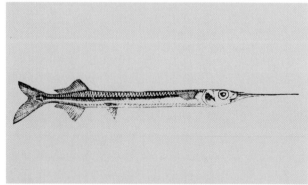

A37947   *Hyporhamphus erythrorhynchus* (LE SUEUR, 1821)

Mascarene Islands (marine species)

from: Parin, Collette & Shcherbachev, 1980 (changed)

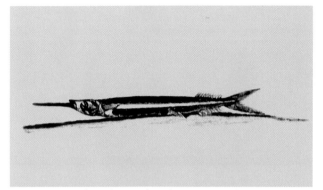

A37948 *Hyporhamphus gamberur* (La Cepede, 1803)

Red Sea, 20 cm (marine species)

from: La Cepede, 1803 (changed)

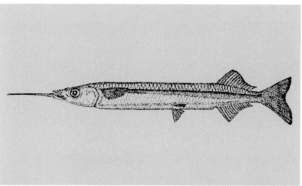

X98153 *Hyporhamphus gernaerti* (Valenciennes in
Cuvier & Valenciennes, 1847)
Temperate zone of the coast of China, Taiwan, Korea, 18 cm (marine species)

from: Parin, Collette & Shcherbachev, 1980 (changed)

A37949 *Hyporhamphus improvisus* (Smith, 1933)

Mozambique, 20 cm (marine species)

from: Smith, 1933 (changed)

X98154 *Hyporhamphus intermedius* (Cantor, 1842)

Coasts of China, Japan, Taiwan, 15 cm (marine species)

from: Jordan & Starks, 1903 (changed)

X98155 *Hyporhamphus limbatus* (Valenciennes in
Cuvier & Valenciennes, 1847)
India to China, 16 cm (enters freshwaters)

photo: M. Kottelat

S41786 *Hyporhamphus meeki* Banford & Collette, 1993

Atlantic Coast of the United States, 18 cm (matine species, enters freshwaters)

from: Banford & Collette, 1993 (changed)

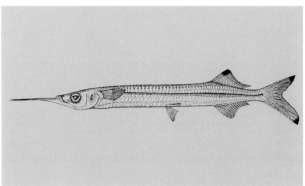

X98156 *Hyporhamphus melanopterus* Collette & Parin, 1978

Malaysia, Indonesia, 20 cm (?) (marine species)

from: Collette & Parin, 1978 (changed)

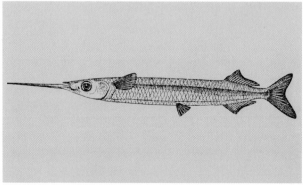

X98157 *Hyporhamphus neglectissimus* Parin, Collette & Shcherbachev, 1980

Northern Australia, southern New Guinea, 15 cm (marine species)

from: Parin, Collette & Shcherbachev, 1980 (changed)

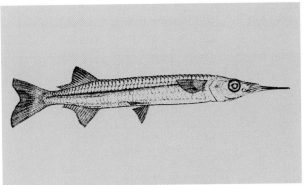

X98158 *Hyporhamphus neglectus* (Bleeker, 1866)

East Indies, Borneo, Philippines, 15 cm (marine species)

from: Parin, Collette & Shcherbachev, 1980 (changed)

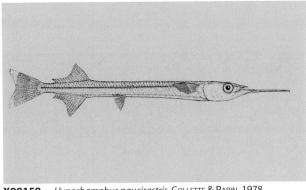

X98159 *Hyporhamphus paucirastris* Collette & Parin, 1978

South China Sea, 18 cm (enters freshwaters)

from: Collette & Parin, 1978 (changed)

A37950 *Hyporhamphus picarti* (Valenciennes in Cuvier & Valenciennes, 1847)

Algiers, 20 cm (marine species)

from: Bleeker, 1863 (changed)

X98160-3 *Hyporhamphus cf. quoyi*

Sri Lanka (leg. Schäfer), W, 20 cm (?)

photo: F. Schäfer

X98161 *Hyporhamphus quoyi* (Valenciennes in Cuvier & Valenciennes, 1847)

Coasts of W-Australia and tropical Asia, 30 cm (enters freshwaters)

from: Jordan & Dickerson, 1908 (changed)

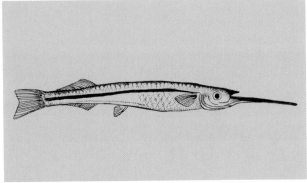

S41787 *Hyporhamphus rosae* (Jordan & Gilbert, 1880)

Pacific Coast of America, 16 cm (marine species, enters freshwaters)

zeichnung: H. Nakano /A.C.S.

X98162 *Hyporhamphus sajori* (Temminck & Schlegel, 1846)

Coasts of China and Japan, 30 cm (marine species)

from: Temmick & Schlegel, 1846 (changed)

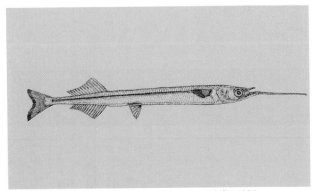

X98163 *Hyporhamphus taiwanensis* Collette & Su, 1986

Coast of Taiwan, 16 cm (marine species)

from: Collette & Su, 1986

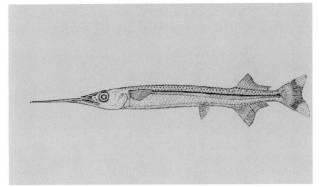

X98164   *Hyporhamphus unicuspis* COLLETTE & PARIN, 1978

Rea sea, Indic Ocean (marine species)

from: Collette & Parin, 1978 (changed)

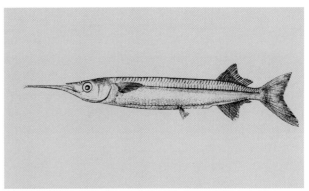

S41788   *Hyporhamphus unifasciatus* (RANZANI, 1842)

Coasts of America, 20 cm (marine species)

from: Banford & Collette, 1993 (changed)

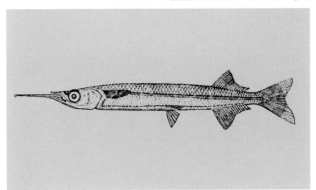

X98165   *Hyporhamphus xanthopterus* (VALENCIENNES in
                                              CUVIER & VALENCIENNES, 1847)

India, Sri Lanka (marine species)

from: Parin, Collette & Shcherbachev, 1980 (changed)

X98166   *Hyporhamphus yuri* COLLETTE & PARIN, 1978

Okinawa Island, 25 cm

from: Collette & Parin, 1978 (changed)

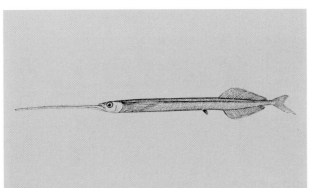

X44925   *Euleptorhamphus viridis* (VAN HASSELT, 1823)
                                 (marine species, largest of all halfbeaks)
Tropical and subtropical regions of the Pacific and the Indian oceans, 45 cm

from: Herre, 1936 (changed)

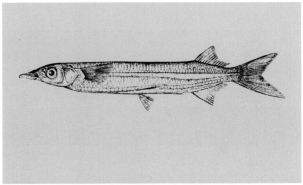

X08055   *Arrhamphus sclerolepis* GÜNTHER, 1866

Australia (enters freshwaters), 20 cm

from: Collette, 1974 (changed)

X08055   *Arrhamphus sclerolepis* GÜNTHER, 1866

Australia (enters freshwaters), 20 cm

from: Steindachner, 1867 (changed)

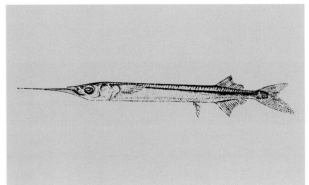

S36295   *Hemiramphus acutus* GÜNTHER, 1872

Rarotonga Island, Cook Island (marine species)

from: Collette, 1974 (changed)

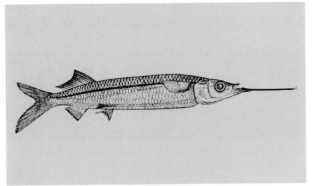

X51355 *Hemiramphus archipelagicus* COLLETTE & PARIN, 1978

Indo-west pacific ocean (marine species)

from: Collette & Parin, 1978 (changed)

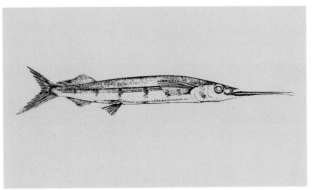

S36296 *Hemiramphus balao* LESEUR, 1821

West indies, lesser antilles (marine species)

from: Collette, 1962 (changed)

S36297 *Hemiramphus bermudensis* COLLETTE, 1962

Bermuda, St. Georg´s Island, Whalebone bay (marine species)

from: Collette, 1962 (changed)

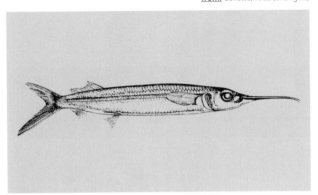

S36298 *Hemiramphus brasiliense* (LINNÉ, 1758)

America, parts of Africa (marine species)

from: Collette, 1962 (changed)

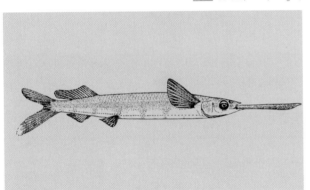

X51356 *Hemiramphus depauperatus* LAY & BENNETT, 1839

West-Pacific (marine species), 30 cm

from: Parin, Collette & Shcherbachev, 1980 (changed)

X51357 *Hemiramphus far* (FORSSKAL, 1775)

(marine species)

Tropical and subtropical coasts of the Indian and Pacific ocean, 35 cm

X51358-2 *Hemiramphus lutkei* VALENCIENNES IN CUVIER & VALENCIENNES, 1847

East Africa to pacific islands, 30 cm (marine species)

from: Parin, Collette & Shcherbachev, 1980 (changed)

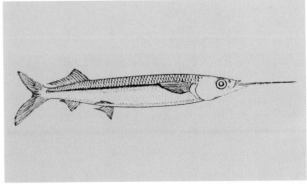

X51358-4 *Hemiramphus lutkei* VALENCIENNES IN CUVIER & VALENCIENNES, 1847

East Africa to pacific islands, 30 cm (marine species)

from: Parin, Collette & Shcherbachev, 1980 (changed)

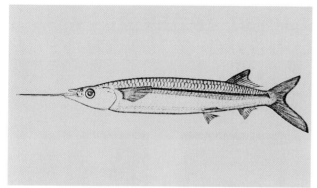

X51359 *Hemiramphus marginatus* (Forsskal, 1775)

Almost circumtropical, 35 cm, (marine species)

from: Parin, Collette & Shcherbachev, 1980 (changed)

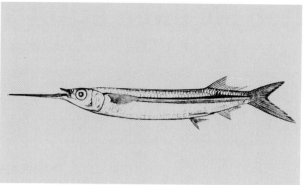

X51360 *Hemiramphus robustus* Günther, 1866

Australia, Tasmania (marine species)

photo: Collette, 1974 (changed)

X70485 1- *Oxyporhamphus micropterus* (Valenciennes in C. & V., 1847)
X70484 2- *Oxyporhamphus convexus* (Weber & de Beaufort, 1922)
Seas of the Pacific and the Indian Oceans, 20 cm (marine species)

from: Parin, Collette & Shcherbachev, 1980 (changed)

X60945 *Melapedalion breve* (Seale, 1909)

Malaysia, Indonesia, 20 cm (marine species)

from: Seale, 1909 (changed)

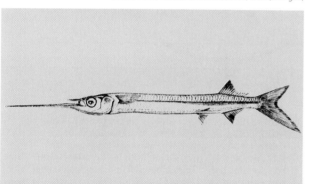

X86245 *Rhynchorhamphus arabicus* Parin & Shcherbachev, 1972

Arabia, Gulf of Aden, 20 cm (marine species)

from: Collette, 1976 (changed)

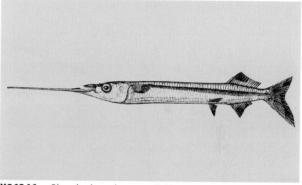

X86246 *Rhynchorhamphus georgii* (Valenciennes in
Cuvier & Valenciennes, 1847)
Indian and western Pacific Ocean, 25 cm (marine species)

from: Collette, 1976 (changed)

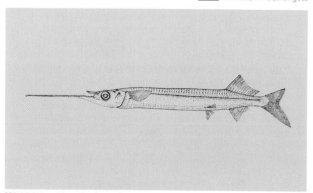

X86247 *Rhynchorhamphus malabaricus* Collette, 1976

Malabar Coast, Coromandel Coast, Gulf of Mannar, 25 cm (marine species)

from: Collette, 1976 (changed)

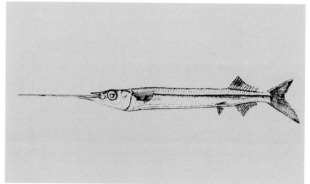

X86248 *Rhynchorhamphus naga* Collette, 1976

South-east Asian Coasts, 19 cm (marine species)

from: Collette, 1976 (changed)

Halten Sie Ihren AQUALOG über Jahre aktuell
Keep your AQUALOG up-to-date for years

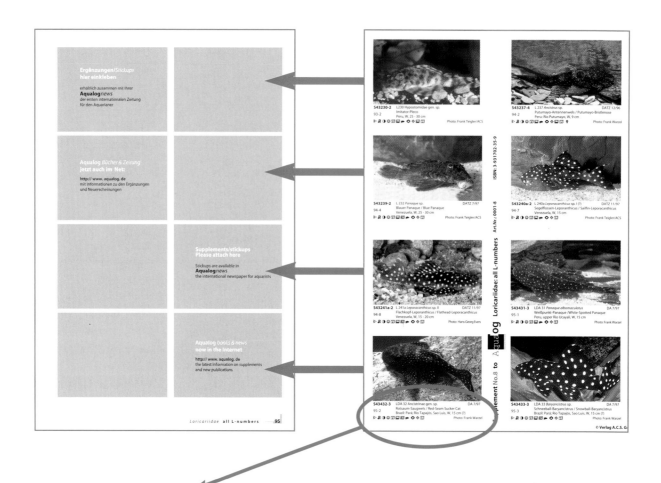

① S43432-3 LDA 32 Ancistrinae gen. sp. DA 7/97
② 170/95-2 Rotsaum-Saugwels / Red-Seam Sucker Cat
Brazil: Pará; Rio Tapajós, Sao Luis, W, 15 cm (?)
③ ▷ ♫ ❶ ☺ 🗓 🎞 ➤ ◈ ◇ 🗓 Foto: Frank Warzel **④**

① Code Nummer

② 1.Zahl: fortlaufende Bildnummer.
2.Zahl: Seitennummer des betr. Buches.
3.Zahl: Bildnummer auf der Seite (durchlaufend numeriert von 1-8 von oben links nach unten rechts)

1.number: continuous picture-number
2.number: page number in the book
3.number: picture- number on the page (continuously numbered from 1-8 from the top left corner to the down right)

③ Symbol Leiste Aqualog-Bücher
Symbol-text (Aqualog-books)

④ Bildautor
Photographer

Die Flutwelle neuer oder neu-importierter Arten reißt nicht ab. Es ist leider unmöglich, sie alle in der Zeitung "AQUALOGnews" als Stickups zu präsentieren. Daher haben wir uns entschlossen, Ergänzungsbögen mit je acht Einklebebildern zu einem Buch herzustellen. Lieferbar über den guten Zoofachhandel und den Buchhandel zum Preis von DM 4.80 pro Stück. Viel Freude damit! Übrigens: die Stickups aus der news befinden sich nicht nochmals auf den Ergänzungsbögen!

The flood of new or new-imported species doesn´t stop. It is impossible to show them all as stickups in our Newspaper AQUALOGnews. So we decided to print supplements with eight stickers each (each supplement contents pictures for only one volume of AQUALOG). They can be ordered at well-equipped pet-shops or in every bookshop. We hope you enjoy them! By the way: the stickups are not reprinted on the supplements !

Bitte beachten Sie nebenstehendes Schema, bevor Sie die Bilder einkleben. Die Ergänzungen erscheinen nicht zwangsläufig in der Reihenfolge, in der sie eingeklebt werden, sondern in der Reihenfolge ihrer Verfügbarkeit. Wenn wir z.B. anfangs nur das Bild eines Weibchens als Ergänzung haben, jedoch sicher sind, früher oder später auch das Bild eines Männchens zu bekommen, sollte das Bildkästchen links vom Weibchenbild frei bleiben.

Please follow the scheme given here, before you stick in the pictures. The supplements are not necessarily in the correct order. For example: if we have only the photo of a female, but we are sure to get the photo of the male sooner or later, too, please keep the space to the left of the female free.

Supplement No.1 to
Loricariidae all I-Numbers
ISBN 3-931702-15-4

Supplement No.2 to
Loricariidae all I-Numbers
ISBN 3-931702-16-2

Supplement No.3 to
Loricariidae all I-Numbers
ISBN 3-931702-17-0

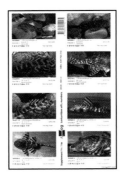

Supplement No.4 to
Loricariidae all I-Numbers
ISBN 3-931702-20-0

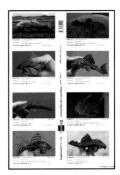

Supplement No.5 to
Loricariidae all I-Numbers
ISBN 3-931702-22-7

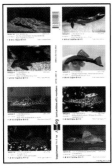

Supplement No.6 to
Loricariidae all I-Numbers
ISBN 3-931702- 28-6

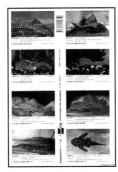

Supplement No.7 to
Loricariidae all I-Numbers
ISBN 3-931702- 35-9

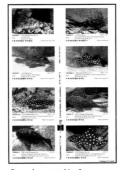

Supplement No.8 to
Loricariidae all I-Numbers
ISBN 3-931702- 72-3

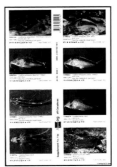

Supplement No.1 to
all Corydoras
ISBN 3-931702-18-9

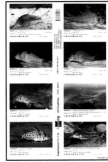

Supplement No.2 to
all Corydoras
ISBN 3-931702-23-5

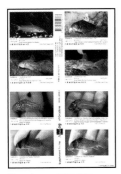

Supplement No.3 to
all Corydoras
ISBN 3-931702-37-5

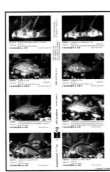

Supplement No.4 to
all Corydoras
ISBN 3-931702-83-9

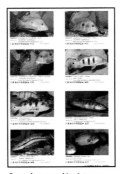

Supplement No.1 to
Southamerican Cichlids 1
ISBN 3-931702-19-2

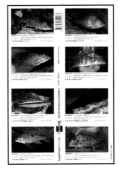

Supplement No.2 to
Southamerican Cichlids 1
ISBN 3-931702-26-X

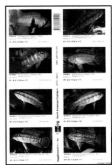

Supplement No.1 to
Southamerican Cichlids 2
ISBN 3-931702-12-X

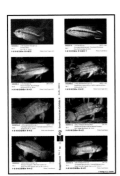

Supplement No.2 to
Southamerican Cichlids 2
ISBN 3-931702-82-0

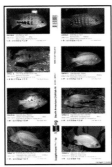

Supplement No.1 to
Southamerican Cichlids 3
ISBN 3-931702-24-3

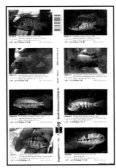

Supplement No.2 to
Southamerican Cichlids 3
ISBN 3-931702-27-8

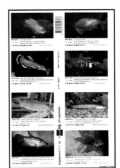

Supplement No.1 to
all Labyrinths
ISBN 3-931702-36-7

Ergänzungen/*Stickups*
hier einkleben

erhältlich zusammen mit Ihrer
Aqualog_news_
der ersten internationalen Zeitung
für den Aquarianer

Aqualog *Bücher & Zeitung*
jetzt auch im Net:

http:// www. aqualog. de
mit Informationen zu den Ergänzungen
und Neuerscheinungen

Supplements/stickups
Please attach here

Stickups are available in
Aqualog_news_
the international newspaper for aquarists

Aqualog *books & news*
now in the Internet

http:// www. aqualog. de
the latest information on supplements
and new publications

Ergänzungen/*Stickups*
hier einkleben

erhältlich zusammen mit Ihrer
Aqualognews
der ersten internationalen Zeitung
für den Aquarianer

Aqualog *Bücher & Zeitung*
jetzt auch im Net:

http:// www. aqualog. de
mit Informationen zu den Ergänzungen
und Neuerscheinungen

Supplements/stickups
Please attach here

Stickups are available in
Aqualognews
the international newspaper for aquarists

Aqualog *books & news*
now in the Internet

http:// www. aqualog. de
the latest information on supplements
and new publications

Ergänzungen/*Stickups*
hier einkleben

erhältlich zusammen mit Ihrer
Aqualog*news*
der ersten internationalen Zeitung
für den Aquarianer

Aqualog *Bücher & Zeitung*
jetzt auch im Net:

http:// www. aqualog. de
mit Informationen zu den Ergänzungen
und Neuerscheinungen

Supplements/stickups
Please attach here

Stickups are available in
Aqualog*news*
the international newspaper for aquarists

Aqualog *books & news*
now in the Internet

http:// www. aqualog. de
the latest information on supplements
and new publications

Ergänzungen/Stickups
hier einkleben

erhältlich zusammen mit Ihrer
Aqualognews
der ersten internationalen Zeitung
für den Aquarianer

Aqualog Bücher & Zeitung
jetzt auch im Net:

http:// www. aqualog. de
mit Informationen zu den Ergänzungen
und Neuerscheinungen

Supplements/stickups
Please attach here

Stickups are available in
Aqualognews
the international newspaper for aquarists

Aqualog books & news
now in the Internet

http:// www. aqualog. de
the latest information on supplements
and new publications

Ergänzungen/*Stickups*
hier einkleben

erhältlich zusammen mit Ihrer
Aqualognews
der ersten internationalen Zeitung
für den Aquarianer

Aqualog *Bücher & Zeitung*
jetzt auch im Net:

http:// www. aqualog. de
mit Informationen zu den Ergänzungen
und Neuerscheinungen

Supplements/stickups
Please attach here

Stickups are available in
Aqualognews
the international newspaper for aquarists

Aqualog *books & news*
now in the Internet

http:// www. aqualog. de
the latest information on supplements
and new publications

Ihr Nachschlagewerk
your reference work!

ISBN 3-931702-04-9   ISBN 3-931702-07-3   ISBN 3-931702-10-3   ISBN 3-931702-01-4

ISBN 3-931702-13-8   ISBN 3-931702-21-9   ISBN 3-931702-25-1   ISBN 3-931702-30-8

Demnächst
coming soon

Killifishes of the World
New World Killis

Autor **Dr. Lothar Seegers**

  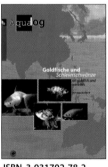

ISBN 3-931702-75-8   ISBN 3-931702-79-0   ISBN 3-931702-78-2

Demnächst
coming soon

Southamerican Cichlids IV
Discus & Scalare

Autoren **Manfred Göbel**
           Hans-J. Mayland

African Cichlids I
Malawi / Mbuna

Autor   **Erwin Schraml**

Goldfische und Schleierschwänze
all Goldfish varieties

Autor   **Karl-Heinz Bernhard**

Zu jedem Buch erscheinen auch dekorative Poster !
Full-colour poster to accompany each volume

Vervollständigen Sie Ihr Nachschlagewerk durch weitere

Bücher der Aqualog-Reihe! *Complete this reference work*

with future volumes in the Aqualog series.

Anfragen an
For more information please contact

Verlag A .C.S. GmbH,
Liebigstraße 1, 63110 Rodgau, Fax: +49 (0)6106 - 644692, email: acs@aqualog.de

Alfaro
- *cultratus* — 84,85
- *huberi* — 85

Allodontichthys
- *hubbsi* — 50
- *polylepis* — 50
- *tamazulae* — 50
- *zonistitus* — 50,51

Alloheterandria
- *caliensis* — 181
- *nigroventralis* — 181

Alloophorus
- *robustus* — 51

Allotoca
- *catarinae* — 51
- *diazi* — 52
- *dugesii* — 52
- *goslinei* — 52
- *maculata* — 53
- *regalis* — 53
- *sp. "Hummel"* — 53

Alternating Spotted Jenynsia — 81
Alvarez`s Mosquitofish — 99
Alvarezkärpfling — 99
Amarillo-Kärpfling — 62
Amazon Livebearer — 126
Amazon Livebearer — 126
Amazon Molly — 144
Amazonenkärpfling — 126
Amazonenkärpfling — 126
Amazonenkärpfling — 144

Ameca
- *splendens* — 53,54,55

Amistad Mosquitofish — 99
Amistad-Gambuse — 99

Anableps
- *anableps* — 79
- *dowei* — 79,78
- *microlepis, cf* — 79,8

Anal Spot Livebearer — 97
Analfleck-Kärpfling — 97
Anders Platyfish — 191
Antler`s Livebearer — 138,139
Anzueto`s Twin Spot Livebearer — 184
Apamila-Kärpfling — 175
Arizonakärpfling — 172

Arrhamphus
- *sclerolepis* — 325

Ataeniobius
- *toweri* — 55,56

Atlantic Molly — 148
Atlantic Molly — 148
Atlantic Molly — 149
Atlantic Topminnow — 174
Atlantic Topminnow — 174
Atlantischer Kärpfling — 174
Atlantischer Kärpfling — 174
Atoyac-Schwertplaty — 191
Augenfleckkärpfling — 166,167
Baensch`s Topminnow — 168
Baenschs Zahnkärpfling — 168
Balsas-Kärpfling — 168
Banded Allotoca — 52
Banded Topminnow — 169
Banderolenkärpfling — 71,72,73,74,77
Bandit Mosquitofish — 107
Banditenkärpfling — 107
Bangka Halfbeak — 312
Bangka-Halbschnäbler — 312
Barred Goodeid — 56
Barred Millionsfish — 138
Barred Topminnow — 188
Beaufort`s Halfbeak — 319
Beauforts Halbschnäbler — 319

Belonesox
- *belizanus belizanus* — 86,87
- *belizanus maxillosus* — 86

Berghalbschnäbler — 307
Big Bend Mosquitofish — 100
Bischofskärpfling — 89
Bishop Brachy — 89
Black Banded Mini — 129,13
Black Finned Goodeid — 63
Black Sailfin Goodeid — 62
Black Topminnow — 171
Black-belly Limia — 118
Black-finned Flasher — 181
Blackline Mosquitofish — 97
Blasser Zehnfleckkärpfling — 96
Blauaugenkärpfling — 179
Blauband-Molly — 143
Blaue Goodea — 55,56
Blauer Augenfleckkärpfling — 166
Blauer Schwertträger — 191

Blaugelber Kärpfling — 108
Blau-Gelber-Molly — 161
Blau-Gelber-Molly — 161
Blauschwanz-Halbschnäbler — 310
Blauschwanz-Halbschnäbler — 310
Blauspiegel-Kärpfling — 103
Bleeker`s Halfbeak — 320
Bleekers Halbschnäbler — 320
Blotched Limia — 117
Blotched Mosquitofish — 107
Blue Bellied Goodeid — 74
Blue Eyed Allotoca — 52
Blue Mini — 149
Blue One Spot Molly — 166
Blue Yellow Molly — 161
Bluetail Goodea — 55,56
Blue-Tail Halfbeak — 310
Blumblebee Goodeid — 52
Bold Goodeid — 59

Brachyrhaphis
- *cascajalensis* — 89
- *episcopi* — 89
- *episcopi, cf.* — 89
- *hartwegi* — 90
- *holdridgei* — 90
- *parismina* — 90
- *punctifer* — 91
- *rhabdophora* — 91,92
- *roseni* — 92,93
- *roseni, cf.* — 93
- *sp. "Cascajal"* — 94
- *sp. "EH 18"* — 94
- *sp. "EH 19"* — 94
- *sp. "EH 33"* — 94
- *sp. "FU 35"* — 94
- *sp. "FU 61"* — 94
- *terrabensis* — 93

Branner`s Livebearer — 126,128
Breitflossenkärpfling — 146,147
Breitmaul-Colima-Kärpfling — 65
Breitmaul-Kärpfling — 100
Breitstreifenkärpfling — 172
Breitzahn-Limia — 117
Brembach`s Halfbeak — 315
Brembachs Halbschnäbler — 315
Broad Toothed Topminnow — 172
Buffon`s Halfbeak — 320
Buffons Halbschnäbler — 320
Bulldog Goodeid — 51
Bulldoggenkärpfling — 51
Bullenkärpfling — 91,92
Bumblebee-Allotoca — 53
Bunte Limia — 122
Burma-Halbschnäbler — 307
Burmese Halfbeak — 307
Butler-Molly — 140
Butterfly Goodeid — 53,54,55
Cali Flasher — 181
Calikärpfling — 181
Cana Kärpfling — 130
Cana Teddy — 130
Caracas Molly — 145

Carlhubbsia
- *kidderi* — 95
- *stuarti* — 95

Carnegie`s Livebearer — 96
Carnegie-Kärpfling — 96
Carribean Mosquitofish — 106
Carribean Mosquitofish — 106
Cascajal-Brachy — 89
Cascajal-Kärpfling — 89
Cataract Twin Spot Livebearer — 186
Catemaco Molly — 141
Catemaco Swordtail — 203-205
Catemaco Topminnow — 168
Catemaco-Kärpfling — 168
Catemaco-Platy — 203-205
Cauca-Molly — 141,142
Cauca-Molly — 142
Cave Molly — 149
Cayman Mosquitofish — 108
Cayman-Gambuse — 108
Celebes-Halbschnäbler — 316
Chajmaic Twin Spot Livebearer — 186
Chajmaic-Kärpfling — 186

Chapalichthys
- *encaustus* — 56
- *pardalis* — 57,58
- *peraticus* — 57

Characodon
- *audax* — 59
- *lateralis* — 61

Chiandega Molly — 161
Chiandega-Molly — 161

Chiapas-Kärpfling — 170-171
Choco Flasher — 182
Choco-Kärpfling — 182
Choluteca Molly — 162
Choluteca-Molly — 162
Clawed Mosquitofish — 103
Clear Creek Gambuse — 101
Clear Creek Mosquitofish — 101

Cnesterodon
- *brevirostratus* — 96
- *carnegiei* — 96
- *carnegiei, cf.* — 96
- *decemmaculatus* — 96
- *decemmaculatus, cf.* — 96
- *septentrionalis* — 97
- *sp. "Anal-Spot"* — 97

Colima Grundkärpfling — 50,51
Colima-Kärpfling — 64,65
Comb Scaled Livebearer — 190
Comitan Topminnow — 170-171
Comma Swordtail — 210-211
Common Twin Spot Livebearer — 184-186
Conchos-Kärpfling — 107
Cortes Swordtail — 192-194
Cortez-Schwertträger — 192-194
Crecent Goodeid — 76
Creole Topminnow — 109
Cuatrocienegas Mosquitofish — 103
Cuatro-Cienegas-Kärpfling — 103
Cuban Limia — 122,123,124
Cuban Mosquitofish — 105
Cuban Mosquitofish — 106
Cuban-Topminnow — 109
Cuitzeo-Kärpfling — 75
Darien Flasher — 182
Darien-Kärpfling — 182
Dark Chiapas Topminnow — 174
Der Tommy — 189-190

Dermogenys
- *burmanica* — 307
- *ebrardtii* — 307
- *megarrhampha* — 307
- *montana* — 307
- *orientalis* — 308
- *pectoralis* — 308
- *philippina* — 308
- *pusilla borealis* — 308-309
- *pusilla pusilla* — 309
- *siamensis* — 310
- *sp.* — 310
- *sp. "Bangka"* — 312
- *sp. nov.* — 310
- *sumatrana* — 310
- *vivipara* — 310
- *vivipara, cf.* — 310
- *vogti* — 310
- *weberi* — 310

Diphyacantha
- *chocoensis* — 182
- *dariensis* — 182

Diaz`-Kärpfling — 52
Dolores-Kärpfling — 102
Doloris Twin Spot Livebearer — 187
Doloris-Kärpfling — 187
Dominican Mosquitofish — 100
Dominikanische Gambuse — 100
Domino Widow — 135
Dowe`s Minnow — 82
Dowes Kärpfling — 82
Dreizack-Kärpfling — 131
Dreizahn-Kärpfling — 122
Dunkler Chiapas-Kärpfling — 174
Dunkler Hochlandkärpfling — 74
Dwar One Spot Molly — 166
Dwarf Carnegie`s Livebearer — 96
Dwarf Molly — 142,143
Eastern Mosquitofish — 101,102
Ebrardts Halbschnäbler — 307
Echter Linienkärpfling — 81
Ecuadorian Flasher — 183-184
Eierlegender Halbschnäbler — 314
Eigenmann`s Jenynsia — 81
Eigenmann`s Millionsfish — 138
Eigenmanns Linienkärpfling — 81
Eigenmanns Zwergkärpfling — 138
Einfarb-Limia — 118
Einfleck-Kärpfling — 112,113
Einstreifen-Linienkärpfling — 82
El Abra Pygmy Swordtail — 208-209
El Quince Schwertträger — 192
El Quince Swordtail — 192
Elegant Molly — 143
Elegant Mosquitofish — 106,107
Elegant Widow — 134

Elegant-Kärpfling 131
Elfin Goodea 67
Euleptorhamphus
 - *viridis* 325
Fairweathers Kärpfling 134
Falscher Bischofskärpfling 89
Falscher Linienkärpfling 81
False Bishop Brachy 89
False Sriped Jenynsia 81
Farbwechselnder Kärpfling 172
Festakärpfling 183-184
Few-rayed Limia 121
Finescale Foureyed Fish 79,8
Fingerkärpfling 112
Fischgräten-Halbschnäbler 316
Fivestripe Swordtail 198
Flexipenis
 - *vittata* 97
Forellenkärpfling 56
Fünfstreifen Schwertträger 198
Gaiges Gambuse 100
Gambusia
 - *affinis* 97,99
 - *affinis, cf.* 99
 - *alvarezi* 99
 - *amistadensis* 99
 - *atrora* 99
 - *aurata* 100
 - *aurata, cf.* 99
 - *beebei* 100
 - *dominicensis* 100
 - *eurystoma* 100
 - *gaigei* 100
 - *geiseri* 100
 - *georgei* 100
 - *heterochir* 101
 - *hispaniolae* 101
 - *holbrooki* 101,102
 - *hurtadoi* 102
 - *krumholzi* 102
 - *lemaitrei* 103
 - *longispinis* 103
 - *luma* 103
 - *marshi* 104
 - *melapleura* 104
 - *nicaraguensis* 104
 - *nobilis* 104,105
 - *panuco* 105
 - *pseudopunctata* 105
 - *punctata* 105
 - *punctata, cf.* 106
 - *puncticulata* 106
 - *puncticulata, cf.* 106
 - *regani* 106,107
 - *rhizophorae* 107
 - *senilis* 107
 - *sexradiata* 107
 - *speciosa* 108
 - *wrayi* 108
 - *xanthosoma* 108
 - *yucatana* 108,109
Garnier`s Limia 117
Garniers Limia 117
Gebänderter Schwertträger 206-207
Gedrungener Blauaugenkärpfling 178-179
Gefleckte Limia 117
Gefleckter Blauaugenkärpfling 178
Gefleckter Kärpfling 53
Gefleckter Poeciliopsis 172
Geisers Gambuse 100
Gelber Augenfleckkärpfling 166
Gelber Hechtkärpfling 86
Gelber Hochlandkärpfling 61,62
Gelber Schwertträger 192
Gestreckter Zweifleckkärpfling 184
Gestreifter Geweihkärpfling 138
Geweihkärpfling 138,139
Gewöhnliches Vierauge 79
Giant Topminnow 174
Gill`s Molly 144
Gills Molly 144
Giradinus
 - *creolus* 109
 - *cubensis* 109
 - *denticulatus* 109,11
 - *falcatus* 110
 - *metallicus* 110,111,112
 - *microdactylus* 112
 - *serripenis* 112
 - *uninotatus* 112,113
Girardinichthys
 - *multiradiatus* 61,62
 - *viviparus* 62
Glaskärpfling 188

Goldbelly Topminnow 110
Goldbreast Ilyodon 64,65
Golden Darter Goodeid 50,51
Golden Mosquitofish 99, 100
Golden Sailfin Goodeid 61,62
Golden Sawfin Goodea 68
Golden Teddy 190
Goldene Skiffia 68
Goldener Kärpfling 63,64
Goodea
 - *atripinnis atripinnis* 63
 - *atripinnis luitpoldi* 63
 - *atripinnis martini* 63
Goslines Kärpfling 52
Grand Cayman Limia 116
Grand-Cayman-Kärpfling 116
Graublauer Kärpfling 109,11
Green Allotoca 51
Green Goodeid 70
Green Swordtail 195-200
Greenway`s Livebearer 189
Greenways Kärpfling 189
Großer Augenfleckkärpfling 166
Grüner Diaz`-Kärpfling 51
Grüner Kärpfling 168
Grüner Schwertträger 195-200
Guatemala-Kärpfling 133,134
Guppy 150-155
Hagen`s Halfbeak 316
Haiti-Limia 116,117
Haken-Halbschnäbler 317
Halbschnabelhecht 320
Halfbeak 320
Hartweg`s Brachy 90
Hartwegs Kärpfling 90
Hechtkärpfling 86,87
Hemiramphus
 - *acutus* 325
 - *archipelagicus* 326
 - *balao* 326
 - *bermudensis* 326
 - *brasiliense* 326
 - *depauperatus* 326
 - *far* 326
 - *lutkei* 326
 - *marginatus* 327
 - *robustus* 327
Hemirhamphodon
 - *chrysopunctatus* 312
 - *kapuasensis* 312
 - *kuekenthali* 313
 - *phaiosoma* 313
 - *pogonognathus* 313-314
 - *tengah* 314
Heterandria
 - *formosa* 113,114,115
Heterophallus
 - *echeagarayi* 115
 - *milleri* 115,116
 - *rachovii* 116
High-backed Pygmy Swordtail 206-207
Highland Swordtail 203
Hispaniola Molly 145
Hispaniola-Molly 145
Hispaniolan Mosquitofish 101
Hochlandplaty 194-195
Hochland-Poeciliopsis 171
Hochland-Schwertträger 203
Höhlen-Molly 149
Holdridges Brachy 90
Holdridges Kärpfling 90
Holland`s Livebearer 145,146
Hollands Zwergkärpfling 145,146
Honduras Molly 162
Hooded Sawfin 68
Hooked Halfbeak 317
Hubbs`Grundkärpfling 50
Hubbsina
 - *turneri* 63,64
Hummel-Allotoca 53
Hump Back Mini 157
Humpback Limia 119,12
Hurtado`s Mosquitofish 102
Hybrid Swordtail 200
Hybrid-Schwertplaty 200
Hybriden
 - Limia nigrofasciata x L. melanogaster 125
 - Limia nigrofasciata x L. perugiae 125
 - Limia melanogaster x L. vittata 126
 - Poecilia chica x P. sphenops 167
 - Poecilia reticulata x P. sp.(Molly) 167
 - Xiphophorus xiphidium x alvarezi 214
 - Xiphophorus xiphidium x nigrensis 214
 - Xiphophorus xiphidium x maculatus (red) 214-215

Hyporhamphus
 - *affinis* 322
 - *balinensis* 322
 - *breederi* 322
 - *capensis* 322
 - *delagoae* 322
 - *dussumieri* 322
 - *erythrorhynchus* 322
 - *gamberur* 323
 - *gernaerti* 323
 - *improvisus* 323
 - *intermedius* 323
 - *limbatus* 323
 - *meeki* 323
 - *melanopterus* 323
 - *neglectissimus* 323
 - *neglectus* 324
 - *paucirastris* 324
 - *picarti* 324
 - *quoyi* 324
 - *quoyi, cf.* 324
 - *rosae* 324
 - *sajori* 324
 - *taiwanensis* 324
 - *unicuspis* 325
 - *unifasciatus* 325
 - *xanthopterus* 325
 - *yuri* 325
Ilyodon
 - *furcidens* 64,65
 - *lennoni* 66
 - *whitei* 66
 - *xanthusi* 65
Iota Livebearer 189
Iota-Kärpfling 189
Jamaika-Kärpfling 108
Jamaika-Kärpfling 118
Januar-Kärpfling 138
Jenynsia
 - *alternimaculata* 81
 - *eigenmanni* 81
 - *eirostigma* 81
 - *lineata* 81
 - *multidentata* 81
 - *sanctaecatarinae* 82
 - *unitaenia* 82
Jeweled Goodeid 74
Kammschuppen-Kärpfling 190
Kampf-Halbschnäbler 308
Kampf-Halbschnäbler 308-309
Kampf-Halbschnäbler 309
Karibischer Kärpfling 106
Karibischer Kärpfling 106
Kaudi 136-138
Kidder`s Livebearer 95
Kleiner Amazonenkärpfling 126,127
Kleiner Carnegie-Kärpfling 96
Kleiner Pantherkärpfling 57
Kleinflossen-Kärpfling 174
Kleinschuppen-Vierauge 79,8
Kleinschwertträger 208-209
Knife Livebearer 84,85
Koboldkärpfling 101,102
Komma-Schwertträger 210-211
Kottelat`s Halfbeak 319
Kottelats Halbschnäbler 319
Kreolen-Kärpfling 109
Krumholz Gambuse 102
Krumholz`s Mosquitofish 102
Kuba-Kärpfling 122,123,124
Kubanische Gambuse 105
Kubanische Gambuse 106
Kükenthal`s Halfbeak 313
Kükenthals Halbschnäbler 313
Kurznasen-Kärpfling 96
Lace Brachy 91,92
Langflossen-Halbschnäbler 313
Langschnabel-Halbschnäbler 307
Längsstreifen-Zwergkärpfling 149
Large One Spot Molly 166
Largespring Mosquitofish 100
Largetooth Limia 117
Least Killifish 113,114,115
Lemaitre`s Mosquitofish 103
Lennon`s Ilyodon 66
Lennons Kärpfling 66
Leopard Goodeid 71
Lerma-Kärpfling 68
Leuchtpunkt-Halbschnäbler 312
Liems Halbschnäbler 316
Limantour`s Molly 148,149
Limantous Molly 148,149
Limia
 - *caymanensis* 116

- dominicensis 116,117
- fuscomaculata 117
- garnieri 117
- grossidens 117
- immaculata 118
- melanogaster 118
- miragoanensis 119
- nigrofasciata 119,12
- ornata 121
- ornata, cf. 119
- pauciradiata 121
- perugiae 121
- sulphurophila 122
- tridens 122
- tridens, cf. 122
- versicolor 122
- vittata 122,123,124
- yaguajali 123
- zonata 123,125
Limonen-Kärpfling 99, 100
Long finned Halfbeak 313
Long-Jaw Halfbeak 307
Los Reyes-Kärpfling 53
Luitpold`s Goodeid 63
Lutz Kärpfling 172
Lutz`s Topminnow 172
Mangrove Molly 149,15
Mangrove Mosquitofish 107
Mangrovenkärpfling 107
Mangrovenmolly 149,15
Marcellino Molly 147
Marcellino-Kärpfling 147
Marsh`s Mosquitofish 104
Martin`s Black Finned Goodeid 63
Martins Schwarzflossen-Goodea 63
Mayan Blue-Eye 178-179
Mayland`s Molly 147
Maylands Molly 147
Meißelzahnkärpfling 157
Melapedalion
- breve 327
Merry Widow 133,134
Messerkärpfling 84,85
Metallic Topminnow 110,111,112
Metallkärpfling 110,111,112
Mexican Molly 156-161
Mexikomolly 148, 149
Micropoecilia
- amazonica 126
- amazonica, cf. 126
- bifurca 126,127
- branneri 126,128
- minima 128
- parae 128,129
- picta 129,13
Miller`s Flyer 115,116
Millers Kärpfling 115,116
Mini Molly 128
Mini-Molly 128
Miragoane Limia 119
Miragoane Mosquitofish 100
Miragoane-Gambuse 100
Miragoane-Limia 119
Misol-Ha Blue-Eye 180
Misol-Ha Kärpfling 180
Mond-Molly 162
Monterrey-Platy 194
Montezuma Swordtail 205-206
Montezuma-Schwertträger 205-206
Moon Molly 162
Mountain Halfbeak 307
Muzquiz Mosquitofish 108
Muzquiz Platy 203
Muzquiz-Platy 203
Nadelkärpfling 95
Nadelstreifen-Linienkärpfling 81
Nahtmolly 147
Narino-Kärpfling 183
Needlestriped Jenynsia 81
Neoheterandria
- cana, cf. 130
- elegans 131
- tridentiger 131
Netzkärpfling 85
Netzzahn-Kärpfling 187
Neuguinea Halbschnäbler 321
Newguinea Halfbeak 321
Nicaragua Mosquitofish 104
Nicaragua-Gambuse 104
Nördlicher Bergschwertträger 207-208
Nördlicher Kärpfling 97
Nomorhamphus
- brembachi 315
- brembachi, cf. 315

- celebensis 316
- hageni, cf. 316
- liemi liemi 316
- liemi snijdersi 317
- ravnaki australe 317
- ravnaki ravnaki 317
- sanussii 318
- sp. I "Sentani" 318
- sp. II 318
- towoetii 319
Nordplaty 195
Nothern Harlequin Halfbeak 316
Nothern Livebearer 97
Nothern Mountain Swordtail 207-208
Nothern Twin Spot Livebearer 187
Oaxancan Blu-Eye 179
Olmecan Blue-Eye 180
Olmeken-Kärpfling 180
One Spot Molly 166,167
One Striped Jenynsia 82
Opal Allotoca 53
Orange Darter Goodeid 50
Orange Dorsal Widow 134
Orange Finned Flasher 182-183
Orange finned Halfbeak 307
Orange Finned Topminnow 172
Orange Halfbeak 318
Orange Rocket 85
Orangeband-Kärpfling 76
Orangeflossenkärpfling 172
Orangeflossen-Kärpfling 182-183
Orangenr Halbschnäbler 318
Ornate Halfbeak 312
Ornate Limia 119
Ornate Limia 121
Oxyporhamphus
- convexus 327
- micropterus 327
Oxyzygonectes
- dovii 82
Oviparous Halfbeak 314
Pacific Foureyed Fish 79,78
Pacific Molly 140
Pacific Topminnow 175-176
Pale Ten Spot Livebearer 96
Palenque Flyer 115
Palenque-Kärpfling 115
Pallid Widow 135
Panama-Zwergkärpfling 184
Panamian Flasher 184
Pantherkärpfling 57,58
Panuco Mosquitofish 105
Panuco-Kärpfling 105
Para-Molly 128,129
Parisima Brachy 90
Parisima Kärpfling 90
Pazifisches Vierauge 79,78
Pecos Mosquitofish 104,105
Pecoskärpfling 104,105
Perugia`s Limia 121
Perugiakärpfling 121
Peten Molly 150
Peten-Molly 150
Pfauenaugenkärpfling 129,13
Phallichthys
- amates 133,134
- fairweatheri 134
- pittieri 134
- quadripunctatus 135
- tico 135
Phalloceros
- caudimaculatus 136-138
Phalloptychus
- eigenmanni, cf. 138
- januarius 138
Phallotorynus
- fasciolatus 138
- jucundus 138,139
- victoriae 139
Philippine Halfbeak 308
Philippinen-Halbschnäbler 308
Picoted Goodeid 75
Picoted Mosquitofish 99
Pike Livebearer 86,87
Pittiers Kärpfling 134
Plain Limia 118
Platy 200-203
PMH Swordtail 211
PMH-Schwertträger 211
Panama-Cauca-Molly 142
Poecilia
- butleri 140
- catemaconis 141
- caucana 141,142

- caucana, cf. 142
- caucana, cf. "Panama" 142
- chica 142,143
- dominicensis 143
- elegans 143
- gillii 144
- heterandria 145
- hispaniolana 145
- hollandi 145,146
- hollandi, cf. 146
- kl. formosa 144
- latipinna 146,147
- latipunctata 147
- marcellinoi 147
- maylandi 147
- mexicana limantouri 148,149
- mexicana mexicana 148
- mexicana mexicana, cf. 148, 149
- mexicana ssp. 149
- minor 149
- orri 149,15
- petenensis 150
- reticulata 150-155
- salvatoris 155,156
- salvatoris, cf. 155, 156
- scalpridens 157
- sp. 161, 161
- sphenops 157-160
- sphenops, cf. 160, 161
- sulphuraria 163
- teresae 163
- vandepolli 163
- velifera 165
- vivipara 166,167
- vivipara, cf. 166
Poeciliopsis
- baenschi 168
- balsas 168
- catemaco 168
- elongata 168
- fasciata 169
- gracilis 169-170
- hnilickai 170-171
- infans 171
- latidens 172
- lucida 172
- lutzi 172
- monacha 172
- occidentalis 172
- paucimaculatus 172
- presidionis 173
- prolifica 173
- retropinna 174
- scarlli 174
- sp. 174
- turrubarensis 175-176
- turneri 175
- viriosa 176
Polkadot Goodeid 57,58
Porthole Topminnow 169-170
Presidio Topminnow 173
Presidio-Kärpfling 173
Priapella
- bonita 178
- compressa 178-179
- intermedia 179
- olmecae 180
- sp. 180
Priapichthys
- annectens 182-183
- puetzi 183
Prinzregent Luitpold Goodea 63
Prolific Topminnow 173
Pseudopoecilia
- austrocolumbiana 183
- festae 183-184
- panamensis 184
Pseudoxiphophorus
- anzuetoi 184
- attenuata 184
- bimaculatus 184-186
- cataractae 186
- diremptus 186
- jonesii 187
- jonesii, cf. 187
- litoperas 187
- obliquus 187
Puebla Platy 194-195
Puerto Vallarte Topminnow 174
Puerto Vallarte-Kärpfling 174
Puerto-Plata-Limia 121
Punktierter Kärpfling 91
Pütz Kärpfling 183
Pütz`s Flasher 183

Quatrocienegas Platy — 195
Querstreifen-Kärpfling — 169
Quintana
 - *atrizona* — 188
Rachow`s Flyer — 116
Rachows Kärpfling — 116
Rainbow Goodeid — 61
Ravnak`s Halfbeak — 317
Ravnaks Halbschnäbler — 317
Real Striped Jenynsia — 81
Red striped Halfbeak — 312
Red Tailed Goodeid — 71,72,73,74,77
Regal Goodeid — 53
Regans Kärpfling — 106,107
Regenbogen-Goodeide — 61
Resolana-Kärpfling — 71
Rhynchorhamphus
 - *arabicus* — 327
 - *georgii* — 327
 - *malabaricus* — 327
 - *naga* — 327
Ritterkärpfling — 70
Robert's Garfish — 321
Robust Topminnow — 176
Rosen`s Hybrid Platy — 210
Rosenkärpfling — 92,93
Rosenkärpfling — 93
Rosens Hybridplaty — 210
Roswitha`s Brachy — 94
Roswithas Kärpfling — 94
Rotflossenkärpfling — 101
Rotstreifen-Halbschnäbler — 312
Sailfin Brachy — 93
Sailfin Molly — 146,147
Sailfin Twin Spot Livebearer — 187
Salado-Kärpfling — 104
Salvator Molly — 155,156
San Lorenzo Molly — 155
San Lorenzo-Molly — 155,156, 162
San Marcos Gambuse — 100
San Marcos Mosquitofish — 100
Santa Catarina Jenynsia — 82
Santa-Catarina-Linienkärpfling — 82
Santo Domingo Molly — 143
Santo-Domingo-Molly — 143
Sanussi`s Halfbeak — 318
Sanussis Halbschnäbler — 318
Scarll`s Topminnow — 174
Scarlls Kärpfling — 174
Schafskopf-Schwertträger — 191-192
Schattenkärpfling — 190
Schmetterlingskärpfling — 53,54,55
Schmuck-Limia — 119
Schmuck-Limia — 121
Schwarzflossen-Goodea — 63
Schwarzbinden-Kärpfling — 119,12
Schwarzer Halbschnäbler — 319
Schwarzer Prinz — 59
Schwarzfleck-Kärpfling — 135
Schwarzfleck-Skiffia — 68,69
Schwarzflossenkärpfling — 181
Schwarzkanten-Gambuse — 99
Schwarzsaum-Kärpfling — 97
Schwefel-Molly — 163
Schwefelquellen-Limia — 122
Schwertplaty — 213-214
Scolichthys
 - *greenwayi* — 189
 - *iota* — 189
Segelflossen-Zweifleckkärpfling — 187
Segelkärpfling — 165
Seitenfleckkärpfling — 169-170
Sentani Halfbeak — 318
Sentani-Halbschnäbler — 318
Sheepshead Swordtail — 191-192
Shortnosed Livebearer — 96
Siamese Halfbeak — 310
Siamesischer-Halbschnäbler — 310
Sichelkärpfling — 110
Skiffia
 - *bilineata* — 67
 - *francesae* — 68
 - *lermae* — 68
 - *multipunctata* — 68,69
 - sp. "Zacapu" — 69
Singlespot Topminnow — 112,113
Slender Pygmy Swordtail — 209-210
Slender Topminnow — 168
Slender Twin Spot Livebearer — 184
Small Amazon Livebearer — 126,127
Small Spot Topminnow — 172
Smallfinger Topminnow — 112
Snijder`s Halfbeak — 317
Snijders Halbschnäbler — 317

Sonnenkärpfling — 173
South American Molly — 141,142
South American Molly "Panama" — 142
Southern Flasher — 183
Southern Harlequin Halfbeak — 316
Southern Platy — 200-203
Speckled Sawfin Goodeid — 68,69
Spiketail Platy — 213-214
Spitzkopfmolly — 156-161
Spotted Blu-Eye — 178
Spotted Brachy — 91
Spotted Goodeid — 57
Stahlblauer Kärpfling — 52
Streifen Gambuse — 104
Striped Antlers Livebearer — 138
Striped Foureyed Fish — 79
Striped Limia — 123,125
Striped Mosquitofish — 104
Stromschnellenkärpfling — 186
Stuart`s Livebearer — 95
Stuarts Kärpfling — 95
Sulphur Limia — 122
Sulphur Molly — 163
Sumatra Halfbeak — 310
Sumatra-Halbschnäbler — 310
Taco Taco Topminnow — 112
Taco-Taco-Kärpfling — 112
Tamazula Kärpfling — 50
Tamesi Molly — 147
Ten Spot Livebearer — 96
Teresa`s Molly — 163
Teresas Molly — 163
Terraba-Kärpfling — 93
Texas Kärpfling — 97,99
The Cardinal — 92,93
The Caudo — 136-138
The Tommy — 189-190
Thread Jaw Halfbeak — 313-314
Tiburon Limia — 122
Tiburon Peninsula Limia — 116,117
Tiburon Peninsula Mosquitofish — 105
Tiburon-Gambuse — 105
Tiburon-Limia — 122
Tiger Teddy — 131
Tomeurus
 - *gracilis* — 189-190
Tondanichthys
 - *kottelati* — 319
Toothy Teddy — 131
Toothy Topminnow — 109,11
Totuma-Kärpfling — 103
Towoeti Halfbeak — 319
Translucscent Topminnow — 172
Trident Limia — 122
Tulija Molly — 161
Turner`s Sailfin Goodeid — 63,64
Turner`s Topminnow — 175
Turrubares-Kärpfling — 175-176
Tuxpan Darter Goodeid — 50
Upland Swordtail — 191
Vandepoll`s Molly — 163
Vandepolls Molly — 163
Variable Mini — 128,129
Variable Platy — 211-213
Variabler-Zweifleckkärpfling — 184
Venezuela-Molly — 145
Veränderlicher Hochlandkärpfling — 74
Veränderlicher Spiegelkärpfling — 211-213
Versicolored Limia — 122
Vielschuppenkärpfling — 50
Vierpunktkärpfling — 135
Viktoria Livebearer — 139
Viktoria-Kärpfling — 139
Viriosa-Kärpfling — 176
Vogt`s Halfbeak — 310
Vogts Halbschnäbler — 310
Weber`s Halfbeak — 310
Webers Halbschnäbler — 310
Wechseltupfen-Linienkärpfling — 81
Western Mosquitofish — 97,99
Western Mosquitofish — 99
Westkuba-Kärpfling — 109
White`s Ilyodon — 66
Whitepatched Darter Goodeid — 50
Whites Kärpfling — 66
Wilde-mouthed Mosquitofish — 100
Wray`s Mosquitofish — 108
Wrestling Halfbeak — 308-309
Xanthus` Ilyodon — 65
Xenodexia
 - *ctenolepis* — 190
Xenoophorus
 - *captivus* — 70
Xenophallus

 - *umbratilis* — 190
Xenotaenia
 - *resolanae* — 71
Xenotoca
 - *eiseni* — 71,72,73,74,77
 - *melanosoma* — 74
 - *variata* — 74
Xiphophorus
 - *alvarezi* — 191
 - *andersi* — 191
 - *birchmanni* — 191-192
 - *clemenciae* — 192
 - *continens* — 192
 - *cortezi* — 192-194
 - *cortezi, cf.* — 193
 - *couchianus* — 194
 - *evelynae* — 194-195
 - *gordoni* — 195
 - *helleri* — 191, 195-200
 - *helleri, cf.* — 198
 - *hybr. "kosszanderi"* — 200
 - *hybr. "roseni"* — 210
 - *maculatus* — 200-203
 - *malinche* — 203
 - *meyeri* — 203
 - *milleri* — 203-205
 - *montezumae* — 205-206
 - *multilineatus* — 206-207
 - *nezahualcoyot* — 207-208
 - *nigrensis* — 208-209
 - *pygmaeus* — 209-210
 - *signum* — 210-211
 - sp. "PMH" — 211
 - *variatus* — 211-213
 - *xiphidium* — 213-214
Yaguajali Limia — 123
Yaguajali-Kärpfling — 123
Yaqui Topminnow — 172
Yellow One Spot Molly — 166
Yellow Pike Livebearer — 86
Yellow Swordtail — 192
Yucatan Molly — 165
Yucatan Mosquitofish — 108,109
Yucatan-Kärpfling — 108,109
Zacapu Sawfin — 69
Zacapu-Skiffa — 69
Zahnleisten-Halbschnäbler — 313-314
Zehnfleckkärpfling — 96
Zitronenkärpfling — 126,128
Zitronen-Molly — 141
Zonatakärpfling — 123,125
Zweifleckkärpfling — 184-186
Zweilinienkärpfling — 67
Zenarchopterus
 - *beauforti* — 319
 - *beauforti, cf.* — 319
 - *bleekeri* — 320
 - *buffonis* — 320
 - *dispar* — 320
 - *dux* — 320
 - *ectuntio* — 320
 - *gilli* — 321
 - *kampeni* — 321
 - *kneri* — 321
 - *novaeguineae, cf.* — 321
 - *ornithocephala* — 321
 - *pappenheimi* — 321
 - *quadrimaculatus* — 321
 - *robertsi* — 321
 - *xiphophorus* — 321
Zoogoneticus
 - *quitzeoensis* — 75
 - sp. "Crescent" — 76
Zwerg-Augenfleckkärpfling — 166
Zwergkärpfling — 113,114,115
Zwergmolly — 142,143
Zwergschwertträger — 209-210

Code	Genus	species	German	English	Page
A37945	Hyporhamphus	capensis			322
A37946	Hyporhamphus	delagoae			322
A37947	Hyporhamphus	erythrorhynchus			322
A37948	Hyporhamphus	gamberur			323
A37949	Hyporhamphus	improvisus			323
A37950	Hyporhamphus	picarti			324
S01250-S01255	Alfaro	cultratus	Messerkärpfling	Knife Livebearer	84,85
S01256-S01260	Alfaro	huberi	Netzkärpfling	Orange Rocket	85
S01405	Allodontichthys	hubbsi	Hubbs´Grundkärpfling	Whitepatched Darter Goodeid	50
S01406-S01407	Allodontichthys	polylepis	Vielschuppenkärpfling	Orange Darter Goodeid	50
S01408-S01409	Allodontichthys	tamazulae	Tamazula Kärpfling	Tuxpan Darter Goodeid	50
S01410-S01412	Allodontichthys	zonistius	Colima Grundkärpfling	Golden Darter Goodeid	50,51
S01415	Alloheterandria	caliensis	Calikärpfling	Cali Flasher	181
S01418-S01421	Alloheterandria	nigroventralis	Schwarzflossenkärpfling	Black-finned Flasher	181
S01455-S01456	Alloophorus	robustus	Bulldoggenkärpfling	Bulldog Goodeid	51
S01460-S01461	Allotoca	catarinae	Grüner Diaz´-Kärpfling	Green Allotoca	51
S01465	Allotoca	diazi	Diaz´-Kärpfling	Blue Eyed Allotoca	52
S01468	Allotoca	dugesii	Stahlblauer Kärpfling	Blumblebee Goodeid	52
S01469-S01470	Allotoca	goslinei	Goslines Kärpfling	Banded Allotoca	52
S01495-S01496	Allotoca	maculata	Gefleckter Kärpfling	Opal Allotoca	53
S01497	Allotoca	regalis	Los Reyes-Kärpfling	Regal Goodeid	53
S01498	Allotoca	sp. "Hummel"	Hummel-Allotoca	Bumblebee-Allotoca	53
S01600-S01611	Ameca	splendens	Schmetterlingskärpfling	Butterfly Goodeid	53,54,55
S01850	Analeps	analeps	Gewöhnliches Vierauge	Striped Foureyed Fish	79
S01855	Analeps	dowei	Pazifisches Vierauge	Pacific Foureyed Fish	79,78
S01860	Analeps	cf. microlepis	Kleinschuppen-Vierauge	Finescale Foureyed Fish	79,8
S03490	Brachyraphis	sp. "Cascajal"	Roswithas Kärpfling	Roswitha´s Brachy	94
S06385-S06389	Ataeniobius	toweri	Blaue Goodea	Bluetail Goodea	55,56
S07115	Belonesox	belizanus belizanus	Hechtkärpfling	Pike Livebearer	86,87
S07120	Belonesox	belizanus maxillosus	Gelber Hechtkärpfling	Yellow Pike Livebearer	86
S08450-S08541	Brachyraphis	cascajalensis	Cascajal-Kärpfling	Cascajal-Brachy	89
S08455-S08456	Brachyraphis	episcopi	Bischofskärpfling	Bishop Brachy	89
S08457	Brachyraphis	cf. episcopi	Falscher Bischofskärpfling	False Bishop Brachy	89
S08460	Brachyraphis	hartwegi	Hartwegs Kärpfling	Hartweg´s Brachy	90
S08462-S08463	Brachyraphis	holdridgei	Holdridges Kärpfling	Holdridges Brachy	90
S08464-S08466	Brachyraphis	parismina	Parismina Kärpfling	Parismina Brachy	90
S08467	Brachyraphis	punctifer	Punktierter Kärpfling	Spotted Brachy	91
S08470-S08474	Brachyraphis	rhabdophora	Bullenkärpfling	Lace Brachy	91,92
S08475-S08480	Brachyraphis	roseni	Rosenkärpfling	The Cardinal	92,93
S08481	Brachyraphis	cf. roseni	Rosenkärpfling	The Cardinal	93
S08485-S08487	Brachyraphis	terrabensis	Terraba-Kärpfling	Sailfin Brachy	93
S08491	Brachyraphis	sp. "FU 61"	"FU61"	"FU61"	94
S08492	Brachyraphis	sp. "EH 33"			94
S08493	Brachyraphis	sp. "EH 18"			94
S08494	Brachyraphis	sp "FU 35"			94
S08495	Brachyraphis	sp. "EH 19"			94
S09150-S09158	Xiphophorus	xiphidium	Schwertplaty	Spiketail Platy	213-214
S09165-S92629	Xiphophorus	helleri	Grüner Schwertträger	Green Swordtail	195-200
S09168	Xiphophorus	sp. "PMH"	PMH-Schwertträger	PMH Swordtail	211
S09170	Xiphophorus Hybride	xiphidium x alvarezi			214
S09172	Xiphophorus Hybride	xiphidium x nigrensis			214
S09174-S09176	Xiphophorus Hybride F1	xiphidium x maculatus (red)			214-215
S09177	Xiphophorus Hybride F2	xiphidium x maculatus (red)			215
S11470-S11471	Carlhubbsia	kidderi	Kometkärpfling	Kidder´s Livebearer	95
S11475-S11477	Carlhubbsia	stuarti	Stuarts Kärpfling	Stuart´s Livebearer	95
S12255-S12256	Chapalichthys	encaustus	Forellenkärpfling	Barred Goodeid	56
S12260-S12262	Chapalichthys	pardalis	Pantherkärpfling	Polkadot Goodeid	57,58
S12263-S12264	Chapalichthys	peraticus	Kleiner Pantherkärpfling	Spotted Goodeid	57
S12450-S12454	Characodon	audax	Schwarzer Prinz	Bold Goodeid	59
S12455-S12458	Characodon	lateralis	Regenbogen-Goodeide	Rainbow Goodeid	61
S16340	Cnesterodon	brevirostratus	Kurznasen-Kärpfling	Shortnosed Livebearer	96
S16341	Cnesterodon	carnegiei	Carnegie-Kärpfling	Carnegie´s Livebearer	96
S16343	Cnesterodon	cf. carnegiei	Kleiner Carnegie-Kärpfling	Dwarf Carnegie´s Livebearer	96
S16345-S16347	Cnesterodon	decemmaculatus	Zehnfleckkärpfling	Ten Spot Livebearer	96
S16348	Cnesterodon	cf. decemmaculatus	Blasser Zehnfleckkärpfling	Pale Ten Spot Livebearer	96
S16349	Cnesterodon	septentrionalis	Nördlicher Kärpfling	Nothern Livebearer	97
S16350	Cnesterodon	sp. "Anal-Spot"	Analfleck-Kärpfling	Anal Spot Livebearer	97
S31215-S31216	Diphyacantha	chocoensis	Choco-Kärpfling	Choco Flasher	182
S31218	Diphyacantha	dariensis	Darien-Kärpfling	Darien Flasher	182
S31835-S31837	Flexipenis	vittata	Schwarzsaum-Kärpfling	Blackline Mosquitofish	97
S31901	Gambusia	beebei	Miragoane-Gambuse	Miragoane Mosquitofish	100
S31902-S31903	Gambusia	affinis	Texas Kärpfling	Western Mosquitofish	97,99
S31904	Gambusia	cf. affinis	Texas Kärpfling	Western Mosquitofish	99
S31905	Gambusia	alvarezi	Alvarezkärpfling	Alvarez´s Mosquitofish	99
S31906	Gambusia	dominicensis	Dominikanische Gambuse	Dominican Mosquitofish	100
S31908	Gambusia	amistadensis	Amistad-Gambuse	Amistad Mosquitofish	99
S31909-S31910	Gambusia	atrora	Schwarzkanten-Gambuse	Picoted Mosquitofish	99
S31913	Gambusia	cf. aurata	Limonen-Kärpfling	Golden Mosquitofish	99
S31914	Gambusia	aurata	Limonen-Kärpfling	Golden Mosquitofish	100
S31917	Gambusia	eurystoma	Breitmaul-Kärpfling	Wilde-mouthed Mosquitofish	100
S31918-S31919	Gambusia	hispaniolae	Rotflossenkärpfling	Hispaniolan Mosquitofish	101
S31923	Gambusia	gaigei	Gaiges Gambuse	Big Bend Mosquitofish	100
S31926	Gambusia	geiseri	Geisers Gambuse	Largespring Mosquitofish	100
S31927	Gambusia	georgei	San Marcos Gambuse	San Marcos Mosquitofish	100
S31928	Gambusia	heterochir	Clear Creek Gambuse	Clear Creek Mosquitofish	101
S31929-S31933	Gambusia	holbrooki	Koboldkärpfling	Eastern Mosquitofish	101,102
S31935	Gambusia	hurtadoi	Dolores-Kärpfling	Hurtado´s Mosquitofish	102
S31937-S31939	Gambusia	krumholzi	Krumholz Gambuse	Krumholz´s Mosquitofish	102
S31942	Gambusia	lemaitrei	Totuma-Kärpfling	Lemaitre´s Mosquitofish	103
S31944-S31945	Gambusia	longispinis	Cuatro-Cienegas-Kärpfling	Cuatrocienegas Mosquitofish	103
S31948	Gambusia	luma	Blauspiegel-Kärpfling	Clawed Mosquitofish	103
S31950-S31952	Gambusia	marshi	Salado-Kärpfling	Marsh´s Mosquitofish	104
S31954	Gambusia	melapleura	Streifen Gambuse	Striped Mosquitofish	104
S31956	Gambusia	nicaraguensis	Nicaragua-Gambuse	Nicaragua Mosquitofish	104
S31958-31959	Gambusia	nobilis	Pecoskärpfling	Pecos Mosquitofish	104,105
S31960-S31962	Gambusia	panuco	Panuco-Kärpfling	Panuco Mosquitofish	105
S31964	Gambusia	pseudopunctata	Tiburon-Gambuse	Tiburon Peninsula Mosquitofish	105
S31966	Gambusia	punctata	Kubanische Gambuse	Cuban Mosquitofish	105
S31967	Gambusia	cf. punctata	Kubanische Gambuse	Cuban Mosquitofish	106
S31969-S31970	Gambusia	puncticulata	Karibischer Kärpfling	Carribean Mosquitofish	106
S31971	Gambusia	cf. puncticulata	Karibischer Kärpfling	Carribean Mosquitofish	106
S31974-S31975	Gambusia	regani	Regans Kärpfling	Elegant Mosquitofish	106,107
S31977	Gambusia	rhizophrae	Mangrovenkärpfling	Mangrove Mosquitofish	107
S31979	Gambusia	senilis	Conchos-Kärpfling	Blotched Mosquitofish	107
S31980-S31981	Gambusia	sexradiata	Banditenkärpfling	Bandit Mosquitofish	107
S31983	Gambusia	speciosa	Blaugelber Kärpfling	Muzquiz Mosquitofish	108
S31985-S31987	Gambusia	wrayi	Jamaika-Kärpfling	Wray´s Mosquitofish	108
S31990	Gambusia	xanthosoma	Cayman-Gambuse	Cayman Mosquitofish	108
S31992-S31993	Gambusia	yucytana	Yucatan-Kärpfling	Yucatan Mosquitofish	108,109
S32850-S32851	Giradinus	creolus	Kreolen-Kärpfling	Creole Topminnow	109
S32854	Giradinus	cubensis	Westkuba-Kärpfling	Cuban-Topminnow	109
S32856-S32857	Giradinus	denticulatus	Graublauer Kärpfling	Toothy Topminnow	109,11
S32859-S32860	Giradinus	falcatus	Sichelkärpfling	Goldbelly Topminnow	110
S32862-S32867	Giradinus	metallicus	Metallkärpfling	Metallic Topminnow	110,111,112
S32870-S32872	Giradinus	microdactylus	Fingerkärpfling	Smallfinger Topminnow	112
S32874	Giradinus	serripenis	Taco-Taco-Kärpfling	Taco Taco Topminnow	112
S32876-S32877	Giradinus	uninotatus	Einfleck-Kärpfling	Singlespot Topminnow	112,113
S32890-S32893	Girardinichthys	multiradiatus	Gelber Hochlandkärpfling	Golden Sailfin Goodeid	61,62

INDEX
Code - Nummern / Code - numbers

S32894-S32896	Girardinichthys	viviparus	Amarillo-Kärpfling	Black Sailfin Goodeid	62
S33355	Goodea	atripinnis martini	Martins Schwanzflossen-Goodea	Martin`s Black Finned Goodeid	63
S33356-S33357	Goodea	atripinnis atripinnis	Schwanzflossen-Goodea	Black Finned Goodeid	63
S33359	Goodea	atripinnis luitpoldi	Prinzregent Luitpold Goodea	Luitpold`s Goodeid	63
S33361	Goodea	atripinnis martini	Martins Schwanzflossen-Goodea	Martin`s Black Finned Goodeid	63
S36295	Hemiramphus	acutus			325
S36296	Hemiramphus	balao			326
S36297	Hemiramphus	bermudensis			326
S36298	Hemiramphus	brasiliense			326
S38058-S38067	Heterandria	formosa	Zwergkärpfling	Least Killifish	113,114,115
S38105-S38106	Heterophallus	echeagarayi	Palenque-Kärpfling	Palenque Flyer	115
S38108-S38110	Heterophallus	milleri	Millers Kärpfling	Miller`s Flyer	115,116
S38112	Heterophallus	rachovii	Rachows Kärpfling	Rachow`s Flyer	116
S38300			Schwertträger/Swordtail, Normal-Flosser/Normal-Flosser/Normal finned,, grün/green		264
S38302			Schwertträger/Swordtail, Normal-Flosser/Normal-Flosser/Normal finned,, grün/green		264
S38303			Schwertträger/Swordtail, Normal-Flosser/Normal-Flosser/Normal finned,, grün/green		264
S38305			Schwertträger/Swordtail, Normal-Flosser/Normal-Flosser/Normal finned,, grün/green		264
S38306			Schwertträger/Swordtail, Normal-Flosser/Normal-Flosser/Normal finned,, grün/green		264
S38307			Schwertträger/Swordtail, Normal-Flosser/Normal-Flosser/Normal finned,, grün/green ("Guentheri")		265
S38308			Schwertträger/Swordtail, Normal-Flosser/Normal-Flosser/Normal finned,, grün/green ("Guentheri")		265
S38309			Schwertträger/Swordtail, Normal-Flosser/Normal-Flosser/Normal finned,, grün/green ("Guentheri")		265
S38310			Schwertträger/Swordtail, Normal-Flosser/Normal-Flosser/Normal finned,, grün/green		265
S38311			Schwertträger/Swordtail, Simpson-Flosser/Simpson finned, grün/green		265
S38312			Schwertträger/Swordtail, Normal-Flosser/Normal-Flosser/Normal finned,, grün/green wagtail		265
S38314			Schwertträger/Swordtail, Normal-Flosser/Normal-Flosser/Normal finned,, Rotgrün-Wagtail/redgreen, Wagtail		266
S38316			Schwertträger/Swordtail, Lyra-Flosser/Lyre finned, Rotgrün-Wagtail/redgreen Wagtail		266
S38318			Schwertträger/Swordtail, Normal-Flosser/Normal-Flosser/Normal finned,, "Neon"		266
S38320			Schwertträger/Swordtail, Normal-Flosser/Normal-Flosser/Normal finned,, "Neon"		266
S38321			Schwertträger/Swordtail, Normal-Flosser/Normal-Flosser/Normal finned,, "Neon"		267
S38322			Schwertträger/Swordtail, Normal-Flosser/Normal-Flosser/Normal finned,, "Neon"		267
S38323			Schwertträger/Swordtail, Lyra-Flosser/Lyre finned, "Neon"		267
S38324			Schwertträger/Swordtail, Normal-Flosser/Normal-Flosser/Normal finned,, "Neon"		267
S38325			Schwertträger/Swordtail, Normal-Flosser/Normal-Flosser/Normal finned,, "Neon"		267
S38326			Schwertträger/Swordtail, Normal-Flosser/Normal-Flosser/Normal finned,, "Neon" wagtail		268
S38327			Schwertträger/Swordtail, Normal-Flosser/Normal-Flosser/Normal finned,, rot/red wagtail		268
S38328			Schwertträger/Swordtail, Normal-Flosser/Normal-Flosser/Normal finned,, rot/red wagtail		268
S38329			Schwertträger/Swordtail, Lyra-Flosser/Lyre finned, red wagtail		268
S38330			Schwertträger/Swordtail, Lyra-Flosser/Lyre finned red wagtail		268
S38332			Schwertträger/Swordtail, Lyra-Flosser/Lyre finned, red wagtail		268
S38333			Schwertträger/Swordtail, Lyra-Flosser/Lyre finned, red wagtail		268
S38334			Schwertträger/Swordtail, Normal-Flosser/Normal-Flosser/Normal finned,, rot/red		269
S38335			Schwertträger/Swordtail, Normal-Flosser/Normal-Flosser/Normal finned,, rot/red		269
S38336			Schwertträger/Swordtail, Normal-Flosser/Normal-Flosser/Normal finned,, rot/red		269
S38337			Schwertträger/Swordtail, Normal-Flosser/Normal-Flosser/Normal finned,, rot/red		269
S38338			Schwertträger/Swordtail, Normal-Flosser/Normal-Flosser/Normal finned,, Rot-Komet/red-Comet		269
S38340			Schwertträger/Swordtail, Normal-Flosser/Normal-Flosser/Normal finned,, rot/red		263,27
S38341			Schwertträger/Swordtail, Normal-Flosser/Normal-Flosser/Normal finned,, rot/red albino		270
S38342			Schwertträger/Swordtail, Simpson-Flosser/Simpson finned, Rot-Komet/Red Comet		270
S38343			Schwertträger/Swordtail, Simpson-Flosser/Simpson finned, rot/red		270
S38344			Schwertträger/Swordtail, Simpson-Flosser/Simpson finned, rot/red		270
S38345			Schwertträger/Swordtail, Simpson-Flosser/Simpson finned, Rot-Komet/Red Comet		270
S38347			Schwertträger/Swordtail, Simpson-Flosser/Simpson finned, rot/red		271
S38348			Schwertträger/Swordtail, Lyra-Flosser/Lyre finned, rot/red		271
S38350			Schwertträger/Swordtail, Lyra-Flosser/Lyre finned, rot/red		271
S38351			Schwertträger/Swordtail, Lyra-Flosser/Lyre finned, rot/red		271
S38353			Schwertträger/Swordtail, Lyra-Flosser/Lyre finned, rot/red		272
S38355			Schwertträger/Swordtail, Lyra-Flosser/Lyre finned, Rot-Komet/Red Comet		272
S38357			Schwertträger/Swordtail, Lyra-Flosser/Lyre finned,Rot-Komet-Wagtail/Red Comet Wagtail		272
S38359			Schwertträger/Swordtail, Lyra-Flosser/Lyre finned, Rot-Komet/Red Comet		272
S38361			Schwertträger/Swordtail, Lyra-Flosser/Lyre finned, Rot/Red, Albino		273
S38362			Schwertträger/Swordtail, Lyra-Flosser/Lyre finned, rot/red		273
S38363			Schwertträger/Swordtail, Simpson-Flosser/Simpson finned, rot/red		273
S38364			Schwertträger/Swordtail, Normal-Flosser/Normal-Flosser/Normal finned,, hellrot/light red		273
S38366			Schwertträger/Swordtail, Normal-Flosser/Normal-Flosser/Normal finned,, bunt/multicoloured		273
S38367			Schwertträger/Swordtail, Normal-Flosser/Normal-Flosser/Normal finned,, linniert/striped		274
S38368			Schwertträger/Swordtail, Normal-Flosser/Normal-Flosser/Normal finned,, linniert/striped		274
S38369			Schwertträger/Swordtail, Normal-Flosser/Normal-Flosser/Normal finned,, linniert/striped		274
S38370			Schwertträger/Swordtail, Normal-Flosser/Normal-Flosser/Normal finned,, linniert/striped		274
S38371			Schwertträger/Swordtail, Normal-Flosser/Normal-Flosser/Normal finned,, gekreuzt/crossbred with X.pygmaeus		274
S38373			Schwertträger/Swordtail, Normal-Flosser/Normal-Flosser/Normal finned,, linniert/striped		274
S38375			Schwertträger/Swordtail, Normal-Flosser/Normal-Flosser/Normal finned,, linniert/striped, Albino		275
S38377			Schwertträger/Swordtail, Normal-Flosser/Normal-Flosser/Normal finned,, Albino		275
S38379			Schwertträger/Swordtail, Normal-Flosser/Normal-Flosser/Normal finned,, Albino		275
S38381			Schwertträger/Swordtail, Normal-Flosser/Normal-Flosser/Normal finned,, gelb/yellow		275
S38383			Schwertträger/Swordtail, Normal-Flosser/Normal-Flosser/Normal finned,, Albino		276
S38384			Schwertträger/Swordtail, Normal-Flosser/Normal-Flosser/Normal finned,, Mariegold		276
S38385			Schwertträger/Swordtail, Normal-Flosser/Normal-Flosser/Normal finned,, Mariegold		276
S38386			Schwertträger/Swordtail, Lyra-Flosser/Lyre finned, Mariegold Comet		276
S38389			Schwertträger/Swordtail, Normal-Flosser/Normal-Flosser/Normal finned,, Mariegold Comet		276
S38390			Schwertträger/Swordtail, Normal-Flosser/Normal-Flosser/Normal finned,, Mariegold Comet		277
S38391			Schwertträger/Swordtail, Normal-Flosser/Normal-Flosser/Normal finned,, Schecke Weiß-Rot/marbled white red		277
S38392			Schwertträger/Swordtail, Normal-Flosser/Normal-Flosser/Normal finned,, Schecke Weiß-Rot/marbled white red, Wagtail		277
S38393			Schwertträger/Swordtail, Normal-Flosser/Normal-Flosser/Normal finned,, Schecke Schwarz-Grün/marbled green black, Wagtail		277
S38395			Schwertträger/Swordtail, Normal-Flosser/Normal-Flosser/Normal finned,, Schecke Schwarz-Rot/marbled red black, Wagtail		277
S38397			Schwertträger/Swordtail, Normal-Flosser/Normal-Flosser/Normal finned,, Schecke Schwarz-Weiß/marbled White black, Wagtail		278
S38399			Schwertträger/Swordtail, Normal-Flosser/Normal-Flosser/Normal finned,, Schecke Schwarz-Rot/marbled red black, Wagtail		278
S38401			Schwertträger/Swordtail, Normal-Flosser/Normal-Flosser/Normal finned,, "Berliner"		278
S38403			Schwertträger/Swordtail, Normal-Flosser/Normal-Flosser/Normal finned,, "Berliner"		278
S38405			Schwertträger/Swordtail, Normal-Flosser/Normal-Flosser/Normal finned,, "Berliner"		279
S38407			Schwertträger/Swordtail, Lyra-Flosser/Lyre finned "Berliner"		279
S38409			Schwertträger/Swordtail, Normal-Flosser/Normal-Flosser/Normal finned,, Tuxedo red, Wagtail		279
S38411			Schwertträger/Swordtail, Normal-Flosser/Normal-Flosser/Normal finned,, Tuxedo red		279
S38413			Schwertträger/Swordtail, Lyra-Flosser/Lyre finned, Tuxedo red		280
S38415			Schwertträger/Swordtail, Lyra-Flosser/Lyre finned, Tuxedo red, Wagtail		280
S38416			Schwertträger/Swordtail, Normal-Flosser/Normal-Flosser/Normal finned,, Tuxedo red		281
S38417			Schwertträger/Swordtail, Lyra-Flosser/Lyre finned, Tuxedo yellow, Wagtail		280
S38419			Schwertträger/Swordtail, Simpson-Flosser/Simpson finned, Tuxedo red		280-281
S38421			Schwertträger/Swordtail, Normal-Flosser/Normal finned, Tuxedo green		282
S38423			Schwertträger/Swordtail, Normal-Flosser/Normal finned, Tuxedo Mariegold		282
S38425			Schwertträger/Swordtail, Normal-Flosser/Normal finned, "Wiesbadener"		282
S38427			Schwertträger/Swordtail, Lyra-Flosser/Lyre finned, "Hamburger" red		282
S38428			Schwertträger/Swordtail, Lyra-Flosser/Lyre finned, "Hamburger" red		
S38430			Schwertträger/Swordtail, Normal-Flosser/Normal finned, "Hamburger"		283
S38432			Schwertträger/Swordtail, Lyra-Flosser/Lyre finned, "Hamburger"		283
S38434			Schwertträger/Swordtail, Normal-Flosser/Normal finned, "Hamburger"		283
S38435			Schwertträger/Swordtail, Lyra-Flosser/Lyre finned, Schwarz/Black		263,283
S38436			Schwertträger/Swordtail, Normal-Flosser/Normal finned, "Hamburger", Albino		283
S38470			Maculatus-Platy, Normal-Flosser/Normal finned, rot/red		285
S38471			Maculatus-Platy, Pinsel-Flosser/Plume finned, rot/red		285
S38474			Maculatus-Platy, Simpson-Flosser/Simpson finned rot/red		285
S38476			Maculatus-Platy, Normal-Flosser/Normal-Flosser/Normal finned, CORAL (alte Blutlinie/Ancestral stock)		285
S38478			Maculatus-Platy, Simpson-Flosser/Simpson finned, red (moderne Blutlinie/modern stock)		286
S38479			Maculatus-Platy, Lyra-Flosser/Lyre finned, Rot/Red, Wagtail		286
S38480			Maculatus-Platy, Normal-Flosser/Normal finned, rot/red, Wagtail		286
S38482			Maculatus-Platy, Pinsel-Flosser/Plume finned, rot/red, Wagtail		286
S38484			Maculatus-Platy, Normal-Flosser/Normal finned, Tuxedo red		286
S38486			Maculatus-Platy, Simpson-Flosser/Simpson finned, Tuxedo red		287
S38489			Maculatus-Platy, Pinsel-Flosser/Plume finned, Tuxedo		287

Code	Genus	Species			Page
S38490			Maculatus-Platy, Normal-Flosser/Normal finned, Tuxedo		287
S38491			Maculatus-Platy, Normal-Flosser/Normal finned, Tuxedo		287
S38492			Maculatus-Platy, Pinsel-Flosser/Plume finned, Gelb/Yellow, Wagtail		287
S38494			Maculatus-Platy, Pinsel-Flosser/Plume finned, Tuxedo, Wagtail		288
S38496			Maculatus-Platy, Normal-Flosser/Normal finned, bunt/multicoloured, Wagtail		288
S38498			Maculatus-Platy, Normal-Flosser/Normal finned, bunt/multicoloured, Wagtail		288
S38500			Maculatus-Platy, Simpson-Flosser/Simpson finned, bunt/multicoloured, Wagtail		288
S38502			Maculatus-Platy, Normal-Flosser/Normal finned, schwarz/black		289
S38503			Maculatus-Platy, Pinsel-Flosser/Plume finned, "Ananas-Färbung" "Pineapple"		289
S38504			Maculatus-Platy, Pinsel-Flosser/Plume finned, bunt/multicoloured, Wagtail		290
S38506			Maculatus-Platy, Normal-Flosser/Normal finned, bunt/multicoloured, Tuxedo		290
S38508			Maculatus-Platy, Normal-Flosser/Normal finned, Blau Rot/blue-red, Wagtail		290
S38510			Maculatus-Platy, Simpson-Flosser/Simpson-finned, Blau Rot/ blue-red, Wagtail		290
S38512			Maculatus-Platy, Normal-Flosser/Normal finned, Orange Schwarz/orange-black		291
S38513			Maculatus-Platy, Normal-Flosser/Normal finned, Orange Schwarz/orange-black		291
S38514			Maculatus-Platy, Normal-Flosser/Normal finned, Hamburger red		291
S38515			Maculatus-Platy, Normal-Flosser/Normal finned, Hamburger red		291
S38516			Maculatus-Platy, Simpson-Flosser/Simpson finned, "Hamburger" red		291
S38518			Maculatus-Platy, Normal-Flosser/Normal finned, "Mickey Mouse", grau/grey		291
S38520			Maculatus-Platy, Normal-Flosser/Normal finned, Rotrücken/red back		292
S38521			Maculatus-Platy, Normal-Flosser/Normal finned,Bleeding heard (alter stamm/ancestral strain)		292
S38522			Maculatus-Platy, Normal-Flosser/Normal finned,Bleeding heard (neuer stamm/modern strain)		292
S38523			Maculatus-Platy, Normal-Flosser/Normal finned,Bleeding heard (neuer stamm/modern strain)		292
S38524			Maculatus-Platy, Normal-Flosser/Normal finned,Bleeding heard (neuer stamm/modern strain)		292
S38526			Maculatus-Platy, Normal-Flosser/Normal finned,Bleeding heard (neuer stamm/modern strain)		292
S38527			Maculatus-Platy, Normal-Flosser/Normal finned,Bleeding heard (neuer stamm/modern strain)		292
S38528			Maculatus-Platy, Normal-Flosser/Normal finned, "Mickey Mouse", Blau/blue		293
S38530			Maculatus-Platy, Simpson-Flosser/Simpson finned, "Mickey Mouse", Blau/blue		293
S38534			Maculatus-Platy, Normal-Flosser/Normal finned, "Mickey Mouse", bunt/multicoloured		293
S38536			Maculatus-Platy, Normal-Flosser/Normal finned, "Mickey Mouse", bunt/multicoloured		294
S38538			Maculatus-Platy, Normal-Flosser/Normal finned, "Mickey Mouse", bunt/multicoloured		294
S38540			Maculatus-Platy, Normal-Flosser/Normal finned, "Mickey Mouse", bunt/multicoloured		294
S38542			Maculatus-Platy, Normal-Flosser/Normal finned, "Mickey Mouse", bunt/multicoloured		294
S38543			Maculatus-Platy, Normal-Flosser/Normal finned, Salt´n Pepper rot/red		294
S38544			Maculatus-Platy, Normal-Flosser/Normal finned, Salt´n Pepper rot/red		295
S38545			Maculatus-Platy, Normal-Flosser/Normal finned, Salt´n Pepper rot/red		295
S38546			Maculatus-Platy, Simpson finned, Salt´n Pepper, Wagtail		295
S38548			Maculatus-Platy, Normal-Flosser/Normal finned, Salt´n Pepper, Wagtail		295
S38550			Maculatus-Platy, Normal-Flosser/Normal finned, Milk, Salt´n Pepper		295
S38552			Maculatus-Platy, Normal-Flosser/Normal finned, Milk, Salt´n Pepper		296
S38554			Maculatus-Platy, Normal-Flosser/Normal finned, Salt´n Pepper, Blau/blue		296
S38555			Maculatus-Platy, Normal-Flosser/Normal finned, Salt´n Pepper, Blau/blue		296
S38556			Maculatus-Platy, Simpson-Flosser/Simpson finned, Salt´n Pepper, Rot/red, Tuxedo		296
S38558			Maculatus-Platy, Normal-Flosser/Normal finned, blau/blue		296
S38559			Maculatus-Platy, Normal-Flosser/Normal finned, blauer Mond/blue Moon		296
S38560			Maculatus-Platy, Normal-Flosser/Normal finned, gelb/yellow		297
S38561			Maculatus-Platy, Normal-Flosser/Normal finned, Komet sog. "Ananas/Comet So-called "Pineapple		297
S38562			Maculatus-Platy, Normal-Flosser/Normal finned, Komet sog. "Ananas/Comet So-called "Pineapple		297
S38563			Maculatus-Platy, Normal-Flosser/Normal finned, Komet sog. "Ananas/Comet So-called "Pineapple		297
S38564			Maculatus-Platy, Simpson-Flosser/Simpson finned, Komet sog. "Ananas/So-called "Pineapple		297
S38566			Maculatus-Platy, Normal-Flosser/Normal finned, Mariegold		297
S38567			Maculatus-Platy, Pinsel-Flosser/Plume finned, Mariegold		298
S38568			Maculatus-Platy, Simpson-Flosser/Simpson finned, Mariegold		299
S38600			Variatus-Platy, Normal-Flosser/Normal finned, Wildfarben/Wild coloured		299
S38602			Variatus-Platy,Normal-Flosser/Normal finned, Mariegold		299
S38604			Variatus-Platy, Pinsel-Flosser/Plume finned, Mariegold		299
S38605			Variatus-Platy, Normal-Flosser/Normal finned, Mariegold		299
S38606			Variatus-Platy, Normal-Flosser/Normal finned, Papagei/Parrot		299
S38608			Variatus-Platy, Normal-Flosser/Normal finned, Papagei/Parrot		300
S38609			Variatus-Platy, Normal-Flosser/Normal finned, Papagei/Parrot		300
S38610			Variatus-Platy, Simpson-Flosser/Simpson finned, Papagei/Parrot		300
S38611			Variatus-Platy, Simpson-Flosser/Simpson finned, Papagei/Parrot		300
S38612			Variatus-Platy, Simpson-Flosser/Simpson finned, Papagei/Parrot		300
S38614			Variatus-Platy, Normal-Flosser/Normal finned, bronce		300
S38616			Variatus-Platy, Normal-Flosser/Normal finned,Twin Spot		301
S38618			Variatus-Platy, Normal-Flosser/Normal finned, grün-rot/green-red		301
S38620			Variatus-Platy, Normal-Flosser/Normal finned, Salt´n Pepper		301
S38622			Variatus-Platy, Simpson-Flosser/Simpson finned, Salt´n Pepper		301
S38623			Variatus-Platy, Simpson-Flosser/Simpson finned, Salt´n Pepper		301
S38624			Variatus-Platy, Simpson-Flosser/Simpson finned, Salt´n Pepper		302
S38626			Variatus-Platy, Simpson-Flosser/Simpson finned, Salt´n Pepper		302
S38627			Variatus-Platy, Simpson-Flosser/Simpson finned, Salt´n Pepper		302
S38628			Variatus-Platy, Normal-Flosser/Normal finned, Salt´n Pepper		302
S38629			Variatus-Platy, Normal-Flosser/Normal finned, Rot/red, Wagtail		302
S38630			Variatus-Platy, Normal-Flosser/Normal finned, blauer Mond/blue Moon		302
S38632			Variatus-Platy, Normal-Flosser/Normal finned, Tuxedo		303
S38634			Variatus-Platy, Normal-Flosser/Normal finned, Tuxedo		303
S38636			Variatus-Platy, Normal-Flosser/Normal finned, Tuxedo		303
S38640			Variatus-Platy, Normal-Flosser/Normal finned, Hawaii		304
S38642			Variatus-Platy, Simpson-Flosser/Simpson finned, Hawaii		304
S38643			Variatus-Platy, Simpson-Flosser/Simpson finned, Hawaii		304
S38644			Variatus-Platy, Simpson-Flosser/Simpson finned, Hawaii		304
S38645			Variatus-Platy, Pinsel-Flosser/Plume finned, Hawaii		304
S38646			Variatus-Platy, Lyra-Flosser/Lyre finned, Hawaii		304
S38647			Variatus-Platy, Lyra-Flosser/Lyre finned, rot/red		304
S39090-S39091	Hubbsina	turneri	Goldener Kärpfling	Turner´s Sailfin Goodeid	63,64
S41785	Hyporhamphus	breederi			322
S41786	Hyporhamphus	meeki			323
S41787	Hyporhamphus	rosae			324
S41788	Hyporhamphus	unifasciatus			325
S42725-S42729	Ilyodon	furcidens	Colima-Kärpfling	Goldbreast Ilyodon	64,65
S42730-S42732	Ilyodon	lennoni	Lennons Kärpfling	Lennon´s Ilyodon	66
S42735-S42738	Ilyodon	whitei	Whites Kärpfling	White´s Ilyodon	66
S42740-S42743	Ilyodon	xanthusi	Breitmaul-Colima-Kärpfling	Xanthus´ Ilyodon	65
S42835	Jenynsia	alternimaculata	Wechseltupfen-Linienkärpfling	Alternating Spotted Jenynsia	81
S42837	Jenynsia	eigenmanni	Eigenmanns Linienkärpfling	Eigenmann´s Jenynsia	81
S42839	Jenynsia	eirostigma	Kometstreifen-Linienkärpfling	Cometstriped Jenynsia	81
S42841	Jenynsia	lineata	Echter Linienkärpfling	Real Striped Jenynsia	81
S42841-S42845	Jenynsia	multidentata	Falscher Linienkärpfling	False Striped Jenynsia	81
S42847	Jenynsia	sanctaecatarinae	Santa-Catarina-Linienkärpfling	Santa Catarina Jenynsia	82
S42848	Jenynsia	unitaenia	Einstreifen-Linienkärpfling	One Striped Jenynsia	82
S48901	Limia	caymanensis	Grand-Cayman-Kärpfling	Grand Cayman Limia	116
S48904-S48908	Limia	dominicensis	Haiti-Limia	Tiburon Peninsula Limia	116,117
S48910	Limia	fuscomaculata	Gefleckte Limia	Blotched Limia	117
S48912	Limia	garnieri	Garniers Limia	Garnier´s Limia	117
S48915	Limia	grossidens	Breitzahn-Limia	Largetooth Limia	117
S48918	Limia	immaculata	Einfarb-Limia	Plain Limia	118
S48920-S48923	Limia	melanogaster	Jamaika-Kärpfling	Black-belly Limia	118
S48925	Limia	miragoanensis	Miragoane-Limia	Miragoane Limia	119
S48926-S48929	Limia	nigrofasciata	Schwarzbinden-Kärpfling	Humpback Limia	119,12
S48933	Limia	cf.ornata	Schmuck-Limia	Ornate Limia	119
S48934	Limia	ornata	Schmuck-Limia	Ornate Limia	121
S48935	Limia	pauciradiata	Puerto-Plata-Limia	Few-rayed Limia	121
S48937-S48940	Limia	perugiae	Perugiakärpfling	Perugia´s Limia	121
S48945	Limia	sulphurophila	Schwefelquellen-Limia	Sulphur Limia	122
S48948	Limia	cf. tridens	Dreizahn-Kärpfling	Trident Limia	122
S48949	Limia	tridens	Tiburon-Limia	Tiburon Limia	122
S48950	Limia	versicolor	Bunte Limia	Versicolored Limia	122

Code	Genus	Species	German	English	Page
S48953-S48957	Limia	vittata	Kuba-Kärpfling	Cuban Limia	122,123,124
S48956-S48971	Limia	zonata	Zonatakärpfling	Striped Limia	123,125
S48960-S48961	Limia	yaguajali	Yaguajali-Kärpfling	Yaguajali Limia	123
S48985	Hybride	Limia nigrofasciata x L. melanogaster			125
S48986	Hybride	Limia nigrofasciata x L. perugiae			125
S48987	Hybride	Limia melanogaster x L. vittata			126
S48988	Hybride				126
S52401	Micropoecillia	amazonica	Amazonenkärpfling	Amazon Livebearer	126
S52402	Micropoecillia	cf. amazonica	Amazonenkärpfling	Amazon Livebearer	126
S52405	Micropoecillia	bifurca	Kleiner Amazonkärpfling	Small Amazon Livebearer	126,127
S52407-S52410	Micropoecillia	branneri	Zitronenkärpfling	Branner`s Livebearer	126,128
S52413	Micropoecillia	minima	Mini-Molly	Mini Molly	128
S52415-S52419	Micropoecillia	parae	Para-Molly	Variable Mini	128,129
S52422-S52429	Micropoecillia	picta	Pfauenaugenkärpfling	Black Banded Mini	129,13
S54452	Neoheterandria	cf. cana	Cana Kärpfling	Cana Teddy	130
S54455-S54457	Neoheterandria	elegans	Elegant-Kärpfling	Tiger Teddy	131
S54460-S54461	Neoheterandria	tridentiger	Dreizack-Kärpfling	Toothy Teddy	131
S56605-S56606	Oxyzygonectes	dovii	Dowes Kärpfling	Dowe`s Minnow	82
S60905-S60908	Phallichthys	amates	Guatemala-Kärpfling	Merry Widow	133,134
S60906-S60909	Phallichthys	pittieri	Pittiers Kärpfling	Orange Dorsal Widow	134
S60910-S60913	Phallichthys	fairweatheri	Fairweathers Kärpfling	Elegant Widow	134
S60920-S60921	Phallichthys	tico	Schwarzfleck-Kärpfling	Pallid Widow	135
S60925-S60941	Phalloceros	caudimaculatus	Kaudi	The Caudo	136-138
S60945	Phalloptychus	cf. eigenmanni	Eigenmanns Zwergkärpfling	Eigenmann`s Millionsfish	138
S60948-S60949	Phalloptychus	januarius	Januar-Kärpfling	Barred Millionsfish	138
S60955	Phallotorynus	fasciolatus	Gestreifter Geweihkärpfling	Striped Antlers Livebearer	138
S60958-S60959	Phallotorynus	jucundus	Geweihkärpfling	Antler`s Livebearer	138,139
S60963-S60964	Phallotorynus	victoriae	Viktoria-Kärpfling	Viktoria Livebearer	139
S63600-S63606	Poecilia	butleri	Butler-Molly	Pacific Molly	140
S63608-S63610	Poecilia	catemaconis	Zitronen-Molly	Catemaco Molly	141
S63614-S63619	Poecilia	caucana	Cauca-Molly	South American Molly	141,142
S63620	Poecilia	cf. caucana	Cauca-Molly	South American Molly	142
S63621	Poecilia	cf. caucana "Panama"	Pnama-Cauca-Molly	South American Molly "Panama"	142
S63625-S63629	Poecilia	chica	Zwergmolly	Dwarf Molly	142,143
S63633	Poecilia	dominicensis	Santo-Domingo-Molly	Santo Domingo Molly	143
S63635	Poecilia	elegans	Blauband-Molly	Elegant Molly	143
S63638	Poecilia	kl. Formosa	Amazonenkärpfling	Amazon Molly	144
S63640-S63644	Poecilia	gilli	Gills Molly	Gill`s Molly	144
S63646-S63647	Poecilia	heterandria	Venezuela-Molly	Caracas Molly	145
S63650	Poecilia	hispaniolana	Hispaniola-Molly	Hispaniola Molly	145
S63652-S63656	Poecilia (Pamphorichthys)	hollandi	Hollands Zwergkärpfling	Holland`s Livebearer	145,146
S63655	Poecilia (Pamphorichthys)	cf. hollandi	Hollands Zwergkärpfling	Holland`s Livebearer	146
S63660-S63663	Poecilia	latipinna	Breitflossenkärpfling	Sailfin Molly	146,147
S63700			Latipinna-Molly, Guppyschwanz/Guppy tailed, Albino-Molly		249
S63703			Latipinna-Molly, Normal-Flosser/Normal finned, Black-Molly		249
S63705			Latipinna-Molly, Normal-Flosser/Normal finned, Black-Molly		249
S63707			Latipinna-Molly, Normal-Flosser/Normal finned, Silver-Molly		249
S63709			Latipinna-Molly, Normal-Flosser/Normal finned, Marbled Molly		250
S63711			Latipinna-Molly, Normal-Flosser/Normal finned, Marbled Molly		250
S63713			Latipinna-Molly, Normal-Flosser/Normal finned,, Marbled Molly		250
S63714			Latipinna-Molly, Normal-Flosser/Normal finned, Marbled Molly		250
S63716			Latipinna-Molly, Normal-Flosser/Normal finned, Marbled Molly		250
S63717			Latipinna-Molly, Normal-Flosser/Normal finned, Gold Dust Molly		251
S63718			Latipinna-Molly, Normal-Flosser/Normal finned, Gold Dust Molly		251
S63720			Latipinna-Molly, Normal-Flosser/Normal finned, Gold Dust Molly		251
S63722			Latipinna-Molly, Normal-Flosser/Normal finned, Gold Dust Molly		251
S63724			Latipinna-Molly, Normal-Flosser/Normal finned, Golden Molly		252
S63726			Latipinna-Molly, Lyra-Flosser/Lyre finned, Wildfarben/Wild coloured		252
S63728			Latipinna-Molly, Lyra-Flosser/Lyre finned, Wildfarben/Wild coloured		252
S63729			Latipinna-Molly, Lyra-Flosser/Lyre finned, Wildfarben/Wild coloured		252
S63730			Latipinna-Molly, Lyra-Flosser/Lyre finned,albino		252
S63733			Latipinna-Molly, Lyra-Flosser/Lyre finned, Black-Molly		253,255
S63734			Latipinna-Molly, Lyra-Flosser/Lyre finned, Black-Molly		253
S63735			Latipinna-Molly, Lyra-Flosser/Lyre finned, Black-Molly		253
S63736			Latipinna-Molly, Lyra-Flosser/Lyre finned, Marbled-Molly		253
S63737			Latipinna-Molly, Lyra-Flosser/Lyre finned, Marbled-Molly		253
S63738			Latipinna-Molly, Lyra-Flosser/Lyre finned, Gold Dust Molly		253
S63739			Latipinna-Molly, Lyra-Flosser/Lyre finned, Golden Molly		254
S63740			Latipinna-Molly, Lyra-Flosser/Lyre finned, Golden Molly		254,255
S63741			Latipinna-Molly, Lyra-Flosser/Lyre finned, Golden Molly		254
S63742			Latipinna-Molly, Lyra-Flosser/Lyre finned, Golden Molly		254
S63743			Latipinna-Molly, Lyra-Flosser/Lyre finned, Golden Molly albino		254
S63744			Latipinna-Molly, Lyra-Guppy-Flosser/Lyre & guppy finned, Black-Molly		254
S63765			Velifera-Molly, Segelkärpfling, Lyraschwanz/Sailfin Molly, Lyretail, Gold Dust		254
S63766			Velifera-Molly, Segelkärpfling, Lyraschwanz/Sailfin Molly, Lyretail, Grün/Green		254
S63768			Velifera Molly, Segelkärpfling grün/Sailfin-Molly green		256
S63770			Velifera Molly, Segelkärpfling schwarz/Sailfin-Molly black		256
S63771			Velifera Molly, Segelkärpfling schwarz/Sailfin-Molly black		256
S63772			Velifera Molly, Segelkärpfling schwarz/Sailfin-Molly black		256
S63773			Velifera Molly, Segelkärpfling schwarz/Sailfin-Molly black		257
S63775			Velifera Molly, Segelkärpfling silber/Sailfin-Molly silver		257
S63776			Velifera Molly, Segelkärpfling silber/Sailfin-Molly silver		257
S63777			Velifera Molly, Segelkärpfling marmor/Sailfin-Molly marbled		257
S63778			Velifera Molly, Segelkärpfling marmor/Sailfin-Molly marbled		257
S63779			Velifera Molly, Segelkärpfling marmor/Sailfin-Molly marbled albino		258
S63781			Velifera Molly, Segelkärpfling marmor/Sailfin-Molly marbled albino		258
S63783			Velifera Molly, Segelkärpfling Gold-Dust/Sailfin-Molly Gold-Dust		258
S63785			Velifera Molly, Segelkärpfling Gold-Dust/Sailfin-Molly Gold-Dust		258
S63786			Velifera Molly, Segelkärpfling Gold-Dust/Sailfin-Molly Gold-Dust		258
S63787			Velifera Molly, Segelkärpfling bronce/Sailfin-Molly bronce		259
S63789			Velifera Molly, Segelkärpfling gold/Sailfin-Molly gold		259
S63790			Velifera Molly, Segelkärpfling gold/Sailfin-Molly gold albino		259
S63791			Velifera Molly, Segelkärpfling gold/Sailfin-Molly gold albino		259
S63800			Velifera Molly, Balloon-Molly schwarz/black		261
S63802			Velifera Molly, Balloon-Molly schwarz/black		261
S63803			Velifera Molly, Balloon-Molly Gold		261
S63806			Velifera Molly, Balloon-Molly Gold-Dust		261
S63808			Velifera Molly, Balloon-Molly Silber/Silver		262
S63809			Velifera Molly, Balloon-Molly Silber/Silver		262
S63812			Velifera Molly, Balloon-Molly marmoriert/marbled		262
S63855-S63856	Poecilia	latipunctata	Nahtmolly	Tamesi Molly	147
S63858	Poecilia	marcellinoi	Marcellino-Kärpfling	Marcellino Molly	147
S63860-S63861	Poecilia	maylandi	Maylands Molly	Mayland`s Molly	147
S63865-S63871	Poecilia	mexicana mexicana	Mexikomolly	Atlantic Molly	148
S63869	Poecilia	cf. mexicana mexicana	Mexikomolly	Atlantic Molly	148
S63872-S63875	Poecilia	mexicana limantouri	Limantous Molly	Limantour`s Molly	148,149
S63876-S64821	Poecilia	salvatoris	Salvator Molly	Salvator Molly	155,156
S63879	Poecilia	cf. salvatoris	Salvator Molly	Salvator Molly	155
S63881	Poecilia	mexicana ssp.	Höhlen-Molly	Cave Molly	149
S63882	Poecilia	cf. mexicana mexicana	Mexikomolly	Atlantic Molly	149
S63885	Poecilia (Pamphorichthys)	minor	Längsstreifen-Zwergkärpfling	Blue Mini	149
S63888-S63889	Poecilia	orri	Mangrovenmolly	Mangrove Molly	149,15
S63895	Poecilia	petenensis	Peten-Molly	Peten Molly	150
S64000-S64022	Poecilia (Lebistes)	reticulata	Guppy	Guppy	150-155
S64040			Guppy Wildfarben/Wildcoloured		217
S64041			Endler's Guppy		217
S64042			Endler's Guppy		217
S64043			Endler's Guppy		217

S64044	Guppy Rundschwanz/Round Tail, grau-bunt-metall/grey multicoloured metal	217
S64045	Guppy Rundschwanz/Round Tail, grau-bunt/grey multicoloured	218
S64046	Guppy Rundschwanz/Round Tail, grau-bunt/grey multicoloured	218
S64047	Guppy Rundschwanz/Round Tail, grau-filigran-gelb/grey filigran-yellow	218
S64048	Guppy Rundschwanz/Round Tail, grau/grey snakeskin	218
S64049	Guppy Rundschwanz/Round Tail, grau filigran-rot/grey filigran-red	218
S64050	Guppy Rundschwanz/Round Tail, grau filigran metallic/grey filigran metallic	218
S64051	Guppy Spatenschwanz/Spadetail metallic-gelb/metallic-yellow	218
S64052	Guppy Spatenschwanz/Spadetail,grau metallic bunt/ grey metallic multicoloured	218
S64053	Guppy Spatenschwanz/Spadetail grau filigran-rot/grey filigran-red	219
S64054	Guppy Spatenschwanz/Spadetail grau-blau/grey blue	219
S64055	Guppy Spatenschwanz/Spadetail, grau filigran bunt/grey filigran multicoloured	219
S64056	Guppy Spatenschwanz/Spadetail, grau bunt/grey multicoloured	219
S64057	Guppy Spatenschwanz/Spadetail, grau filigran/grey filigran	219
S64058	Guppy Spatenschwanz/Spadetail, grau buntmetallic/ grey multicoloured metallic	219
S64059	Guppy Spatenschwanz/Spadetail, grau buntmetallic/ grey multicoloured metallic	219
S64060	Guppy Spatenschwanz/Spadetail, grau bunt filigran/ grey multicoloured filigran	219
S64061	Guppy Speerschwanz/Speartail, grau snakeskin-bunt/grey snakeskin multicoloured	220
S64062	Guppy Speerschwanz/Speartail, grau snakeskin-bunt/grey snakeskin multicoloured	220
S64063	Guppy Speerschwanz/Speartail, blond bunt/blond multicoloured	220
S64064	Guppy Speerschwanz/Speartail, blond halbschwarz-rot/blond halfblack-red	220
S64065	Guppy Speerschwanz/Speartail, "nigrocaudatus"blond halbschwarz-rot/blond halfblack-red	220
S64066	Guppy Speerschwanz/Speartail, grau bunt/ grey multicoloured	220
S64067	Guppy Speerschwanz/Speartail, "nigrocaudatus"grau halbschwarz-rot/grey halfblack-red	220
S64068	Guppy Kometschwanz/Pintail, grau bunt/ grey multicoloured	220
S64069	Guppy Untenschwert/Bottomsword, grau Stoerzbach metall/ grey Stoerzbach metal	221
S64070	Guppy Untenschwert/Bottomsword, "armatus", grau bunt/ grey multicoloured	221
S64071	Guppy Untenschwert/Bottomsword, grau snakeskin/ grey snakeskin	221
S64072	Guppy Untenschwert/Bottomsword, grau filligran/ grey filigran	221
S64073	Guppy Untenschwert/Bottomsword, grau bunt/ grey multicoloured	221
S64074	Guppy Untenschwert/Bottomsword, grau bunt/ grey multicoloured	221
S64075	Guppy Untenschwert/Bottomsword, blond bunt/ blond multicoloured	221
S64076	Guppy Untenschwert/Bottomsword, blond bunt/ blond multicoloured	221
S64077	Guppy Obenschwert/Topsword, "lineatus", grau bunt/grey multicoloured	222
S64078	Guppy Obenschwert/Topsword, grau/grey	222
S64079	Guppy Obenschwert/Topsword, blond filigran/blond filigran	222
S64080	Guppy Obenschwert/Topsword, grau snakeskin/grey snakeskin	222
S64081	Guppy Obenschwert/Topsword, grau filigran/grey filigran	222
S64082	Guppy Obenschwert/Topsword, grau filigran/grey filigran	222
S64083	Guppy Doppelschwert/Doublesword, grau bunt/grey multicoloured	222
S64084	Guppy Doppelschwert/Doublesword, grau bunt/grey multicoloured	223
S64085	Guppy Doppelschwert/Doublesword, grau bunt/grey multicoloured	223
S64086	Guppy Doppelschwert/Doublesword, grau bunt/grey multicoloured	223
S64087	Guppy Doppelschwert/Doublesword, grau bunt/grey multicoloured	223
S64088	Guppy Doppelschwert/Doublesword, grau metallic/grey metallic	224
S64089	Guppy Doppelschwert/Doublesword, grau bunt rot/grey multicoloured red	223
S64090	Guppy Doppelschwert/Doublesword, grau rot metallic/ grey red metallic	223
S64091	Guppy Doppelschwert/Doublesword, grau bunt/grey multicoloured	223
S64092	Guppy Doppelschwert/Doublesword, grau bunt/grey multicoloured	223
S64093	Guppy Doppelschwert/Doublesword, grau metallic/grey metallic	224
S64094	Guppy Doppelschwert/Doublesword, blond bunt/blond multicoloured	224
S64095	Guppy Doppelschwert/Doublesword, grau bunt/grey multicoloured	224
S64096	Guppy Doppelschwert/Doublesword, grau bunt/grey multicoloured	224
S64097	Guppy Doppelschwert/Doublesword, grau filigran/grey filigran	224
S64098	Guppy Doppelschwert/Doublesword, grau bunt/grey multicoloured	224
S64099	Guppy Doppelschwert/Doublesword, grau bunt/grey multicoloured	224
S64100	Guppy Doppelschwert/Doublesword, blond bunt/blond multicoloured	225
S64101	Guppy Leierschwanz/Lyra-Flosser/Lyre finned, grau bunt/grey multicoloured	225
S64102	Guppy Leierschwanz/Lyra-Flosser/Lyre finned, grau bunt/grey multicoloured	225
S64103	Guppy Leierschwanz/Lyra-Flosser/Lyre finned, blond bunt rot/blond multicoloured red	225
S64104	Guppy Leierschwanz/Lyra-Flosser/Lyre finned, grau bunt/grey multicoloured	225
S64105	Guppy Leierschwanz/Lyra-Flosser/Lyre finned, grau filigran/grey filigran	225
S64106	Guppy Leierschwanz/Lyra-Flosser/Lyre finned, grau metallic/grey metallic	225
S64107	Guppy Leierschwanz/Lyra-Flosser/Lyre finned, grau metallic bunt/grey metallic multicoloured	225
S64108	Guppy Triangel/Triangletail, "Nigrocaudatus", grau halbschwarz schwarz/ grey halfblack black	226
S64109	Guppy Triangel/Triangletail, "Nigrocaudatus", grau halbschwarz / grey halfblack	226
S64110	Guppy Triangel/Triangletail, "Nigrocaudatus", grau halbschwarz blau/ grey halfblack blue	226
S64111	Guppy Triangel/Triangletail, "Nigrocaudatus", grau halbschwarz / grey halfblack	226
S64112	Guppy Triangel/Triangletail, "Nigrocaudatus", grau halbschwarz weiß/ grey halfblack white	226
S64113	Guppy Triangel/Triangletail, "Nigrocaudatus", grau halbschwarz weiß/ grey halfblack white	226
S64114	Guppy Triangel/Triangletail, "Nigrocaudatus", grau halbschwarz bunt/ grey halfblack multicoloured	226
S64116	Guppy Triangel/Triangletail, "Nigrocaudatus"	227
S64118	Guppy Triangel/Triangletail, "Nigrocaudatus"	227
S64119	Guppy Triangel/Triangletail, "Nigrocaudatus"	227
S64120	Guppy Triangel/Triangletail, "Nigrocaudatus", grau halbschwarz weiß/ grey halfblack white	227
S64123	Guppy Triangel/Triangletail, "Nigrocaudatus"	228
S64124	Guppy Triangel/Triangletail, "Nigrocaudatus", grau halbschwarz bunt/ grey halfblack multicoloured	228
S64125	Guppy Triangel/Triangletail, "Nigrocaudatus", grau halbschwarz red/ grey halfblack red	228
S64126	Guppy Triangel/Triangletail, "Nigrocaudatus", grau halbschwarz red/ grey halfblack red	228
S64127	Guppy Triangel/Triangletail, "Nigrocaudatus", grau halbschwarz bunt/ grey halfblack multicoloured	228
S64128	Guppy Triangel/Triangletail, "Nigrocaudatus"	228
S64129	Guppy Triangel/Triangletail, grau bunt/grey multicoloured	235
S64130	Guppy Triangel/Triangletail, "Nigrocaudatus"	228
S64132	Guppy Triangel/Triangletail, "Nigrocaudatus", grau/grey	229
S64133	Guppy Triangel/Triangletail, "Nigrocaudatus", grau/grey	229
S64134	Guppy Triangel/Triangletail, Moskau/Moskow, grau/grey	229
S64135	Guppy Triangel/Triangletail, Moskau/Moskow	229
S64136	Guppy Triangel/Triangletail, Moskau/Moskow, grau/grey	229
S64137	Guppy Triangel/Triangletail, Moskau/Moskow, grau/grey	229,230
S64138	Guppy Triangel/Triangletail, Moskau/Moskow, grau/grey	229
S64141	Guppy Triangel/Triangletail, Moskau/Moskow, grau bunt/grey multicoloured	231
S64142	Guppy Triangel/Triangletail, Moskau/Moskow, grau blau/grey blue	231
S64143	Guppy Triangel/Triangletail, Moskau/Moskow, grau blau/grey blue	231
S64144	Guppy Triangel/Triangletail, Moskau/Moskow, grau blau/grey blue	231
S64145	Guppy Triangel/Triangletail, Moskau/Moskow, grau blau/grey blue	231
S64146	Guppy Triangel/Triangletail, grau halbschwarz blau/grey halfblack-blue	231
S64147	Guppy Triangel/Triangletail, grau bunt snakeskin/grey multicoloured snakeskin	232
S64148	Guppy Triangel/Triangletail, grau filigran/grey filigran	232
S64149	Guppy Triangel/Triangletail, grau snakeskin/grey snakeskin	232
S64150	Guppy Triangel/Triangletail, grau gelb/grey yellow	242
S64151	Guppy Triangel/Triangletail, snakeskin	232
S64152	Guppy Triangel/Triangletail, blond bunt/blond multicoloured	239
S64154	Guppy Triangel/Triangletail, grau filigran bunt/grey filigran multicoloured	233
S64155	Guppy Triangel/Triangletail, grau filigran bunt/grey filigran multicoloured	233
S64156	Guppy Triangel/Triangletail, grau filigran bunt/grey filigran multicoloured	233
S64157	Guppy Triangel/Triangletail, grau filigran bunt/grey filigran multicoloured	233
S64158	Guppy Triangel/Triangletail, grau filigran bunt/grey filigran multicoloured	233
S64159	Guppy Triangel/Triangletail, grau filigran bunt/grey filigran multicoloured	233
S64160	Guppy Triangel/Triangletail, grau-bunt/grey-multicoloured	234
S64161	Guppy Triangel/Triangletail, grau-bunt/grey-multicoloured	234
S64162	Guppy Triangel/Triangletail, grau-bunt/grey-multicoloured	234
S64163	Guppy Triangel/Triangletail, grau-bunt/grey-multicoloured	234
S64164	Guppy Triangel/Triangletail, grau-bunt/grey-multicoloured	234
S64165	Guppy Triangel/Triangletail, gold-bunt/gold-multicoloured	234
S64166	Guppy Triangel/Triangletail, grau-bunt/grey-multicoloured	234
S64167	Guppy Triangel/Triangletail, grau-bunt/grey-multicoloured	234
S64168	Guppy Triangel/Triangletail, grau-bunt/grey-multicoloured	235
S64169	Guppy Triangel/Triangletail, grau-bunt/grey-multicoloured	235

Code	Genus	Species	German name	English name	Page
S64170			Guppy Triangel/Triangletail, grau-bunt/grey-multicoloured		235
S64171			Guppy Triangel/Triangletail, grau-bunt/grey-multicoloured		235
S64172			Guppy Triangel/Triangletail, grau-bunt/grey-multicoloured		235
S64173			Guppy Triangel/Triangletail, grau-bunt/grey-multicoloured		235
S64174			Guppy Triangel/Triangletail, grau-bunt/grey-multicoloured		235
S64175			Guppy Triangel/Triangletail, "Nigrocaudatus", blond halbschwarz/halfblack-blond		236
S64176			Guppy Triangel/Triangletail, "Nigrocaudatus", blond halbschwarz bunt/blond halfblack multicoloured		236
S64177			Guppy Triangel/Triangletail, "Nigrocaudatus", blond halbschwarz bunt/blond halfblack multicoloured		236
S64178			Guppy Triangel/Triangletail, "Nigrocaudatus", blond halbschwarz rot/blond halfblack red		236
S64179			Guppy Triangel/Triangletail, "Nigrocaudatus", blond halbschwarz rot/blond halfblack red		236
S64180			Guppy Triangel/Triangletail, "Nigrocaudatus", blond halbschwarz rot/blond halfblack red		238
S64181			Guppy Triangel/Triangletail, "Nigrocaudatus", blond halbschwarz bunt/blond halfblack multicoloured		236
S64182			Guppy Triangel/Triangletail, "Nigrocaudatus", blond halbschwarz rot/blond halfblack red		236
S64183			Guppy Triangel/Triangletail, blond rot/blond red		237
S64184			Guppy Triangel/Triangletail, blond rot/blond red		237
S64185			Guppy Triangel/Triangletail, "Nigrocaudatus", blond halbschwarz gelb/blond halfblack yellow		237
S64186			Guppy Triangel/Triangletail, blond rot/blond red		237
S64187			Guppy Triangel/Triangletail, blond rot/blond red		237
S64188			Guppy Triangel/Triangletail, blond bunt/blond multicoloured		238
S64189			Guppy Triangel/Triangletail, blond bunt metallic/blond multicoloured metallic		237
S64190			Guppy Triangel/Triangletail, blond bunt/blond multicoloured		237
S64191			Guppy Triangel/Triangletail, blond rot/blond red		239
S64192			Guppy Triangel/Triangletail, blond rot/blond red		239
S64193			Guppy Triangel/Triangletail, blond rot/blond red		239
S64194			Guppy Triangel/Triangletail, "Nigrocaudatus", blond halbschwarz rot/blond halfblack red		239
S64195			Guppy Triangel/Triangletail, Moskau/Moskow, blond		239
S64196			Guppy Triangel/Triangletail, blond filigran bunt/blond filigran multicoloured		239
S64197			Guppy Triangel/Triangletail, blond bunt/blond multicoloured		239
S64198			Guppy Triangel/Triangletail, blond filigran bunt/blond filigran multicoloured		240
S64199			Guppy Triangel/Triangletail, blond filigran albino/blond filigran albino		240
S64200			Guppy Triangel/Triangletail, bunt albino/ multicoloured albino		240
S64201			Guppy Triangel/Triangletail, rot bunt albino/rot multicoloured albino		240
S64202			Guppy Triangel/Triangletail, Lutino metallic bunt/lutino metallic multicoloured		240
S64203			Guppy Triangel/Triangletail, "Nigrocaudatus", blau halbschwarz /blue halfblack		241
S64204			Guppy Triangel/Triangletail, blau blau/blau blue		241
S64205			Guppy Triangel/Triangletail, "Nigrocaudatus", blau blau/blue blue		241
S64206			Guppy Triangel/Triangletail, grau metallic bunt/grey metallic multicoloured		242
S64207			Guppy Triangel/Triangletail, grau metallic bunt/grey metallic multicoloured		242
S64208			Guppy Triangel/Triangletail, grau metallic/grey metallic		242
S64209			Guppy Triangel/Triangletail, grau metallic/grey metallic		242
S64210			Guppy Triangel/Triangletail, grau metallic/grey metallic		242
S64211			Guppy Triangel/Triangletail, grau bunt/grey multicoloured		242
S64212			Guppy Triangel/Triangletail, gold bunt/gold multicoloured		243
S64213			Guppy Triangel/Triangletail		243
S64214			Guppy Triangel/Triangletail, weiß bunt/white multicoloured		243
S64215			Guppy Fächerschwanz/Fantail, "Nigrocaudatus", blau/blue		244
S64216			Guppy Fächerschwanz/Fantail, "Nigrocaudatus", blond halbschwarz weiß/blond halfblack white		244
S64217			Guppy Fächerschwanz/Fantail, grau halbschwarz wieß/grey halfblack white		244
S64218			Guppy Fächerschwanz/Fantail, grau metallic bunt/grey metallic multicoloured		244
S64219			Guppy Fächerschwanz/Fantail, grau metallic bunt/grey metallic multicoloured		244
S64220			Guppy Fächerschwanz/Fantail, grau metallic bunt/grey metallic multicoloured		244
S64221			Guppy Fächerschwanz/Fantail, grau bunt/grey multicoloured		244
S64222			Guppy Fächerschwanz/Fantail, grau snakeskin/grey snakeskin		244
S64223			Guppy Handelsname/Trade name "Eldorado", grau metallic bunt/grey metallic multicoloured		246
S64224			Guppy Handelsname/Trade name "Lemon", grau metallic gelb/grey metallic yellow		246
S64225			Guppy Triangel/Triangletail, grau metallic bunt/grey metallic multicoloured		246
S64226			Guppy Handelsname/Trade name "Sunset Pink", blond bunt/blond multicoloured		246
S64227			Guppy Handelsname/Trade name "Sunset", blond metallic/blond metallic		246
S64228			Guppy Fächerschwanz/Fantail, grau bunt/grey multicoloured		245
S64229			Guppy Fächerschwanz/Fantail, "Nigrocaudatus", grau halbschwarz blau/grey halfblack blue		245
S64378			Guppy Triangel/Triangletail, grau filigran/grey filigran		232
S64530			Guppy Rundschwanz/Round Tail, grau-bunt/grew multicoloured		217
S64605	Poecilia	scalpridens	Meißelzahnkärpfling	Hump Back Mini	157
S64800-S64827	Poecilia	sphenops	Spitzkopfmolly	Mexican Molly	157-160
S64822	Poecilia	cf. salvatoris	Spitzkopfmolly	Mexican Molly	156
S64825	Poecilia	cf. shenops	Spitzkopfmolly	Mexican Molly	160
S64826	Poecilia	cf. shenops	Spitzkopfmolly	Mexican Molly	160
S64829	Poecilia	cf. shenops	Spitzkopfmolly	Mexican Molly	160
S64830	Poecilia	cf. shenops	Spitzkopfmolly	Mexican Molly	160
S64831	Poecilia	cf. shenops	Spitzkopfmolly	Mexican Molly	161
S64832	Poecilia	cf. shenops	Spitzkopfmolly	Mexican Molly	161
S64835	Poecilia	sp.	Chiandega-Molly	Chiandega Molly	161
S64836	Poecilia	sp.	Tulija-Molly	Tulija Molly	161
S64837	Poecilia	sp.	Tulija-Molly	Tulija Molly	161
S64838	Poecilia	sp.	Blau-Gelber-Molly	Blue Yellow Molly	161
S64839	Poecilia	sp.	Blau-Gelber-Molly	Blue Yellow Molly	161
S64840	Poecilia	sp.	Honduras-Molly	Honduras Molly	162
S64842	Poecilia	sp.	Honduras-Molly	Honduras Molly	162
S64843	Poecilia	sp.	Honduras-Molly	Honduras Molly	162
S64844	Poecilia	sp.	Mond-Molly	Moon Molly	162
S64846	Poecilia	sp.	Choluteca-Molly	Choluteca Molly	162
S64847	Poecilia	sp.	San Lorenzo-Molly	San Lorenzo Molly	162
S64900			Sphenops-Molly, Normal-Flosser/Normal finned, wildfarbig/wild-coloured		247
S64904			Sphenops-Molly, Normal-Flosser/Normal finned, Liberty-Molly		247
S64905			Sphenops-Molly, Normal-Flosser/Normal finned, Liberty-Molly		247
S64906			Sphenops-Molly, Normal-Flosser/Normal finned, Black-Molly		247
S64907			Sphenops-Molly, Normal-Flosser/Normal finned, Black-Molly		247
S64908			Sphenops-Molly, Normal-Flosser/Normal finned, Black-Molly		247
S64909			Sphenops-Molly, Normal-Flosser/Normal finned, Black-Molly		247
S64910			Sphenops-Molly, Normal-Flosser/Normal finned, Gold Dust Molly		248
S64911			Sphenops-Molly, Normal-Flosser/Normal finned, Gold Dust Molly		248
S64912			Sphenops-Molly, Normal-Flosser/Normal finned, Gold Dust Molly		248
S64913			Sphenops-Molly, Normal-Flosser/Normal finned, Gold Dust Molly		248
S64914			Sphenops-Molly, Normal-Flosser/Normal finned, Marbled Molly		248
S64915			Sphenops-Molly, Normal-Flosser/Normal finned, Golden Molly		248
S64920			Latipinna-Molly, Lyra-Flosser/Lyre finned, Black-Molly		253
S65105			Velifera Molly, Segelkärpfling grün/Sailfin-Molly green		256
S65105-S65106	Poecilia	sulphuraria	Schwefel-Molly	Sulphur Molly	163
S65110	Poecilia	teresae	Teresas Molly	Teresa`s Molly	163
S65115-S65116	Poecilia	vandepolli	Vandepolls Molly	Vandepoll`s Molly	163
S65120-S65123	Poecilia	velifera	Segelkärpfling	Yucatan Molly	165
S65130-S65143	Poecilia	vivipara	Augenfleckkärpfling	One Spot Molly	166,167
S65133	Poecilia	cf. vivipara	Gelber Augenfleckkärpfling	Yellow One Spot Molly	166
S65134	Poecilia	cf. vivipara	Blauer Augenfleckkärpfling	Blue One Spot Molly	166
S65136	Poecilia	cf. vivipara	Großer Augenfleckkärpfling	Large One Spot Molly	166
S65137	Poecilia	cf. vivipara	Zwerg-Augenfleckkärpfling	Dwar One Spot Molly	166
S65145	Poecilia Hybride	chica x sphenops			167
S65146	Poecilia Hybride	reticulata x sp.(Molly)			167
S65150-S65152	Poeciliopsis	baenschi	Baenschs Zahnkärpfling	Baensch`s Topminnow	168
S65155	Poeciliopsis	balsas	Balsas-Kärpfling	Slender Topminnow	168
S65160	Poeciliopsis	catemaco	Catemaco-Kärpfling	Catemaco Topminnow	168
S65165	Poeciliopsis	elongata	Grüner Kärpfling	Slender Topminnow	168
S65170-S65172	Poeciliopsis	fasciata	Querstreifen-Kärpfling	Banded Topminnow	169
S65175-S65182	Poeciliopsis	gracilis	Seitenfleckkärpfling	Porthole Topminnow	169-170
S65185-S65187	Poeciliopsis	hnilickai	Chiapas-Kärpfling	Comitan Topminnow	170-171
S65190-S65193	Poeciliopsis	infans	Hochland-Poeciliopsis	Black Topminnow	171
S65195-S65196	Poeciliopsis	latidens	Breitstreifenkärpfling	Broad Toothed Topminnow	172
S65198	Poeciliopsis	lucida	Farbwechselnder Kärpfling	Transluscscent Topminnow	172

Code	Genus	Species	German name
S65201	Poeciliopsis	lutzi	Lutz Kärpfling
S65205	Poeciliopsis	monacha	Orangeflossenkärpfling
S65208	Poeciliopsis	occidentalis	Arizonakärpfling
S65210	Poeciliopsis	paucimaculatus	Gefleckter Poeciliopsis
S65213	Poeciliopsis	presidionis	Presidio-Kärpfling
S65215-S65220	Poeciliopsis	prolifica	Sonnenkärpfling
S65223-S65224	Poeciliopsis	retropinna	Kleinflossen-Kärpfling
S65227-S65228	Poeciliopsis	scarlli	Scarlls Kärpfling
S65229	Poeciliopsis	sp.	Dunkler Chiapas-Kärpfling
S65230	Poeciliopsis	sp.	Puerto Vallarte-Kärpfling
S65231	Poeciliopsis	sp.	Atlantischer Kärpfling
S65232	Poeciliopsis	sp.	Atlantischer Kärpfling
S65233-S65240	Poeciliopsis	turrubarensis	Turrubares-Kärpfling
S65234	Poeciliopsis	turneri	Apamila-Kärpfling
S65245-S65248	Poeciliopsis	viriosa	Viriosa-Kärpfling
S65253			Guppy Triangel/Trinangletail, grau bunt/grey multicoloured
S66400	Priapella	bonita	Gefleckter Blauaugenkärpfling
S66402-S66407	Priapella	compressa	Gedrungener Blauaugenkärpfling
S66410-S66414	Priapella	intermedia	Blauaugenkärpfling
S66417-S66419	Priapella	olmecae	Olmeken-Kärpfling
S66421	Priapella	sp.	Misol-Ha Kärpfling
S66500-S66502	Priapichthys	annectens	Orangeflossen-Kärpfling
S66510	Priapichthys	puetzi	Pütz Kärpfling
S71030	Pseudopoecilia	austrocolumbiana	Narino-Kärpfling
S71033-S71036	Pseudopoecilia	festae	Festakärpfling
S71037	Pseudopoecilia	panamensis	Panama-Zwergkärpfling
S71300-S71301	Pseudoxiphophorus	anzuetoi	Variabler-Zweifleckkärpfling
S71305	Pseudoxiphophorus	attenuata	Gestreckter Zweifleckkärpfling
S71308-S71313	Pseudoxiphophorus	bimaculatus	Zweifleckkärpfling
S71315	Pseudoxiphophorus	cataractae	Stromschnellenkärpfling
S71318	Pseudoxiphophorus	diremptus	Chajmaic-Kärpfling
S71320-S71322	Pseudoxiphophorus	jonesii	Netzzahn-Kärpfling
S71323	Pseudoxiphophorus	cf. jonesii	Netzzahn-Kärpfling
S71325	Pseudoxiphophorus	litoperas	Segelflossen-Zweifleckkärpfling
S71328	Pseudoxiphophorus	obliquus	Doloris-Kärpfling
S71455-S71460	Xenotoca	eiseni	Banderolenkärpfling
S71465-S71466	Xenotoca	melanosoma	Dunkler Hochlandkärpfling
S71470-S71472	Xenotoca	variata	Veränderlicher Hochlandkärpfling
S77605-S77610	Quintana	atrizona	Glaskärpfling
S86055-S86057	Scolichthys	greenwayi	Greenways Kärpfling
S86060	Scolichthys	iota	Iota-Kärpfling
S86100	Xenodexia	ctenolepis	Kammschuppen-Kärpfling
S86105-S86107	Xenophallus	umbratilis	Schattenkärpfling
S86120	Xiphophorus	helleri	
S86121	Xiphophorus	alvarezi	Blauer Schwertträger
S86125-S86127	Xiphophorus	andersi	Atoyac-Schwertplaty
S86133-S86136	Xiphophorus	birchmanni	Schafskopf-Schwertträger
S86140	Xiphophorus	clemenciae	Gelber Schwertträger
S86145	Xiphophorus	continens	El Quince Schwertträger
S86150-S86160	Xiphophorus	cortezi	Cortez-Schwertträger
S86155	Xiphophorus	cf. cortezi	Cortez-Schwertträger
S86157-S86215	Xiphophorus	nezahualcoyotl	Nördlicher Bergschwertträger
S86165-S86167	Xiphophorus	couchianus	Monterrey-Platy
S86170-S86172	Xiphophorus	evelynae	Hochlandplaty
S86175	Xiphophorus	gordoni	Nordplaty
S86180	Xiphophorus	malinche	Hochland-Schwertträger
S86185	Xiphophorus	meyeri	Muzquiz-Platy
S86190-S86200	Xiphophorus	milleri	Catemaco-Platy
S86205-S86214	Xiphophorus	montezumae	Montezuma-Schwertträger
S86220-S86225	Xiphophorus	multilineatus	Gebänderter Schwertträger
S86245-S86248	Xiphophorus	nigrensis	Kleinschwertträger
S86255-S86261	Xiphophorus	pymaeus	Zwergschwertträger
S86265	Xiphophorus	hybr. "roseni"	Rosens Hybridplaty
S86270-S86274	Xiphophorus	signum	Komma-Schwertträger
S86280-S86292	Xiphophorus	variatus	Veränderlicher Spiegelkärpfling
S86805-S86809	Skiffia	bilineata	Zweilinienkärpfling
S86810-S86811	Skiffia	francesae	Goldene Skiffia
S86815-S86817	Skiffia	lermae	Lerma-Kärpfling
S86820-S86824	Skiffia	multipunctata	Schwarzfleck-Skiffa
S86825	Skiffia	sp. "Zacapu"	Zacapu-Skiffa
S90915-S60917	Phallichthys	quadripunctatus	Vierpunktkärpfling
S92605			Schwertträger/Swordtail, Normal-Flosser/Normal finned, rot/red
S92613	Xiphophorus	cf. helleri	Fünfstreifen Schwertträger
S92645			Schwertträger/Swordtail, Normal-Flosser/Normal finned, Mariegold
S92700-S92701	Xiphophorus	hybr. "kosszanderi"	Hybrid-Schwertplaty
S92735-S92757	Xiphophorus	maculatus	Platy
S92856			Maculatus-Platy, Normal-Flosser/Normal finned, CORAL (modern Blutlinie/stock)
S92875			Maculatus-Platy, Lyra-Flosser/Lyre finned, "Mickey Mouse", Blau/ blue
S92927			Variatus-Platy, Normal-Flosser/Normal finned, "Hamburger", bunt/multicoloured, Black-Coral-Platy
S92928			Maculatus-Platy, Normal-Flosser/Normal finned, Milk, Salt´n Pepper
S95375-S95376	Tomeurus	gracilis	Der Tommy
S99950-S99954	Zoogoneticus	quitzeoensis	Cuitzeo-Kärpfling
S99955	Zoogoneticus	sp. "Crescent"	Orangeband-Kärpfling
S99978-S99981	Xenoophorus	captivus	Ritterkärpfling
S99987-S99991	Xenotaenia	resolanae	Resolana-Kärpfling
X08055	Arrhamphus	sclerolepis	
X43200	Dermogenys	burmanica	Burma-Halbschnäbler
X43203-X43204	Dermogenys	ebrardtii	Ebrardts Halbschnäbler
X43206	Dermogenys	megarrhampha	Langschnabel-Halbschnäbler
X43208	Dermogenys	montana	Berghalbschnäbler
X43210	Dermogenys	orientalis	
X43212	Dermogenys	philippina	Philippinen-Halbschnäbler
X43214	Dermogenys	pectoralis	
X43216	Dermogenys	pusilla	Kampf-Halbschnäbler
X43217-X43220	Dermogenys	pusilla borealis	Kampf-Halbschnäbler
X43222-X43224	Dermogenys	pusilla pusilla	Kampf-Halbschnäbler
X43226	Dermogenys	siamensis	Siamesischer-Halbschnäbler
X43228	Dermogenys	sumatrana	Sumatra-Halbschnäbler
X43230	Dermogenys	vivipara	Blauschwanz-Halbschnäbler
X43231	Dermogenys	cf. vivipara	Blauschwanz-Halbschnäbler
X43233	Dermogenys	vogti	Vogts Halbschnäbler
X43235	Dermogenys	weberi	Webers Halbschnäbler
X43237	Dermogenys	sp. Nov.	
X43239	Dermogenys	sp.	
X43240	Dermogenys	sp. "Bangka"	Bangka-Halbschnäbler
X44925	Euleptorhamphus	viridis	
X51355	Hemiramphus	archipelagicus	
X51356	Hemiramphus	depauperatus	
X51357	Hemiramphus	far	
X51358	Hemiramphus	lutkei	
X51359	Hemiramphus	marginatus	
X51360	Hemiramphus	robustus	
X51405-X51406	Hemirhamphodon	chrysopunctatus	Leuchtpunkt-Halbschnäbler
X51408-X51409	Hemirhamphodon	kapuasensis	Rotstreifen-Halbschnäbler
X51412	Hemirhamphodon	kuekenthali	Kükenthals Halbschnäbler
X51414	Hemirhamphodon	phaiosoma	Langflossen-Halbschnäbler
X51415-X51419	Hemirhamphodon	pogonognathus	Zahnleisten-Halbschnäbler
X51422-X51423	Hemirhamphodon	tengah	Eierlegender Halbschnäbler

English name	Page
Lutz´s Topminnow	172
Orange Finned Topminnow	172
Yaqui Topminnow	172
Small Spot Topminnow	172
Presidio Topminnow	173
Prolific Topminnow	173
Giant Topminnow	174
Scarll´s Topminnow	174
Dark Chiapas Topminnow	174
Puerto Vallarte Topminnow	174
Atlantic Topminnow	174
Atlantic Topminnow	174
Pacific Topminnow	175-176
Turner´s Topminnow	175
Robust Topminnow	176
	242
Spotted Blu-Eye	178
Mayan Blue-Eye	178-179
Oaxancan Blu-Eye	179
Olmecan Blue-Eye	180
Misol-Ha Blue-Eye	180
Orange Finned Flasher	182-183
Pütz´s Flasher	183
Southern Flasher	183
Ecuadorian Flasher	183-184
Panamian Flasher	184
Anzueto`s Twin Spot Livebearer	184
Slender Twin Spot Livebearer	184
Common Twin Spot Livebearer	184-186
Cataract Twin Spot Livebearer	186
Chajmaic Twin Spot Livebearer	186
Nothern Twin Spot Livebearer	187
Nothern Twin Spot Livebearer	187
Sailfin Twin Spot Livebearer	187
Doloris Twin Spot Livebearer	187
Red Tailed Goodeid	71-74,77
Blue Bellied Goodeid	74
Jeweled Goodeid	74
Barred Topminnow	188
Greenway´s Livebearer	189
Iota Livebearer	189
Comb Scaled Livebearer	190
Golden Teddy	190
	191
Upland Swordtail	191
Anders Platyfish	191
Sheepshead Swordtail	191-192
Yellow Swordtail	192
El Quince Swordtail	192
Cortes Swordtail	192-194
Cortes Swordtail	193
Nothern Mountain Swordtail	207-208
Monterrey-Platy	194
Puebla Platy	194-195
Quatrocienegas Platy	195
Highland Swordtail	203
Muzquiz Platy	203
Catemaco Swordtail	203-205
Montezuma Swordtail	205-206
High-backed Pygmy Swordtail	206-207
El Abra Pygmy Swordtail	208-209
Slender Pygmy Swordtail	209-210
Rosen´s Hybrid Platy	210
Comma Swordtail	210-211
Variable Platy	211-213
Elfin Goodea	67
Golden Sawfin Goodea	68
Hooded Sawfin	68
Speckled Sawfin Goodeid	68,69
Zacapu Sawfin	69
Domino Widow	135
	269
Fivestripe Swordtail	198
	276
Hybrid Swordtail	200
Southern Platy	200-203
	285
	293
	303
	295
The Tommy	189-190
Picoted Goodeid	75
Crecent Goodeid	76
Green Goodeid	70
Leopard Goodeid	71
	325
Burmese Halfbeak	307
Orange finned Halfbeak	307
Long-Jaw Halfbeak	307
Mountain Halfbeak	307
	308
Philippine Halfbeak	308
	308
Wrestling Halfbeak	308
Wrestling Halfbeak	308-309
Wrestling Halfbeak	309
Siamese Halfbeak	310
Sumatra Halfbeak	310
Blue-Tail Halbeak	310
Blue-Tail Halbeak	310
Vogt´s Halfbeak	310
Weber´s Halfbeak	310
	310
	310
Bangka Halfbeak	312
	325
	326
	326
	326
	326
	327
	327
Ornate Halfbeak	312
Red striped Halfbeak	312
Kükenthal`s Halfbeak	313
Long finned Halfbeak	313
Thread Jaw Halfbeak	313-314
Oviparous Halfbeak	314

Code	Genus	Species	Deutscher Name	English Name	Page
X60945	Melapedalion	breve			327
X67665-X67671	Nomorhamphus	brembachi	Brembachs Halbschnäbler	Brembach´s Halfbeak	315
X67670	Nomorhamphus	cf. brembachi	Brembachs Halbschnäbler	Brembach´s Halfbeak	315
X67675	Nomorhamphus	celebensis	Celebes-Halbschnäbler	Nothern Harlequin Halfbeak	316
X67695	Nomorhamphus	cf. hageni	Fischgräten-Halbschnäbler	Hagen´s Halfbeak	316
X67705-X67708	Nomorhamphus	liemi liemi	Liems Halbschnäbler	Southern Harlequin Halfbeak	316
X67715-X67717	Nomorhamphus	liemi snijdersi	Snijders Halbschnäbler	Snijder´s Halfbeak	317
X67719	Nomorhamphus	ravnai australe	Haken-Halbschnäbler	Hooked Halfbeak	317
X67720	Nomorhamphus	ravnai ravnaki	Ravnaks Halbschnäbler	Ravnak´s Halfbeak	317
X67722-X67724	Nomorhamphus	sanussii	Sanussis Halbschnäbler	Sanussi´s Halfbeak	318
X67726	Nomorhamphus	sp. I "Sentani"	Sentani-Halbschnäbler	Sentani Halfbeak	318
X67728	Nomorhamphus	sp. II	Orangener Halbschnäbler	Orange Halfbeak	318
X67730	Nomorhamphus	towoetii	Schwarzer Halbschnäbler	Towoeti Halfbeak	319
X70484	Oxyporhamphus	convexus			327
X70485	Oxyporhamphus	micropterus			327
X86245	Rhynchorhamphus	arabicus			327
X86246	Rhynchorhamphus	georgii			327
X86247	Rhynchorhamphus	malabaricus			327
X86248	Rhynchorhamphus	naga	Newguinea Halbschnäbler/Halfbeak		327
X91478	Tondanichthys	kottelati	Kottelats Halbschnäbler	Kottelat´s Halfbeak	319
X98100	Zenarchopterus	cf. beauforti	Beauforts Halbschnäbler	Beaufort´s Halfbeak	319
X98102	Zenarchopterus	beauforti	Beauforts Halbschnäbler	Beaufort´s Halfbeak	319
X98103	Zenarchopterus	bleekeri	Bleekers Halbschnäbler	Bleeker´s Halfbeak	320
X98104	Zenarchopterus	buffonis	Buffons Halbschnäbler	Buffon´s Halfbeak	320
X98106	Zenarchopterus	dispar	Halbschnabelhecht	Halfbeak	320
X98112	Zenarchopterus	dux			320
X98114	Zenarchopterus	ectuntio			320
X98115	Zenarchopterus	gilli	Newguinea Halbschnäbler/Halfbeak		321
X98116	Zenarchopterus	kampeni			321
X98117	Zenarchopterus	kneri			321
X98118	Zenarchopterus	robertsi			321
X98119	Zenarchopterus	cf. novaeguineae			321
X98120	Zenarchopterus	ornithocephala			321
X98121	Zenarchopterus	pappenheimi	Robert's Garfish		321
X98122	Zenarchopterus	quadrimaculatus			321
X98123	Zenarchopterus	xiphophorus			321
X98150	Hyporhamphus	affinis			322
X98151	Hyporhamphus	balinensis			322
X98152	Hyporhamphus	dussumieri			322
X98153	Hyporhamphus	gernaerti			323
X98154	Hyporhamphus	intermedius			323
X98155	Hyporhamphus	limbatus			323
X98156	Hyporhamphus	melanopterus			323
X98157	Hyporhamphus	neglectissimus			323
X98158	Hyporhamphus	neglectus			324
X98159	Hyporhamphus	paucirastris			324
X98160	Hyporhamphus	quoyi cf.			324
X98161	Hyporhamphus	quoyi			324
X98162	Hyporhamphus	sajori			324
X98163	Hyporhamphus	taiwanensis			324
X98164	Hyporhamphus	unicuspis			325
X98165	Hyporhamphus	xanthopterus			325
X98166	Hyporhamphus	yuri			325

Literaturhinweise
Bibliography

ANDERSON, W. D. & B.B. COLLETTE (1991): Revision of the freshwater viviparous halfbeaks of the genus Hemirhamphodon (Teleostei: Hemiramphidae). Ichthyol. Expl. Freshwaters, 2 (2): 151-176

ANONYMUS (1997): DGLZ-Bewertungsstandards

ARNOLD, J.P. (1912): Girardinus versicolor. Wchschr. : 635

BANFORD, H. & B.B. COLLETTE (1993): Hyporhamphus meeki, a new species of halfbeak (Teleostei: Hemiramphidae) from the Atlantic and Gulf Coasts of the United States. Proc. Biol. Soc. Wash. 106 (2): 369-384

BARUS, V. & E. WOHLGEMUTH (1994): Two proposed subspecies in Girardinus microdactylus (Pisces: Poeciliidae) from Isla de Cuba and Isla de la Juventud. Folia Zoologica 43 (3): 245-254

BORK, D. & H.J. MAYLAND (1998): Seltene Schönheiten im Süßwasseraquarium. Bornheim

BORK, D. (1997): Tomeurus gracilis - Ein eierlegender Lebendgebärender. Das Aquarium, (339): 27-28

BREMBACH, M. (1978): Ein neuer Halbschnäbler aus Kalimantan (Süd Borneo). Vorläufige Beschreibung von Hemirhamphodon chrysopunctatus spec. nov.. Das Aquarium 12 (106): 340-344

BREMBACH, M. (1991): Lebendgebärende Halbschnäbler. Solingen

CHAPMAN, L. G. & C.A. CHAPMAN (1993): Desiccation, flooding, and the behavior of Poecilia gillii (Pisces: Poeciliidae). Ichthyol. Explor. Freshwaters, 4 (3): 279-287

COLLETTE, B.B. & J. SU (1986): The halfbeaks (Pisces, Beloniformes, Hemiramphidae) of the Far East. Proc. Acad. Nat. Sci. Phila., 138 (1): 250-301

COLLETTE, B.B. & N. V. PARIN (1978): Five new species of halfbeaks (Hemiramphidae) from the Indo-West Pacific. Proc. Biol. Soc Wash. 91 (3): 731-747

COLLETTE, B.B. (1962): Hemiramphus bermudensis, a new halfbeak from Bermuda, with a survey of endemism in Bermudian shore fishes. Bull. Mar. Sci. Gulf and Carib. 12 (1-4): 432-449

COLLETTE, B.B. (1966): Belonion, a new genus of fresh-water needlefishes from South America. Amer. Mus. Nov. 2274

COLLETTE, B.B. (1976): Indo-West Pacific halfbeaks (Hemiramphidae) of the genus Rhychrhamphus with descriptions of two new species. Bull. Mar. Sci. 26 (1) 72-98

COLLETTE, B.B. (1982): Two new species of freshwater Halfbeaks (Pisces: Hemiramphidae) of the genus Zenarchopterus from New Guinea. Copeia (2): 265-276

COLLETTE, B.B. (1985): Zenarchopterus ornithocephala, a new species of freshwater halfbek (Pisces: Hemiramphidae) from the Vogelkop Peninsula of New Guinea. Proc. Biol. Soc. Wash. 98 (1): 107-111

COLLETTE, B.B. (1995): Tondanichthys kottelati, a new genus and species of freshwater halfbeak (Teleostei: Hemiramphidae) from Sulawesi. Ichthyol. Explor. Freshwaters, 6 (2): 171-174

COSTA, W. J. E. M. (1991): Description dúne nouvelle espece du genre Pamphorichthys (Cyprinidontiformes: Poeciliidae) du basin de l´Araguaia, Bresil. Revue fr. Aquariol. 18 (2): 39-42

CUVIER, G. & A. VALENCIENNES (1847): Histoire naturelle des Poissons. Paris

DAY, F. (1878-88): The fishes of India, Vol. I + II. London

DOWNING MEISNER, A. & J. R. BURNS (1997): Testis and andropodial development in a viviparous halfbeak Dermogenys sp. (Teleostei: Hemiramhidae). Copeia (1): 44-52

DOWNING, A. & J. R. BURNS (1995): Testis morphology and spermatozeugma formation in three gernera of viviparous halfbeaks: Nomorhamphus, Dermogenys, and Hemirhamphodon (Teleostei: Hemiramphidae). J. Morph. (225): 329-343

DUBOIS, A. & R. GÜNTHER (1982): Klepton and synklepton: Two new evolutionary systematics categories in zoology. Zool. Jb. Syst. 109: 290-305

EIGENMANN, C. H. (1903): The freshwater fishes of western Cuba. Bull. U.S. F. C.: 211-213 + pl. 19-21

FERNANDEZ-YEPEZ, A. (1948): Ichthyacus breederi nuevo género y especie de pez Syneutognatho, de los Ríos de Sur América. Evencias 4

FOWLER, H. B. (1933): Decriptions of new fishes obtained 1907-1910, chiefly in the Philippine Islands and adjacent seas. Proc. Acad. Nat. Sci. Phila. 85: 233-367

GARMAN, S. (1895): The cyprinodonts. Mem. Mus. Comp. Zool. 19 (1): 1-179

GÄRTNER, G. (1981): Zahnkarpfen; die Lebendgebärenden im Aquarium. Stuttgart

GHEDOTTI, M. J. & S. H. WEITZMAN (1995): Descriptions of two new species of Jenynsia (Cyprinodontiformes: Anablepidae) from Southern Brazil. Copeia (4): 939-946

GHEDOTTI, M. J. & S. H. WEITZMAN (1996): A new species of Jenynsia (Cyprinodontiformes: Anablepidae) from Brazil with comments on the composition and taxonomy of the genus. Occas. Pap. Mus. Nat. Hist. Univ. Kans. 179: 1-25

GOULD, J.L. & C. GRANT GOULD (1990): Partnerwahl im Tierreich - Sexualität als Evolutionsfaktor. New York, Heidelberg

GREEFIELD, D.W., GREENFIELD, T. A. & D. M. WILDRICK (1982): The taxonomy and distribution of the species of Gambusia (Pisces: Poeciliidae) in Belize, Central America. Copeia 1982 (1): 128-147

GREENFIELD, D. W. (1990): Poecilia teresae, a new species of poeciliid fish from Belize, Central America. Copeia 1990 (2): 449-454

GRIFFITHS, R. C. & J. K. LANGHAMMER (1992): Recommended common names for frshwater livebearing fish of the families Goodeidae, Hemiramphidae, Poeciliidae and Anablepidae. American Livebearer Assiciation, Royal Oak

GÜNTHER, R. (1990): Die Wasserfrösche Europas. Wittenberg Lutherstadt

HASEMAN, J.D. (1911): New fishes from the Rio Iguassú. Ann. Carnegie Mus., 7: 374-387 + pl. 82-83

HERRE, A. W. C. T. (1936): Eleven new fishes from the Malay Peninsula. Bull. Raffles Mus. 12: 5-28 + pl. I-XI

HEWITT, G. M. (1988): Hybrid zones - natural laboratories for evolutionary studies. Tree, 3 (7): 158-167

HIERONIMUS, H. (1991): Guppy, Platy, Molly und andere Lebendgebärende. München

HIERONIMUS, H. (1995): Die Hochlandkärpflinge. Heidelberg, Berlin, Oxford

HOLLY, M, MEINKEN, H. & A. RACHOW (unknown): Die Aquarienfische in Wort und Bild. Stuttgart

HOUDE, A. E. (1997): Sex, color and mate choice in guppies. Princeton, Chichester

HUBBS, C. (1959): Population analysis of a hybrid swarm between Gambusia affinis and G. heterochir. Evolution, 13 (2): 236-246

HUBBS, C. L. (1926): Studies of the fishes of the order Cyprinodontes. VI. Misc. Publ. Mus. Zool. Univ. Michigan, (16): 1-86

HUBBS, C., EDWARDS, R.J. & G. P. GARRETT (1991) An annotated checklist of the freshwater fishes of Texas, with keys to the identification of species. Texas Jour. of. Suppl., 43 (4): 1-56

JACOBS, K. (1969): Die lebendgebärenden Fische der Süßgewässer. Frankfurt, Zürich

JACOBS, K. (1977): Vom Guppy, dem Millionenfisch. Bd. 2: Haltung, Pflege, Hochzucht Hannover

JORDAN, D. S. & E. C. STARKS (1903): A review of the synentognathous fishes of Japan. Proc. U. S. nat. Mus., 26 (1319): 525-544

JORDAN, D.S. & C. H. GILBERT (1880): Description of a new species of Hemirhamphus (Hemirhamphus rosae) from the coast of California. Proc. U.S. Natl. Mus. V. 3 (164): 335-336

KEMPKES, M. (1994): Der Guppys wegen nach Venezuela. DGLZ-Rundschau 20:17

KEMPKES, M. (1995): Weshalb Hochzuchtguppys keine Qualzüchtung darstellen. Der Guppybrief, 4/95

KEMPKES, M. (1996): Der Guppy - Pflege und Hochzucht. Stuttgart

KNER, R. (1860): Über einige noch unbeschriebene Fische. Sitzungb. der. k. Akad. d. W. math. naturw. Cl. 39 (4): 531-547

KÜHNE, A. (1997): Der Ballon-Molly - eine Laune der Natur? DGLZ-Rundschau 24: 38

LA CEPEDE (1803): Hist. Nat. Poiss. V. 5. Paris

MANGAN, J. (ED.) (1992): Xiphophorus species; Swordtails, Platies and related species.American Livebearer Ass., Special Publ. 2

MANGAN, J. (ed.) (unknown): Guppies. American Livebearer Ass., Special Publ. 4

MEEK, S. E. (1904): The freshwater fishes of Mexico north of the isthmus of Tehuantepec. Public. Field Columbian Mus. , Zool. Ser., 5: 1-252

MEFFE, G.K. & F. F. SNELSON (ed.) (1989): Ecology & Evolution of livebearing fishes. Englewood Cliffs, New Jersey

MEYER, M. K. & H. E. PÉREZ (1990): Priapella olmecae sp. n., a new species from Veracruz (México) (Teleostei: Poeciliidae). Zool. Abh. Mus. Tierk. Dresden, 45 (12): 121-126

MEYER, M. K. & V. ETZEL (1996): Notes on the genus Priapichthys Regan,1913, sensu Radda (1985), with description of P puetzi spec. nov. from the Atlantic slope of northern Panama (Teleostei: Cyprinodontiformes: Poeciliidae). Zool. Abh. Mus. Tierk. Dresden, 49(1): 1-11

MEYER, M. K. (1983): Une nouvelle espèce de Poecilia du Guerro, Mexique (Pisces, Poeciliidae). Rev. fr. Aquariol., 10 (2): 55- 58

MEYER, M. K. (1983): Xiphophorus-Hybriden aus Nord-Mexiko, mit einer Revision der Taxa X. kosszanderi und X. roseni. Zool. Abh. Mus. Tierk. Dresden, 38 (16): 285-291

MEYER, M. K. (1993): Reinstatement of Micropoecilia Hubbs, 1926, with a redescription of M. bifurca (Eigenmann, 1909) from northeast South America. Zool. Abh. Mus. Tierk. Dresden, 47 (10): 121-130

MEYER, M. K., RADDA, A.C., RIEHL, R. & W. FEICHTINGER (1985): Poeciliopsis baenschi n. sp., une nouveau taxon deJalisco, Mexique (Teleostei, Poeciliidae) rev. fr. Aquariol., 12 (3): 79-84

MEYER, M. K., RIEHL, R., DAWES, J. A. & I. DIBBLE (1985): Poeciliopsis scarlli spec. nov., a new taxon from Michoacan, Mexico (Teleostei: Poeciliidae) Rev. fr. Aquariol., 12 (1): 23-26

MEYER, M. K., WISCHNATH, L. & W. FOERSTER (1985):   Lebendgebärende Zierfische, Arten der Welt. Melle

MILLER, R. R. & J. HUMPHRIES (unpubl.):   Working list of the native freshwater fishes of Mexico

MILLER, R. R. (1960):   Four new species of viviparous fishes, genus Poeciliopsis, from Northwestern Mexico. Occ. Pap. Mus. Zool. Univ. Mich. (619): 1-11

MOHR, E. (1926A):   Die Gattung Zenarchopterus Gill. Zool. Jahrb. Abt. Syst., 52 : 231-266

MOHR, E. (1926B):   Das Männchen von Zenarchopterus clarus Mohr. Zool. Anz. 68

MOHR, E. (1934):   Zenarchopterus-Studien. Zool. Mede. Leiden 17 (1-2): 11-14

MUKERJI, D. D. (1935):   Description of a new species of hemirhamphid fish, Dermogenys burmanicus, from lower Burma, with notes on sexual dimorphism and its taxonomic significance. Rec. Indian Mus. (Calcutta), 37: 213-218

MUNRO, I. S.R. (1955):   The marine and freshwater fishes of Ceylon. Canberra

PAEPKE, H.-J. & M. K. MEYER (1995):   On the identity of Molinesia fasciata Müller & Troschel, 1844 and M. surinamensis Müller & Troschel, 1844 (Teleostei: Poeciliidae). Ichthyol. explor. Freshwaters, 6 (3): 283-287

PARENTI, L. R. (1981):   A phylogenetic and biogeographic analysis of cyprinodontiform fishes. Bull. am. Mus. nat. Hist. 168 (4): 335-557

PARIN, N. V., COLLETTE, B.B. & Y. N. SHCHERBACHEV (1980):   Preliminary review of the marine halfbeaks (Hemiramphidae, Beloniformes) of the tropical Indo-West Pacific. Trudy Instituta Okeanologii, 97: 7-173

PETZOLD, H.G. (1988):   Der Guppy. Wittenberg Lutherstadt

RAUCHENBERGER, M., KALLMANN, K. D. & D. C. MORIZOT (1990):   Monophyly and geography of the Río Pánuco basin swordtail (genus Xiphophorus) with descriptions of four new species. Proc. Mus. Nov. 2975: 41 pp.

REGAN, C. T. (1913):   A revision of the cyprinodont fishes of the subfamily Poeciliinae. Proc. Zool. Soc. London 11: 977-1018

RIEHL, R. & H.A. BAENSCH (1991):   Aquarien-Atlas Bd. 3. Melle

RIEHL, R. & H.A. BAENSCH (1995):   Aquarien-Atlas Bd. 4. Melle

RIEHL, R. & H.A. BAENSCH (1997):   Aquarien-Atlas Bd. 5. Melle

RIVAS, L.R. (1978):   A new species of poeciliid fish of the genus poecilia from Hispaniola, with reinstatement and redescription of Poecilia dominicensis (Evermann & Clark). Northeast. Gulf Sci., 2 (2): 98-112

RIVAS, L.R. (1980):   Eight new species of poeciliid fishes of the genus Limia from Hispaniola. Northeast. Gulf Sci., 4 (1): 28-38

ROSA, R. S. & W. J. E. M. COSTA (1993):   Systematic revision of the genus Cnesterodon (Cyprinodontiformes: Poeciliidae) with the description of two new species from Brazil. Copeia 1993 (3): 696-708

ROSEN, D.E. & R. M. BAILEY (1963):   The poeciliid fishes, their structure, zoogeography, and systematics. Bull. Am. Mus. nat. Hist. 126 (1): 1-176

ROSEN, D.E. (1979):   Fishes from the uplands and intermantane basins of Guatemala: revisionary studies and comparative geography. Bull. Am. Mus. nat. Hist. 162 (5): 267-376

SCHULTZ, R. J. & R.R.MILLER (1971):   Species of the Poecilia sphenops complex in México. Copeia (2): 282-290

SCHULTZ, R. J. (1969):   Hybridization, unisexuality, and polypoloidy in the teleost Poeciliopsis (Poeciliidae) and other vertebrates. Amer. Natural. 103 (934): 605-619

SEALE, A. (1906):   Fishes of the South Pacific. Occas. Pap.Bernice P. Bishop Mus. 4 (1): 12-15

SEALE, A. (1909):   New species of philippine fishes. Phil. Journ. Sci., 4 (6): 491-543 + pl- I-XIII

SEALE, A. (1910):   Fishes of Borneo, with descriptions of four new species. Phil. Journ. Sci., 5 (4): 263-289 + pl. 1-4

SEEGERS, L. (1997):   Killifishes of the World; Old World Killis I. Mörfelden Walldorf

SEEGERS, L. (1997):   Killifishes of the World; Old World Killis II. Mörfelden Walldorf

SMITH, J. L. B. (1933):   The South African species of the genus Hemiramphus Cuv.. Trans. Roy. Soc. S. Afr., Vol. XXI: 129-150 + pl. X-XII

STANSCH, K. (1914):   Die exotischen Zierfische in Wort und Bild. Braunschweig

STEINDACHNER, R. (1867):   Ichthyologische Notizen (VI). Sitzungb. der. k. Akad. d. W. math. naturw. Cl. 61 (1. Abth.): 332-333 + Taf. I

UYENO, T, R. R. MILLER & J. M. FITZSIMONS (1983):   Karyology of the cyprinidontoid fishes of the Mexican family Goodeidae. Copeia (2): 497-510

WRIGHT, J.W. & C.H. LOWE (1967):   Hybridization in nature between pathenogenetic and bisexual species of Whiptail Lizards (Genus Cnemidophorus). Amer. Mus. Nov. 2286

Die wichtigsten Gemeinschaftenfür Lebendgebärende:
The most important associations for livebearing fishes:

Germany	Germany	United States of America
Deutsche Gesellschaft für Lebendgebärende Zahnkarpfen (DGLZ)	Deutsche Guppy-Föderation e.V (DGF)	American Livebearer Association (ALA)
Bernd Poßeckert	Helga Tischmann	Rhonda Wilson
Langhansstraße 96	Thyssenstraße 28	202 South Malcolm
D- 13086 Berlin	D- 13407 Berlin	Apache Junction AZ 85220

Skandinavia	United Kingdom	The Netherlands
Poecilia Skandinavia	Viviparous	Poecilia Netherlands
Michael Larsen	Derek Lambert	Kees de Jong
Tjelevej, Sonderholm	North Side, Spridlington Rd.	Koperslager 92
DK-9240 Nibe	Faldingworth, Markedrasen, Lincs. LN83SQ	NL- 1625 AM Hoorn
	England	

Anmerkung:
Sämtliche Angaben ohne Gewähr, Irrtum vorbehalten. Die Liste erhebt keinen Anspruch auf Vollständigkeit.

Please note:
All information without guarantee. This list may be complete.

Bilder:

Wir danken den nachfolgend aufgelisteten Spezialisten und Firmen für die freundliche Überlassung ihrer Dias und für ihre Beratung, auch denen, die wir eventuell vergessen haben zu erwähnen.

Photographs:

We would like to express our gratitude to the following specialists and companies for kindly offering us their slides and for their advice. Our thanks also go to those whose names we may have forgotten.

Dieter Bork	David Barrett
Otto Böhm	Dr. Manfred Brembach
Angel Canovas	John Dawes
Uwe Dost	Jürgen Glaser
Harro Hieronimus	Kees de Jong
Michael Kempkes	Michel Keijman
Günter Kopic	Dr. Maurice Kottelat
Horst Linke	Hans J. Mayland
E. Meinema	Juan Carlos Merino
Manfred K. Meyer	Burkhard Migge
Heiner Morche	Hidenori Nakano
Fritz Peter Müllenholz	Peter Müller
Marie-Paule & Christian Piednoir	
Eduard Pürzl	Hans Reinhard
Hans-J. Rössel	Dietrich Rössel
Frank Schäfer	Erwin Schraml
P. Schubert	Mark Smith
Ernst Sosna	Dr. Wolfgang Staeck
Bernhard Teichfischer	Frank Teigler
Uwe Werner	Ruud Wildekamp
Georg Zurlo	

Aquarium Glaser GmbH,
die uns von ihren wöchentlichen Importen immer fotogene Tiere zur Verfügung stellten.

for providing photogenic fish from their weekly imports.

amtra - Aquaristic GmbH,
für die zur Verfügung gestellten Fotobecken
for the aquaria for photography.

Tierärztliche Beratung:
Veterinary consulting
Dr. Markus Biffar,
Fach-Tierarzt + Spezialist für Fischmedizin
veterinary surgeon (fish specialist)

Der besondere Dank der Autoren gilt Dr. Bruce B. Collette, Hans-Georg Evers, Harro Hieronimus, Dr. Isaäc Isbrücker und Manfred K. Meyer für ihre Unterstützung.

Very special thanks to Dr. Bruce B. Collette, Hans-Georg Evers, Harro Hieronimus, Dr. Isaäc Isbrücker and Manfred K. Meyer for their help in several ways.

Ausführlichere Informationen über Pflege und Zucht der Fische finden Sie in Fachbüchern, Zeitschriften und der ersten und einzigen internationalen Zeitung für Aquarianer, der AQUALOGnews. In dieser Zeitung werden darüber hinaus neue und neuentdeckte Arten, Varianten und Zuchtformen als Einklebebilder - sogenannte Stickups - veröffentlicht. Diese Einklebebilder halten Ihren AQUALOG auf Jahre hinaus aktuell.

Detailed information on fish care and breeding can be found in specialist books, periodicals and in the one and only international newspaper for aquarists, the AQUALOGnews. In this newspaper we also publish newly discovered or imported species, varieties or breeding forms as stickers: the so-called Stickups. With these stickers you can keep your AQUALOG up-to-date for years and years.

Cover Photos

Frontcover:

Xiphophorus helleri „Hamburg", *Latipinna-Molly* „Marbled", *Poecilia velifera* (photo: Migge-Reinhard / A.C.S.), *Xiphophorus maculatus* „Coral", Guppy (photos: Frank Teigler / A.C.S.)

Backcover:

Anableps cf. *microlepis* (photo: F. Teigler / A.C.S.), *Xiphophorus cortezi* (photo: O. Böhm), *Xenotoca eiseni* (photo: M.P. & Ch. Piednoir), *Dermogenys ebrardtii* (photo: O. Böhm)

Symbols

In order to include as many pictures as possible, and bearing the international nature of the publication in mind, we have intentionally decided against detailed textual descriptions, replacing them by international symbols. This way, one can easily obtain the most important facts about the species and its care.

Continent of origin:

simply check the letter in front of the code-number
A = Africa   E = Europe + North America
S = South America   X= Asia + Australia

Age:

the last number of the code always stands
for the age of the fish in the photo:

1 = small   (baby, juvenile colouration)
2 = medium   (young fish / saleable size)
3 = large   (half-grown / good saleable size)
4 = XL   (fully grown / adult)
5 = XXL   (breeder)
6 = show   (show-fish)

Immediate origin:

W = wild
B = bred
Z = breeding-form
X = cross-breed

Size:

..cm = approximate size these fish can reach as adults.

Sex:

♂ male   ♀ female   ♂♀ pair

Temperature:

◁ 18-22°C (68 - 72°F) (room-temperature)
▷ 22-25°C (71 -77°F)   (tropical fish)
△ 24-29°C (75 - 85°F) (Discus etc)
▽ 10-22°C (50 - 72°F) cold

pH-Value:

Ⲣ pH 6,5 - 7,2 no special requirements (neutral)
ⵏⲢ pH 5,8 - 6,5 prefers soft, slightly acidic water
↑Ⲣ ph 7,5 - 8,5 prefers hard, alkaline water

Lighting:

○ bright, plenty of light / sun
◐ not too bright
◑ almost dark

Food:

☺ omnivorous / dry food, no special requirements
☹ food specialist, live food/ frozen food
☒ predator, feed with live fish
☉ plant-eater, supplement with plant food

Swimming:

⊞ no special characteristics
↑ in upper area / surface fish
↓ in lower area / floor fish

Aquarium- set up:

▭ only floor and stones etc.
▦ stones / roots / crevices
▦ plant aquarium + stones / roots

Behaviour / reproduction:

♥ keep a pair or a trio
≋ school fish, do not keep less than 10
🐟 egg-layer
🐟 livebearers / viviparous
🐟 mouthbrooder
🐟 cavebrooder
🐟 bubblenest-builder
◇ algae-eater / glass-cleaner (roots + spinach)
◇ non aggressive fish , easy to keep (mixed aquarium)
⚠ difficult to keep, read specialist literature beforehand
🛑 warning, extremely difficult, for experienced specialists only
θ the eggs need a special care
§ protected species (WA), special license required ("CITES")

Minimum tank: capacity:

⟦ss⟧	super small	20 - 40 cm	5 - 20 l
⟦s⟧	small	40 - 80 cm	40 - 80 l
⟦m⟧	medium	60 - 100 cm	80 - 200 l
⟦L⟧	large	100 - 200 cm	200 - 400 l
⟦XL⟧	XL	200 - 400 cm	400 - 3000 l
⟦XXL⟧	XXL	over 400 cm	over 3000 l
			(show aquarium)

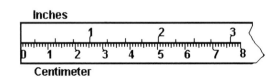

Inches

Centimeter